Helmut Schmidt

Menschen und Mächte

Helmut Schmidt
Menschen und Mächte

im
Siedler Verlag

Inhalt

China – die dritte Weltmacht

Vorrede

Dieses Buch enthält Erinnerungen und Bewertungen aus dem Umgang mit den drei überragenden Weltmächten Sowjetunion, USA und China. Es ist kein Versuch zu einer Autobiographie, denn politische Selbstbespiegelungen sind mir immer suspekt gewesen. Ihrer Natur nach stellen sie eine Verführung für den Autor dar, sich selbst fehlerlos zu sehen oder sich doch jedenfalls in besserem Lichte erscheinen zu lassen, als es dem späteren Urteil der Geschichte entsprechen kann. Allerdings haben mich Erinnerungen von Politikern wie Künstlern häufig sehr interessiert, sie haben mich zum Denken, zur kritischen Überprüfung, zur Ergänzung oder Korrektur meiner bis dahin gewonnenen Urteile angeregt.

In den nachfolgenden drei Hauptstücken schildere ich persönliche Eindrücke von Russen, Amerikanern und Chinesen und besonders meine Erfahrungen mit ihren Staatsmännern. Ich versuche, sowohl ihre als auch meine Sicht solcher Probleme darzustellen, die mein Land oder auch mich betrafen und zum Teil noch heute betreffen. Dabei sind in einigen wenigen Fällen Wiederholungen oder eine abermalige Behandlung des Themas unvermeidlich, weil der Gegenstand etwa in Washington und Moskau von gleicher Bedeutung war.

Vor allem während der Jahre meiner Zugehörigkeit zur Bundesregierung habe ich ein faszinierendes Kaleidoskop menschlicher und politischer Begegnungen erlebt: mit Staatsoberhäuptern, Regierungschefs und Ministern, mit Künstlern und Wissenschaftlern, aber auch mit Menschen, die nie im Rampenlicht gestanden haben. Es wird oft von der Einsamkeit führender Politiker oder Staatslenker geschrieben. Das Wort gibt aber nur die halbe Wahrheit wieder; denn tatsächlich habe ich in meinen Regierungsjahren viel Freundschaft erfahren, und noch häufiger habe ich ernsthafte Partnerschaft erlebt.

Gegenwärtig vollziehen sich in allen drei Weltmächten große, zum Teil erschütternde Umbrüche. Sie rechtfertigen den Versuch, aus der Sicht deutscher Interessen jene Epochen darzustellen und zu bewerten, die Mitte der achtziger Jahre in Moskau, in Washington und in Beijing an ihr Ende gelangt sind oder zu Ende gehen werden. Es ist durchaus ungewiß, ob die Veränderungen im Inneren der drei Weltmächte tatsächlich auch wesentliche Veränderungen der Welt bringen werden. Die Aussichten auf einen dauerhaft umprägenden Erfolg Gorbatschows erscheinen mir bisher noch ungewiß. Die Aussichten auf vertragliche

Rüstungsbegrenzung und vereinbartes Gleichgewicht zwischen Moskau und Washington stehen unter dem deutlichen Vorbehalt des Machtverfalls Reagans und des in kurzer Frist bevorstehenden Endes seines Amtes. Sein Nachfolger wird schwerlich ein welterfahrener Stratege sein; er wird neben unbewältigten außenpolitischen Aufgaben vor allem diejenigen Probleme übernehmen müssen, welche sich aus der ungeheuren Auslandsverschuldung der USA ergeben. In Beijing wird die Autorität Deng Xiaopings angesichts seines hohen Lebensalters nicht mehr lange für Stetigkeit des Reformkurses sorgen können. Nicht der ökonomische Riese Japan, sondern die weltwirtschaftlich einstweilen ziemlich unbedeutende Volksrepublik China wird weltpolitisch immer stärker ins Gewicht fallen – aber ihr zukünftiger Kurs ist nicht eindeutig zu erkennen. Wer die Chancen der Zukunft abschätzen will, der muß die Faktoren kennen, welche die Gegenwart bestimmen; ob und wieweit sie in die Zukunft hineinwirken, kann er freilich nur ahnen.

Ich beanspruche nicht, eine Art selbsterlebter Weltgeschichte meiner Zeit zu liefern. Vielmehr möchte ich etwas von dem weitergeben, was ich von ausländischen Gesprächspartnern gelernt oder verstanden zu haben glaube. Ich stütze mich dabei nicht auf amtliche Akten oder auf (inzwischen geöffnete) Archive, auch nicht auf Publikationen meiner Gesprächspartner. Ich bin kein Historiker. Die hier geschilderten Dialoge und Analysen beruhen auf erhalten gebliebenen eigenen Notizen. Sie wollen kein objektives Geschichtsbild ausbreiten, sondern vielmehr die Eindrücke, von denen ich ausging oder glaubte ausgehen zu sollen, und ebenso die Eindrücke und Urteile, zu denen ich gelangte.

Meine Subjektivität zu verleugnen oder meine deutsche und meine sozialdemokratische Identität zu verdrängen wäre unnatürlich. Dies ist der persönlich bestimmte Bericht eines Mannes, der am Ende des Ersten Weltkrieges geboren wurde, der als Jugendlicher – seines Elternhauses wegen – kein Nazi geworden ist, der gleichwohl als wehrpflichtiger Soldat im Zweiten Weltkrieg glaubte, übergeordnete patriotische Pflichten erfüllen zu müssen. Dies Buch gibt Einsichten und Erfahrungen eines Mannes wieder, der als Kriegsgefangener, sechsundzwanzig Jahre alt, dank des hilfreichen Einflusses sehr viel älterer Kameraden zum Sozialdemokraten wurde und relativ spät im Leben – dank der westlichen Alliierten, vor allem Englands und Amerikas – erstmals selbst Demokratie erlebte.

Von Kants kategorischem Imperativ und von Marc Aurels Selbstbetrachtungen bin ich stärker geprägt worden als von Lassalle, Engels oder Marx; am stärksten aber formten mich ältere sozialdemokratische Zeitgenossen und Freunde. Die welterfahrenen Bürgermeister Max Brauer, Wilhelm Kaisen, Ernst Reuter und Herbert Weichmann und die Führer der sozialdemokratischen Bundestagsfraktion Fritz Erler, Carlo Schmid und Herbert Wehner haben mich außenpolitisch erzogen; und was ich ökonomisch gelernt habe, verdanke ich zuallermeist Heinrich Deist, Karl Klasen, Alex Möller und Karl Schiller. Allerdings, muß ich hinzufügen, haben manche Frauen und Männer in den Führungen von Unternehmen und Gewerkschaften, in Wissenschaft und Publizistik, unter den Beamten und Soldaten sowie in den anderen Bundestagsfraktionen meiner Zeit – CDU, CSU und FDP – Einfluß auf mein Urteil und mein Handeln gehabt.

Ausländische Vorbilder und Beispiele haben mich ebenfalls stark beeinflußt. Ich habe die internationale Szenerie in der zweiten Hälfte der fünfziger Jahre als junger und unbedeutender Abgeordneter betreten – meiner hamburgischen Umwelt entsprechend als ein Anglophiler. Ende der fünfziger Jahre wurde mir dann immer deutlicher, wie eng unser Schicksal mit dem der Vereinigten Staaten verzahnt ist. In den sechziger Jahren habe ich die deutsch-französische Freundschaft als unerläßliche Vorbedingung einer europäischen Friedensordnung erkannt. Diese Friedensordnung ist mir in all den Jahren als das Wichtigste erschienen.

Die Geschichte des ersten Jahrtausends unserer Zeitrechnung hat es so gefügt, daß das deutsche Volk sich im geographischen Zentrum Europas entwickelt hat. Anders als viele der anderen Völker Europas lebt es weder auf einer Insel oder Halbinsel noch hinter natürlichen Barrieren, sondern in einem offenen, flachen Land, das vergleichsweise dicht besiedelt ist. Wir Deutschen haben mehr fremde Völker zu Nachbarn als irgendein anderes Volk in Europa. Auf der ganzen Welt werden höchstens Rußland und China von ähnlich vielen Nachbarn umgeben; aber Rußland und China sind Riesenreiche. Deutschland hingegen ist klein, und die deutsche Nation ist heute als Folge von Hitlers total geführtem und total verlorenem Kriege geteilt. Auschwitz und Holocaust werden im Bewußtsein unserer Nachbarn noch sehr lange ihre Schatten werfen – auf alles, was die nachgeborenen Deutschen unternehmen.

Ich war immer von dem natürlichen Recht jedes Volkes auf Selbstbestimmung überzeugt. Wenn je im Laufe des nächsten Jahrhunderts wir Deutschen wieder zueinanderfinden sollten, so wird dies allerdings nicht gegen den Willen unserer Nachbarn geschehen können, nicht ohne deren Vertrauen in den verläßlichen Willen und in die stetige Fähigkeit der Deutschen zu friedlicher Nachbarschaft.

Wenn Deutsche und Russen von guter, vertrauensvoller Nachbarschaft noch eine ziemliche Wegstrecke entfernt sind, so trifft nicht uns allein die Schuld. Viele Völker Europas, nicht nur wir Deutschen, fühlen sich von der sowjetischen Besetzung der östlichen Hälfte Europas bedroht – das gilt zumal für die osteuropäischen Völker. Das expansive Sicherheitsstreben der Sowjetunion wie auch ihr Streben nach internationaler Ausbreitung der kommunistischen Ideologie hat Unsicherheit und latente Bedrohung geschaffen; aus dieser Situation erwuchs die atlantische Allianz Westeuropas mit Nordamerika. Umgekehrt sehen sich manche Russen ebenfalls bedroht – zu Unrecht, jedenfalls soweit sie Deutschland als mögliche Gefahrenquelle ansehen. Dennoch verstehe ich die Sowjetrussen durchaus, denn sie haben in Hitlers Krieg zwanzig Millionen Menschen verloren. Die Völker der Sowjetunion wünschen sich den Frieden genauso wie wir; diesen Wunsch teilen auch ihre kommunistischen Führer.

Wir Deutschen brauchen, jener latenten Bedrohung wegen, das Bündnis mit anderen demokratisch geordneten Staaten, mit den Vereinigten Staaten von Amerika und mit unseren westeuropäischen Freunden. Zugleich aber müssen wir um gute Nachbarschaft mit den Sowjets, mit den Polen und den anderen Anrainern in der östlichen Hälfte des Kontinents bemüht sein. Diese doppelte Aufgabe ist ungeheuer schwierig. Sie unbeirrbar zu verfolgen, weckt von Zeit zu Zeit Argwohn gegen uns Deutsche – mal im Osten, mal im Westen. Auch davon wird in diesem Buche zu berichten sein.

Seit Beginn der siebziger Jahre ist die Bundesrepublik nicht länger mehr ein politischer Zwerg. Unser Sechzig-Millionen-Staat hat nicht nur eine der großen, der leistungsfähigsten Volkswirtschaften der Welt entwickelt, er hat in den siebziger Jahren auch gelernt, eine seinem Gewicht und seiner geographischen und geschichtlichen Situation entsprechende politische Rolle in der Welt zu spielen. Dies war kein einfacher Prozeß. Viele Staatslenker, auch außerhalb unserer unmittelbaren geographischen Nachbarschaft, haben dabei geholfen – wie sie umgekehrt auch unsere Hilfe in Anspruch genommen haben.

Ich habe mir in über drei Jahrzehnten parlamentarisch-politischer Arbeit – in mehr als acht Kanzlerjahren, in dreizehn Jahren der Zugehörigkeit zur Bundesregierung und auch seither – immer Mühe gegeben, zur Verständigung zwischen den Völkern beizutragen. Die Aufgabe bleibt riesenhaft und stellt sich für jede Generation erneut. Denn der Frieden wird nicht ein für allemal hergestellt, er muß vielmehr immer wieder neu gestiftet werden. Ihm in meiner Generation zu dienen habe ich als meine wichtigste Pflicht angesehen. Ich weiß: meine Gesprächspartner jenseits der Grenzen sahen ihre Aufgabe nicht viel anders. Dennoch führen Interessenkonflikte, Fehlinterpretationen eigener und fremder Interessen, aber auch innenpolitische Zwänge immer wieder zu gefährlicher Zuspitzung. Deshalb ist es nötig, die Interessen, die Ängste und die Hoffnungen der anderen Völker und ihrer Regierungen zu erkennen. Wer von Feindbildern ausgeht, der kann den Frieden nicht stiften. Wer mit den anderen nicht redet und wer ihnen nicht zuhört, der kann sie nicht verstehen. Dies Buch ist vor allem ein Ergebnis des Gesprächs mit den Staatsmännern der Weltmächte. Ich bin ihnen dankbar.

Außerdem liegt mir am Herzen, für Anregungen und Kritik meinen Dank denjenigen auszusprechen, die mir bei der Korrektur des Manuskriptes geholfen haben, nämlich Kurt Becker, Willi Berkhan, Klaus Bölling, Gerd Bucerius, Jens Fischer, Manfred Lahnstein, Ruth Loah, Hans Matthöfer, Lothar Rühl, Eugen Selbmann, Manfred Schüler, Horst Schulmann, Walter Stützle und meiner Frau. Nicht alle Kritik habe ich aufgenommen; die Verantwortung für Fehler und Mängel in Erinnerung und Urteil fällt allein auf mich.

Ich habe das Manuskript 1984 begonnen und habe es – anderer laufender Arbeiten wegen – erst jetzt abschließen können. Ich hoffe noch Zeit genug zu haben, in einem weiteren Band meine Eindrücke im Umgang mit den Staaten Europas und seinen Staatslenkern vorzulegen, vor allem mit dem Blick auf Frankreich und auf Europa als Ganzes.

Hamburg, im April 1987 *Helmut Schmidt*

Teil I

Mit den Russen leben

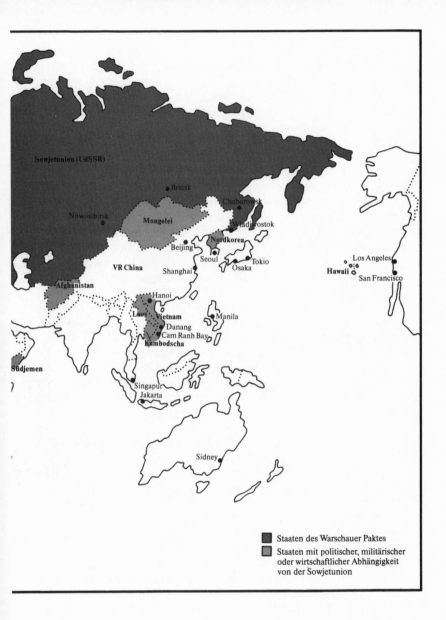

Staaten des Warschauer Paktes

Staaten mit politischer, militärischer oder wirtschaftlicher Abhängigkeit von der Sowjetunion

Im Mai 1973 traf ich in der damaligen Amtswohnung des Bundeskanzlers Brandt zum ersten Mal den sowjetischen Generalsekretär Breschnew. Das war der Beginn eines sehr besonderen und
persönlichen Verhältnisses zwischen einem emotionalen,
zugleich aber der politischen Kalkulation durchaus fähigen
Großrussen und einem zwar kühlen, aber keineswegs emotions-
freien Norddeutschen. Brandt gab ein kleines, eher privates
Abendessen für vielleicht zehn oder zwölf Personen. Da sich
Brandt und Breschnew – wie auch die beiden Außenminister
Scheel und Gromyko – in den vorangegangenen Jahren schon
mehrfach begegnet waren, verlief die Unterhaltung locker und
informell, wenngleich sie natürlich konsekutiv, das heißt absatz-
weise gedolmetscht und deshalb vielfach unterbrochen werden
mußte. Konsekutive Übersetzung schafft unvermeidlich Zwangs-
pausen, in denen man Zeit hat, seine Gedanken sorgfältig zu
ordnen. Das Gespräch verliert dadurch an Spontaneität, gewinnt
aber zugleich an Klarheit.

Im Laufe des Abends geriet Breschnew – ob kalkuliert oder aus
einer momentanen Stimmung heraus, blieb mir unklar – in einen
Monolog über die Leiden der Völker der Sowjetunion während
des Zweiten Weltkrieges. Besonders die Menschen in der
Ukraine, wo er selber als Generalmajor Politkommissar der
18. Armee gewesen war, hätten unsäglich gelitten. Breschnew
steigerte sich in eine bewegte und bewegende Schilderung
immer neuer Details der Verluste, der Greuel des Krieges und
auch der völkerrechtswidrigen, verbrecherischen Untaten der
Deutschen, die er ständig »die faschistischen Soldaten« oder »die
faschistischen Invasoren« nannte.

Ich hatte den gleichen Krieg miterlebt; ich wußte, wie recht er
hatte; ich wußte auch, wie sehr er im Recht war, so zu reden –
obgleich er an einigen Stellen zu übertreiben schien. Ähnlich
muß es Willy Brandt und den anderen anwesenden Deutschen
gegangen sein, denn wir alle hörten Breschnew respektvoll eine
sehr lange Zeit zu. Es lag ihm daran, dies war uns deutlich, seinen
Gastgebern die große Wende fühlbar zu machen, die große
Selbstüberwindung, die es ihn und die Russen gekostet hatte,
sich zur Zusammenarbeit mit der Bundesrepublik Deutschland,
zum Moskauer Gewaltverzichtvertrag und zum Viermächteabkommen über Berlin zu entschließen – und zum Besuch in Bonn,
bei den ehemaligen Feinden.

Ich selbst dachte bei Breschnews Schilderungen an meine
eigene Kriegszeit, die inzwischen mehr als drei Jahrzehnte
zurücklag. Ich erinnerte mich an den Geruch im brennenden
Sytschewka, an die Leichen an den Straßenrändern; meine Bat-
terie hatte immer wieder Befehl bekommen, mit 2-cm-Flakge-

schützen die Dörfer in Brand zu schießen, um feindliche Widerstandsnester an den Dorfrändern auszuräuchern. Ich erinnerte mich an mein verständnisloses Entsetzen, als ich einmal in einem rückwärts gelegenen Versorgungsstützpunkt die unmenschlichen Bedingungen eines Gefangenentransportes erlebte, und an den Kommissarbefehl, dessen Vollzug wir zwar nicht miterleben mußten, von dessen Durchführung, nämlich der Erschießung der gefangenen Kommissare, wir jedoch wußten. Ich dachte an unsere Scheu vor jeder persönlichen Berührung mit kriegsgefangenen russischen Soldaten; mir fiel die gegenseitige Angst wieder ein, welche deutsche Soldaten und russische Zivilbevölkerung voreinander hatten, als wir nach Einbruch des Winters 1941 schließlich doch Zuflucht in den Häusern suchten, um zu schlafen – die Deutschen auf dem Fußboden und die Russen auf dem Ofen. Ich erinnerte mich an unsere eigenen Ängste; an mein tiefes Erschrecken über die grauenhaften Schreie eines an einer schweren Unterleibsverwundung sterbenden Kameraden. Aus dem Vergessen stieg wieder meine panische Angst, als wir im Dezember 1941 bei Klin abgeschnitten und eingekesselt waren und uns die Gefangenschaft bevorzustehen schien. Breschnew hatte recht: Der Krieg war schrecklich gewesen, und wir Deutschen hatten ihn in sein Land getragen.

Aber er hatte zugleich unrecht in seiner Einseitigkeit; nicht nur deutsche, auch russische Soldaten hatten Greueltaten an ihren damaligen Feinden begangen. Und er hatte unrecht, wenn er in den ehemaligen deutschen Soldaten Faschisten sah. Die große Masse deutscher Soldaten, ihre Unteroffiziere, Offiziere und Generale waren sowenig Nazis gewesen wie die große Masse unserer damaligen Feinde Kommunisten; auf beiden Seiten hatte man geglaubt, seinem Vaterland dienen und es verteidigen zu müssen. Seit langem wußte man, daß die Oberbefehlshaber hier wie dort rücksichtslos waren. Breschnew klagte allein Hitler an; wußte er nicht oder wollte er nicht wissen, daß auch Stalin manchen seiner Feinde hatte umbringen lassen? Ich dachte keineswegs daran, die beiden Männer miteinander zu vergleichen; auch hatte Breschnew keine Veranlassung, über sowjetische Kriegsverbrechen zu reden. Gleichwohl entschloß ich mich, ihm zu widersprechen.

Nein, eigentlich nicht zu widersprechen, aber doch ihm und seiner Begleitung die andere Seite des Krieges vor Augen zu führen. Breschnew hatte vielleicht zwanzig Minuten gesprochen. Ich begann leise und zurückhaltend, aber ich sprach fast genauso lange. Willy Brandt ließ den ehemaligen deutschen Soldaten gewähren, der noch vor kurzem Inhaber der Befehls-und Kommandogewalt über die Bundeswehr gewesen war.

19

Ich räumte ein, wie sehr Breschnew im Recht sei, aber ich widersprach dem Wort von den faschistischen Soldaten. Ich schilderte die Lage meiner Generation: Nur wenige von uns seien Nazis gewesen und hätten an den »Führer« geglaubt, es seien Ausnahmen gewesen; die meisten von uns hätten es jedoch als Pflicht empfunden, die Befehle ihrer militärischen Vorgesetzten zu befolgen; diese hätten im übrigen ebenso gedacht, auch von ihnen seien die wenigsten Nazis gewesen. Während meiner acht Jahre in der Wehrmacht hatte ich in der Tat keinen einzigen überzeugten Nationalsozialisten als Vorgesetzten oder Kommandeur gehabt. Wohl aber war ich zum Patrioten erzogen worden.

Ich erinnerte Breschnew an jene Offiziere, die einerseits als Patrioten gegen den Feind, andererseits aber gegen Hitler gekämpft hatten, bereit zum Hochverrat, nicht aber zum Landesverrat. Ich sprach vom Sterben in den zerbombten Städten, vom Elend auf der Flucht und während der Vertreibung; davon, daß wir an der Front oft wochenlang nicht wußten, ob unsere Eltern, Frauen und Kinder zu Hause noch lebten. Während wir nachts Hitler und den Krieg verfluchten, erfüllten wir tagsüber als Soldaten unsere Pflicht. Ich machte unseren sowjetischen Gästen die Schizophrenie deutlich, in der wir jungen deutschen Soldaten den Krieg durchgestanden und durchgelitten hatten.

Ob dies alles für Breschnew neu war, habe ich nicht erkennen können; wohl aber konnte ich sehen, daß er seinerseits aufmerksam zuhörte. Wahrscheinlich hat jener Austausch bitterer Kriegserinnerungen wesentlich zu dem gegenseitigen Respekt beigetragen, der unser Verhältnis in den Jahren zwischen 1974, dem Jahr meines ersten Besuches bei ihm, und 1982 gekennzeichnet hat, dem Jahr seines Todes und meines Ausscheidens aus dem Amt des Bundeskanzlers. In diesen acht Jahren sind wir noch zwei- oder dreimal auf jenes erste Gespräch im Mai 1973 zurückgekommen. Als ich im Sommer 1980 während einer ziemlich dramatischen Begegnung im Kreml einmal die Bemerkung machte: »Herr Generalsekretär, ich habe Sie niemals belogen«, unterbrach Leonid Breschnew mich spontan, indem er einwarf: »Das ist wahr.«

Zur Zeit der oben geschilderten Unterhaltung im Jahre 1973 hatte ich zwei Jahrzehnte Bundespolitik hinter mir; ich hatte mir als Abgeordneter des Bundestages, als Fraktionsvorsitzender und als Verteidigungsminister ein Bild von der Welt erarbeitet, das die historische Entwicklung Rußlands ebenso einschloß wie die gegenwärtige machtpolitische Rolle der Sowjetunion. Weder die im Jahre 1967 von der Atlantischen Allianz beschlossene dop-

Handschriftliche Notiz
Breschnews während sei-
nes Bonner Besuches im
Mai 1973; Breschnew bit-
tet den Finanzminister
Helmut Schmidt um
»Bewilligung zusätzlicher
Mittel, damit wir weiter-
trinken können«.

pelte Gesamtstrategie des Westens à la Harmel noch Richard Nixons Rüstungsbegrenzungspolitik gegenüber der Sowjetunion nach 1968 noch Willy Brandts Ostpolitik seit Beginn seiner Kanzlerschaft im Herbst 1969 waren für mich neuartige Überlegungen gewesen. Im Gegenteil: ich hatte schon lange ähnliche Vorstellungen vertreten – in Reden im Bundestag und auf Parteitagen meiner Partei, in zwei Büchern über Strategie und als Mitglied des Ministerrates des Nordatlantischen Bündnisses.

Ich war seit langem ein überzeugter Verfechter der doppelten Notwendigkeit, sowohl die weitere Expansion der Sowjetunion durch gemeinsame Verteidigungsfähigkeit des Westens einzudämmen als auch – auf der Basis der so hergestellten eigenen Sicherheit – mit der Sowjetunion zu kooperieren, und zwar nicht nur auf dem Felde der Rüstungsbegrenzung und des wirtschaftlichen Austausches, sondern hoffentlich eines Tages auch auf der kulturellen Ebene. Mit einem Wort: Ich vertrat eine Gesamtstrategie des Gleichgewichts und des Interessenausgleichs zwischen West und Ost.

Als ich im Oktober 1974 im Rahmen einer Verabredung, die noch Brandt und Breschnew getroffen hatten, das erste Mal als Bundeskanzler die Hauptstadt der Sowjetunion besuchte, wird es in Moskau gewiß sorgfältig erarbeitete Dossiers über die Auffassungen des neuen Bundeskanzlers gegeben haben. Man hatte gewiß geprüft, wo und wann der junge Kriegsoffizier im Verband der ersten Panzerdivision 1941 und 1942 eingesetzt worden war und ob er sich dabei möglicherweise etwas hatte zuschulden kommen lassen. Man hatte gewiß Aufzeichnungen über einen privaten Urlaubsbesuch, den ich – zusammen mit meiner Frau Loki, meiner Tochter und meinem Mitarbeiter Wolfgang Schulz – im Sommer 1966 in Moskau und Leningrad gemacht hatte.

Es war eine interessante Reise gewesen: Am Steuer meines Opel-Rekord, ausgestattet mit teuren Intourist-Gutscheinen, war es von Nürnberg über Prag, Breslau, Warschau nach den beiden russischen Metropolen und zurück über Helsinki gegangen, insgesamt 5000 Kilometer. Die sowjetischen Polizisten entlang der offiziellen Route notierten jeweils unser Eintreffen und berichteten umgehend telefonisch, was uns nicht verborgen blieb; sie haben sicherlich auch über die Gegenstände unseres Interesses und über unsere Gesprächspartner berichtet. Mir sind die erzenen Tore der Kathedrale im Kreml von Nowgorod und vor allem die städtebauliche Schönheit Leningrads in besonders guter Erinnerung: die hellen Mittsommernächte in der sehr europäisch wirkenden Stadt am Finnischen Meerbusen, ihre schönen Kanäle und Kais – und natürlich der nahezu unvergleichliche Kunstreichtum der Eremitage.

Im Sommer 1966 unter-
nahm Helmut Schmidt
eine private Reise durch
den Westteil der Sowjet-
union; das Photo zeigt
ihn zusammen mit Frau
Loki und Tochter
Susanne vor der Basilius-
Kathedrale auf dem
Roten Platz.

Oben: in der Moskauer
U-Bahn; unten: auf dem
Markt in Nowgorod.

Das sowjetische Außenministerium hatte dem stellvertretenden Fraktionsvorsitzenden der SPD durch einige sorgfältig ausgesuchte sowjetische Journalisten in ausführlichen Gesprächen auf den Zahn fühlen lassen; schließlich hatte es ein dreistündiges Gespräch mit dem damaligen stellvertretenden Außenminister Semjonow gegeben. Semjonow war später zu meiner Kanzlerzeit Botschafter in Bonn; er versteht viel von deutscher Kunst, von deutscher Geschichte und von deutschen Interessen. Er hatte das Gespräch 1966 immer wieder auf die wirtschaftliche Entwicklung seines Landes gebracht und den Gedanken wirtschaftlicher Zusammenarbeit mit dem Westen angesprochen. Ich war darauf eingegangen, hatte den Schwerpunkt des Gesprächs aber auf die Stabilisierung eines strategischen Gleichgewichts in Europa gelegt und auf Gewaltverzichtvereinbarungen der Bundesrepublik mit der Sowjetunion und den einzelnen osteuropäischen Staaten. Die Grenzen der DDR hatte ich dabei einbezogen; besonders an diesem Punkt zeigte sich Semjonow interessiert, ließ sich aber zu keiner Stellungnahme verlocken.

Es muß also 1974 in Moskau genug zuverlässige Quellen über meine Auffassungen der wechselseitigen Interessenlage gegeben haben. Sicher lagen entsprechende Aufzeichnungen auch aus dem Jahre 1969 vor, als meine engen Freunde Alex Möller, Egon Franke und ich, damalige Führungspersonen der sozialdemokratischen Bundestagsfraktion, zu einem quasi-offiziellen Besuch in Moskau gewesen waren. 1969 war ein Wahljahr; die große Koalition in Bonn neigte sich dem Ende zu, die außenpolitischen Meinungsverschiedenheiten zwischen Bundeskanzler Kiesinger und Außenminister Brandt wurden zunehmend unüberbrückbar. Wir hielten einen Regierungswechsel und eine Übernahme der Kanzlerschaft durch Willy Brandt für denkbar und wollten sondieren, ob sich danach eine Möglichkeit für eine Normalisierung des Verhältnisses zwischen Bonn und Moskau eröffnen ließ. 1969 hatten die Moskauer Gesprächspartner höheren Rang als drei Jahre zuvor. Es waren mehrere wichtige ZK-Mitglieder sowie Mitarbeiter des Politbüros und des Außenministeriums dabei gewesen, darunter Valentin Falin, der spätere Botschafter in Bonn, ein Mann mit konzeptioneller Begabung. Vor allem aber hatte uns Gromyko im Spiridonow-Palais zu einem ausführlichen Gespräch empfangen; da Gromyko damals dem Politbüro noch nicht angehörte, waren wir außerdem von dem Politbüro-Mitglied Poljanskij empfangen worden.

Im Gespräch mit Gromyko hatte ich praktisch die spätere Ostpolitik der Regierung Brandt/Scheel skizziert, ohne zu wissen, ob es je eine solche Regierung geben würde. Ich hatte zur Eröffnung deutlich gemacht, die Deutschen würden nie auf die Hoffnung verzichten, in *einem* Hause zu leben; sie seien überzeugt, vor der Geschichte dieses Recht zu besitzen. Aber angesichts der tatsächlichen Lage seien wir bereit, auf der Grundlage der Gleichberechtigung Verträge mit der DDR zu schließen, darunter einen völkerrechtswirksamen Gewaltverzichtvertrag, der alle Grenzen der DDR einschließe. Gromyko hatte sich dazu nicht geäußert, statt dessen hatte er vor allem von West-Berlin gesprochen: in dieser Hinsicht seien unsere Standpunkte grundsätzlich verschieden.

Im ganzen hatte das Gespräch viele aktuelle und prinzipielle Fragen der internationalen Politik behandelt. Am Ende hatte Gromyko von den Deutschen mehr Elastizität und Flexibilität gefordert, und ich hatte geantwortet: »Elastizität kann dann eine Tugend sein, wenn sie mit festen moralischen Prinzipien gepaart ist. Aber politische Vorteile bringt sie nur dann, wenn beide Partner Elastizität zeigen.« Das Gespräch mit Poljanskij war ähnlich verlaufen, wenn auch kursorischer.

Alle Äußerungen wurden auf beiden Seiten sorgfältig festgehalten und gewiß für das »Dossier Schmidt« ausgewertet, das Leonid Breschnew bei meinem fünf Jahre später stattfindenden ersten amtlichen Besuch studiert haben dürfte.

In diesem Dossier wird wohl auch mein Buch über die »Strategie des Gleichgewichts« aus dem Jahre 1969 eine Rolle gespielt haben, in dem ich unter anderem die machtpolitische und militärische Rolle der Sowjetunion gegenüber ihren eigenen Verbündeten (unter der Kapitel-Überschrift »Breschnew-Doktrin«), gegenüber dem Westen und speziell gegenüber Deutschland analysiert und Schlußfolgerungen für die Außen- und Verteidigungspolitik meines eigenen Landes gezogen hatte. Schließlich werden die sowjetischen Militärs meine Zielsetzungen, Handlungsweisen und Äußerungen während der drei Jahre meiner Amtszeit als Verteidigungsminister studiert haben.

Ich war entschieden für die Festigung des westlichen Bündnisses und für innere Reform und Stärkung der Bundeswehr eingetreten. Ich hatte für jedermann nachlesbar zum ersten Mal ein umfangreiches »Verteidigungs-Weißbuch« veröffentlicht, das mein Freund Theo Sommer an der Spitze des Planungsstabes auf der Hardthöhe nach vielen Informations- und Diskussionskonferenzen mit Vertretern der Truppe wie der militärischen Führung erarbeitet hatte.

Schließlich hatte ich mich in den turbulenten Ratifikationsdebatten des Bundestages im Frühjahr 1972 über die Ostverträge der Regierung Brandt/Scheel vehement für die Ratifikation eingesetzt und ihre Notwendigkeit aus meiner gesamtstrategischen Sicht der Sowjetunion begründet. Vermutlich paßte ich 1974 für

Am 21. und 22. August 1969 führte die Spitze der SPD-Bundestagsfraktion in Moskau sondierende Gespräche über die Möglichkeit einer Normalisierung des Verhältnisses zwischen den beiden Staaten; von links: Helmut Schmidt, Alex Möller und Egon Franke. Rechts der damalige Moskaukorrespondent der ARD, Lothar Loewe.

Am Nachmittag des 21. August wurde die Delegation von Außenminister Gromyko empfangen. Auf dem oberen Bild ist links Eugen Selbmann, rechts der spätere Botschafter in Bonn, Valentin Falin, zu sehen; unten von links: Möller, Selbmann, Schmidt, der Dolmetscher, Gromyko.

die Beraterstäbe in Moskau weder in die Klischees vom angeblichen deutschen »Militarismus« oder »Revanchismus«, noch kann ich ihnen als ein Mann des »Appeasement« oder der Anpassung erschienen sein. Wahrscheinlich hatten sie eine im großen und ganzen zutreffende Einschätzung meiner Vorstellungen.

Gewiß hatten die Sowjets noch präzisere Bilder von meinem Amtsvorgänger Willy Brandt, von dessen Außenminister Walter Scheel und von Brandts Unterhändler, dem damaligen Staatssekretär Egon Bahr. Daß Scheel in das Amt des Bundespräsidenten aufrückte und Bahr in meinem ersten Kabinett Bundesminister wurde, mögen sie als Zeichen deutscher Kontinuität gesehen haben. Das Ausscheiden Brandts gab ihnen gleichwohl ein politisches Rätsel auf, zumal sie den neuen Außenminister Hans-Dietrich Genscher kaum kannten.

Einer der entscheidenden Faktoren für die Bonner Ostpolitik war seit 1969 der sozialdemokratische Fraktionsvorsitzende Herbert Wehner; dreizehn Jahre lang hat er sich, in Übereinstimmung mit seinem freidemokratischen Kollegen Wolfgang Mischnick und engstens assistiert von seinem außenpolitischen Mitarbeiter, meinem Freunde Eugen Selbmann, für den stetigen Fortgang der deutschen Ostpolitik eingesetzt. Besonders an unserer Politik gegenüber Moskau und Ost-Berlin hat Wehner einen hohen Anteil, den allerdings weder die Sowjets noch die öffentliche Meinung in Deutschland in vollem Umfang erkennen konnten.

Herbert Wehner war als Politiker eine unerhörte Allroundbegabung. Jean Monnet, Henry Kissinger, später Erich Honecker und manch anderer Beobachter der deutschen Politik haben das verstanden. Er hatte als ehemaliger deutscher Kommunist nach 1933 in Moskau unter der stalinistischen Ära sehr gelitten, hatte sich losgesagt und war nach 1945 – von Kurt Schumacher mit großem Vertrauen empfangen – als Sozialdemokrat nach Deutschland zurückgekehrt. Ich habe ihn 1946 als Redakteur des »Hamburger Echos« kennengelernt und bin ihm von 1953 an im Bonner Parlament täglich begegnet. Er war es, der im Juni 1960 – nach geistiger Vorbereitung durch Fritz Erler, Carlo Schmid, durch ihn selbst und andere – die außenpolitischen Vorstellungen meiner Partei endgültig auf den Boden der inzwischen vollzogenen Tatsachen stellte: Nordatlantikpakt, Europäische Gemeinschaft, Bundeswehr.

Wehners innere Bindung an die Werte des Westens, an die Werte der demokratischen Gesellschaft und der Freiheit des einzelnen, konnte kein anständiger Beobachter in Zweifel ziehen – allerdings haben einige innenpolitische Gegner immer wieder versucht, seine Glaubwürdigkeit herabzusetzen. Wehners Temperament und zeitweilige Schroffheit boten dafür bisweilen Anlässe; vor allem auf der Rechten mißtraute man seinem beharrlichen Eintreten für einen Ausgleich mit der Sowjetunion und seinem stetigen Engagement für Schritte in Richtung auf eine dereinstige Vereinigung der Deutschen unter einem gemeinsamen Dach. Konrad Adenauer hatte ihm Respekt entgegengebracht; ich hingegen – trotz einiger heftiger Auseinandersetzungen – liebte diesen Mann; er erschien mir als Garant einer lebenskräftigen Synthese aus einer sozialen, demokratischen Innenpolitik und einer auf den engen Zusammenhalt mit dem Westen gegründeten Ostpolitik. Als ich 1969 Verteidigungsminister werden sollte, habe ich zur Bedingung gemacht, daß Wehner – bis dahin Bundesminister – an meiner Stelle den Vorsitz der sozialdemokratischen Bundestagsfraktion übernahm. Ich wollte sicher sein, den Rücken frei zu haben. Ich habe mich in dieser Erwartung nicht getäuscht.

Herbert Wehner konnte notfalls mit dem Holzhammer arbeiten, aber zugleich besaß er ein hohes Einfühlungsvermögen für andere, besonders für Menschen in Not. Er soll einmal über Rußland gesagt haben, er liebe dieses Land, weil es soviel erleiden mußte. Er mag 1969 und noch 1974, zur Zeit meines ersten Moskauer Besuches als Bundeskanzler, der sowjetischen Führung als Abtrünniger suspekt gewesen sein; wahrscheinlich hat man in Moskau wie in Ost-Berlin erst später seine Bedeutung für unsere Ostpolitik verstanden. Ich hingegen wußte: Wehners ostpolitische Vorstellungen waren schon klar gewesen, bevor Willy Brandt die seinigen entwickelte und bevor dessen damaliger Berliner Mitarbeiter Egon Bahr in der ersten Hälfte der sechziger Jahre vom »Wandel durch Annäherung« sprach. Ich habe in der ganzen Zeit meiner Kanzlerschaft meine Politik jede Woche mit Herbert Wehner abgestimmt, besonders intensiv meine Ostpolitik – und ich habe mich immer auf ihn verlassen können.

Russisch-sowjetische Kontinuität

Meine Vorstellungen von der Sowjetunion in den sechziger und siebziger Jahren unterscheiden sich nur in aktuellen Details, nicht aber grundsätzlich von meinem heutigen Urteil. Mir sind Außenpolitik und Gesamtstrategie der Sowjetunion in vielerlei Hinsicht immer als eine geradlinige Fortsetzung und Ausfächerung der Politik des alten Rußland vom 16. über das 17. bis zum 18. und 19. Jahrhundert erschienen. Grob vereinfacht gesagt, für mich waren und sind drei Viertel der Moskauer Gesamtstrategie russisch-traditionell, ein Viertel kommunistisch.

Lenin – und ebenso Stalin – haben Iwan IV., den »Schrecklichen«, vermutlich zu Recht als den eigentlichen Begründer des absolutistisch-zentralistisch regierten großrussischen Staates betrachtet. Iwan IV., 1530 geboren, nahm 1547 den Zarentitel an und führte den ersten russischen Eroberungskrieg über die alten Grenzen des Kiewer Reichs hinaus, der mit dem Sieg über die tatarischen Wolgafürstentümer Kazan und Astrachan endete. Damit begann die Geschichte der Reichserweiterungen, die eine weitgehende Russifizierung der fremden Völkerschaften mit sich brachte, auch Zwangsumsiedlungen, etwa um Nowgorod, Twer oder Pskow (Pleskau) fest unter Botmäßigkeit zu bringen. Das brutale Instrument der Zwangsumsiedlung hat nicht Stalin erfunden; Peter I. und Katharina II. haben vorher das gleiche getan. Die russische Expansion richtete sich auf das Baltikum, auf die Ostsee also, dann auf Polen, die Schwarzmeerküste, schließlich den Balkan; auch Konstantinopel, der Bosporus und die Dardanellen lagen oft im Blickfeld. Zugleich hatte man den Kaukasus im Auge, die untere Wolga, das Kaspische Meer, Taschkent und Samarkand, Turkestan und Afghanistan. Am Horizont lockten die unermeßlichen Weiten des nördlichen Asiens bis an den Pazifik und über die Beringstraße hinaus Alaska, dann mongolische, chinesische, schließlich japanische und ganz zum Schluß auch deutsche Gebiete. Neuerdings sind politische Stützpunkte im Nahen Osten, in Afrika und Lateinamerika hinzugekommen.

Ob unter Iwan IV., Peter I. oder Katharina II., unter Stalin, Chruschtschow oder Breschnew: trotz mancher Rückschläge ist der russische Drang zur Expansion nie wirklich erloschen. Ihm liegt ein moskauzentrischer Messianismus zugrunde, welcher der russischen Staatsidee inhärent geblieben ist. Als Konstantinopel 1453 von den Türken erobert wurde und damit das oströmische Zentrum der Christenheit verlorenging, erklärte sich Moskau zum »Dritten Rom« – »... und ein viertes Rom wird es nicht geben«. Die Heilsgewißheit erschien in anderer Form in der zweiten Hälfte des 19. Jahrhunderts als moskauzentrischer Panslawismus und erneut im 20. Jahrhundert als weltrevolutionärer moskauzentrischer Kommunismus.

Entweder die Wendung zum humanistischen und liberalen Geist Westeuropas oder aber eine bewußte Hingabe an den russischen Messianismus – mit all seinen Gefahren: so ließe sich die Alternative Rußlands im 19. Jahrhundert umschreiben. In der Literatur vertritt Turgenjew die erste, Dostojewski die zweite, die

Hauptströmung russischen Denkens – obgleich die Obrigkeit ihn erst zum Tode verurteilte und dann nach Sibirien verbannte. Vor einer vergleichbaren Frage stehen auch die heutigen Dissidenten in der Sowjetunion. Aber alle Russen, die sich angesichts dieser Frage für die Freiheit der Person und die Unverletzlichkeit ihrer Würde, für die Herrschaft des Rechts und für die offene Gesellschaft entschieden haben, welche die Unterordnung des einzelnen unter einen kollektiven Willen ablehnen und seine Grundrechte höher bewerten als den Anspruch des Staates oder seiner Herrscher – alle diese Russen waren bisher immer eine Minderheit, eine politisch zumeist bedeutungslose Randgruppe. Es erscheint mir fraglich, ob sich dies unter Gorbatschow wesentlich ändern kann – sosehr ich es hoffen möchte.

Die europäische Aufklärung, die Ideen des Rechtsstaates und der Demokratie haben die politische Entwicklung Rußlands nur wenig beeinflußt. Peter der Große hat – ähnlich wie in der zweiten Hälfte des 19. Jahrhunderts Meiji-Tenno in Japan – sein Land zielstrebig der westeuropäischen Wissenschaft und Technik geöffnet; aber er hat – ähnlich wie Meiji-Tenno – den Geist seines Volkes nicht entscheidend verändert; er wollte sich des westlichen Beispiels vielmehr bedienen, um den damaligen europäischen Großmächten ebenbürtig zu werden.

Der russisch-sowjetische Expansionsdrang läßt sich mit dem gleichen Recht als Imperialismus begreifen, wie man das im Falle anderer Weltreiche getan hat, ob es die Imperien der Portugiesen, der Spanier oder der Engländer, das antike Rom oder die USA gewesen sind, deren Errichtung weitestgehend auf unfriedlicher Landnahme beruhte. Wenn im Westen vom sowjetischen Imperialismus die Rede ist, so ist die moralische Verurteilung unüberhörbar. Zur Zeit der Entstehung früherer Weltreiche hat es aber eine solche moralische Verurteilung kaum gegeben; die Unterwerfung fremder Völker und die Auslöschung ihrer Staaten wurden weniger als Schuld der Eroberer begriffen, sondern vielmehr als unabwendbares Schicksal. Als meine Generation in der Schule von Alexander dem Großen, von Caesar, von Karl dem Großen oder von Napoleon hörte, kam es den Lehrern nicht in den Sinn, die legendären Eroberer als Verbrecher gegen die Menschlichkeit darzustellen; im Gegenteil: sie wurden eher heroisiert. Das gleiche galt für die Eroberung des ursprünglich indianisch besiedelten Nordamerika durch die Weißen. Und niemand wäre auf den Gedanken gekommen, den Athener Staatsmann Perikles oder den Philosophen-Kaiser Marcus Aurelius dafür zur Rechenschaft zu ziehen, daß sie an der Spitze von Staaten standen, die ohne Eroberungen und ohne Sklaverei gar nicht denkbar sind. Die philosophische, sittliche und rechtliche Verur-

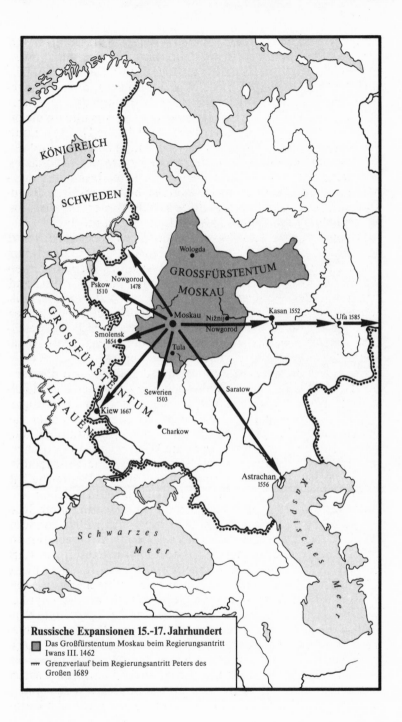

KÖNIGREICH

SCHWEDEN

GROSSFÜRSTENTUM
MOSKAU

- Wologda

- Pskow 1510
- Nowgorod 1478
- Moskau
- Nižnij Nowgorod
- Kasan 1552
- Ufa 1585
- Smolensk 1654
- Tula
- Sewerien 1503
- Saratow
- Kiew 1667
- Charkow
- Astrachan 1556

GROSSFÜRSTENTUM

LITAUEN

Schwarzes Meer

Kaspisches Meer

Russische Expansionen 15.-17. Jahrhundert

▨ Das Großfürstentum Moskau beim Regierungsantritt
Iwans III. 1462

〰 Grenzverlauf beim Regierungsantritt Peters des
Großen 1689

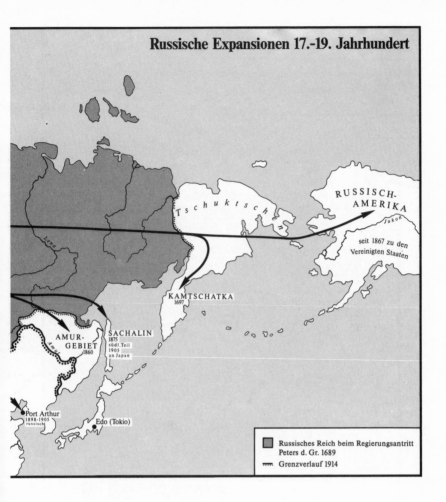

Russische Expansionen 17.-19. Jahrhundert

RUSSISCH-
AMERIKA

Tschuktsch

Jukon

seit 1867 zu den
Vereinigten Staaten

Lena

KAMTSCHATKA
1697

AMUR-
GEBIET
1860

SACHALIN
1875
südl.Teil
1905
an Japan

Amur

Port Arthur
1898-1905
russisch

Edo (Tokio)

Russisches Reich beim Regierungsantritt
Peters d. Gr. 1689

Grenzverlauf 1914

Ausdehnung nach Westen 1945

- ▓ Gebietserwerbungen der UdSSR 1939-1945
- ••• Westgrenze der UdSSR seit 1945
- – – deutsche Reichsgrenze von 1937
- ▓ Warschauer-Pakt-Staaten

FINN-LAND

Helsinki

Leningrad

Tallinn

Stockholm

Estland

SCHWEDEN

OSTSEE

Lettland

Riga

SOWJET-

UNION

Kopenhagen

Litauen

Wilna

Minsk

Danzig

Weißrussland

Hamburg

Berlin

Warschau

DDR

POLEN

Breslau

Kiew

Prag

Ukraine

BRD

TSCHECHOSLOWAKEI

Lemberg

München

Wien

Moldauische

ÖSTER-REICH

Budapest

Kischinew

UNGARN

Siebenbürgen

SSR

Venedig

RUMÄNIEN

JUGOSLAWIEN

Belgrad

Bukarest

ITALIEN

Adria

BULGARIEN

Schwarzes Meer

Sofia

Rom

Istanbul

TÜRKEI

Tirana

ALBANIEN

GRIECHEN-

Ägäisches Meer

LAND

Athen

teilung der Eroberung fremder Staaten und ihrer Völker ist relativ jungen Datums. Die kurzlebigen Weltreichträume der Japaner, Mussolinis und Hitlers wären anderthalb Jahrhunderte zuvor – wenn mit ihnen nicht unvorstellbare Verbrechen verbunden gewesen wären – durchaus nicht so entschieden verurteilt worden, wie das unter den Bedingungen der dreißiger und vierziger Jahre des 20. Jahrhunderts der Fall sein mußte. Seither gelten unverhüllte globale Herrschaftsansprüche in der ganzen Welt als unerlaubt, ja als verbrecherisch.

Die russischen Kommunisten haben sich – nach dem Bruch des Hitler-Stalin-Paktes – diesem Denken angeschlossen. Aber sie scheinen außerstande, ihre eigenen territorialen Eroberungen mit den gleichen Maßstäben zu messen. Moskau legitimierte seinen Expansionismus zeitweise geschichtsphilosophisch mit den Lehren von der kommunistischen Weltrevolution und dem eingeschränkten Völkerrecht innerhalb des sozialistischen Lagers. Natürlich teilen nicht alle sowjetischen Politiker und Strategen die Überzeugung, daß sie den Leninschen Auftrag erfüllen, Moskau zum Zentrum einer historisch-materialistischen weltweiten Umwälzung zu machen – womit übrigens Marx auf den Kopf gestellt wäre. Manche Politiker und Diplomaten Moskaus dürften in puncto Weltrevolution sehr pragmatisch, vielleicht sogar zynisch denken und im Selbstverständnis der sowjetischen und anderer kommunistischer Parteien vorzugsweise erwünschte Instrumente der sowjetischen Außenpolitik sehen. Es fällt schwer, sich die oft hochgebildeten und sensiblen Liebhaber westlicher Kunst unter den sowjetischen Diplomaten als überzeugte Gläubige einer Weltreligion vorzustellen; wohl aber sind sie pflichtbewußte Diener ihres Staates und seiner Interessen.

Ich zweifelte 1974 nicht an dem weltkommunistischen Sendungsbewußtsein Michail Suslows oder an der Orthodoxie weniger wichtiger Gehilfen wie Ponomarjow. Männer wie Breschnew oder Kossygin und Tichonow mögen unter der großen Last ihrer täglichen Aufgaben wenig Zeit und Muße zum geschichtlichen oder philosophischen Nachdenken gehabt haben. Aber sie waren von der Legitimität der Ausdehnung ihrer Herrschaft überzeugt – eine Überzeugung, die den Großrussen im Verlauf ihrer Geschichte selbstverständlich geworden ist. Dabei haben natürlich die Jahrhunderte der Fremdherrschaft von Tataren und Mongolen eine wichtige Rolle gespielt. Seit der Zerstörung der Stadtrepubliken, wie zum Beispiel Nowgorods durch Iwan III., kennt Rußland die absolutistische Herrschaftsform in allen ihren Eigenarten und Auswirkungen; sie reichten von der Ermordung von Thronfolgern über Leibeigenschaft bis zur Verbannung nach Sibirien. Kaum jemals haben breite russische Gesellschaftsschichten persönliche Freiheit erlebt; vielmehr hat es fast immer entrechtete Schichten und Klassen gegeben. Deshalb erscheint einem hart arbeitenden Manne wie Gromyko die heutige Gesellschaftsform seines Landes wahrscheinlich als durchaus normal, obgleich er zum Beispiel die prinzipiell und kategorisch freiere amerikanische Gesellschaftsordnung durchaus kennt. Mit einem Wort: Es hat wenig Sinn, die Politik der Russen – oder der Sowjets – immer wieder mit heutigen französischen, englischen oder amerikanischen Maßstäben zu messen; wir werden sie damit kaum beeinflussen. Noch weniger wird man sie mit moralischen Vorwürfen und Beschuldigungen beeinflussen; im Gegenteil: dies kann in Moskau zu einem verbissenen Rückzug auf den russischen Messianismus führen. Es wird über viele Generationen hinweg einer engen Berührung mit der westlichen sozialen und politischen Kultur bedürfen, um bei den Russen eine Einsicht in die Grundwerte westlich erzogener Menschen zu erreichen. In der Zwischenzeit ist es notwendig, daß der Westen sich vor der weiteren Ausdehnung russisch-sowjetischer Macht schützt. Denn heute ist Rußland nicht nur – wie es der geniale französische Denker Tocqueville schon um 1830 vorausgesehen hat – zusammen mit den Vereinigten Staaten von Amerika eine der beiden nach dem Zweiten Weltkrieg übriggebliebenen Weltmächte, sondern die einzig übriggebliebene expansionistische Weltmacht. Es ist offensichtlich notwendig, daß der Westen festhält an dem Kernsatz jener Gesamtstrategie, die George F. Kennan 1947 für die USA formuliert hat:»Das Hauptelement jeder amerikanischen Politik gegenüber der Sowjetunion muß bestehen in einer langfristigen, geduldigen, aber zugleich festen und wachsenden Eindämmung der expansiven russischen Bestrebungen.« Wenn er diese Gesamtstrategie im Auge behält, dann hat der Westen den Vorteil, daß die sowjetische Strategie für ihn weitgehend – wenn auch keineswegs vollkommen – berechenbar bleibt.

Die alten Richtungen der russischen Expansion sind die gleichen geblieben; seit Beginn der sechziger Jahre aber sind neue hinzugekommen. Sie haben sich aus den ökonomischen und politischen Nöten der aus kolonialer Herrschaft entlassenen oder befreiten Staaten der Dritten Welt ergeben, genauer gesagt: aus den Chancen, welche sich aus dieser neuen Situation für eine sowjetische Einflußnahme eröffneten. Der Ausbau der Handelsflotte und vor allem der ungewöhnlich zielstrebige Aufbau einer gewaltigen Hochsee-Kriegsmarine auf allen Meeren der Welt durch Admiral Gorschkow – der sich dabei an den seestrategischen Lehren von Mahan, aber auch an der Flottenpolitik von Tirpitz und Nimitz orientierte – waren dabei Voraussetzung und

Wirkung zugleich. Die Rüstungsbegrenzungsverträge zwischen Washington und Moskau beschränkten sich ja im wesentlichen auf die Mittel der interkontinentalen nuklearen Kriegführung; so wurden selbst in einer Epoche, in der man auf beiden Seiten den Willen zur friedlichen Koexistenz kundtat, weite Bereiche des ideologischen und machtpolitischen Wettbewerbs ausgeklammert. Auf jeden Fall blieb genügend Raum für den zielbewußten Ausbau der Rüstung.

Expansion und Intervention der Sowjets vollziehen sich im allgemeinen eher auf stille Weise. Die direkte militärische Operation mit der eigenen Armee war selten; im wesentlichen hat sie sich auf die DDR (1953), auf Ungarn (1956), auf die ČSSR (1968) und auf Afghanistan (1979) beschränkt, also hauptsächlich auf Länder innerhalb des Warschauer Paktes. Von dieser vorsichtigen, das Kriegsrisiko meidenden Beschränkung ist die sowjetische Führung nach 1945 nur einmal abgewichen, als Chruschtschow 1962 den Versuch unternahm, sowjetische Nuklearraketen auf Kuba zu stationieren. Das war sozusagen ein Schritt an die Türschwelle der USA, die mit diesen Raketen bedroht werden sollten. Chruschtschow hat dieses Abenteuer am Ende mit dem Verlust seiner Regierungsgewalt bezahlen müssen.

Breschnew und das von ihm geleitete Politbüro sind zur vorsichtigen Expansionsstrategie eines sorgfältig kalkulierten, begrenzten Risikos zurückgekehrt. Die militärische Intervention in Afghanistan ab Ende 1979 liegt genauso im Rahmen des Konzeptes des begrenzten Risikos wie zuvor schon die über zwei Jahrzehnte durchgehaltene indirekte Unterstützung erst Nordvietnams und dann der vietnamesischen Eroberungen. Die Sowjets sind meisterhafte Schachspieler; sie sind keine Pokerspieler und neigen keineswegs dazu, alles auf eine Karte zu setzen.

Die Vorsicht der Sowjetführung hat eine ihrer Wurzeln in der Erfahrung der Raketenkrise von Kuba. Niemals wieder will Moskau in einer weltpolitischen Krise in die Lage kommen, aus globalstrategischer Unterlegenheit zu spektakulärem Nachgeben gezwungen zu sein. Dieser Wille stand hinter der »idée fixe«, den USA um jeden ökonomischen Preis in globalstrategischer Hinsicht gleichwertig zu werden und zu bleiben – »eine Sache wie Kuba wird uns niemals wieder passieren«.

Aber schon lange vor Kuba lagen andere bittere Erfahrungen: der demütigende Ausgang des russisch-japanischen Krieges von 1904/05 und die verlorene Seeschlacht von Tsushima; der Erste Weltkrieg mit dem Diktatfrieden von Brest-Litowsk 1918 und dem Frieden von Riga 1921, nachdem der Westen im russischen Bürgerkrieg auf seiten der »Weißen« und dann noch einmal im Krieg gegen Polen interveniert hatte. Ein Alpdruck aber blieb der

Hitlersche Vorstoß nach Stalingrad, auf die Gipfel des Kaukasus und bis an die Vororte Leningrads und Moskaus; erst nach Jahren blutiger Schlachten und nur mit amerikanischer Hilfe konnte er abgeschlagen werden. Am Ende kostete der Sieg über Hitler zwanzig Millionen Tote.

Die Führer der Sowjetunion leiden an einem russischen Sicherheitskomplex, der sich erstmals schon nach der Niederlage im Krimkrieg 1856 bemerkbar machte.»Die Grenze Rußlands ist nur dann sicher, wenn auf beiden Seiten der Grenze russische Soldaten stehen«, so soll einmal ein zaristischer Minister gesagt haben. Stalins Politik, einen Kranz von vorgelagerten Satellitenstaaten zu schaffen, hatte ein amerikanisches Allianzsystem zur Folge, das John Foster Dulles in Europa wie im Mittleren und Fernen Osten als einen westlichen Cordon sanitaire aufbaute. Dies wiederum war in Moskau als bedrohliche Einkreisung empfunden worden, und der von Chruschtschow provozierte Bruch mit Mao Zedongs China Ende der fünfziger Jahre – von Mao danach wesentlich vertieft – hat diesen psychologisch verständlichen Sicherheitskomplex noch verstärkt. Etwas anderes kam hinzu. Das Streben nach gleichem globalstrategischem Rang und nach»gleicher Sicherheit« wie die andere Weltmacht war nicht nur verteidigungspolitischer Natur. Es war zugleich die Kompensation für den Inferioritätskomplex der Sowjetunion angesichts ihrer offenkundigen Unfähigkeit, wirtschaftlich mit den westlichen Industriegesellschaften gleichzuziehen.

In militärischer Hinsicht ist der Sicherheitskomplex Ausdruck der Sorge über die potentiellen Gegner, als die – in der Reihenfolge ihres geschichtlichen Auftretens – Deutschland, die USA und China angesehen werden. Die Beunruhigung durch Deutschland ist trotz seiner Teilung und trotz der Stationierung starker sowjetischer Streitkräfte im Zentrum Europas noch immer vorhanden. Da sie zugleich ein Instrument zur Disziplinierung der Polen ist, ist sie kunstvoll am Leben gehalten worden. Für den Fall, daß sich je die Gelegenheit bieten sollte, die Bundesrepublik zu isolieren, dient die Warnung vor Deutschland auch zur Verunsicherung der Franzosen und anderer Völker in Westeuropa.

Die tiefe Besorgnis angesichts einer möglichen Unterlegenheit gegenüber den USA bleibt eine Hauptantriebskraft für die gewaltige Raketen- und Marinerüstung der Sowjetunion. Die Sorge über China fällt im Vergleich dazu weniger ins Gewicht, aber auch sie wird deutlich empfunden; der Anlaß war die für Moskau zunächst unfaßbare Entwicklung eines kommunistischen Staates zu politischer Eigenständigkeit, was aller Doktrin widersprach. Aber wahrscheinlich spielt die Tatsache der viermal

40

stärkeren Bevölkerungszahl Chinas eine größere Rolle als die ideologische Unabhängigkeit Beijings. Ein unterschwelliger Affekt gegen die gelbe Rasse kommt hinzu; eine versteckte Aggressivität gegen den fremden Koloß war schon in der Epoche scheinbarer Harmonie nicht zu übersehen. Die Volksrepublik China wird in Moskau mit Recht als künftige Weltmacht empfunden; entsprechend stark ist der sowjetische Aufmarsch konventioneller und nuklearer Streitkräfte an der 7000 Kilometer langen gemeinsamen Grenze.

Die weitgehende Kontinuität russischer Expansion in der Geschichte zu erkennen bedeutet nicht, an geopolitische Determination zu glauben. Es scheint sich eher um eine politisch-kulturelle Tradition zu handeln, die das Sendungsbewußtsein, welches ursprünglich von der russisch-orthodoxen Kirche ausging und später von der KPdSU aufgenommen und fortgesetzt wurde, nie aufgegeben hat. Es ist noch nicht zu erkennen, ob es unter Gorbatschow zu einer wesentlichen, bleibenden Veränderung dieser alten Tradition kommen kann.

Sowjetische Strategie und deutsche Interessen

Wer als westdeutscher Politiker die Interessen der deutschen Nation verfolgen will, muß sich Klarheit verschaffen über die Interessen und Tendenzen unserer Nachbarn in West und Ost. Er muß sich an deren Stelle versetzen und die Lage mit ihren Augen sehen, wenn er den eigenen Handlungsraum realistisch abschätzen will.

Als ich 1974 als neugewählter Bundeskanzler vor meiner ersten Moskaureise stand, gab es kaum eine Regierung in Europa, welche die Teilung Deutschlands ehrlich bedauerte. Eher war das noch in Washington oder im fernen Beijing der Fall. Aber ein gewisses Verständnis für die deutsche Lage konnte Washington dennoch nicht zu einer Politik bringen, die konkret auf eine Wiedervereinigung der beiden deutschen Teilstaaten gerichtet gewesen wäre, und Beijing verfügte ohnehin über keinerlei Handlungsmöglichkeiten in dieser Frage – nicht einmal theoretisch.

Die Welt schien also mit der Spaltung Deutschlands weitgehend zufrieden zu sein; unlogischerweise war sie weit weniger zufrieden mit der Spaltung Europas. Wir Deutschen hatten nach jahrzehntelangen vergeblichen Hoffnungen auf die Wiedervereinigung am Ende gelernt, ohne allzu großes Jammern und ohne peinliches Selbstmitleid, aber auch ohne nationales Auftrumpfen mit der Teilung Deutschlands zu leben. Allerdings haben wir weder damals noch heute den Wunsch oder den Willen aufgegeben, eines Tages wieder unter einem gemeinsamen Dach zu leben, auch wenn wir wissen, daß jener Tag in weitentfernter, unüberschaubarer Zukunft liegt und daß es bis dahin darauf ankommt, so gut es irgend geht, den Zusammenhang der Nation zu wahren.

Wir wußten und wissen: Die Wahrung des Zusammenhalts der deutschen Nation ist angesichts der Teilung Europas nicht gegen die Sowjetunion möglich. Unsere Politik gegenüber Moskau muß darauf gerichtet sein, jenen Willen zur Aufrechterhaltung unserer nationalen Identität und zur Erleichterung des Schicksals der zwangsweise in einen kommunistischen Staat eingepferchten Deutschen den Sowjets akzeptabel zu machen.

Die Mittel der Bundesrepublik sind in dieser Hinsicht sehr beschränkt. Bonn kann der Sowjetunion nicht so weit entgegenkommen, daß seine Gesellschaftsordnung russisch-sowjetisch beeinflußt wird. Die Freiheit und Würde der Person auf der einen, die freiheitliche Gesellschafts- und Staatsordnung auf der anderen Seite, dies zu bewahren ist für jede Bundesregierung ja gerade das vorrangige Staatsziel. Durch das sowjetische militärische Drohpotential und den dahinterstehenden, in Europa jederzeit spürbaren Expansionismus scheint diese Ordnung gefährdet zu sein.

Ähnlich bedroht fühlen sich andere demokratisch verfaßte Staaten West-, Nord- und Südeuropas. Die meisten von ihnen liegen zwar in größerer Entfernung von der Trennlinie zwischen Ost und West, dafür aber haben einige westliche Länder stärkere, mit Moskau kooperierende kommunistische Minderheitsparteien im eigenen Hause. Das Bewußtsein der latenten Bedrohung hat die westeuropäischen Staaten in den Nordatlantikpakt gedrängt; es hat zur Gründung der Europäischen Gemeinschaft geführt und den freien Teil Europas militärisch, politisch und ökonomisch immer fester zusammengebunden – wobei man nicht aus dem Auge verlieren sollte, daß auch die neutralen Staaten Schweden, Finnland, Österreich und Jugoslawien ihre Freiheit indirekt auf die gemeinsame Selbstbehauptungskraft der in der EG und im Nordatlantikpakt zusammengeschlossenen Staaten stützen. Für Westeuropa also sind angesichts der von der Sowjetunion ausgehenden Bedrohung die Bewahrung seiner Freiheit und die Erhaltung seines Friedens die wichtigsten Ziele.

Die Bundesrepublik ist – anders als Italien, Frankreich, England, Holland oder Dänemark – kein Nationalstaat, sondern der Staat nur eines Teiles der Nation. Daraus resultiert der in der deutschen Nation besonders stark ausgeprägte Wille zu einem Modus vivendi mit der Sowjetunion, um wenigstens die Lebensumstände der östlich der Trennlinie lebenden Menschen so erträglich wie möglich zu gestalten. Zwar gibt es auch anderswo in Westeuropa den dringenden Wunsch nach besseren Lebensumständen für die Osteuropäer, nach größerer persönlicher, kultureller und politischer Freiheit für die Polen, die Ungarn, die Tschechen – das Bewußtsein der geschichtlichen und kulturellen Einheit des gesamten Europas ist in den Gefühlen und Gedanken der Menschen tief verankert; politisch am stärksten prononciert wurde es durch Charles de Gaulle. Aber natürlich sind die verwandtschaftlichen, freundschaftlichen, heimatlichen, geschichtlichen, kurz die soziokulturellen Bindungen zwischen den deutschen Landsleuten auf beiden Seiten der Trennlinie unvergleichlich stärker ausgeprägt als zum Beispiel die Bindungen zwischen Franzosen und Ungarn oder zwischen Italienern und Polen.

Das Gebiet der Bundesrepublik bildet geostrategisch einen Riegel, der von der Ostsee bis zu den Alpen den sehr schmalen, durch Zentraleuropa führenden Landweg einer möglichen sowjetrussischen Expansion in Richtung Westeuropa versperrt. Seit Beginn der Völkerwanderung mußte dieses kleine, geographisch so beengte Zentraleuropa immer wieder als Schlachtfeld für fremde Eroberer herhalten.

Das heutige militärische Gegenüber der beiden Militärpakte macht das Territorium der Bundesrepublik für den Westen unverzichtbar. Der Verlust dieses Territoriums oder auch nur sein Ausscheiden aus dem nur gemeinsam zu verteidigenden kontinentaleuropäischen NATO-Gebiet wäre unersetzlich; hinzu kommt, daß damit zugleich eine sehr weitgehende Isolierung Skandinaviens und Südeuropas verbunden wäre.

Die NATO konnte das schmerzhafte Ausscheren Frankreichs aus dem militärischen Verbund am Ende ertragen; sie könnte ein eventuelles Ausscheiden auch eines der kleineren Bündnispartner ohne existentielle Gefährdung ihrer Verteidigungsfähigkeit überstehen; ein Austritt der Bundesrepublik dagegen käme einer Katastrophe gleich. Er könnte nur durch einen sehr weitgehenden Rückzug der Sowjets ausgeglichen werden; aber dafür gibt es gegenwärtig – anders als es vor dreißig Jahren, zur Zeit der Rapacki-Pläne, erscheinen konnte – überhaupt keine Anhaltspunkte. Ein solcher Rückzug der Sowjetunion würde bedeuten, daß Moskau seine machtpolitische Klammer um die DDR, Polen und die ČSSR aufgäbe.

Aus alledem folgt: Die Bundesrepublik darf im Interesse des strategischen Gleichgewichts in Europa und damit der Verteidigungsfähigkeit des Westens ihre derzeitigen Bindungen an den Westen auch dann nicht aufgeben oder lockern, wenn sie Zugeständnisse der Sowjetunion anstrebt. Bei jedem Versuch dieser Art würde sie tiefen Argwohn und politische Reaktionen ihrer westlichen Verbündeten hervorrufen, auf der anderen Seite aber Polen, Tschechen, Ungarn, Schweden, Finnen, Österreicher *und* den ostdeutschen Teil der eigenen Nation beunruhigen, weil eine solche Entwicklung zu einer entsprechenden Verschärfung des sowjetischen Druckes auf diese Länder führen könnte.

Damit sind die Grenzen der Handlungsfreiheit der Bundesrepublik noch keineswegs vollständig aufgezählt. Die Riegelstellung Deutschlands macht das Territorium unseres Staates nämlich zugleich zum wichtigsten europäischen Aufmarschgelände für die Boden- und die taktischen Luftstreitkräfte des Westens und damit, in der Theorie der Militärs beider Seiten, zum potentiell wichtigsten Kampfgebiet. Für das Gebiet der DDR gilt – aus umgekehrten Gründen – das gleiche. So ist für die Deutschen in beiden deutschen Staaten die für Friedenszeiten völlig ungewöhnliche Konzentration fremder und eigener Truppen – einschließlich »taktischer« Nuklearwaffen in großer Zahl – eine ständige Erinnerung an die prekäre Natur ihres Friedens. Wann immer militärische Pläne und Waffenstationierungen öffentlich diskutiert werden, schlagen verständlicherweise Wellen der Angst hoch. Das in der Bundesrepublik wie in der DDR verbreitete Bewußtsein, in einem der wichtigsten nuklearen Zielplanungsräume der Welt zu leben, kommt ja nicht nur aus Angstträumen, sondern auch aus einer präzisen Beurteilung der Lage. Zugleich liegt darin die Quelle des bei uns besonders ausgeprägten Wunsches nach beiderseitiger, vertraglich ausgehandelter Rüstungsverminderung.

Dies alles gilt, wie gesagt, auch für die Menschen im anderen deutschen Staat, und es gilt fraglos auch für den Staatsratsvorsitzenden Erich Honecker sowie für zukünftige Staatslenker der DDR. Allerdings hat die Staatsführung der DDR in einem entscheidenden Punkt eine wesentlich schlechtere Ausgangsposition als die Bundesregierung. Sie weiß nämlich ihre politische Existenz abhängig von der Anwesenheit sowjetischer Truppen. Im Bewußtsein der Bürger der Bundesrepublik dagegen ist die Demokratie, wenn auch ursprünglich von den westlichen Siegermächten verordnet, inzwischen so selbstverständlich und funktionstüchtig geworden, daß sie schon lange keine ausländischen Stützen mehr benötigt. Und dennoch darf die Bundesregierung, auch wenn sie von der Legitimität der Regierung in Ost-Berlin nicht überzeugt sein kann, nichts tun, um die Staatsführung der DDR zu destabilisieren oder gar zu unterminieren. Das würde sowjetische Gegenmaßnahmen auslösen, und diese würden die Lage der Deutschen und ihre Verbindung untereinander zusätzlich erschweren. In einem anderen Punkt ist dagegen die Bundesregierung im Vergleich mit der DDR-Staatsführung benachteiligt. Die Truppen der Ost-Berliner Regierung – Nationale Volksarmee genannt – fallen gegenüber der Masse der Truppen, die der sowjetischen Führung im Osten Europas zur Verfügung stehen, kaum ins Gewicht; die Truppen der Volksarmee sind eher als bloße Hilfstruppen zu betrachten. Die Streitkräfte der Bundesrepublik bilden hingegen den Kern der westlichen Streitkräfte in Europa. Die Zahl der in Europa stationierten oder im Mobilmachungsfalle nachzuführenden amerikanischen und englischen Truppen ist relativ gering, und die französischen Truppen sind der gemeinsamen Verteidigungsorganisation seit 1966 entzogen. Sie können, müssen aber nicht notgedrungen an der gemeinsamen Verteidigung mitwirken. Aus dieser Schlüsselrolle der Bundeswehr ergibt sich für die Bundesregierung ein beständiges Drängen unserer westlichen Verbündeten, unsere Truppen und ihre Ausrüstung zu verstärken. Auch aus diesen Gründen gibt es also keinen Raum für einseitige militärische Zugeständnisse der Bundesregierung an die sowjetische Staatsführung. Im Gegenteil: die seit vierzig Jahren bestehende zahlenmäßige Überlegenheit sowjetischer Truppen und ihrer mobilisierbaren Reserven in Europa verbietet jeden einseitigen Truppenabbau, um das ohnehin prekäre Kräfteverhältnis nicht zum Nachteil des Westens zu verschieben.

Weil schließlich die Bundesregierung ständig um die menschliche, wirtschaftliche, kulturelle und politische Verbindung zum geographisch und militärisch isolierten Westteil der ehemaligen deutschen Hauptstadt besorgt sein muß und weil in puncto Berlin – selbst bei voller Einhaltung des Viermächteabkommens – vielerlei Möglichkeiten sowjetischer oder ostdeutscher Beeinträchtigung bleiben, so ergibt sich die bedrängende Frage: Auf welchen Gebieten, mit welchen Leistungen und Angeboten kann Bonn die Sowjetunion dazu bewegen, an einer allgemeinen Normalisierung der Verhältnisse in Mitteleuropa mitzuwirken? Wo liegen die Möglichkeiten, Moskau wenigstens die Aufrechterhaltung des Zusammengehörigkeitsgefühls und die Erleichterung der Verbindung zwischen den beiden Teilen der deutschen Nation akzeptabel zu machen? Es gibt nur zwei Felder, auf denen einerseits die sowjetischen Interessen und andererseits die westdeutschen Handlungsmöglichkeiten groß genug sind, um Fortschritte zu erreichen. Da ist einmal die Minderung der sowjetischen Besorgnis über die Deutschen, besonders hinsichtlich der 1945 etablierten Grenzen in Ostmitteleuropa. Da ist zum anderen das Gebiet des wirtschaftlichen Austauschs zwischen der Bundesrepublik und der Sowjetunion. Auf beiden Feldern bedarf es – angesichts des russisch-sowjetischen Mißtrauens – der Durchsichtigkeit und der Stetigkeit deutscher Politik. Auf beiden Feldern bedarf es aber auch der Gegenseitigkeit: gegenseitiger Gewaltverzicht im politisch-militärischen Bereich und beiderseitiger Vorteil beim Austausch von deutschen Investitionsgütern gegen sowjetische Rohstoffe.

Es waren diese Erkenntnisse, von denen wir Sozialdemokraten ausgegangen waren, als wir 1969 die Bundesregierung der sozialliberalen Koalition bildeten und durch sie eine neue Ostpolitik ins Werk setzten. Das Vertragspaket, das wir schließlich zustande brachten, war nicht einfach zu erreichen gewesen, weder bilateral im Verhältnis zu Moskau – besonders im Hinblick auf unsere Entschlossenheit, uns das Ziel der Einheit Deutschlands nicht abhandeln zu lassen – noch multilateral im Verhältnis sowohl zu Moskau als auch zu Washington, Paris und London. Hier hatten wir viele Bedenken gegen das Viermächteabkommen über Berlin aus dem Weg zu räumen, ohne welches für uns das Vertragspaket nicht akzeptabel gewesen wäre.

Als Kabinettsmitglied hatte ich – wie schon in den sechziger Jahren – an der geistigen Vorbereitung der neuen Ostpolitik mitgewirkt. Als Bundeskanzler war ich fest entschlossen, sie kontinuierlich fortzusetzen und auszubauen, und die Sowjets wußten das. Sie konnten allerdings wohl kaum ermessen, wie sehr mir dabei meine eigene geschichtliche, literarische und musikalische Erziehung zugute kam.

Wir Hanseaten aus Hamburg und Lübeck sind uns ja der langen Jahrhunderte des Handelsaustausches mit Nowgorod, Pleskau, Dorpat und Reval sehr bewußt. Diese Wirtschaftsverbindungen reichen weit in die Zeit vor Iwan IV. zurück, und auch nachdem die Hansestädte ihre ursprüngliche Bedeutung verloren hatten, waren die Beziehungen immer wieder belebt worden, nicht zuletzt durch Peter den Großen. Wir Hamburger waren durch russische Truppen von der harten napoleonischen Zwangsherrschaft befreit worden; als kleiner Junge hatte ich von meinem Großvater noch die Geschichten »Ut de Franzosentid« gehört. In der Schulzeit hatte ich nicht nur Turgenjew und Dostojewski kennengelernt, sondern auch Puschkin, Tolstoi, Tschechow und Lermontow; nach dem Kriege hatte ich Majakowski, Gorki, Scholochow, Pasternak und Solschenizyn gelesen. Ich war angezogen von der »russischen Seele«, wie sie mir in den Werken dieser Dichter begegnet war und wie sie Gerhart Hauptmann und Thomas Mann gefeiert hatten.

Der Krieg in Rußland hatte mich die grenzenlose Weite der russischen Ebenen erleben lassen, in der jene Romane und Erzählungen spielen. In den sechziger Jahren waren mir in der Tretjakow-Galerie in Moskau und in der Eremitage von Leningrad die Menschenmengen aufgefallen, die sich vor den Werken der europäischen Malerei drängten. Ich konnte mir die Musik Europas ohne die großen Russen überhaupt nicht vorstellen, nicht ohne Tschaikowski und Mussorgski, nicht ohne Schostakowitsch und Prokofjew. Ich hatte in Rußland herzliche private Gastfreundschaft erlebt; aber ich hatte auch die tiefen Narben gesehen, die Hitlers Krieg in den Städten des Landes und in den Herzen der Russen hinterlassen hat.

Natürlich wußte ich, was Rußland dem westlichen Europa verdankte, in der Philosophie, der Wissenschaft, der Architektur. Mit einem Satz: Trotz seiner so ganz anders gearteten und mich abstoßenden »politischen Kultur« erschienen mir – und erscheinen mir noch immer – die Russen, die Weißrussen und die Ukrainer als zugehörig zum Kontinuum der kulturellen Entwicklung Europas.

Aus Gefühl und aus Überlegung glaube ich, daß es richtig war, die Russen soweit wie möglich an Europa und an europäische Kultur zu binden; eine Aufgabe, für die wir in Deutschland mehr an historischen Voraussetzungen und Erfahrungen mitbringen als die Völker im Westen Europas oder in Amerika. Wir haben seit Jahrhunderten schon, auch wenn uns dies bisweilen nicht bewußt war, eine Brückenfunktion zwischen dem – durchaus auch asiatisch beeinflußten – russischen Raum und Europa, ähnlich wie die deutschsprechenden Österreicher für die Ungarn und für die Völker des Balkans. Auch die Finnen, die Balten, die Polen, die polnischen und galizischen Juden, die Tschechen und Slowaken haben von dieser Brückenfunktion der Deutschen und Österreicher vielfach profitiert; sie haben ihrerseits viel zum gegenseitigen Austausch beigetragen.

Es ist notwendig, die Brücken zu erneuern und »zum Tragen« zu bringen. Die Russen hatten immer schon Schwierigkeiten – und werden sie auch in Zukunft haben –, den Westen zu verstehen; der Westen hat immer Schwierigkeiten, Rußland und russische Politik zu verstehen – die Deutschen aber können Verständnis vermitteln. Sie haben es in ihrer Geschichte oft getan. In diesem Bewußtsein fuhr ich 1974 zum dritten Mal in meinem Leben nach Moskau, um mit dem mächtigsten Mann des sowjetischen Riesenreiches zu sprechen.

Für die sowjetische Staatsführung war ich der dritte deutsche Bundeskanzler, der nach Moskau kam. Im September 1955 war Konrad Adenauer dort gewesen und hatte – gegen den Rat seines

Außenministers von Brentano – in realistischer Einschätzung der deutschen Lage diplomatische Beziehungen mit der Sowjetunion aufgenommen. Das war der Beginn, der Auftakt zu einem langwierigen Prozeß, den durch Hitlers Krieg entstandenen Tatsachen Rechnung zu tragen. Adenauer erreichte es, daß Moskau die letzten zehntausend deutschen Kriegsgefangenen, die zehn Jahre nach Kriegsende immer noch in der Sowjetunion festgehalten wurden, nach Hause entließ. In Deutschland hatte man an weit höhere Zahlen geglaubt und mußte sich nun damit abfinden, daß Hunderttausende von Vermißten entweder gefallen oder in der Gefangenschaft umgekommen waren. Immerhin hatte die sowjetische Führung mit der Freilassung eine Geste an die deutsche Adresse gemacht; ein Ruhmesblatt war es nicht. Die deutsche Führung aber verweigerte sich auch weiterhin der Erkenntnis, daß die auf der Potsdamer Konferenz besiegelte Teilung Deutschlands ein Faktum war, um das man nicht herumkam.

So galt nach wie vor die Hallstein-Doktrin, jene Doktrin, nach welcher allein die Regierung der Bundesrepublik ganz Deutschland vertrat und Bonn daher keine diplomatischen Beziehungen zu Staaten haben durfte, die ihrerseits die DDR als Staat und Völkerrechtssubjekt anerkannt hatten. Beziehungen zur DDR selbst waren danach natürlich undenkbar. Kleine Reste dieser Doktrin überlebten bis heute, vor allem in der Vorstellungswelt vieler Politiker der CDU/CSU und auch einiger FDP-Leute. Ein Überbleibsel jener Zeit ist auch die immer noch bestehende Titulatur unserer Bevollmächtigten Vertreter bei der anderen deutschen Regierung: Sie dürfen nicht Botschafter heißen, weil dieser Titel – so wird argumentiert – diplomatische Beziehungen signalisiere, diese jedoch nur zu ausländischen Staaten, nicht aber zur Deutschen Demokratischen Republik bestehen könnten.

Obwohl dies pseudojuristische Formalargumente sind, welche die DDR-Führung ärgern, habe auch ich in den acht Jahren meiner Kanzlerschaft diese protokollarische Besonderheit nicht beseitigt. Zum einen wollte ich unnötigen Streit mit Teilen des Koalitionspartners FDP vermeiden, zum anderen aber und hauptsächlich, um die Beziehungen zur DDR weiterhin vom Bundeskanzleramt aus behandeln zu können. Ich wollte sie nicht in die Hände des taktisch begabten, aber stark juristisch orientierten Außenministers Genscher geraten lassen. Daneben waren es auch Opportunitätserwägungen gegenüber meinem Freunde Egon Franke, daß ich – auf Rat Herbert Wehners – sein praktisch unbedeutend gewordenes Bundesministerium für Innerdeutsche Beziehungen weiterhin bestehen ließ.

Im Grunde aber spielte die Hallstein-Doktrin in meiner Amtszeit keine hemmende Rolle mehr bei der Verfolgung unserer Interessen in östlichen Richtungen. Dies verdankten wir vor allem Willy Brandt, seinem Außenminister Walter Scheel sowie Egon Bahr.

Brandt war der zweite Bundeskanzler, der Moskau besuchte. Seine Begegnung mit Breschnew im August 1970, getragen von dem Willen,»endlich über das Gerede hinweg[zu]kommen und entschlossen einen neuen Anfang [zu] setzen«, markierte den Durchbruch. Sein Gewaltverzichtvertrag mit Moskau legitimierte zwar nicht die nach dem Krieg im östlichen Teil Europas entstandenen Grenzen – dies taten auch die anschließenden Gewaltverzichtverträge mit Warschau und Prag und der Grundlagenvertrag mit der DDR nicht –, aber er enthielt das Versprechen, sie nicht zu verletzen. Dies war die Grundlage für eine veränderte Haltung Moskaus gegenüber Bonn.

Aber auch für eine veränderte Haltung gegenüber dem Westen. Brandts Besuch im August 1970 steht am Anfang jener»Öffnungspolitik« Moskaus, die wenig später durch die Begegnungen mit Nixon, Mitte Mai 1972 in Moskau und Mitte Juni 1973 in Washington, sowie durch das SALT-I-Abkommen und den ABM-Vertrag gekennzeichnet wurde und die 1975 schließlich durch die Helsinki-Konferenz und die Helsinki-Schlußakte gekrönt werden sollte.

Vielen Beobachtern im Westen blieben die Motive der sowjetischen Öffnungs- und Entspannungspolitik unklar. Ich zweifelte nicht an Breschnews Sorge über die Möglichkeit eines Krieges; seine Friedensliebe war unverkennbar. Daneben stand aber das ebenso offenkundige sowjetische Verlangen, das im Zweiten Weltkrieg und in den fünfundzwanzig Jahren danach gewonnene Imperium mitsamt der Oberhoheit über den östlichen Teil Mitteleuropas zu konsolidieren und seine Anerkennung durch den Westen zu erreichen. Moskau suchte die Aufteilung der Welt in sowjetische und amerikanische Einflußsphären unter Aussparung weiter Teile der Dritten Welt zu stabilisieren; dort würde man später den Wettbewerb mit den USA aufnehmen können. Die neue Öffnungspolitik des Kreml hat dieses sowjetische Ziel der Konsolidierung des eigenen Besitzstandes für den damaligen Zeitraum wahrscheinlich ideal erfüllt.

Ebenso wichtig war vermutlich ein drittes Motiv. Moskau wollte die inzwischen tatsächlich erreichte globalstrategische Parität mit den USA vor der Weltöffentlichkeit offiziell durch Washington bescheinigt wissen. Das war zugleich ein großrussisch-innenpolitisches Motiv, sicherlich auch notwendig, um Übereinstimmung im Politbüro herzustellen. Viertens mag bei den für die sowjetische Wirtschaft verantwortlichen Politbüromitgliedern – Kossygin an der Spitze – eine Rolle gespielt haben, daß ein Arrangement mit dem Westen der Sowjetunion eine Atempause verschaffte, in der sie die zivilen Teile der Volkswirtschaft, die durch den forcierten Rüstungsausbau offenkundig überstrapaziert waren, entfalten konnte. Dieses ökonomische Motiv ist später unter Gorbatschow stark ins Bewußtsein getreten.

Ob diese vier Motive oder auch nur eines davon von den Ideologen um Suslow und von den Militärs geteilt oder gebilligt wurde, blieb mir in den frühen siebziger Jahren unklar. Schwer abzuschätzen war auch, ob und in welchem Maße die unverkennbar zunehmende Irritation über den unabhängigen, nukleare Aufrüstung einschließenden Kurs Mao Zedongs eine ausschlaggebende Rolle bei der Entspannungspolitik gegenüber den USA spielte. Wie auch immer die sowjetischen Motive im Politbüro ineinander verzahnt sein mochten: Bundeskanzler Brandt hatte die darin für Bonn liegende Chance erkannt und – gemeinsam mit Breschnew – einen brauchbaren Rahmen für das zukünftige deutsch-sowjetische Verhältnis gezimmert. Seinem Nachfolger oblag es, diesen Rahmen in jahrelanger Kleinarbeit konkret auszufüllen.

Auf westlicher Seite war die bevorstehende Entspannungspolitik durch den Beschluß des Ministerrats des Nordatlantikpaktes über die Empfehlungen des »Harmel-Berichts« bereits im Dezember 1967 in allgemeiner Form ins Auge gefaßt worden; wir Deutschen hatten daran tatkräftig mitgewirkt. Auf sowjetischer Seite war Leonid Breschnew die treibende Kraft gewesen; Nixon, Pompidou und Brandt waren dabei seine wichtigsten Partner. Jetzt waren alle drei innerhalb weniger Monate von der Weltbühne abgetreten – Brandt noch dazu anläßlich der Aufdeckung eines töricht-provokatorischen Spionageunternehmens aus Ost-Berlin.

Breschnew mußte dieser Verlust seiner wichtigsten Partner beunruhigen, zumal er im Politbüro von Zeit zu Zeit Schwierigkeiten hatte, einzelne Schritte seiner Politik voranzutreiben. Breschnews Prestige stand auf dem Spiel. So war er entschlossen, den Besuch des neuen deutschen Bundeskanzlers zu einem Erfolg zu machen. Obgleich ich dasselbe Ziel hatte, sollten die Verhandlungen doch schwierig werden; das zeigte sich schon am ersten Tage.

Erster Besuch bei Breschnew

Es war ein besonders aufwendiger »großer Bahnhof«, den man uns in Moskau bereitete. Als unsere Boeing, mit den Hoheitszeichen der Bundeswehr geschmückt, auf dem Flughafen Wnukowo ausgerollt war, empfingen uns nicht nur der Ministerpräsident Kossygin und der Außenminister Gromyko – was protokollarisch ausreichend gewesen wäre –, sondern auch der Generalsekretär selbst. Dies war weder bei Nixons noch bei Brandts Besuchen in Moskau der Fall gewesen. Ich empfand es als eine ungewöhnliche Geste.

Ungewöhnlich war auch Breschnews zur Schau getragene, fast überschwengliche Herzlichkeit, die vor den Augen der Fernsehkameras das sehr martialische militärische Zeremoniell in den Hintergrund treten ließ. Auf dem Flugfeld standen Hunderte von fähnchenschwingenden Moskauer Bürgern und die vollzählig versammelte deutsche Kolonie. Die Ehefrauen unserer Gastgeber – Kossygin war mit seiner Tochter erschienen – hatten für meine Frau, für Frau Genscher und Frau Schlei Blumen mitgebracht; Kossygin hielt sich ebenso wie Gromyko im Hintergrund.

Unsere Wagenkolonne fuhr zu den bereitgestellten Gästehäusern auf den Leninhügeln; Breschnew selbst zeigte mir meine Wohnung für die nächsten drei Tage, ließ sich zu mehreren Begrüßungswodkas in meinem Wohnzimmer nieder und nötigte Kossygin und Gromyko, das gleiche zu tun. Dabei gab es die ersten Trinksprüche und viele freundliche Worte. Offenbar sollte ich beeindruckt werden – und ich war es auch. Allerdings wußte ich, daß überströmende russische Gastfreundschaft keineswegs harte und notfalls grobe Verhandlungen ausschloß. Nicht weniger beeindruckt war ich von der überragenden Rolle, die Breschnew im Verhältnis zu seinen Kollegen spielte. Ihm kam es darauf an, den deutschen Gast näher kennenzulernen und ihn zu diesem Zweck aus der Reserve zu locken. Ich war dazu durchaus bereit.

Wenig später sahen wir uns im Kreml wieder, nachdem ich am Ehrenmal der sowjetischen Soldaten an der äußeren Kremlmauer meinen Respekt bezeigt und einen Kranz niedergelegt hatte. Ich war viele Jahre zuvor schon einmal im Kreml gewesen, hatte aber bis dahin keine Vorstellung von der Pracht im Innern, in das wir jetzt geführt wurden. Gewaltige Vorhallen, luxuriöse Treppen, Hallen und Säle, der Georgssaal, der Wladimirsaal. Von einem Saal zum anderen geleitet, betraten wir schließlich den zum Verhandlungsort bestimmten Katharinensaal, in dem mein Amtsvorgänger vier Jahre zuvor den deutsch-sowjetischen Vertrag unterzeichnet hatte. Eine barocke Symphonie in Weiß, Gold und Grün; die Pilaster und Pfeiler schienen mit Malachit verkleidet zu sein – es ist grüner russischer Marmor, wie ich später hörte –, und darüber schwebten drei oder vier prächtige Kristallüster.

Ich kenne den Elysee-Palast, das Weiße Haus, die römischen Paläste, aber die mit gewaltigem Aufwand und großer Sorgfalt restaurierten Kreml-Paläste in ihrer authentischen historischen Pracht spotten aller Vergleiche mit den Regierungssitzen der westlichen Welt. Und die Männer des Politbüros nehmen ihre Rolle als Gastgeber vermutlich mit der gleichen Selbstverständlichkeit wahr wie ihre autokratischen Vorgänger zur Zarenzeit. Der Glanz beeindruckt, er blendet beinahe.

Breschnew ließ zunächst die Kameraleute zu ihrem Recht kommen. Mit übertrieben geschauspielertem Abscheu nannte er sie »unsere Folterknechte«; die deutschen Photographen und Fernsehleute nahmen dies nicht übel. Ein westlicher Politiker muß Ihre Majestäten von den Massenmedien mit Samthandschuhen anfassen – ein östlicher Staatslenker ist dagegen selber Majestät.

Mir gab der Aufmarsch der Medien eine unerwartete Chance: Breschnew räumte mir während meines Besuches die Möglichkeit zu einer Fernsehansprache an das sowjetische Publikum ein. Ich habe die Gelegenheit genutzt: »Wir müssen dafür sorgen«, habe ich in meiner Ansprache gesagt, »daß die Brücke nicht schmaler ist als der Fluß.« Noch ein anderes Bild habe ich gebraucht: »Wer einen Wald anlegen will, der muß Bäume pflanzen«, und dem fügte ich die russische Redensart hinzu: »Nüchternes Rechnen schadet nicht der Freundschaft.« Vor allem aber habe ich mich klipp und klar zum deutsch-sowjetischen Vertrag, zu seinen politischen Zielen und zu seiner vollen Anwendung bekannt. Aber ich habe den Millionen Fernsehzuschauern ebenso deutlich gesagt: »Das deutsche Volk hat die Hoffnung nicht aufgegeben, eines Tages friedlich unter einem Dach zusammenzuleben.« Vermutlich haben die Sowjetbürger diesen Satz aus deutschem Munde zum ersten Mal gehört, während ihnen ansonsten wohl Hunderte von Malen die Gefahr eines deutschen »Revanchismus« suggeriert worden war.

Breschnew eröffnete die Verhandlung mit einer längeren, vorbereiteten Erklärung; sie enthielt gegenüber den vorher ausgetauschten offiziellen und privaten Briefen nur wenig Neues oder Unerwartetes. Der vor anderthalb Jahren in Kraft getretene Moskauer Vertrag sei für ihn eines der größten geschichtlichen Ereignisse der letzten zwanzig Jahre (das überschritt also bei weitem seine Regierungszeit als Generalsekretär); jetzt komme es darauf an, die Stetigkeit der weiteren Entwicklung der sowjetischdeutschen Beziehungen zu sichern, auch wenn das nur mit kleinen Schritten geschehen könne. Breschnew stellte den Grundlagenvertrag zwischen der Bundesrepublik und der DDR und den beiderseitigen Beitritt zu den Vereinten Nationen – den Bonn auf Grund der Hallstein-Doktrin lange blockiert hatte – in den gleichen Zusammenhang. Dabei unterließ er jede Anspielung sowohl auf den durch die Spionageaffäre ausgelösten Rücktritt Brandts als auch auf die zweifellos auf Moskauer Druck hin kurz zuvor erfolgte Senkung des Mindestumtauschs durch die DDR, der willkürlich erhöht worden war, um westdeutsche und West-Berliner Bürger vom Besuch der DDR abzuschrecken.

Es war erkennbar, daß es über das Verhalten der DDR uns gegenüber Meinungsverschiedenheiten zwischen Moskau und Ost-Berlin gegeben hatte und vielleicht noch immer gab. Breschnew kompensierte seine stumme und doch unüberhörbare Kritik an der DDR mit einem warnenden Hinweis auf gewisse »kriegerische Reden«, die in der Bundesrepublik gehalten würden, und nannte in diesem Zusammenhang namentlich Franz Josef Strauß. Am Schluß seiner Erklärung entwarf er ein Bild von den Möglichkeiten einer sich entfaltenden wirtschaftlichen Kooperation zwischen der Sowjetunion und der Bundesrepublik und sprach vom »Übergang vom klassischen Handel zu größeren Projekten«; dabei dachte er in Zeiträumen von zwanzig bis dreißig Jahren.

Breschnews Redeweise war entschieden, aber freundlich. Aus dem Verhalten der Herren Kossygin, Gromyko, Archipow, Patolitschew und dem der übrigen sowjetischen Delegationsmitglieder wurde deutlich, daß man Breschnews Erklärung im Politbüro abgestimmt hatte; sie hörten offensichtlich nichts, was für sie neu gewesen wäre.

Meine Antwort dürfte der Sache nach kaum Überraschendes für die Gastgeber enthalten haben. Ich bezeichnete unsere Beziehungen zu Moskau als einen »Eckpfeiler unserer Entspannungspolitik«; der Moskauer Vertrag sei als ein Wendepunkt tief in das Bewußtsein der Deutschen eingedrungen, nicht obwohl, sondern gerade weil er eine leidenschaftliche Debatte im Bundestag und schließlich einen Wahlkampf ausgelöst habe. Aber gerade diese Auseinandersetzungen hätten die große Mehrheit des deutschen Volkes von der Richtigkeit des Vertrages überzeugt. Andere Meinungen bei uns dürfe Breschnew »nicht durch ein Vergrößerungsglas betrachten«.

Wir Deutschen, fuhr ich fort, verstünden die Sowjetunion als Großmacht. Die Bundesrepublik sei nur ein mittlerer Staat, der sich »bei einem Angriff von außen allein nicht verteidigen« könne, sondern andere zu seiner Hilfe und zu seinem Schutz brauche. Ich begrüßte, daß Breschnew seine Sorgen bezüglich des Revanchismus ausgesprochen habe – es sei gut, sich gegenseitig offen zu sagen, was man fühle und was man denke. An dieser Stelle unterbrach mich Breschnew: Wenn die Emotion bisweilen mit ihm durchgehe, so habe das seinen natürlichen Grund im Verlust von Millionen Menschen durch den Krieg und in der Zerstörung großer Teile seines Landes.»Der Krieg war keine leichte Sache! Ich habe in diesem Krieg zuviel erlebt! Deshalb berührt mich dieses Problem [des Revanchismus] tief im Gefühl.«

Ich stimmte Breschnew zu, bemerkte aber, auch auf deutscher Seite seien Millionen Menschen ums Leben gekommen, auch bei uns habe es außerordentliche Zerstörungen gegeben, und als Folge des Krieges sei unser Land geteilt worden. Breschnews Erwähnung des Revanchismusproblems gebe mir Anlaß, in aller Offenheit darüber zu sprechen, daß umgekehrt auch bei uns viele Menschen von Mißtrauen und Furcht vor der großen Macht der Sowjetunion erfüllt seien.»Ich selbst habe allerdings weder Angst vor Revanchismus noch vor der Sowjetunion.«

Breschnew unterbrach mich erneut:»Mit diesem Wort haben Sie uns eine sehr wichtige prinzipielle Mitteilung gemacht, die mich und meine Kollegen mit Befriedigung erfüllt.«Zuvor hatte ich Strauß in Schutz genommen:»Ich bin nicht sein Freund; aber man tut ihm unrecht, wenn man ihm Revanchismus unterstellt.« Breschnew war nicht darauf eingegangen, aber offenbar hatte ihm meine selbstverständliche Solidarität imponiert – wenn er sie vielleicht auch nicht ganz verstand.

Breschnews Bemerkungen zu einer zukünftigen wirtschaftlichen Zusammenarbeit stimmte ich zu – mit ausführlichen Ergänzungen. Zwei Staaten, sagte ich, die wirtschaftlich voneinander abhingen, führten keinen Krieg gegeneinander. Die wirtschaftliche Zusammenarbeit, für die ich zu Hause immer wieder werbend einträte, diene also dem Frieden. Natürlich könne sie nur dann funktionieren, wenn sie auf gegenseitigem Nutzen gegründet sei. (Hier unterbrach mich Breschnew und stimmte ausdrücklich zu.) Ich wies auf die Schwierigkeiten hin, die sich aus den unterschiedlichen Strukturen beider Volkswirtschaften ergäben – einerseits eine Staatswirtschaft, andererseits eine Unzahl großer und mittlerer privater Unternehmungen –; die Technik der Kooperation zwischen zwei derartig verschiedenen Partnern bedürfe großer Sorgfalt.

Ich schloß mit der Bemerkung, es gebe neben den wirtschaftlichen noch andere bilaterale Themen, und es scheine mir schwierig zu sein, wirtschaftlich erfolgreich voranzukommen, wenn es auf anderem Felde einen Stillstand gebe. Das zielte natürlich auf die Meinungsverschiedenheiten hinsichtlich der Auslegung des

Viermächteabkommens über Berlin. Ich wurde verstanden; schon eine Stunde später kam Breschnew in seiner Tischrede darauf zurück:»Strikte Einhaltung – eben das braucht man, damit die West-Berlin-Frage völlig aufhört, die politische Atmosphäre im Zentrum Europas zu verdüstern.« Dieser kurze Satz schien mir ein Überrumpelungsversuch der Redakteure von Breschnews Manuskript zu sein, und ich sah mich veranlaßt, in meiner Erwiderung zu improvisieren:»Vor eineinhalb Jahren haben Sie in Bonn zusammen mit Willy Brandt die strikte Einhaltung *und volle Anwendung* des Viermächteabkommens über Berlin vereinbart. Dies ist nach wie vor unsere Meinung.« Breschnews Worte»strikte Einhaltung« formulierten nur das sowjetische Interesse, die fehlenden Worte»volle Anwendung« stellten dagegen das deutsche Interesse dar.

Am anderen Tag zeigte sich sowohl in der Konferenz der beiden Außenminister als auch im wirtschaftspolitischen Gespräch zwischen Ministerpräsident Kossygin und mir, daß Moskau die vom Bundestag gesetzlich beschlossene Errichtung eines Bundesamtes für Umweltschutz in West-Berlin nicht nur als einen Verstoß gegen die»strikte Einhaltung« und damit gegen das Abkommen bewertete, sondern auch nicht gewillt war, diesen Verstoß hinzunehmen. Tatsächlich hat Moskau jahrelang den Abschluß mehrerer fertig ausgehandelter Vereinbarungen wegen strittiger Formulierungen über die Einbeziehung West-Berlins verzögert.

Die Vorgeschichte der Gründung jenes Bundesamtes war in der Tat unglücklich verlaufen. Mein Amtsvorgänger hatte den Gesetzentwurf im guten Glauben an dessen Vereinbarkeit mit dem Viermächteabkommen einbringen lassen; zudem hatte er von den drei westlichen Signatarstaaten entsprechende Interpretationen erhalten. Brandt sah allerdings voraus, daß Moskau protestieren würde. Als ich ihm Mitte Mai 1974 im Amt nachfolgte, hätte ich technisch gesehen die Entscheidung für Berlin als Sitz des Amtes zwar noch revidieren können, aber ich hätte mir damit im Bundestag, in der öffentlichen Meinung, bei den Diplomaten der drei westlichen Signatarmächte wie auch beim Koalitionspartner, dessen Parteivorsitzender zugleich Außenminister war, den Vorwurf eingehandelt, Moskau gegenüber willfähriger zu sein als Brandt – vor allem aber hätte ich Brandt desavouieren müssen. Schon gegen ihn war bereits mehr als einmal der Vorwurf erhoben worden, er sei Moskau gegenüber zu weich. Sollte ich dazu einladen, diesen Vorwurf zu potenzieren? Schließlich hatte Genscher, der ja bis Mitte Mai noch Innenminister gewesen war, von diesem Ressort aus die Errichtung des Amtes in Berlin sehr tatkräftig betrieben. Da ich nach langer Prüfung glaubte, daß wir im Recht seien, ließ ich den Gesetzentwurf durchgehen – wenn auch mit ungutem Gefühl hinsichtlich der sowjetischen Reaktion.

Im Spätsommer 1974 hatten wir in Bonn den Besuch des damaligen stellvertretenden Ministerpräsidenten Tichonow und des Außenministers Gromyko gehabt, und dabei hatte sich gezeigt, daß mein Gefühl mich nicht getrogen hatte. Vor unserer Abreise nach Moskau hatte Genscher überdies publizistische Aktivitäten in der Berlin-Frage entfaltet, die Moskau ärgern mußten. Die »Rheinische Post« hatte ihn daraufhin als »das deutsche Mark im Rückgrat von Schmidt« apostrophiert; ich hatte das kommentarlos hingenommen. Nun aber war die Sache in Moskau auszubaden – und dies gelang Genscher nicht; denn Gromyko konnte noch pingeliger sein als sein deutscher Kollege.

Dem vergeblichen Einigungsversuch der beiden Außenminister war am Vormittag des zweiten Verhandlungstages ein vor allem Berlin betreffendes Gespräch zu fünft vorausgegangen: Breschnew, Kossygin, Gromyko sowie Genscher und ich. Breschnew wurde unwillig, als das Berlin-Thema zur Sprache kam, und wollte es sogleich an die Außenminister überweisen. Einstweilen aber hielt ich an dem Thema fest und sagte, ich hätte nach meinem Amtsantritt als Bundeskanzler die Vorgeschichte des Viermächteabkommens noch genauer studiert als seinerzeit als Kabinettsmitglied. Für mich stelle das Abkommen heute einen noch kunstvolleren Kompromiß dar, als ich ursprünglich geglaubt hätte. Die Kunst des Abkommens bestehe vor allem in den Auslassungen; so sage zum Beispiel die Überschrift gar nicht, wovon man eigentlich spreche. Auch der Text des Abkommens lasse viele Fragen offen. Insofern könne das Abkommen, das doch einen großen Schritt vorwärts darstelle, auch die Quelle von Mißverständnissen sein, wenn man nicht aufpasse. Die Errichtung des Bundesumweltamtes habe zum Beispiel ein solches Mißverständnis ausgelöst. Bonn glaube, in voller Übereinstimmung mit dem Abkommen gehandelt zu haben, während Moskau – seiner eigenen Interpretation des Abkommens folgend – uns unterstelle, wir wollten mit Hilfe jenes Amtes das Abkommen ausdehnen oder überschreiten. Dies sei aber keineswegs der Fall.

Gromyko habe jüngst in Bonn gesagt, Berlin sei für die Sowjetunion weder der Mittelpunkt der Welt noch ihr wichtigstes Problem. Dem sei nicht zu widersprechen; aber für uns seien Berlin und unsere Bindung an Berlin ein zentrales Thema. Jetzt hoffte ich zuversichtlich, beide Seiten würden sich auf eine langfristige wirtschaftliche Zusammenarbeit einigen können; aber wir brauchten dafür die Zustimmung unserer öffentlichen Meinung, und diese werde psychologisch schwer belastet durch so kleine Nadelstiche wie die unnötige Erschwerung der Besuche von Rentnern, die im anderen Teil der Stadt Kinder und Enkel hätten. Auch die Untersuchung des Spionagefalles Guillaume mache noch immer täglich Schlagzeilen.

Wenn das Viermächteabkommen und der Grundlagenvertrag mit der DDR nicht fruchtbar gemacht würden, könne auch der Moskauer Vertrag nicht produktiv wirken. Unsere öffentliche Meinung verstehe alle drei Verträge unter dem vereinfachenden Stichwort »Ostpolitik« als einen einheitlichen Komplex: »Wir gehen von dem festen Vorsatz aus, alle drei Verträge strikt einzuhalten, das Vereinbarte aber auch anzuwenden. Wenn es so scheinen muß, als ob auf sowjetischer Seite das Mißtrauen bestehe, wir wollten die Verträge überdehnen ...« – »Ja, extensiv anwenden und überdehnen«, rief Gromyko dazwischen. Ich fuhr fort: »Ich kann solches Mißtrauen verstehen, halte es aber nicht für gerechtfertigt. Bei uns gibt es auch ein Mißtrauen, nämlich, daß die Sowjetunion die Verträge einschränken will.« Ich gab dazu Hinweise, zum Beispiel die Tatsache, daß die sowjetische Seite verlange, unsere Touristikvertretung in der Sowjetunion dürfe nicht für die Berliner zuständig sein.

Ich verwies auf die längst ausgehandelten Abkommen über die wissenschaftlich-technische Zusammenarbeit, den kulturellen Austausch und die Rechtshilfe, die seit Jahresfrist an der Frage der Einbeziehung West-Berlins hängenblieben. Genscher und ich hätten zu Hause öffentlich gesagt, wir erwarteten nicht, daß diese Abkommen während unseres Besuchs unterschrieben würden, weil wir Enttäuschungen nicht gebrauchen könnten. Es sei auch kein Unglück, wenn die bekannten Positionen unverändert bestehenblieben. Jeder Fortschritt aber würde das Vertrauen in die Tragfähigkeit der Verträge stärken. »Herr Genscher und ich sind nicht gekommen, um etwas zu erbitten.« Wohl aber hofften wir auf Verständnis, daß eine Verabredung über eine grundlegende Ausweitung und Vertiefung der beiderseitigen Wirtschaftsbeziehungen zwar wünschenswert sei, aber durch die Lage in Berlin und die Stimmung bei uns zu Hause sowohl erschwert als auch erleichtert werden könne. »Die Entscheidung liegt bei Ihnen.«

Breschnew antwortete lapidar. Es gehe nicht um Details, über die könne man sich wohl vernünftig einigen: »Wichtig ist das Prinzip. Wenn die Verhandlungen der Bundesrepublik Deutschland darauf gerichtet sind, das vierseitige Abkommen zu korrigieren, um dadurch das Ziel zu erreichen, daß West-Berlin in ein Land der Bundesrepublik umgewandelt wird, dann sind Reibungen und Zuspitzungen unvermeidlich. Die Sowjetunion hat ihrerseits nie versucht, die Frage West-Berlin zu verschärfen. Sie will auch aus dem vierseitigen Abkommen keine Veränderung ableiten.« Er schlug erneut vor, die Außenminister mit der weiteren Klärung zu beauftragen; sie sollten jedoch nicht damit anfangen, das vierseitige Abkommen zu revidieren.

Ich erklärte mich damit einverstanden und wies darauf hin, daß das Viermächteabkommen eine Lösung der Fragen zur Behandlung West-Berlins in den drei ausgehandelten bilateralen Abkommen zwar nicht bindend vorschreibe, wohl aber ermögliche. Breschnew meinte, er habe die bisherigen Briefwechsel so verstanden, daß die wirtschaftlichen, die wissenschaftlich-technischen, die kulturellen Fragen und so weiter bilateral gesehen würden und mit dem Berlin-Problem nicht verknüpft seien.

Ich gebe die Meinungsverschiedenheiten über das Viermächteabkommen über West-Berlin nach bester Erinnerung deshalb so ausführlich wieder, weil es mir schon damals so vorkam, als würden sie noch lange ein Vorankommen erschweren. Ich war nicht überrascht, als am gleichen Nachmittag die Außenminister in den Fragen der drei bilateralen Abkommen Berlins wegen zu keinen Ergebnissen kamen. Ich hielt das nicht für ein Unglück; seit Monaten hatte ich nichts anderes erwartet, zumal ich die Beharrlichkeit Gromykos kannte.

Abends im Gästehaus haben Genscher und ich aber dann darüber gesprochen, ob wir angesichts der ernsten Meinungsverschiedenheiten den Besuch in Moskau nicht besser abkürzen sollten, sofern eine Einebnung der Kontroverse nicht möglich wäre. Wir sprachen laut und deutlich, damit unsere Erwägung auf den Tonbändern des KGB festgehalten wurde, deren verstecktes Mitlaufen wir mit Gewißheit unterstellten.

Am nächsten Tag wurde der Gegensatz in einem Gespräch unter vier Augen zwischen Breschnew und mir entschärft. Ich hatte gesagt: »Herr Generalsekretär, in einer Ihrer Botschaften nach meiner Amtsübernahme gab es im Zusammenhang mit der Errichtung des Bundesumweltamtes in Berlin einen mir wichtigen Satz. Sie schrieben mir, Sie verstünden, daß ein neuer Mann ein umfangreiches Erbe übernehmen müsse. Damit haben Sie den Nagel auf den Kopf getroffen. Ich möchte Ihnen dazu versichern, daß mein Vorgänger Willy Brandt, als er den Gesetzentwurf gebilligt und dem Parlament unterbreitet hat, davon überzeugt war – und er ist auch heute noch überzeugt –, in voller rechtlicher Übereinstimmung mit dem Viermächteabkommen gehandelt zu haben; Brandt hat guten Gewissens gehandelt. Ich selbst teile Brandts Rechtsstandpunkt; ich habe mehrfach mit ihm über die Sache gesprochen. Ich will aber hinzufügen: Ich weiß, daß man im Leben gelegentlich einen Unterschied zwischen der Verfechtung von Rechtsstandpunkten und der politischen Zweckmäßigkeit machen muß. Ich versichere Ihnen, soweit mein Einfluß reicht, werde ich verhindern, daß in Zukunft erneut ähnliche Streitigkeiten entstehen.«

Breschnew nahm sich Zeit für seine Antwort und setzte zunächst das Gespräch über andere Punkte fort. Er sprach von seinem Verständnis für die Schwierigkeiten, die uns die Bonner Opposition mit ihren Unterstellungen mache. Viele der Fragen, über die wir heute miteinander sprächen, könnten leichter geregelt werden, wenn die Konferenz über Sicherheit und Zusammenarbeit in Europa erfolgreich abgeschlossen wäre. Das Element des Vertrauens werde dann alles überwiegen. Dann nahm Breschnew meine Einladung zu einem erneuten Besuch in der Bundesrepublik an. Anschließend kam er auf Berlin zurück und sagte:»Vielleicht sind Sie, Herr Bundeskanzler, oder vielleicht ist Herr Brandt voreilig gewesen, möglicherweise haben Sie bei der Errichtung des Bundesumweltamtes zuviel Vorschuß genommen und so eine schwierige Lage geschaffen. Aber darüber soll man jetzt nicht mehr weinen! Ganz allgemein glaube ich: Übereile kann einer Politik ebenso schaden wie unnötige Verzögerung.«

Damit war das Hindernis für einen politischen Abschluß aus dem Wege geräumt. Jetzt hatte Breschnew Kossygin und Gromyko entsprechend zu unterrichten; der Außenminister wird nicht begeistert gewesen sein. Jedenfalls spielte Berlin beim Abschlußgespräch am nächsten Tag keine hemmende Rolle mehr. Vielmehr bestätigte Kossygin zum ersten Mal, daß für das damals zwischen uns behandelte Projekt eines Kernkraftwerkes auf sowjetischem Boden, dessen Strom auch in das westdeutsche Verbundnetz eingespeist werden sollte – ein Projekt, das später im Sande verlaufen ist –, die Schalter und Transformatoren auf West-Berliner Gebiet errichtet werden konnten. Damit kam er unserer Bedingung entgegen, daß diese Anlagen nicht auf einem Territorium liegen dürften, über welches die Regierung der DDR Verfügungsgewalt hatte. Auch Gromyko gebrauchte im Blick auf die Einbeziehung West-Berlins in die anstehenden Abkommensentwürfe eine neue Formulierung, nach welcher (natürliche) Personen mit Wohnsitz in West-Berlin aus der Zusammenarbeit zwischen der Sowjetunion und der Bundesrepublik nicht ihrer beruflichen Tätigkeit wegen ausgeschlossen sein sollten. Damit schienen auch die Beamten des Umweltschutzamtes in die wissenschaftliche Zusammenarbeit einbezogen.

Mit den Erklärungen Kossygins und Gromykos war der am Bundesumweltamt aufgehängte Streit über die Auslegung des Viermächteabkommens vorerst entschärft. Aber Monate später sollte sich zeigen, daß Moskau auch nach der Schattenseite hin flexibel sein kann: Man zog sich in beiden Komplexen – Überlandleitung und Zusammenarbeitsabkommen – auf die alten Positionen zurück.

Breschnew und ich haben während des Besuches etwa zwölf bis fünfzehn Stunden miteinander gesprochen; davon waren am interessantesten – und auch am wichtigsten – die viereinhalb Stunden unter vier Augen. Es zeigte sich, daß Breschnew die vom Bundesumweltamt ausgegangenen Streitigkeiten weit weniger wichtig nahm als den Fortschritt bei den KSZE-und bei den SALT-Verhandlungen und den Ausbau der wirtschaftlichen Zusammenarbeit zwischen unseren beiden Ländern.

Mit dem letzteren Komplex begannen wir. Breschnew holte weit aus und schilderte, wobei er eine Landkarte zu Hilfe nahm, die Rohstoffquellen und -reserven Sibiriens, die Pläne zu ihrer Erschließung, die dabei auftretenden Transportprobleme, die geplante Eisenbahn-Magistrale vom Baikalsee zum Amur-Fluß und weiter bis zum eisfreien Amur-Hafen Komsomolsk. Bei diesen Themen, die ihm erkennbar am Herzen lagen, lebte er auf. Die Sowjets könnten in der Zukunft große Mengen an Rohstoffen liefern – dies war der Kern seiner Botschaft. Auch in späteren Jahren kam Breschnew häufig auf diesen Themenkomplex zurück. Kossygin hatte die gleichen Visionen, konzentrierte sich aber ganz auf die nächstliegenden Projekte, vor allem auf diejenigen, die unter dem Aspekt einer wirtschaftlichen Kooperation mit Deutschland in Betracht kamen.

Ich hatte bei allen Gesprächen mit Breschnew und Kossygin den Eindruck, daß sowohl der Generalsekretär als auch der Ministerpräsident im Grunde den wirtschaftlichen Ausbau ihres Landes als ihre eigentliche Hauptaufgabe betrachteten. Dabei dachten sie immer in güterwirtschaftlichen Kategorien und Quantitäten, nicht in finanz- oder haushaltswirtschaftlichen Größenordnungen. Die finanzwirtschaftliche Quantifizierung kam auch bei jedem einzelnen Großprojekt immer erst am Schluß; dabei spielte aber dann die Höhe des Zinsfußes für die von uns zur Finanzierung erwarteten Kredite eine ideologisch fixierte Rolle.

Kossygin erhob zum Beispiel keinen Einspruch, stimmte vielmehr sogar zu, als ich ihm in größerer Runde sagte, natürlich könnte man einen Zinsfuß von 6 1/2 Prozent ins Auge fassen, sogar einen von nur 4 Prozent; das für die Finanzierung tätige Konsortium müsse allerdings für die Refinanzierung gegenwärtig praktisch 11 Prozent zahlen. Da unser Staat für die Überbrückung der Zinsdifferenz nicht eintrete, müsse die Differenz aus dem Preis für die Lieferung gedeckt werden. Kossygins Sorge galt eher der Frage, ob unsere Banken den Umfang der Finanzierung bewältigen könnten; mit meinem Hinweis auf die Offenheit unserer Finanzmärkte, die eine praktisch unbegrenzte Kapazität ermögliche, gab er sich zufrieden. Zu meiner Bemerkung, bisher sei noch kein Großgeschäft an der Finanzierungsfrage gescheitert, nickte er zustimmend. Tatsächlich wurde noch während unserer Anwesenheit in Moskau von führenden Industriellen und Bankern ein drittes Erdgasröhrengeschäft unterzeichnet. Zu Hause in München sah sich Franz Josef Strauß zu der polemischen Bemerkung veranlaßt, der deutsche Bundeskanzler vertrete in Moskau die Interessen der Schwerindustrie – als ob es sich nicht ebenso um Beschäftigungsinteressen der deutschen Arbeitnehmer und, politisch gesehen, um deutsche Gesamtinteressen gehandelt hätte!

Breschnew sprach auch über die anderen Großprojekte, über die zwischen Moskau und Bonn verhandelt wurde. Mit Stolz wies er auf wirtschaftliche und technische Leistungen seines Landes hin, zum Beispiel auf die Technologie einer sowjetischen Quarzuhr, die er mir schenkte – die aber leider nur wenige Tage funktionierte.

Der wichtigste Gesprächspunkt für Breschnew war die Fortsetzung der Entspannungspolitik. Die KSZE-Verhandlungen dauerten ihm zu lange. Er berichtete von diesbezüglichen Gesprächen mit Nixon und zeigte sich besorgt, daß die Bürokratien immer neue Schwierigkeiten erfänden, sowohl bei den sogenannten vertrauensbildenden Maßnahmen als auch beim sogenannten Korb Drei. Offenbar gebe es viele Leute, die auf diese Weise den Abschluß der KSZE-Verhandlungen bremsen wollten. Ich erwiderte, die Bundesrepublik werde zu derartigen Schwierigkeiten nicht beitragen; Bonn sei, was die vertrauensbildenden Maßnahmen angehe, durchaus bereit, sich Auflagen zu unterwerfen, wenn dies auf allen Seiten gleichmäßig geschähe. Wir hätten nur *ein* vitales Interesse, nämlich, daß der Grundsatz der Möglichkeit einer friedlichen Änderung der Grenzen den gleichen Rang erhalte wie die anderen Prinzipien.

Im ganzen gewann ich den Eindruck, daß Breschnew entweder gegenüber seinen Kollegen im Politbüro oder gegenüber den Führern der anderen kommunistischen Staaten im Osten Europas erhebliches persönliches Prestige in die KSZE-Verhandlungen investiert hatte und daß er mich dies spüren lassen wollte, ohne es auszusprechen. Vielleicht spielte der Wunsch nach einer Kompensation der sogenannten Breschnew-Doktrin eine Rolle, das heißt der im Zusammenhang mit dem Einmarsch in die ČSSR 1968 verkündeten Theorie, nach der sich kein sozialistisches Land in der Frage der gemeinsamen Sicherheit aller sozialistischen Länder auf seine nationale Souveränität berufen könne – was ein ausdrücklicher Verstoß gegen das in Artikel 2 der Satzung der Vereinten Nationen enthaltene Prinzip der Nichteinmischung war.

Ein Jahr später haben dann tatsächlich alle europäischen Verbündeten Moskaus, und zwar protokollarisch im gleichen Rang wie Moskau selbst, an der KSZE-Schlußkonferenz in Helsinki teilgenommen. Aber ebenso deutlich war, daß die KSZE-Schlußkonferenz für Breschnew auch eine Bestätigung dafür sein sollte, daß die Sowjetunion gleichen Rang mit den USA hatte und daß sie de facto in ihrer Vormachtstellung in Osteuropa legitimiert wurde.

Die Ebenbürtigkeit als Weltmacht spielte unausgesprochen auch in Breschnews Darstellung des Standes der SALT-II-Verhandlungen eine wichtige Rolle. Zwei Tage zuvor hatte Henry Kissinger aus diesem Anlaß Moskau besucht; Breschnew berichtete mit einem Anflug von Stolz, daß sein Resümee über den Stand der SALT-II-Verhandlungen von Kissinger als eine »sehr gute Grundlage für einen Vertrag« bezeichnet worden sei. Allerdings sei die Frage des Abzuges der amerikanischen Bombenflugzeuge und der strategischen Raketen aus der Bundesrepublik noch offen (gemeint waren die Jagdbomber und Mittelstreckenraketen, die relativ kurze Reichweiten hatten). Breschnew sprach von Nixon und Kissinger mit spürbarem Respekt – er schien den Abgang Nixons zu bedauern – und wies mit Genugtuung auf SALT I und auf den ABM-Vertrag hin: »Die Menschen in den USA sind klug, sie wissen, was ein Atomkrieg bedeuten würde. Wenn jemand uns einmal als erster angreifen oder wenn je die Sowjetunion eine solche Dummheit begehen sollte, so werden alle Europäer untergehen – vielleicht bleibt von Lateinamerika noch etwas übrig. Deshalb lasse ich den Gedanken an die Führbarkeit eines atomaren Krieges überhaupt nicht aufkommen!«

Breschnew sprach mit großem Engagement; auf mich wirkte er überzeugt und überzeugend. Ich antwortete, meiner Meinung nach werde die politische Elite in keinem der größeren Staaten der Welt absichtlich einen atomaren Krieg in Kauf nehmen, ganz unabhängig davon, welche Persönlichkeiten in Moskau oder Washington an der Regierung seien. Die Gefahr eines Atomkrieges gehe nicht von Washington oder von Moskau aus; aber bei kleinen Staaten könne sie nicht ausgeschlossen werden, so wie es ja auch Terroristen gebe, die den eigenen Tod in Kauf nehmen. Jedoch stellten bereits Drohungen eine Gefahr dar; deshalb trete die deutsche Seite für den Nichtverbreitungsvertrag für SALT I und SALT II ein. Es liege in unserem eigenen und im eu-

Bilder vom Staatsbesuch im Oktober 1974: Abnahme der Ehrenformation auf dem Flughafen Wnukowo; Unterzeichnung der gemeinsamen Schlußerklärung; Helmut und Loki Schmidt im Gespräch mit Frau Breschnewa, der Tochter Kossygins und Frau Gromyko (ganz rechts Staatsministerin Marie Schlei); im Bolschoi-Theater, von links: Botschafter Sahm, Frau Gromyko, Frau Breschnewa, Helmut Schmidt, Leonid Breschnew, Loki Schmidt, Alexej Kossygin.

ropäischen Interesse, daß es über 1977 hinaus zu einer weitertragenden SALT-II-Vereinbarung komme.

Breschnew warf ein:»Dessen bin ich sicher.«Tatsächlich aber hat sein Treffen mit Gerald Ford in Wladiwostok wenige Wochen später – unter anderem der sowjetischen Langstreckenbomber Backfire und der SS-20-Raketen wegen – nicht zum Durchbruch geführt. Erst als Jimmy Carter bereit war, die Nuklearwaffen mit europäisch-strategischen Reichweiten (und damit die sowjetischen SS 20) auszuklammern, ist es 1979 zu SALT II gekommen – viel zu spät, um den Entspannungsprozeß noch voranzutreiben.

Ich konnte das damals nicht wissen; wohl aber sah ich die auf Europa und auf die Bundesrepublik gerichteten sowjetischen Nuklearwaffen. Deshalb lenkte ich das Gespräch auf das Gleichgewicht in Europa, zu dessen Erhaltung auch die amerikanischen Truppen in Europa notwendig seien; aber im ganzen könne man hier wohl auf beiden Seiten mit geringeren Streitkräften auskommen. Der Schlüssel zur Sicherheit Europas liege im Gleichgewicht nicht nur mit den sowjetischen Truppen, sondern auch mit deren Raketen.

Meines Wissens war dies das erste Mal, daß wir von Bonner Seite auf das spezifische Ungleichgewicht hinwiesen, das mit der großen Zahl sowjetischer Mittelstreckenraketen gegeben ist, die auf europäische Ziele und auf die Bundesrepublik gerichtet sind. Ich hätte die Bedrohung durch die eurostrategischen Waffen der Sowjetunion schon allein deshalb zur Sprache gebracht, weil Breschnew seinerseits davon gesprochen hatte, die Sowjetunion sei durch amerikanische Raketen aus der Bundesrepublik bedroht. Das war eine starke Übertreibung gewesen, denn die sowjetischen Territorien lagen außerhalb der Reichweite der damals bei uns stationierten amerikanischen Waffen, und Breschnew wußte das natürlich.

Darüber hinaus aber hielt ich die Betonung des Gleichgewichts für nötig, weil ich eine Beunruhigung über die damals in Erprobung befindlichen neuen sowjetischen Mittelstreckenraketen SS 20 empfand, die mir eine zusätzliche Bedrohung meines Landes darzustellen schienen. Der Generalsekretär oder seine Stäbe sollten wissen, daß hier ein Problem entstand, das wir unsererseits erkannt hatten. Tatsächlich haben dann die neuen SS 20 und die neuen sowjetischen Backfire-Bomber von November 1974 an in den SALT-Gesprächen eine wichtige Rolle gespielt.

Die ab 1976 forcierte SS-20-Aufrüstung ist später zu einem der wichtigsten Faktoren für den Zerfall der Entspannungsphase zwischen West und Ost geworden. Aber diesen Zerfall sahen damals weder Breschnew noch ich voraus. Im Gegenteil: ich spürte

Breschnews unverkennbaren persönlichen Willen zu weiterer Entspannung, und er erkannte den meinigen. Wir begriffen, daß der jeweils andere kompromißbereit war, aber nicht kompromißbereit zum einseitigen Nachteil für das eigene Land – auch nicht zum einseitigen Nachteil der eigenen Verbündeten und Freunde.

Auch in späteren Jahren hat es Breschnew mir gegenüber stets vermieden, seine Unzufriedenheit mit den Führern kommunistischer Staaten anders zu äußern als durch vorsichtigste Andeutungen. In diesem Punkte hielt er – trotz seines sanguinischen Temperaments – immer auf Selbstdisziplin. Notfalls ließ er mich indirekt, durch mündliche Bemerkungen Dritter, sein Urteil oder seine Kritik wissen.

Von dieser Zurückhaltung waren allein die Volksrepublik China und Mao Zedong ausgenommen. Beiläufig hatte ich meine Absicht zu einem Besuch Beijings erwähnt, was ihn nicht erfreuen konnte. Breschnew fragte mich sofort nach meiner Einschätzung der Rolle Chinas. Ich sagte, ich betrachtete die Spannung zwischen der Sowjetunion und China mit einer gewissen Sorge, denn im Weltmaßstab könne sie den Entspannungsprozeß nur beeinträchtigen. Damit hatte ich ganz offensichtlich ein Faß angestochen. Breschnew sprach fast eine halbe Stunde über China, lediglich mit gelegentlichen Atempausen, die sich durch Zwischenfragen von mir ergaben.

Breschnew erzählte ausführlich, wie die Sowjetunion der Volksrepublik China jahrelang auf vielen Gebieten Hilfe geleistet habe. Warum die Beziehungen zwischen Moskau und Beijing schon seit über einem Jahrzehnt schlecht seien? Er wisse, offen gesagt, den Grund auch nicht. Vielleicht sei die Entfremdung nach einem China-Besuch Chruschtschows entstanden; er wisse das nicht: »Vielleicht liegt der Grund im chinesischen Großmacht-Chauvinismus. Die Chinesen haben endlose innere Kämpfe untereinander, aber nach außen versuchen sie, überall Zwietracht zu säen. Sie werden Ihnen, Herr Bundeskanzler, einen guten Empfang bereiten. Sie werden Ihnen sagen: Man darf den Russen nicht trauen, die Russen wollen ganz Deutschland und ganz Europa erobern und Sie, Herr Bundeskanzler, ins Gefängnis werfen.«

Bei meinem China-Besuch ein Jahr später erwies sich diese Prognose als nicht ganz falsch. Es herrschte ein tief verankertes gegenseitiges Mißtrauen zwischen Beijing und Moskau. Ob Breschnew sich der Fehler bewußt war, die Stalin mit der Bevormundung Maos und später dann Chruschtschow mit dem abrupten Abbruch aller Hilfsprogramme gemacht hatten, wage ich nicht zu entscheiden. Fest stand für mich hingegen, daß die im

Kern aus der Geschichte und der geostrategischen Situation stammende gegenseitige Aversion mit ideologischen Differenzen nur oberflächlich erklärt war.

Dem Zwiespalt mit China widmete Breschnew lange Passagen.»Jeden Monat gibt es dort neue Richtungen. Zur Zeit ist die Lehre von Konfuzius das große Thema. Ich versuche, Ihnen wiederzugeben, was ich verstanden habe. Mao hat gesagt, jeder Chinese müsse in sich selbst die Fehler suchen, die auf Konfuzius zurückgehen. Welch ein Unfug! Ich glaube, von hundert Chinesen haben 99 keine Ahnung, wer Konfuzius ist. Einmal habe ich in Beijing eine Reinigungskampagne erlebt – das war zu der Zeit, als unsere Beziehungen noch gut waren. Damals wurde die ›Persönlichkeit‹ aller Chinesen überprüft. Sie mußten an sich selber feststellen, ob sie Feinde waren oder nicht. Ich habe beobachtet, wie Chinesen vor der Wand einer Pagode standen, um herauszufinden, ob sie dem verderblichen Einfluß von Konfuzius ausgesetzt waren ...

Einmal hat Mao auf einer Konferenz der Kommunistischen und Arbeiterparteien gesagt: ›Man muß gegen den Imperialismus Krieg führen; auch wenn dabei dreihundert Millionen Menschen sterben, so werden wir schließlich doch den Imperialismus besiegen.‹ Jetzt sagen die Chinesen, ich, Leonid Breschnew, hätte hundertprozentig den Imperialismus restauriert. Damals waren Togliatti und unsere anderen Freunde von Maos Worten schockiert, obwohl man Mao damals noch sehr achtete.

Bei einer späteren Konferenz in Moskau führte Liu Schaotschi das Wort. Die Konferenz dauerte zwei oder drei Monate. Liu Schao-tschi war sehr autoritär. Nachts hat er immer lange Berichte nach Beijing geschickt, deshalb konnte er immer erst mittags zu den Sitzungen kommen. Dann ist er plötzlich verschwunden, es gab ihn einfach nicht mehr. Ich weiß nicht, was mit Liu Schao-tschi passiert ist. Zu Lius Nachfolger haben sie Lin Biao gewählt; aber der ist dann in einem Flugzeug umgekommen. Danach wurde der Kampf gegen dessen Anhänger geführt ... Die Chinesen kennen bloß Intrigen. Auch jetzt gibt es wieder innere Kämpfe. Das alles ist ein unvorstellbarer Verschleiß ihrer Kader; immer neue Gesichter erscheinen auf der Bühne. Militärs und Zivilisten kämpfen gegeneinander ... Das chinesische Volk hat viel Disziplin; der Grund dafür liegt wohl in der Angst. Die Roten Garden haben öffentlich Menschen hingerichtet. Wenn das Volk sieht, wie anderen die Köpfe abgeschlagen werden, dann wird es natürlich von Angst gepackt. Und wer Angst hat, der hütet seine Zunge.«

Bei diesem letzten Satz dachte ich: Zu dieser Erkenntnis bedarf es für einen Russen nicht der chinesischen Erfahrung. Breschnew erwähnte nicht, daß die Streitigkeiten zwischen Moskau und Beijing 1960 auf einem Konzil der 81 Kommunistischen Parteien durch verbale Kompromisse nur verdeckt, nicht beigelegt worden waren. Natürlich muß ihm der damalige Kampf um den Hegemonialanspruch der sowjetischen KP in Erinnerung gewesen sein; seine Darstellung war nicht falsch, aber sehr einseitig. Übrigens hat er weder Zhou Enlai noch Deng Xiaoping in seine Kritik einbezogen; deren Namen fielen überhaupt nicht.

Zum Schluß sprach Breschnew ausführlich über den Aufbau der chinesischen Atomstreitmacht: Es werde noch lange dauern, bis diese so stark sei wie die sowjetische. Mit den chinesischen Luft- und Panzerstreitkräften verhalte es sich ähnlich, man solle sie nicht überschätzen. Ganz offenkundig wollte Breschnew den Eindruck erwecken, die Sowjetunion sei über die chinesische Rüstung nicht besorgt. So behauptete er, die chinesischen Berichte über eine sowjetische Millionenarmee entlang der Grenze seien reine Propaganda. Ich wußte, daß er übertrieb; ich spürte, daß China die sowjetische Führung erheblich beunruhigte. Breschnew wiederholte mehrfach, die sowjetische Seite wünsche freundschaftliche Beziehungen zu China – »... ohne irgendwelche militärischen Versuchungen«.

Ein Jahr später zeigte sich, daß die amerikanisch-sowjetischen SALT-Gespräche von der sowjetischen Sorge über die chinesischen Atomstreitkräfte erheblich beeinträchtigt wurden. Von Moskau aus gesehen – so sagte mir 1975 ein Russe – sei die künftige Stärke Chinas zwar ein Problem von morgen, aber ihre Auswirkungen zeigten sich schon heute. Für Washington sei das alles nur ein Problem von übermorgen. Dieser Umstand führe bei SALT zu Verständnisschwierigkeiten zwischen Moskau und Washington.

Im Herbst 1975, unmittelbar vor Antritt meiner Chinareise, ließ Breschnew mir plötzlich sagen, die von ihm eben noch so wegwerfend behandelte chinesische Atomstreitmacht habe, vor allem bei Raketen und nuklearen Sprengköpfen, große Fortschritte gemacht. Jetzt liege Moskau innerhalb deren Reichweite. Wenn die Chinesen erst ein Kräfteverhältnis von 1:10, das heißt zehn Prozent der sowjetischen nuklearen Streitkräfte, erreicht hätten, beginne die Gefahr eines Konfliktes. Gegenwärtig sei das Verhältnis noch 1:60. Aber Beijing scheine sich stark zu fühlen – eine für eine junge Atommacht typische Selbstüberschätzung. Moskau habe sich deshalb entschlossen, zusätzliche Streitkräfte in den Osten zu verlegen und im Osten aufzurüsten. Den Fehler Stalins, der 1941 von Hitlers Angriff überrascht worden ist, werde man nicht wiederholen.

Mein Besuch in Beijing habe, so Breschnew weiter, für die Chinesen eine außerordentliche Bedeutung; aus chinesischer Sicht nämlich sei Deutschland im Verhältnis zur Sowjetunion ebenso wichtig wie die USA. Beijing werde gewiß versuchen, mich antisowjetisch zu beeinflussen und mir die Entspannungspolitik auszureden. Das war in der Tat zu erwarten, und Mao Zedong hat dann auch Vorstöße in diese Richtung unternommen. Nach meiner Rückkehr aus China erkundigte sich Breschnew angelegentlich nach meinen Eindrücken. Ich ließ sie ihm gern übermitteln. Das Interesse Moskaus an der weiteren Entwicklung entlang seiner Ostgrenzen war unverkennbar. Mir schien es nur natürlich, daß sich die beiden kommunistischen Großreiche nicht verstanden; sie mißtrauten einander – mit einem wesentlichen Unterschied: In Beijing glaubte man das sowjetische Verhalten berechnen zu können, während man in Moskau das Gefühl hatte, sich einer Gleichung mit zu vielen Unbekannten gegenüberzusehen.

Der Kreml wollte wissen, warum ich nach Urumtchi, der Hauptstadt Xinjiangs, gefahren sei. Ich sagte wahrheitsgemäß, ich hätte keinen Grund gesehen, diesem chinesischen Vorschlag nicht zu folgen; Bundespräsident Scheel besuche ja demnächst auf Grund einer sowjetischen Einladung auch Taschkent. Beide Städte symbolisieren den chinesisch-sowjetischen Wettbewerb um Gebiete in Zentralasien, die weder von Chinesen noch von Russen besiedelt sind.

Die Moskauer Gespräche im Oktober 1974 endeten harmonisch. Ich hatte mit dem Besuch keine unmittelbar operativen Ziele verfolgt. Wohl aber standen mir zwei allgemeine Zwecke vor Augen: Zum einen wollte ich die sowjetische Führung näher kennenlernen, um ein Gefühl für ihre Art zu denken, ihre zukünftige Politik und ihre möglichen Reaktionen auf die Politik des Westens und Bonns zu erlangen. Zum anderen wollte ich meinen sowjetischen Gesprächspartnern ein Verständnis der neuen Bundesregierung und meiner Art, die Dinge zu sehen, vermitteln. Moskau sollte wissen, daß wir willens waren, die Brandtsche Ostpolitik fortzusetzen und vornehmlich auf wirtschaftlichem Felde auszufüllen; aber man sollte auch erkennen, daß wir unsere deutschen Sicherheitsinteressen dabei nicht aus dem Auge verlieren würden; daß wir in der Lage waren, die notwendigen Kompromisse nüchtern, wenn auch in verbindlicher Form auszuhandeln, und daß wir uns dabei von der Übermacht der Sowjetunion nicht ohne adäquate Gegenleistungen zur Preisgabe von Positionen bewegen lassen würden.

In diesem Sinne konnten wir mit dem Ergebnis des Besuches zufrieden sein; das damals geschlossene deutsch-sowjetische

Regierungsabkommen über die Weiterentwicklung unserer wirtschaftlichen Zusammenarbeit und die von Breschnew und mir unterzeichnete Abschlußerklärung waren Zugaben.

Ähnlich sahen es auch die etwa hundert deutschen Journalisten, die nach Moskau gekommen waren. Die »Frankfurter Allgemeine Zeitung« schrieb zum Beispiel: »Gast und Gastgeber traten unbefangen aufeinander zu ... Dies schloß freilich nicht aus, daß die Meinungen hart aufeinanderprallten. Aber immer wieder wurde von allen Beteiligten der sachliche Ton hervorgehoben ... Man konnte einander deutlich die Meinung sagen, ohne daß der andere dies falsch verstand. Das war ... keineswegs selbstverständlich.« Die »Stuttgarter Zeitung« schrieb: »Noch kein deutscher Politiker dürfte den Kreml-Herren mit dieser Offenheit klargemacht haben, daß die Bundesrepublik für das Ostgeschäft keine Prämien zu zahlen bereit ist, weder in Form von subventionierten Krediten noch in Form von politischen Zugeständnissen.« Die »Süddeutsche Zeitung« bemerkte: »Schmidt macht sich ... keine Illusionen; seine ganze Verhandlungsführung in Moskau verrät, daß er die Grundlage des realisierbaren Geschäfts nicht verlassen hat.« Der Norddeutsche Rundfunk sprach von einer »... tiefgehenden und nicht vorgetäuschten Irritation der Sowjets über die Placierung des Umweltbundesamtes in Berlin ... Das daraus entstandene Mißtrauen [ist] jetzt das Haupthindernis für Fortschritte in der Berlinfrage.« Und schließlich die »Rheinische Post«: »Da der Meinungsunterschied über West-Berlin im Viermächteabkommen eingebaut ist, wird es schwer sein, die unterschiedlichen Interpretationen in den Bereich des Kleingedruckten zu verweisen.«

Insgesamt war das deutsche Presseecho einhellig positiv; aber auch »Prawda« und »Iswestja« hoben ausdrücklich das gegenseitige Verständnis hervor. Die Kommentare der sowjetischen Zeitungen unterstrichen einerseits die Erdgasröhrenvereinbarung (die bis zum Jahre 2000 gelten sollte) und andererseits den Realismus der Gespräche. Insgesamt war auch das breite sowjetische Echo positiv.

In Moskau hatte es natürlich mehrere Pressekonferenzen gegeben, darunter eine gemeinsame von Klaus Bölling und Leonid Samjatin. Einmal versammelten Außenminister Genscher und ich die Presse im glanzvollen Wladimirsaal des Kreml. Frau Breschnewa, Frau Gromyko und meine Frau wollten dabeisein. Die Episode, die meine Frau mir später im Flugzeug erzählt hat, beleuchtet auf tragikomische Weise die Gesellschaftsordnung in der Sowjetunion. Die Ehefrauen waren zwar zu den beiden großen Essen eingeladen worden, hatten aber sonst ganz im Schatten bleiben müssen (dies hat sich erst unter Gorbatschow, dem dritten Nachfolger Breschnews, geändert). Nun wollten sie wenigstens einmal eine Pressekonferenz miterleben. Als der Protokollchef die Damen abholen wollte, wurde Frau Breschnewa etwas zugeflüstert; sie blieb sitzen und sagte, sie wolle lieber doch nicht teilnehmen. Frau Genscher blieb höflicherweise bei ihr, die übrigen Damen machten sich über lange Korridore auf den Weg. Einige der sie begleitenden sowjetischen Beamten redeten unterdessen auf Frau Gromyko ein; plötzlich entschuldigte sie sich bei meiner Frau und kehrte um. Kurz vor dem Eingang in den Wladimirsaal wurde dann auch Kossygins Tochter zur Umkehr veranlaßt. Wütend, aber solidarisch hat meine Frau mit ihr kehrtgemacht. Wenige Minuten später saßen die Damen wieder vereint an ihrem alten Kaffeetisch, aber es herrschte tiefes Schweigen.

Es gab auch freundliche Gesten an die Damen. So hatte ein junger KGB-Major in Zivil, der während des ganzen Besuches meine Frau begleitete, Lokis Interesse an den Bäumen und Sträuchern in den Moskauer Parks bemerkt. Am nächsten Morgen lag ein herbstrotes Ahornblatt auf ihrem Sitz im Wagen.

Allerdings hatten die Sicherheitsbeamten des KGB auch ihre dienstlichen Pflichten zu erfüllen. Bei einem kleineren Essen im Kreml saßen die deutschen Sicherheitsbeamten mit ihren russischen Kollegen und höheren Militärs zusammen. Als Dolmetscher dienten russische Studenten, die in Ost-Berlin studierten. Der ranghöchste General versicherte ihnen, daß sie »mindestens« genausogut äßen wie die offiziellen Delegationen nebenan; das reichliche Geschirr und die vielen Gläser mochten ihm recht geben. Während des Essens brachte der russische General mehrere Toasts auf die deutsch-russische Freundschaft aus, die von deutscher Seite erwidert wurden. Jeder Toast endete mit der Aufforderung, das Wodkaglas zu leeren. Als der General bemerkte, daß einer der Deutschen sein Glas nur halb austrank, stand er auf und stellte pathetisch fest, bei echter Freundschaft müsse man sein Glas zur Gänze leeren. Einer der Unsrigen hatte jedoch bemerkt, daß sich die russischen Kollegen statt Wodka Wasser nachschenkten. Als er dies beim General monierte, erwiderte dieser lächelnd, einem guten Freunde schaue man nicht ins Glas. Unter großem Gelächter wurde nun Wodka an alle ausgeschenkt.

Bei Breschnews Abendessen im bunten Facettensaal war die gesamte sowjetische Führung erschienen. Trotz der offenkundigen Interpretationsunterschiede in den auf Berlin bezogenen Passagen der beiden Tischreden und trotz der Kontroversen in der Nachmittagsverhandlung herrschte eine fast beschwingte Stimmung. Hans Ulrich Kempski von der »Süddeutschen Zei-

70

tung« schrieb nachher, die gegenseitige Offenheit habe die Stimmung nicht getrübt; vielmehr »benehmen sich sämtliche Gäste aufgekratzt heiter wie eine Festgesellschaft, die froh ist, ein lästiges Thema hinter sich zu haben, das nun als erledigt gelten sollte ... Leonid Breschnew verströmt Charme, macht dem Kanzler massive Avancen und reißt schließlich den Blumenschmuck der Tischdekoration an sich, um allen deutschen Damen eine Rose zu verehren.« So war es in der Tat. Und wenn dahinter auch die kalkulierte Absicht gelegen haben mag, Herzlichkeit zu verbreiten, so waren seine naive Freude und seine Rührung über das deutsch-russische Zusammensein doch echt.

Ohne jeden Zweifel hatte Breschnew nicht nur aus verhandlungstaktischen Absichten von den Opfern und den Leiden der Menschen der Sowjetunion im letzten Kriege gesprochen; es kam ihm offensichtlich aus der Seele, als er sagte, es sei nicht so einfach, einen Strich unter die tragische Vergangenheit zu ziehen. Aber er hatte, das merkte ich immer deutlicher und besonders beim Abschied, im Laufe der langen Gespräche auch verstanden, daß mein Satz, die Erinnerung an die Vergangenheit könne nur durch den Blick auf eine friedliche Zukunft gemildert werden, ernstgemeint war. Vor unserem Abflug nach Kiew, während der wiederum sehr förmlichen militärischen Zeremonie, kamen Breschnew auf dem Flughafen Tränen in die Augen – die Erinnerungen an die schlimme Vergangenheit oder die Hoffnung auf die friedliche Zukunft haben diesen mächtigen Mann tief bewegt. Mich hat das sehr berührt.

Zu unserer Delegation gehörte auch die Staatsministerin im Bundeskanzleramt, Marie Schlei. Marie hatte ihren Mann während des Rußlandfeldzuges verloren; sie war eine gute Kennerin der russischen Literatur – besonders auch der nachrevolutionären Zeit; vor allem war sie in tiefster Seele von der Notwendigkeit einer Versöhnung zwischen Russen und Deutschen überzeugt. Sie hat die Herzlichkeit und die Menschlichkeit des Gastgebers mit besonderer Dankbarkeit empfunden.

Ich habe Breschnew später noch verschiedene Male getroffen, aber den prägenden Eindruck, den ich aus Moskau mitnahm, mußte ich niemals korrigieren. Leonid Breschnew war ein Russe mit all jenen Eigenschaften, die wir gemeinhin den Russen zuschreiben: Kraft, Trinkfestigkeit, Gastfreundschaft, Sentimentalität, Herzlichkeit, Großzügigkeit – und zugleich Mißtrauen gegen undurchschaubare Fremde, taktische Umsicht und berechnende Schläue, Machtbewußtsein, wenn nötig sogar Brutalität. Doch alles in allem war er weniger ein Fürst im Sinne des Machiavelli als vielmehr ein Mensch, wie ihn Maxim Gorki und viele andere russische Dichter hätten beschreiben können.

Auch ich war während der Minuten, da die russische Militärkapelle unsere Nationalhymnen spielte, ergriffen. Ich dachte an die zwanzig Millionen sowjetischen Toten des Zweiten Weltkrieges, an die sieben Millionen deutschen Toten; ich erinnerte mich an meine eigene Soldatenzeit in Rußland. Auf dem Rückflug nach Hamburg fühlte ich mich erleichtert. Während der vier Tage hatte ich meine Analysen der sowjetischen Strategie nicht aus den Augen verloren. Die Interessen meines Volkes hatte ich zurückhaltend im Ton, aber offen und klar in der Sache vertreten; soweit also war alles in Ordnung. Aber dieser Moskaubesuch war ein so großes Ereignis in meinem Leben, daß ich zwei Begebenheiten am Tag des Rückflugs gar nicht richtig in mein Bewußtsein aufgenommen habe. Die erste war die für mich tief betrübliche Nachricht vom Rücktritt meines Freundes Peter Schulz als Hamburger Bürgermeister. Am Abend hielt ich in der Hamburger Jacobi-Kirche einen Vortrag, den jugendliche Eiferer mit Lärm stören wollten. Ich war in Gedanken noch so sehr bei meinen Verhandlungen in Moskau, daß ich mich nur noch erinnere, wie der Organist den Choral »Ein' feste Burg« anstimmte, die Gemeinde spontan sang »Und wenn die Welt voll Teufel wär'...« und die jungen Leute beeindruckt aus der Kirche zogen – aber das Thema meines Vortrages habe ich vergessen.

Zwischenakt

Auch in den folgenden Jahren ging es in den Gesprächen mit der Sowjetführung im wesentlichen immer um dieselben Hauptthemen: den Wirtschaftsaustausch und den Berlin-Status. Unsere Verhandlungen mit der DDR spielten eine geringere Rolle. Zunehmend schoben sich aber auch multilaterale Themen in den Vordergrund: die Konferenz für Sicherheit und Zusammenarbeit in Europa (KSZE) in Helsinki und deren Folgekonferenzen, die Wiener Verhandlungen über beiderseitigen ausgewogenen Truppenabbau in Mitteleuropa (MBFR) und dann natürlich die amerikanisch-sowjetischen Verhandlungen zur Begrenzung strategischer Waffen (SALT II). Der persönliche Kontakt mit Leonid Breschnew wurde in dem Maße enger, als er nach dem Präsidentschaftswechsel in den USA Anfang 1977 zunehmend Schwierigkeiten hatte, die Motive und Ziele des neuen Präsidenten Jimmy Carter zu verstehen.

Aus der Rückschau auf die siebziger Jahre gesehen, war die

Helsinki-Konferenz im Hochsommer 1975 der Höhepunkt der Entspannungsphase zwischen West und Ost. Diese Politik hatte sehr langsam und zunächst tastend in der zweiten Hälfte der sechziger Jahre begonnen; seit 1976 setzte ein schrittweiser Verfall ein, und der Einmarsch der Sowjetunion in Afghanistan im Dezember 1979 sowie die Reaktion des Westens 1980 machten ihr ein Ende. Dadurch wurden die Möglichkeiten der Bundesregierung, an der Aufrechterhaltung und Festigung des Zusammenhalts zwischen den Bürgern der DDR, der Bundesrepublik und West-Berlins weiterzuarbeiten, begrenzt. Mein Ziel war stets gewesen, die Lage der Deutschen in der DDR zu erleichtern; diese Aufgabe erschien jetzt zunehmend bedroht. Ich sah deutlich, daß die wachsende Konfrontation der beiden Weltmächte den Einfluß meiner Regierung und meinen eigenen außen- und innenpolitischen Spielraum erheblich einschränken würde. Schließlich dachte ich nicht im Traume an Möglichkeiten Bonns zu einer quasineutralen Haltung; die langfristigen strategischen Ziele der Sowjetunion waren mir allzu deutlich.

Die DDR war noch lange bemüht, auf der einen Seite unsere Beziehungen zur Sowjetunion zu stören und uns in Moskau anzuschwärzen, andererseits aber gegen geringe politische Zugeständnisse bedeutende wirtschaftliche Vorteile einzuhandeln. In einem Punkte allerdings wurde ich angenehm überrascht. Erich Honecker, der Staatsratsvorsitzende der DDR, schien immer klarer zu sehen, daß sein eigener, ohnehin enger außenpolitischer Spielraum und die wirtschaftliche Entwicklung seines Staates durch die Verhärtung der Lage gefährdet wurden. Im Laufe der Jahre wandelte sich Honecker zu einem Anhänger der Entspannungspolitik. Mir kam es so vor, als gewännen mit zunehmendem Alter seine Empfindungen als Deutscher an Gewicht gegenüber seinen ideologischen Positionen als orthodoxer Kommunist. In meinen letzten Amtsjahren 1981 und 1982 war Honecker jedenfalls bemüht, soviel wie möglich von dem eben erst gewonnenen Handlungsspielraum für eine deutsch-deutsche Politik zu bewahren.

Ich traf Honecker zum ersten Mal in Helsinki. Der Zufall der alphabetischen Sitzordnung im Plenum ermöglichte erste zwanglose Kontakte, die noch an Ort und Stelle zu ausführlichen Gesprächen führten. Die erste Begegnung allerdings fand in einer von den beiderseitigen Protokollchefs beeinflußten Atmosphäre statt, die fast lächerlich verkrampft war. Mit steifer Choreographie wurden wir in der Cafeteria des Konferenzgebäudes einander entgegengeführt. Wir haben aber dann doch sehr bald einen normalen, zwanglosen Umgang miteinander gefunden.

In Helsinki kam es auch zu Gesprächen mit Tito, Kadar, Schiwkoff, Ceauşescu und sogar mit Husak und Strougal. Einen Abend und eine halbe Nacht lang saß ich mit dem polnischen Parteichef Edward Gierek zusammen. Das Gespräch mit Gierek war für mich das wichtigste, denn es führte zu dem zweiten deutsch-polnischen Abkommen.

Natürlich gab es während der Helsinki-Konferenz auch mannigfache Gespräche mit westlichen Staats- und Regierungschefs. Das seltsamste von allen war eine Unterredung mit Erzbischof Makarios von Zypern. Die türkische Besetzung eines Teils seiner Insel lag ein Jahr zurück, er sprach darüber mit kämpferischem Eifer. Ihn unterbrechend sagte ich, bisher hätte ich angenommen, Bischöfen liege vor allem die Versöhnung am Herzen; er belehrte mich aber eines anderen. In der Regel dauerten diese vielen nützlichen zweiseitigen Gespräche am Rande der Helsinki-Konferenz ein bis zwei Stunden.

Auch mein Gespräch mit Breschnew – zum Teil unter vier Augen – dauerte nicht viel länger. Es galt abermals der Erörterung unserer wirtschaftlichen Zusammenarbeit. Ich war zu dem Eindruck gelangt, daß nur eine dynamische Erweiterung des deutsch-sowjetischen Wirtschaftsaustausches uns über die von beiden Seiten als lästig empfundenen Streitigkeiten über Berlin und das Viermächteabkommen hinweghelfen konnte; so bemühte ich mich sehr, einzelne Großprojekte voranzubringen. Das war aber trotz grundsätzlicher Bereitschaft beider Seiten immer wieder schwierig, weil bei uns in der Regel mehrere industrielle Großfirmen und zudem noch mehrere Banken an einem einzigen Projekt mitwirkten. Aber auf sowjetischer Seite mußte eine Reihe von Ministerien und anderen Instanzen beteiligt werden, deren Zusammenarbeit offenbar nur schleppend funktionierte. In manchen Fällen mußte sich Moskau mit interessierten Staaten des Rats für gegenseitige Wirtschaftshilfe und deren Bürokratien abstimmen. Das kostete Zeit und führte mitunter dazu, daß ein Projekt vorübergehend auf hohe politische Ebene gehoben werden mußte. Wo die Zustimmung kommunistischer Staaten unvermeidlich war – wie zum Beispiel bei Rohr- oder Stromleitungen –, kamen die unmittelbaren politischen Interessen dieser Staaten ins Spiel. Lange Zeit war die DDR dabei alles andere als hilfreich.

Innerhalb des sowjetischen Politbüros lag die volkswirtschaftliche Gesamtverantwortung offensichtlich bei Ministerpräsident Kossygin. Die außenwirtschaftlichen Verhandlungen beaufsichtigte – oder führte – zumeist Tichonow, der später Kossygins Nachfolger wurde. Beide waren angenehme, weil sachliche Gesprächspartner, stets gut informiert und – das wichtigste – stärker am Erfolg als am Prestige interessiert.

Die Helsinki-Konferenz im Sommer 1975 markierte den Höhepunkt der Entspannungsphase zwischen West und Ost. Hier begegnete Helmut Schmidt zum erstenmal Erich Honecker. Auf dem oberen Bild links Politbüromitglied Hermann Axen, rechts Bundesaußenminister Genscher.

Die guten persönlichen Beziehungen Helmut Schmidts sowohl zu Gerald Ford als auch zu Valéry Giscard d'Estaing bestimmten Mitte der siebziger Jahre das Klima innerhalb des westlichen Bündnisses, das sich auf der KSZE-Konferenz geschlossen und einig zeigte wie selten zuvor.

Alexej N. Kossygin, 1904 geboren, hatte bis 1921 in der Roten Armee gedient und am Bürgerkrieg teilgenommen. Er war ein ausgebildeter Ingenieur mit enormer Verwaltungserfahrung. Schon mit vierunddreißig Jahren war er in seiner Vaterstadt Leningrad Vorsitzender des Stadtsowjets, also praktisch Oberbürgermeister gewesen; mit vierundvierzig wurde er ins Politbüro berufen. Ich habe ihn bisweilen mit Spitzenleuten unserer eigenen Beamtenschaft verglichen: pflichtgetreu, genau, zuverlässig. Zugleich war er aber mit großer konzeptioneller Begabung ausgestattet.

Ich kann nicht beurteilen, ob Gerüchte zutreffen, Kossygin habe sich im Politbüro gegen den Einmarsch sowohl in die ČSSR als auch nach Afghanistan ausgesprochen. Ich halte dies aber für möglich; denn Kossygin hatte beträchtliche Weltkenntnis, er besaß weltpolitischen Überblick, und er war ein Mann der Mäßigung. Man konnte gut mit ihm verhandeln, wenngleich ein solches Gespräch nie herzlich wurde. Eigentlich wirkte Kossygin meist etwas traurig, was um so merkwürdiger war, als er durchaus witzig sein konnte.

Kossygins melancholisch wirkenden Gesichtsausdruck, der durch ein großes dunkles Mal im Gesicht noch verstärkt wurde, habe ich mir manchmal mit der Vermutung erklärt, ein Mann von seiner ökonomischen Urteilskraft habe gewiß nicht nur die Ineffizienz der sowjetischen Wirtschaft, sondern auch deren Ursachen erkannt. Beim Versuch, Reformen durchzusetzen, wohl immer wieder gescheitert, mag er letztlich resigniert haben. Als Chefmanager der sowjetischen Volkswirtschaft erschien mir Kossygin wie ein guter Generaldirektor an der Spitze eines schlecht strukturierten, fast nicht steuerbaren Unternehmens. Als ich Kossygin 1974 zum ersten Mal begegnete, war er siebzig Jahre alt – vielleicht war er damals schon kränker, als wir wußten.

Nikolai A. Tichonow war nur ein Jahr jünger. Wie sein Chef hatte auch er eine Managerlaufbahn hinter sich, Kossygin in der Textil-, Tichonow in der Stahlindustrie. Hinsichtlich ihrer ökonomischen und administrativen Kompetenzen habe ich zwischen den beiden Männern keine Unterschiede bemerken können. Auch Tichonow besaß gute Kenntnisse der Welt; er ließ sich allerdings ungern auf außenpolitische Gespräche ein. Es schien, als stehe er persönlich Breschnew näher als Kossygin. Ich habe zweimal erlebt, daß Breschnew in meinem Beisein Zeichen der Ungeduld gegenüber Kossygin erkennen ließ; ob dies zufälliger Ausfluß seines Temperaments im allgemeinen war oder ob es auf einer Spannung zwischen beiden beruhte, wurde mir nicht klar. Zwischen Breschnew und Tichonow habe ich solche Anzeichen von Spannungen nie beobachtet.

Übrigens war es immer angenehm, mit Tichonow zu reden; ähnlich empfanden es auch die Wirtschaftsminister Friderichs und Graf Lambsdorff und die Chefs der großen deutschen Unternehmen und Banken. Tichonow war ein gelassener, freundlicher Mann, dem aus volkswirtschaftlichen Gründen an der Erweiterung und Vertiefung des wirtschaftlichen Austausches mit der Bundesrepublik gelegen war. Als er Ende 1979 in das Politbüro aufstieg und ein Jahr später als Nachfolger seines bisherigen Chefs Ministerpräsident wurde, nahm ich das als ein Zeichen dafür, daß Breschnew seinen Kurs nicht mehr ändern wollte. Tichonow war noch ein Jahr älter als der Generalsekretär. Die Gerontokratie, die Herrschaft der Alten, sollte also fortgesetzt werden, solange es irgend ging. Wahrscheinlich war die Furcht vor ungewissen Folgen eines Generationswechsels nur eines unter mehreren Motiven; persönliche Vertrautheit miteinander mag ein weiteres gewesen sein. Auch Tichonow konnte nichts an der Schwerfälligkeit der außenpolitischen Maschinerie seines Landes ändern.

Mitte der siebziger Jahre hatte ich angesichts der enormen und immer weiter wachsenden Devisenreserven der Bundesbank vorübergehend den Gedanken gefaßt, einen kleinen Teil der Devisen, die ja ohnehin im Ausland zinstragend angelegt wurden, der sowjetischen Zentralbank gegen die allgemein übliche Verzinsung zu überlassen; der Gedanke erwies sich als nicht tragfähig. Heute mag einer über solche Ideen seine konservative Nase rümpfen. Ich erwähne diese Episode, weil sie zeigt, wie sehr ich um wirtschaftliche Anreize für die Sowjetführung bemüht war; immerhin war die UdSSR ohne Zweifel ein erstklassiger Schuldner.

Ein anderer Gedanke dagegen fiel im Laufe des Jahres 1978 auf fruchtbaren Boden. Im Mai stand ein erneuter Besuch Breschnews in Bonn bevor. Mir lag daran, dem Gast das Bewußtsein eines Erfolges und der Öffentlichkeit in beiden Staaten eine Perspektive auf langfristige wirtschaftliche Zusammenarbeit geben zu können. Im Herbst 1977 sagte ich dem sowjetischen Botschafter Valentin Falin, ich schlüge aus außenpolitischen Gründen ein Wirtschaftsabkommen über fünfundzwanzig Jahre vor; ein solcher, bis in das nächste Jahrhundert reichender Vertrag könne die Basis für wachsendes politisches Vertrauen werden. Natürlich würde es sich nur um ein Rahmenabkommen handeln, das in regelmäßigen Abständen konkret auszufüllen wäre. Beide Seiten könnten dazu langfristige Finanzierungsinstrumente, Bürgschafts- oder Kreditrahmen bereitstellen; dabei war klar, daß praktisch nur die Sowjetunion deutsche Bankkredite in Anspruch nehmen würde. Breschnew reagierte umgehend positiv.

Tatsächlich kam das Abkommen anläßlich seines Besuches in Bonn zustande.

Insgesamt hat sich – trotz mancher Enttäuschungen – der deutsch-sowjetische Wirtschaftsaustausch gut entwickelt, wobei unsere Einfuhren aus der Sowjetunion immer etwas hinter unseren Exporten hinterherhinkten. Für besorgte Amerikaner seien zwei Bemerkungen hinzugefügt. Zum einen haben wir meines Wissens niemals eine staatliche Subvention gegeben, sei es direkt, über Steuern oder bei den Zinssätzen. Zum anderen lag der Anteil der sowjetischen Lieferungen an der deutschen Gesamteinfuhr meist unter 3 Prozent; das ist weniger als die Einfuhr aus unserem kleinen, siebeneinhalb Millionen Einwohner zählenden Nachbarland Österreich.

Von einer außenpolitisch bedeutsamen ökonomischen Abhängigkeit der Bundesrepublik von Moskau zu sprechen, geschieht also entweder aus Unwissenheit oder aus Böswilligkeit. Dies gilt speziell auch für unsere Erdgaseinfuhren aus der Sowjetunion; ich habe sie von vornherein auf maximal 30 Prozent unserer gesamten Erdgasimporte begrenzt, das heißt, auf maximal 6 Prozent unserer gesamten Energieimporte. Die nachfolgende Bundesregierung hat diese Begrenzung nicht angetastet; tatsächlich ist die 30-Prozent-Grenze bisher nie erreicht worden. Andere und wesentlich größere Teile unseres Energieimports aus Ländern des Nahen Ostens sind dagegen leider mit deutlich höheren politischen Risiken belastet.

Die Frage der drei Abkommen über wissenschaftlich-technische Zusammenarbeit, über Rechtshilfe und kulturellen Austausch, die schon 1973 zu Zeiten Willy Brandts unterschriftsreif waren, ist während meiner Regierungszeit nicht gelöst worden. Die Lösung scheiterte an mangelnder Flexibilität der beiden Außenministerien bei der Anwendung des Viermächteabkommens über Berlin. Aus innenpolitischen Gründen konnten weder Breschnew noch ich den Versuch einer politischen Einigung wagen; sowohl im Politbüro als auch im Bundestag gab es argwöhnische Verfechter der jeweils reinen Lehre; mit Argusaugen, teils mit tüftelnder Spitzfindigkeit, teils mit dem groben Geschütz polemischer Anklage machten sie jeden Modus-vivendi-Kompromiß unmöglich. 1977 kam ich zu der Überzeugung, es sei das beste, die Dinge einige Jahre auf Eis zu legen; die Praxis werde inzwischen lehren, die juristischen Fußangeln auch ohne Abkommen zu umgehen.

Obgleich ich einmal einen heftigen Zusammenstoß mit ihm hatte, habe ich dem sowjetischen Außenminister Andrej Gromyko gegenüber doch immer großen Respekt empfunden. Er war ein unermüdlicher, beharrlicher Anwalt der Interessen seines Staates, wie sie die jeweilige Staatsführung definiert hatte. Henry Kissinger soll über ihn gesagt haben, seine Augen seien wachsam und melancholisch wie die eines Jagdhundes, der die unerklärlichen Launen seines Herrn ertragen muß, dem er am Ende aber doch seinen eigenen Willen aufzwingt. Falls dieses Zitat korrekt ist, so gilt es für manch einen Außenminister in manch einem Staate und zu mancher Zeit. Richtig ist wohl, daß Gromyko viele Kurswechsel und auch Launen der sowjetischen Staatslenker hat mitmachen müssen. Chruschtschow hatte offen über ihn als einen jeden Befehl ausführenden Apparatschik gespottet; Breschnew konnte, dies hatte ich 1974 selbst einmal erlebt, seinen Außenminister sehr unwillig und keineswegs höflich behandeln. Aber richtig ist vermutlich auch, daß Gromyko im letzten Abschnitt seiner Amtszeit als Außenminister immer stärker ein entscheidender Faktor bei der Bestimmung der sowjetischen Außenpolitik geworden ist.

Gromyko wurde 1909 geboren; schon mit vierunddreißig Jahren war er Botschafter in Washington, mit sechsunddreißig ständiger Vertreter seines Staates im Weltsicherheitsrat der UN; mit fünfundvierzig wurde er Außenminister und blieb dies von Anfang 1957 bis 1985, fast dreißig Jahre, um danach formelles Staatsoberhaupt zu werden. Die letzten zwölf Jahre war er zugleich Mitglied des Politbüros und gehörte damit zum Entscheidungszentrum des Staates. Aber schon vorher trug er in vielen außenpolitischen Fragen selbst im Politbüro vor; der Ministerpräsident war höchstens formell, nicht aber tatsächlich sein Vorgesetzter.

Gromyko war ein guter Taktiker; er hatte ein eindrucksvolles Gedächtnis für Details und konnte in seiner Argumentation stets darauf zurückgreifen. Seine jeweiligen Gegenspieler mußten ihre Einlassungen deshalb sorgfältig formulieren, um von ihm nicht in die Ecke gedrängt zu werden. Wahrscheinlich hat er viele seiner Amtskollegen innerlich als Leichtgewichte eingestuft. Im persönlichen Umgang blieb Gromyko gleichwohl korrekt. Dabei konnte er durchaus sarkastisch, in der Sache provokant sein, notfalls auch witzig. Aber er war nie beleidigend und hatte sich immer unter Kontrolle.

Bei allem machte er fast ausnahmslos ein leicht mürrisches, auch trauriges, etwas schiefes Gesicht. Ich glaube nicht, ihn je Wodka trinken gesehen zu haben. Wahrscheinlich hatte er eine stille Verachtung für Breschnews Trinkgewohnheiten; denn als ich einmal 1978 im Hamburger Gästehaus in Gromykos Abwesenheit einen übermütigen Toast auf Andrej Andrejewitsch ausbrachte – Breschnew, seine Begleitung und ich hatten schon mindestens zwei Begrüßungswodkas hinter uns –, brach die ganze Runde in unbändiges Gelächter aus; wahrscheinlich wurden zu Hause, seiner Enthaltsamkeit wegen, mit Gromyko keine Trinksprüche gewechselt.

Bei aller betonten Sachlichkeit und auch Bescheidenheit seines Auftretens war er doch ein Mann, der auch theatralische Gesten benutzte, wenn er sie für zweckmäßig hielt. Er konnte dann später stillschweigend über frühere Drohungen hinweggehen, so als habe er sie niemals ausgesprochen. Gromyko hat vom Berlinultimatum Chruschtschows und der Kubakrise über die sowjetischen Besetzungen Prags und Kabuls zum ABM-Vertrag und zu SALT II alle außenpolitischen Operationen der Sowjetunion gerechtfertigt, ausgehandelt – oder geholfen, sie zu vergessen. Ein Mann von großer Flexibilität, zugleich ein großer Patriot.

1975 in Helsinki, während unseres bilateralen Gesprächs, sagte Breschnew über Gerald Ford: »Der arme Mann wird von allen Seiten kritisiert.« Ich antwortete: »Er ist ein vertrauenerweckender Mann; ich hoffe sehr, er wird nächstes Jahr wiedergewählt.« Breschnew: »Ja, aber er hat keine leichte Arbeit.« Darauf ich: »Wer hat es schon leicht? Herr Genscher und ich wollen 1976 auch wiedergewählt werden. Ein Teil unserer Wahlchancen hängt davon ab, wie gut und konkret die Ergebnisse unserer Ostpolitik sind. Je liebenswürdiger Herr Gromyko ist, desto besser für unsere Wahl. Aber Herr Gromyko ist ein sehr vorsichtiger Schachspieler, eigentlich sollte er etwas mehr von der großzügigen russischen Art haben!« Breschnew warf spitzbübisch ein: »Herr Gromyko ist gar kein Russe, sondern ein Weißrusse.« Woraufhin Gromyko trocken bemerkte: »Die Weißrussen sind die besten Russen.«

Im gleichen Gespräch kamen wir unter anderem wieder einmal auf die leidigen Fragen, die aus dem Viermächteabkommen über West-Berlin resultierten. Es gab darüber einen endlosen Wortwechsel, der auf sowjetischer Seite allein von Gromyko geführt wurde, während Genscher und ich uns ergänzten. Ich erinnere mich an eines meiner Beispiele: Ob es denn wirklich sinnvoll sei, wenn die sowjetische Botschaft uns mitteilt, Herbert von Karajan dürfe als Dirigent der Berliner Philharmoniker bei seinem Eintreffen in Moskau nicht von unserem Botschafter in den VIP-Raum geführt werden.

Gromyko antwortete darauf natürlich nicht, statt dessen wurde er grundsätzlich; dann brachte er Beispiele für angebliche Verstöße unsererseits. Er höre von unserer Absicht, internationale Behörden in West-Berlin zu errichten. Genscher: »An derartigen Gerüchten ist nichts Wahres dran.« Ich fügte hinzu: »Herr Gromyko, Sie sollten nicht zuviel die Prawda lesen.« Jetzt wurde Gromyko laut und böse:»Allerdings lese ich die Prawda, das ist eine gute Zeitung!«Wir lenkten im Ton beiderseits ein, aber das Gespräch drehte sich weiterhin im Kreise. Breschnew blieb lange bloßer Zuhörer des Disputs und stand Gromyko mit keinem Wort bei, obwohl dieser an einer Stelle ihm zugerufen hatte:»Siehst du, so sind die Deutschen!«

Sehr viel später sagte Breschnew:»Was mich stört, ist Ihre explosionsartige Stimmung, Herr Bundeskanzler. Beinahe könnte man glauben, Sie wollten die Zusammenarbeit gar nicht mehr. Aber wenn es so wäre, so würde die Sowjetunion daran nicht sterben.« Ich erwiderte knapp:»Dies gilt ebenso für uns.«Anhand von mancherlei Details wurde die nutzlose Unterhaltung fortgesetzt. Breschnew war entweder mit den Problemen des Viermächteabkommens nicht vertraut – an einer Stelle wies er darauf hin, daß er ja an den diesbezüglichen Unterhaltungen zwischen Genscher und Gromyko in Moskau 1974 nicht beteiligt gewesen sei –, oder er wollte seine Distanzierung fühlbar machen; jedenfalls blieb er weiterhin schweigsam.

Schließlich wendete sich das Gespräch erfreulicheren Themen zu. Am Ende der Unterredung meinte Breschnew zu mir:»Sie dürfen sich nicht gekränkt fühlen. Es ist immer gut, offen die Wahrheit zu sagen. Wir sind für Verbesserungen. In bezug auf West-Berlin ist richtig, was Gromyko gesagt hat. Annäherung ist möglich, soweit die Grundsätze nicht verletzt werden.« Sodann vereinbarten wir für die Presse eine Erklärung, in der wir von der beiderseitigen Entschlossenheit zur weiteren Vertiefung der Verständigung und Zusammenarbeit sprachen.

Ich war im Zweifel, ob meine Härte sinnvoll gewesen war. Es war gut, gezeigt zu haben, daß wir notfalls sehr unnachgiebig sein konnten und uns von der sowjetischen Weltmacht nicht ins Bockshorn jagen lassen würden. Ob wir damit Berlin genutzt hatten, war eine andere Frage; denn Gromyko würde den Auftritt nicht vergessen. Aber weder er noch ich sind bei späteren Begegnungen darauf zurückgekommen. Es war klar: Einer hatte Respekt vor dem anderen.

Als im November 1982 Breschnew starb – ich war seit sechs Wochen aus dem Amt –, ließ Gromyko mir sagen, man würde mich gern als Trauergast in Moskau begrüßen. Da Bundeskanzler Kohl sich vertreten ließ, wollte ich dieser Aufforderung des sowjetischen Außenministers, die ich als durchaus angemessen empfand, nicht folgen. Ich habe das aufrichtig bedauert, nicht nur Breschnews wegen, dem ich zugetan gewesen war, sondern auch Gromykos wegen, dem ich mich – wie ich nun zu meiner Überraschung merkte – ebenfalls verbunden fühlte.

Im Laufe der ersten drei Jahre nach der Helsinki-Konferenz wurde deutlich, daß einige Männer in der Sowjetunion sich von dem Moskauer Gewaltverzichtvertrag mit der Bundesrepublik mehr versprochen hatten, als wir bieten konnten und wollten. Offenbar war Podgorny mißtrauisch, vermutlich auch Suslow; ob Gromyko Mißtrauen geschürt hat – wie mir angedeutet worden ist –, vermag ich nicht zu sagen. Jedenfalls aber legte Breschnew steigenden Wert auf direkte wechselseitige Unterrichtung, also an seinem Botschafter und seinem Außenminister vorbei. Dies war ein Umstand, an den ich aus dem Verkehr mit anderen kommunistischen Staaten gewöhnt war – in den USA wurde dergleichen als »back-channel« bezeichnet, das heißt als Verbindung durch die Hintertür. Technik und Methoden haben mehrfach gewechselt; ein kleines Problem für mich dabei war jedesmal die Unterrichtung meines eigenen Außenministers, ohne jemanden bloßzustellen.

Das wichtigste Motiv Breschnews bei der kontinuierlichen Aufrechterhaltung des direkten Drahtes lag erkennbar in dem Wunsche, seinen Kollegen im Politbüro gegenüber einen Informationsvorsprung zu haben, mit dessen Hilfe er zum Beispiel ausländische Reaktionen oder Entwicklungen vorhersagen konnte, die für seine Kollegen noch nicht voll zu durchschauen waren. Abgesehen von Prag und Bukarest hat es zu meiner Zeit zu allen kommunistischen Staatschefs solche Kanäle gegeben – wie ich selbstverständlich auch mit den Präsidenten in Washington und Paris oder mit dem Premierminister in Downing Street No. 10 häufig telefonierte. Am unkompliziertesten war der direkte Draht zu Honecker, weil wir die gleiche Muttersprache hatten. Im Meinungsaustausch mit Breschnew mußte beiderseits übersetzt werden; das Telefon schied aus praktischen Gründen aus. Deshalb verkehrten wir über mündliche Botschaften miteinander, die wir dem anderen vorlesen ließen.

Seiner Stellung im Politbüro wegen war es für Breschnew auch wichtig, im Einzelfall Motive oder Ziele der Bundesregierung zu verstehen; deshalb war er sowohl für persönliche Interpretationen dankbar als auch besonders für Vorabhinweise, die ihn vor Überraschungen bewahrten. Natürlich galt dies auch in umgekehrter Richtung, wobei ich besonders an Hinweisen auf bevorstehende oder vorliegende Abstimmungen zwischen Moskau und Ost-Berlin interessiert war.

Als Breschnew im Laufe des Sommers 1977 mir gegenüber darüber klagte, die Absichten Jimmy Carters nicht interpretieren zu können, machte ich beiden Staatsmännern den Vorschlag, einen direkten Draht zwischen ihnen herzustellen. Der alte »back-channel« des Weißen Hauses war zu Gerald Fords Zeit wohl über den dortigen sowjetischen Botschafter gelaufen, was darauf hinauslief, daß Gromyko die Informationen vor Breschnew las. Ob ein neuer Kanal zu Carter tatsächlich zustande gekommen ist, weiß ich nicht mehr.

Natürlich ersetzen solche Kanäle keineswegs den offiziellen diplomatischen Verkehr, schon gar nicht die Verhandlungen der Außenminister; sie bieten auch keine zuverlässige Gewähr gegen Irrtümer, Fehleinschätzungen oder Überraschungen. Sie können aber doch viel Vertrauen von Person zu Person schaffen – was um so wertvoller ist, je konträrer man sich in der Sache gegenübersteht. Eine kleine Zugabe am Rande war, daß ich immer wußte, welcher unserer Oppositionspolitiker gerade in Moskau antichambrierte (aus nationalen Gründen habe ich solche Besuchswünsche immer unterstützt).

Die Irritation Breschnews über Carter hatte zwei Ursachen. Zum einen verstand der Russe nicht, zu welchem Zweck der Amerikaner den zwischen Breschnew und Ford im November 1974 in Wladiwostok ins Auge gefaßten Rahmen zu SALT II über den Haufen geworfen hatte; Breschnew jedenfalls hatte den unbestimmten Eindruck, er solle übervorteilt werden. Mich wunderte dies nicht. Ich hatte es Cyrus Vance vorhergesagt, als dieser die europäischen Regierungen über die Absichten seines Präsidenten unterrichtete. Vergeblich hatte ich versucht, die Carter-Administration vor den unvorsehbaren psychologischen Folgen zu warnen. Den Sowjets zweieinhalb Jahre nach der Grundsatzübereinkunft von Wladiwostok im März 1977 vorzuschlagen, von der gemeinsamen Obergrenze für strategische Waffensysteme von je 2400 um bis zu einem Viertel herunterzugehen, und auf eine besondere Begrenzung der schweren sowjetischen Interkontinentalraketen zu drängen, wie Vance es in Moskau tat, mußte den Russen als Herausforderung und als Aufkündigung der Vereinbarung erscheinen. Gromyko nannte dieses Verhalten der Amerikaner in der Presse brüsk »illegal«.

Zum anderen verstand man in Moskau Jimmy Carters Human-rights-Feldzug als Versuch einer innenpolitischen Unterminierung der sowjetischen Regierung. So hatte es der idealistische Prediger Carter eigentlich nicht gemeint; er verfolgte vielmehr die Hoffnung, durch Beeinflussung der Weltmeinung etwas zugunsten der Freiheit der Person im sowjetischen Machtbereich verbessern zu können. Europäer, welche russische Geschichte und sowjetische Gegenwart besser kannten, wußten: dieser Versuch würde nutzlos bleiben. Sie wußten auch: mit einem solchen Versuch konnte alle Mühe, die man in die Rüstungsbegrenzungsverhandlungen steckte, vergeblich werden, weil er den sowjetischen Partnern das Vertrauen nahm. Deshalb haben die Europäer, unter ihnen jedenfalls Giscard d'Estaing und ich, einen dämpfenden Einfluß auf die Menschenrechtskampagne Carters ausgeübt. Aber man ist in solcher Lage immer in Gefahr, moralisch völlig mißverstanden zu werden.

Als einige Jahre später Reagan, Mitterrand und andere Regierungen Lieferungen ihrer Wirtschaft nach Polen boykottierten, glaubten sie moralisch recht zu handeln. Ich hingegen wußte: das polnische Volk litt Mangel, eine Zuspitzung des Mangels konnte zwar zu einer Verschärfung der innenpolitischen Krise führen, diese aber nicht zur Befreiung des polnischen Volkes. Wahrscheinlich würde vielmehr das Gegenteil erreicht werden. Also war es unsinnig, dem darbenden polnischen Volk Lebensmittel vorzuenthalten. Ich rief umgekehrt zu Spenden auf, und zu Weihnachten 1981 schickten die Bürger der Bundesrepublik Pakete im Werte von mehreren hundert Millionen Mark nach Polen. Das war ein Sieg mitmenschlicher, nachbarlicher Solidarität über eine zwar gutgemeinte, tatsächlich aber schädliche Propagandaaktion. Natürlich gab es in der westlichen Welt, sogar in der römisch-katholischen Kirche in Deutschland, genug Leute, die unser Verhalten als liebedienerisch kritisierten. Die Reagan-Administration verstand dies am wenigsten. Ich dagegen war stolz auf dieses tausendfältige Zeichen der Solidarität mit dem polnischen Volk.

Der missionarische Eifer der amerikanischen Administration hat es uns nach 1976 schwergemacht, Deutsche in schwieriger Lage aus der Sowjetunion oder anderen osteuropäischen Staaten herauszuholen. Das ging in aller Regel nur leise; sobald *öffentlicher* Druck eine Prestigeangelegenheit daraus machte, hatten es die Gutwilligen auf der anderen Seite schwer, sich gegen Widersacher durchzusetzen. Insgesamt haben wir in meiner Amtszeit unter verschiedenen Kriterien, darunter denjenigen der Familienzusammenführung, 424.000 Personen aus den östlich gelegenen Staaten in die Bundesrepublik holen können, viele von ihnen aus Gefängnissen.

Für Breschnew war dieser Punkt generell keine Prinzipienfrage; es konnte aber immer dann eine werden, wenn er vom Westen durch weltweite Kampagnen oder durch das Jackson-Amendment zugunsten der Auswanderungserlaubnis für jüdische Sowjetbürger unter öffentlichen oder gar ultimativen Druck gesetzt wurde. Deshalb habe ich in manchen Einzelfällen den Rat gegeben, die Freilassung auf leisem Wege zu betreiben, wie wir selbst dies in aller Regel taten. Einmal, als ich mich in einem Gespräch mit Breschnew unter vier Augen für einen inhaftierten, im Westen sehr bekannten sowjetischen Intellektuellen einsetzte, hatte Breschnew offensichtlich den Namen nicht parat;

mein Dolmetscher hörte, wie Breschnew den seinigen fragte, wer das sei und was es mit ihm auf sich habe. Das war Anschauungsunterricht aus erster Hand über den selektiven Kenntnisstand eines kommunistischen Staatschefs hinsichtlich der öffentlichen Meinung im Rest der Welt.

Mir ist nie ganz deutlich geworden, in welchem Maße eigentlich die marxistisch-leninistische Ideologie die tatsächliche Außenpolitik der Sowjetunion beeinflußte. Karl Marx' Leben ist vor gut einem Jahrhundert zu Ende gegangen; er hatte nicht unter den Voraussetzungen der Existenz eines hegemonistischen kommunistischen Staates oder der Existenz von Nuklearwaffen gedacht und geschrieben. Anders Lenin – übrigens auch Stalin in seinem »Sozialismus in einem Lande« –, aber auch Lenin starb schon vor über fünfzig Jahren, und seine theoretischen Arbeiten passen nicht auf die Situation im letzten Viertel eines Jahrhunderts, das in seiner Mitte einen radikalen Bruch erlebte.

Die Erfahrungen des Zweiten Weltkrieges oder die rationalen und irrationalen Auswirkungen von Atomwaffen nachträglich in das Denkgebäude des Marxismus-Leninismus einzufügen, stellte ich mir immer als sehr schwierig vor. Natürlich lasen wir die großen Manifeste der KPdSU und die internationalen Verlautbarungen der mit ihr verbundenen Parteien und Staaten; aber ich war mir sehr unsicher, ob diejenigen, die diese Beschlüsse gefaßt oder sanktioniert hatten, wirklich überzeugt waren. Demgegenüber erschien mir Mao Zedong in seinen weltpolitisch-ideologischen Folgerungen aus dem System des Marxismus-Leninismus von größerer logischer Konsequenz, andererseits aber auch von größerer Gefährlichkeit. Mir gegenüber hat keiner der führenden Russen oder der anderen kommunistischen Staatschefs Osteuropas jemals die Außen- oder Sicherheitspolitik seines Staates mit marxistischen oder leninistischen oder sonstwie kommunistisch-ideologischen Doktrinen begründet; sie bedienten sich stets der Argumente, die auf dem Boden der eigenen Staatsräson und der eigenen nationalen Interessen gewachsen waren.

Dies war auch auf dem Felde der europäischen Sicherheitspolitik nicht anders. Das außenpolitische Prinzip der Koexistenz – ein abstrakter Grundsatz, der nicht nur als zweckmäßig, sondern auch als unangreifbar erscheint – mag man auf die eine oder andere Weise aus den Lehren der Vordenker Marx und Engels oder Lenin herauslesen. Aber das Prinzip des militärischen Gleichgewichts, soweit es bedeutet, den andern nicht gefährden zu dürfen, und die Verwendung des Wortes Koexistenz in diesem Sinne sind neue Formulierungen des allgemeinen Friedensgebotes oder des Völkerrechts, wie es zum Beispiel in der Satzung der

Vereinten Nationen festgelegt ist. Wenn das Wort Koexistenz jedoch weniger bedeuten soll, dann kann es ein psychologischer Trick sein.

Wie denken die Politbüromitglieder darüber, wie sprechen sie untereinander? Ich habe nie Anzeichen dafür entdecken können, daß sich das Moskauer Politbüro in seinem weltpolitischen Verhalten von früheren Regierungen des russischen Großreiches unterschied. Inzwischen war jedoch ein starker Wille zur Erhaltung des eigenen Friedens hinzugekommen – im Atomzeitalter vernünftig. Ansonsten suchte man, etwa unter den Stichworten des militärischen Gleichgewichts oder der »gleichen Sicherheit«, auf allen Feldern beharrlich und mit taktischem Geschick nach Vorteilen und nach Geländegewinn.

Dies galt offenbar für die SALT-Verhandlungen; es galt jedenfalls auch für die Wiener MBFR-Verhandlungen, an denen die Bundesrepublik beteiligt war. Seit den Rapacki-Plänen der fünfziger Jahre, seit zwanzig Jahren also, hatte ich mich an der Diskussion über eine gleichgewichtige Begrenzung und Verminderung der in Mitteleuropa stationierten Truppen mit eigenen Überlegungen beteiligt. Die Sache war immer schon theoretisch-konzeptionell schwierig, weil die Geographie des Kontinents östlich und westlich der Trennlinie an Elbe und Werra verschieden große Landmassen und Aufmarschräume aufweist und weil – ebenfalls geographisch vorgegeben – die östliche gegenüber der westlichen Weltmacht den großen Vorteil genießt, Truppen und Reserven aus dem eigenen Lande rasch nach Mitteleuropa verlegen zu können. Ich hielt freilich und halte noch immer diese Probleme nicht für unüberwindbar. Ich denke immer noch, daß eine Truppenbegrenzung in Europa für alle europäischen Staaten und Völker eine große seelische Erleichterung und größeren politischen Spielraum mit sich bringen würde.

Auf militärischem Felde könnte eine Truppenbegrenzung auch erreichen, daß der Westen die militärische Strategie und Planung des frühen Ersteinsatzes (»early first use«) von nuklearen Waffen aufgibt. Bisher geht der Westen von der zahlenmäßigen Übermacht östlicher konventioneller Truppen und Waffen aus und glaubt deshalb gezwungen zu sein, im Verteidigungsfall relativ schnell, nämlich nach wenigen Tagen bereits und als erster sogenannte taktische Nuklearwaffen einsetzen zu müssen. Solche Planungen laufen darauf hinaus, Teile dessen zu vernichten, was verteidigt werden soll. Sie werden auf Dauer vom eigenen Volk nicht akzeptiert werden; im tatsächlichen Verteidigungsfall würden diese Pläne mit den deutschen Städten auch den Kampfwillen unserer Soldaten auslöschen.

Wenn jedoch durch ein Abkommen ein zahlenmäßiges

Gleichgewicht der konventionellen Truppen, Flugzeuge und Waffen in Europa hergestellt wäre, so könnte der Westen vernünftigerweise hoffen, sich lange Zeit ohne nukleare Waffen erfolgreich zu verteidigen. Erst die Heranführung sowjetischer Reserven aus der Tiefe des russischen Raumes würde dann das Gleichgewicht erschüttern können; dem wäre jedoch noch einmal für längere Zeit damit zu begegnen, daß auch auf westlicher Seite französische – und die relativ kleinen amerikanischen und englischen – Reserven herangezogen werden. Dies hieße nicht, »den Krieg wieder führbar zu machen«, sondern sich von der nuklearen Abschreckung ab-und der konventionellen Abschreckung zuzuwenden.

Es lag auf der Hand, daß eine wesentliche Verringerung ihrer in Mitteleuropa stehenden Truppen für die sowjetische Führung aus blockinternen politischen Gründen nicht wünschenswert war. Ebenso hat bisher Frankreich keine Bereitschaft gezeigt, sich mit seinen mobilisierbaren Reserven in die Verteidigung Westeuropas einzufügen. Als Valéry Giscard d'Estaing – als bisher einziger französischer Staatsmann – anfing, sich für das Problem zu interessieren, wurde er (freilich aus anderen politischen Gründen) von François Mitterrand abgelöst; dieser setzte auf de Gaulles exklusive, allein dem Schutz Frankreichs dienende nationale Nuklearstrategie und verwies Deutschland in die Rolle des Gefechtsfeldes für westliche »taktische« Nuklearwaffen. Aber auch die USA haben MBFR nie mit großem Nachdruck vorangetrieben, zumal eine Ost-West-Verständigung ihre militärische Rolle in Europa tendenziell schmälern würde. Die Folge ist, daß sich östliche und westliche Buchhalter (»Erbsenzähler«) in Wien gegenübersitzen und sich gegenseitig ihre Zahlen streitig machen – und nichts kommt zustande.

Breschnew versicherte, sich dafür einzusetzen, daß beide Seiten ihre Streitkräfte um die gleichen Prozentsätze verringern. Denn es habe sich »doch schon lange ein ungefähres Gleichgewicht der Kräfte herausgebildet; keine Seite ist der anderen spürbar überlegen«. Das war unzutreffend – wenn auch nicht in so hohem Maße, wie der Westen sich selbst glauben macht. Eine vernünftige Antwort des Westens wäre gewesen: Gebt beiden Seiten die gleichen festgeschriebenen Höchstzahlen für Soldaten, Panzer, Geschütze, Flugzeuge und so weiter; was darüber hinaus tatsächlich vorhanden ist, muß gleichzeitig um gleiche Prozentsätze schrittweise abgebaut werden, so daß mit dem letzten Schritt jede Abweichung von der festgelegten Obergrenze eliminiert wird.

Auch der Westen hat sich bei den Wiener MBFR-Verhandlungen in all den langen Jahren seit 1973 bisher nicht produktiv verhalten. Sofern Breschnew wirklich eine Lösung gewollt haben sollte, wie er mir immer versichert hat, so hat er sich entweder zu Hause von den interessierten Stellen (zum Beispiel den Militärs) nicht vollständig unterrichten oder sogar täuschen lassen, oder er hat infolge der endlosen Detailstreitigkeiten der Diplomaten die großen Linien nicht mehr erkennen können.

Für mich war es eine wichtige Grundbedingung, daß die Bundeswehr keinen Sonderstatus erhielt, etwa dadurch, daß sie als einzige auf westlicher Seite Kontrollen und Beanstandungen unterliegen würde. Ich habe mich aus politisch-psychologischen Gründen immer gegen eine »Singularisierung« der Bundesrepublik und der Bundeswehr gewandt.

Breschnew und ich haben uns häufiger über die MBFR-Problematik ausgetauscht. Seit dem Herbst 1977 wurde dieses Thema aber überdeckt durch zwei neue Probleme: durch die schnelle sowjetische Aufrüstung mit den gegen Westeuropa gerichteten Mittelstreckenraketen SS 20, durch die schließlich unvermeidliche westliche Reaktion darauf und durch die auf amerikanischer Seite neu entwickelten, für eine Stationierung in Europa gedachten Neutronenwaffen (Enhanced Radiation Weapons, ERW).

Das Thema der Neutronenwaffen war relativ schnell vom Tisch, weil Carter von sich aus seine Absichten aufgab. Dagegen nahm das Thema SS 20 an strategischer Bedeutung schnell zu, es beunruhigte mich sehr. Dabei fiel sehr ins Gewicht, daß die atomaren Mittelstreckenraketen insofern eine »Grauzone« bildeten, als sie weder bei den SALT-Verhandlungen noch bei den MBFR-Verhandlungen eingeschlossen waren, sondern vielmehr von allen Abrüstungsverhandlungen ausgenommen blieben; dies bedeutete, daß die Sowjets völlig freie Hand hatten. So hat diese Frage beim zweiten Besuch Breschnews im Jahre 1978 eine große und bei unseren letzten Begegnungen 1980 in Moskau und 1981 abermals in Bonn eine überragende Rolle gespielt.

Breschnew in Langenhorn

Breschnews Gegenbesuch war fällig; mehrfach war er nahezu festgelegt gewesen, dann aber immer wieder – sowohl aus außenpolitischen Gründen als auch wegen des Bundestagswahlkampfes 1976 und schließlich mit Rücksicht auf Breschnews Gesundheitszustand – verschoben worden. Breschnew litt, seit ich ihn kannte, unter gesundheitlichen Belastungen, die oft auch Störungen und Unterbrechungen im Fortgang des politischen Prozesses in Moskau herbeiführten – einschließlich der sowjetischen Deutschlandpolitik.

Als er am 4. Mai 1978 kam, sah ich schon bei seinem Eintreffen auf dem Köln/Bonner Flughafen: Breschnew war sehr gealtert und offensichtlich krank; man mußte wohl in absehbarer Zeit mit seinem Ausscheiden rechnen. Ich empfand persönliches Mitgefühl mit diesem Mächtigen, dem ein verläßliches Verhältnis zu Deutschland so wichtig erschien, daß er die Strapazen eines anstrengenden Staatsbesuches auf sich nahm. Es war Breschnews zweiter Besuch in Bonn, und ich hielt es für wahrscheinlich, daß es sein letzter sein würde; tatsächlich ist er drei Jahre später, 1981, noch einmal in Bonn gewesen.

Das Jahr 1978 hatte mit einigem Hin und Her wegen Präsident Carters Absicht der Stationierung von Neutronenwaffen auf deutschem Boden begonnen. Einige der außenpolitischen Mitarbeiter Breschnews – und später auch er selbst – zeigten sich darüber beunruhigt, weil dies eine neue Rüstungsrunde einläuten werde. Es gab jedoch auch Anzeichen dafür, daß die sowjetischen Militärs sich deswegen in Wahrheit keine Sorgen machten; meiner Auffassung nach wollten sie ganz gern in den Besitz ähnlicher Waffen gelangen. Die Neutronenbombe würde mitnichten den Westen begünstigen, das wurde mir immer plausibler. Tatsächlich aber war Moskau über das geringe Tempo bei den Verhandlungen über SALT II besorgt.

Ich selbst hatte Anfang 1978 eine andere Sorge, nämlich die sowjetische SS-20-Aufrüstung. Im November 1977 hatte ich in London zum ersten Mal öffentlich darüber gesprochen, und ich hatte Breschnew ausdrücklich auf die betreffende Passage meiner Rede hinweisen lassen. Die Produktion der sowjetischen SS-20-Raketen war inzwischen voll angelaufen; wir waren darüber durch die amerikanische Satellitenaufklärung ziemlich genau im Bilde. Die Gesamtzahl der in Osteuropa stationierten SS 20 war damals noch klein, aber es kamen pro Monat etwa acht Raketen hinzu. Jede SS 20 kann drei Atomsprengköpfe tragen, von denen jeder einzelne in ein anderes Ziel lenkbar ist. Das heißt, eine einzelne SS-20-Rakete kann gleichzeitig drei verschiedene Ziele vernichten – seien es drei Flugplätze oder drei Städte.

Die SS 20 sollte zunächst offenbar weitgehend die alten SS 4 und SS 5 ersetzen; diese trugen nur je einen Atomsprengkopf. Hinzu kam, daß aus den alten SS-4- und SS-5-Stellungen (genauer: Lafetten oder »launchers«) nur eine einzige Rakete verschossen werden konnte; ein SS-20-launcher hingegen ist nachladbar, er kann weitere Raketen abschießen. Ebenso fiel ins Gewicht, daß die alten SS-4- und SS-5-Stellungen ortsfest waren; die neuen SS-20-launcher hingegen sind motorisiert, also beweglich und deshalb durch westliche Waffen schwer zu treffen. Schließlich betrugen die Reichweiten der SS 4 und SS 5 nur etwa 2000 bzw. 4800 Kilometer; die Reichweite der SS 20 hingegen schätzt man auf bis zu 5500 Kilometer. Sie reicht in Richtung Westen also keineswegs über den Atlantik, aber man kann sie viel weiter östlich aufstellen als die SS 4 und SS 5; sogar von jenseits des Ural kann sie alle Ziele auf westeuropäischem Boden erreichen. Mit einer solchen Verschiebung der Stellungen nach Osten sind die SS 20 für die in Europa stationierten nuklearen Waffen der Amerikaner, Engländer und Franzosen unerreichbar; sie können dann nur noch von amerikanischen Interkontinentalraketen (ICBM) zerstört werden. Bei den ICBM herrscht aber seit SALT I ein Gleichgewicht zwischen den Amerikanern und den Russen; deshalb kann nicht damit gerechnet werden, daß die USA in der Lage sind, ihre ICBM gegen sowjetische SS 20 einzusetzen. (Reagans SDI-Argumentation machte fünf Jahre später sogar ausdrücklich klar, daß die beiden Weltmächte sich in Zukunft nicht mehr mit ICBM sollten bedrohen können!)

Mein Erkenntnisstand in der Mitte der siebziger Jahre zwang mich zu dem Schluß, daß die im Aufbau befindliche SS-20-Flotte für Westeuropa um ein Vielfaches gefährlicher war als die alten Flotten der SS 4 und SS 5. Überdies lagen die Angriffsziele der neuen wie der alten Raketen in ihrer großen Masse auf westdeutschem Boden: Das Faustpfand Deutschland wurde immer stärker bedroht – die Möglichkeit einer künftigen politischen Nötigung der Deutschen stieg am Horizont auf.

Mir war unklar, ob Breschnew wirklich wußte, daß die militärische Führung der Sowjetunion im Begriff stand, seinem Land solche Erpressungsinstrumente in die Hand zu geben. Es konnte sein, daß er und das Politbüro vom Militär mit dem Argument bloß routinemäßiger Modernisierung zu dem SS-20-Aufrüstungsentschluß überredet worden waren, ohne daß sie sich die politischen Wirkungen vor Augen führten. Es konnte aber auch sein, daß das Politbüro bei seinem – übrigens sehr kostspieligen – Beschluß sehr wohl wußte, was es damit ganz Westeuropa, vor allem aber Deutschland zumutete. In beiden Fällen erschien es mir nötig, mit Breschnew darüber zu reden, zumal Carter dies nicht selbst tun wollte, um nicht die SALT-II-Verhandlungen zu belasten.

Am 5. Mai hatten wir in Schloß Gymnich eine lange Aussprache zu zweit. Unsere Beamten hatten eine »gemeinsame Erklärung« vorbereitet und – auf meine Initiative – das schon erwähnte langfristige, auf fünfundzwanzig Jahre angelegte Abkommen über industrielle und allgemein wirtschaftliche Zusammenarbeit. Beide Dokumente lagen in Entwürfen vor, nur in einigen Punkten gab es noch – wie üblich – Formulierungsfragen. Breschnew und ich redeten aber fast ausschließlich über andere Themen: zunächst über die alten, immer noch ungelösten Kontroversen hinsichtlich der vollen Anwendung des Viermächteabkommens und über die Einbeziehung West-Berlins in die deutsch-sowjetischen Beziehungen; schließlich streiften wir einige kritische Aspekte der Weltlage. Der Hauptgegenstand unseres Zusammenseins waren jedoch die Mittelstreckenwaffen in jener Grauzone, die bei allen damals laufenden Rüstungsbegrenzungsverhandlungen ausgespart blieb.

Breschnew begann mit eher allgemeinen, schriftlich vorbereiteten langen Erklärungen und auch Vorwürfen. Ich improvisierte meine Antworten zu jedem seiner Punkte und legte dann meine Besorgnisse ausführlich dar: »Ich habe keine Sorge, daß die Sowjetunion ihre Überlegenheit ausnutzen oder uns gar angreifen könnte, solange die Führung bei Ihnen liegt. Aber ich muß mir Gedanken machen über spätere Zeiten, wenn eine andere Generation die Führung übernimmt – vielleicht eine Generation, die den Zweiten Weltkrieg nicht mehr bewußt miterlebt hat … Ich muß Ihnen widersprechen, wenn Sie gemeint haben, wir verstärkten die Bundeswehr. Dies ist nicht der Fall, es besteht auch keine solche Absicht. Wir halten uns an die Grenzen, die für uns zum Teil international festgelegt worden sind und die wir uns zum anderen selbst gesetzt und öffentlich ausgesprochen haben. Ich freue mich, daß wir endlich unsere Militär-Attachés ausgetauscht haben, wie wir es vor vier Jahren in Moskau verabredet hatten. So können Sie jetzt unsere Manöver beobachten; das gibt Ihren Fachleuten Gelegenheit, sich aus erster Hand zu überzeugen, daß ich die Wahrheit spreche … Jedoch habe ich tatsächlich Sorgen wegen Ihrer zahlenmäßigen Überlegenheit bei Panzern und Flugzeugen in Europa, vor allem gelten meine Sorgen aber Ihren Mittelstreckenraketen.«

Breschnew widersprach: Es sei absurd, strategische Überlegungen mit der angeblichen Bedrohung durch die Sowjetunion zu begründen. Die Sowjetunion wolle die Bundesrepublik nicht überfallen, weder konventionell noch nuklear. Es sei für ihn kein Vergnügen, über solche Dinge zu sprechen. Aber wenn wir Vertrauen schaffen wollten, müßten wir auch über die strategischen Fragen miteinander sprechen. Er zählte alle Komponenten des nuklearstrategischen Potentials der USA auf und beklagte sich über deren in Entwicklung befindliche Marschflugkörper (cruise missiles). Es seien die Amerikaner, die eine Überlegenheit anstrebten und bei SALT II einseitige Vorteile herauszuholen suchten. Schließlich müsse die Sowjetunion auch an ihre lange Grenze zu China denken. Was aber die Grauzone angehe, so sei die Sowjetunion bereit, alle Arten von Waffen zu reduzieren: »Natürlich nur im Einvernehmen aller Staaten; die Sicherheit darf auf keiner der beiden Seiten beeinträchtigt werden. Natürlich nur bei voller Gegenseitigkeit ... Wir befinden uns doch in Europa tatsächlich in einer ungefähren Gleichheit der Sicherheit!«

Ich war mir nicht im klaren darüber, ob Breschnew diesen Satz für zutreffend hielt. Es war immerhin nicht auszuschließen, daß er die Dinge so sah. Mir war immer zweifelhaft gewesen, ob nicht der alte Komplex der Russen, sich ständig bedroht zu fühlen, beim Politbüro möglicherweise zu einer Überschätzung des Westens und damit zu einer als »objektiv« verstandenen, tatsächlich aber verzerrten Einschätzung der Kräftebilanz geführt habe.

Glücklicherweise hatte ich Breschnew vor unserer Begegnung ausrichten lassen, ich würde mit militärischen Karten kommen, um ihm meine Besorgnis plausibel zu machen – und ob er dies nicht auch tun wolle. Darauf kam ich jetzt zurück und breitete eine große Karte von Europa aus, die über den Ural hinaus reichte. Sie enthielt unseren Wissensstand über alle sowjetischen und westlichen Nuklearwaffen, deren Reichweite über das eigentliche Gefechtsfeld hinausging. Neben den ungefähren Standorten und der jeweiligen Anzahl der verschiedenen Waffensysteme waren deren Reichweiten eingezeichnet.

Breschnew hatte meinen Vorschlag aufgegriffen; er ließ nun von seinem Mitarbeiter Alexandrow ebenfalls eine große Europakarte auf dem Tisch ausbreiten. Beide Karten waren – kein Wunder! – in ihrer Struktur sehr ähnlich, wenn auch wahrscheinlich nicht in jedem Detail. Beide Karten trugen rote und blaue Geheimhaltungsstempel; der für militärische Unterlagen spezifische Eindruck größter Wichtigkeit und äußerster Geheimhaltung war auf beiden Seiten von den Militärs sorgfältig hergestellt worden. Von größter Wichtigkeit waren und sind diese Karten allerdings; ihre jahrzehntelange, beiderseitig strenge Geheimhaltung ist dagegen politisch sinnlos und schädlich. Die Geheimhaltung macht alle ohnehin schwierigen Rüstungsbegrenzungsverhandlungen unnötigerweise noch schwieriger und nährt außerdem Mißtrauen. Das einzige Ergebnis dieser Geheimhaltung ist eine Art Beschäftigungsprogramm: Beide Seiten setzen eine viele tausend Menschen umfassende Spionageorganisation in Lohn und Brot. Das alles ist höchst überflüssig, zumal beide Weltmächte heutzutage durch ihre unzähligen Aufklärungssatelliten ohnehin die installierten Waffensysteme der Gegenseite genau kontrollieren.

Ich hatte den Eindruck, daß die sowjetische Karte meiner Argumentation tatsächlich recht geben konnte. Es war jedoch schwierig, alle eingetragenen Angaben zu verstehen – der kyrillischen Schrift und der andersartigen taktischen Zeichen wegen. Auch hatte ich nicht genug Zeit, die Karte genauer zu studieren, denn als ich meinem Gast anhand seiner Karte meine Besorgnisse wegen der SS 20 demonstrierte, wurde er ärgerlich. Ob ihn das Detail überforderte, ob er sich darüber ärgerte, sich so weit eingelassen zu haben, oder ob sonst ein Anlaß vorlag – jedenfalls wischte Breschnew mit einer Handbewegung und einigen ärgerlichen Worten seine Karte vom Tisch. Alexandrow hob sie auf und legte sie beiseite. Meine eigene Karte, die eigens für diese Unterhaltung angefertigt worden war, überließ ich Breschnew und forderte ihn auf, die eingetragenen Zahlen zu Hause prüfen zu lassen.

Die Gesprächsatmosphäre war freundlich geblieben, wenngleich wir in der Sache nicht einig geworden waren. Auf der gemeinsamen Fahrt im Wagen von Gymnich nach Godesberg kamen wir auf die Paritätsfrage zurück; sie war im Text der vorbereiteten gemeinsamen Erklärung noch umstritten. Die sowjetische Seite wollte expressis verbis festschreiben, daß annäherungsweise Gleichheit und Sicherheit in Europa bestehe. Ich hatte Weisung gegeben, dies nicht zu akzeptieren, sondern vielmehr dahingehend zu formulieren, daß Gleichheit der Sicherheit und Parität der Verteidigungsanstrengungen durch Verhandlungen und Abkommen herbeigeführt werden sollten. Auf diese Kontroverse kam Breschnew zurück, ich blieb unbeweglich.

Schließlich einigte man sich in der Nacht auf einen Text, der beide Seiten das Gesicht wahren ließ: »Beide Seiten betrachten es als wichtig, daß niemand militärische Überlegenheit anstrebt. Sie gehen davon aus, daß annäherndes Gleichgewicht und Parität zur Gewährleistung der Verteidigung ausreichen ... « Diese Worte waren ausreichend für den Tag; in den folgenden Jahren habe ich diese Formel auch mehrfach in meiner Argumentation gegen die unablässig wachsende SS-20-Flotte benutzt. Angesichts der Differenzen bei den Wiener MBFR-Verhandlungen über die beiderseitigen Zahlenangaben und angesichts der wachsenden Disparität bei den Mittelstreckenwaffen war die Kuh aber nicht vom Eis.

Das große Essen, das Bundespräsident Scheel auf Schloß Augustusburg zu Brühl gab, und ebenso das »Gegenessen« Breschnews in der Godesberger Redoute waren glanzvolle Gelegenheiten für viele deutsche Gäste, den sowjetischen Staatschef und seinen Außenminister in Person zu erleben; mit Neugier und Interesse folgten sie den beiden Tischreden Breschnews und wurden wenigstens einmal selbst Zeuge, wie Scheel – der vor seiner Bundespräsidentschaft ein erfolgreicher und erfahrener Außenminister gewesen war – und ich auf die selbstbewußten sowjetischen Gäste reagierten. Sie haben keinem großen Ereignis beigewohnt, wohl aber einen Grad von Normalität im Umgang zwischen Russen und Deutschen erlebt, den sich zehn Jahre zuvor niemand im Traum ausgedacht hätte. Aber man sah auch einen Grad von Nüchternheit, der von der Euphorie, welche einige meiner Parteifreunde ein halbes Jahrzehnt früher mit der Ostpolitik verbunden hatten, weit entfernt war.

Mein Freund Kurt Becker hatte in der ZEIT zu Beginn von Breschnews Besuch dieses Treffen als eine »heikle Hoffnung« bezeichnet, denn die Entspannung stehe »auf der Kippe«; so ähnlich sah es wohl die westdeutsche Öffentlichkeit im allgemeinen. Tatsächlich wurde dann zwar nichts gekippt – aber es wurde auch nicht viel bewegt. Daß eine größere Zahl von deutschen und sowjetischen Führungspersonen – wie auch die gesamte westdeutsche Öffentlichkeit – die politischen Ziele, Hoffnungen und Ängste der Gegenseite besser verstehen lernten, daß die Russen eingesehen hatten, die Deutschen nicht ins Bockshorn jagen zu können, daß die Deutschen die Russen – trotz all ihrer Macht – doch als sehr menschliche Gesprächspartner kennengelernt hatten: dies alles wog für die Presse nicht sehr viel – sie konnte es ja auch nur zum Teil und nur ganz von fern beobachten.

Wer näher dran war, der konnte im Menschlichen interessante Züge wahrnehmen. Zum Beispiel Breschnews Trinkfestigkeit. Er trank – auch beim Essen – den Wodka aus Wassergläsern; auf ein kleines Zeichen seines Chefs trat ein persönlicher Kammerdiener vor (ich meine, Breschnew nannte ihn Aljoscha) und füllte das Glas aus einem in der Jackentasche getragenen Flachmann nach. Zum Beispiel Breschnews Disziplin hinsichtlich des ihm auferlegten Rauchverbots; er war ein Passivraucher geworden und bat mich mehrfach, ich möge mir doch bitte eine Zigarette anstecken, deren Rauch er dann genoß. Zum Beispiel Breschnews unverhohlene Neugierde, mehr über die Ursachen des guten Zustands sowohl unserer Landwirtschaft als auch unserer kleinen Ortschaften und Städte erfahren, den er bei seinen längeren Autofahrten durchaus erkennen konnte. Wer russisch verstand, konnte auch hören, welche Bemerkungen bisweilen zwischen Breschnew und Gromyko ausgetauscht wurden. Als Breschnew Befriedigung darüber zeigte, daß ich gesagt hatte, wir wollten keine neuen Bundesinstitutionen in Berlin einrichten, flüsterte Gromyko zurück:»Das sagen die Deutschen immer und tun dann das Gegenteil.«

Am lockersten wirkte Breschnew am letzten Tag in Hamburg; ich hatte ihn zu einem privaten Mittagessen in meine Wohnung in Langenhorn eingeladen. Breschnews Stab war gegen diesen Abstecher gewesen, vielleicht aus Sicherheitsgründen; man hatte auch abgelehnt, daß Breschnew mit mir zusammen in einem Bundeswehrflugzeug von Bonn nach Hamburg fliegen sollte, vielleicht wegen der Funkverbindungen mit dem Oberkommando in Moskau. Aber Breschnew, der nicht nur ein überaus gastfreundlicher Mann, sondern auch ein vertrauensvoller Gast war, nahm beide Einladungen gern an. Dadurch gewannen wir, Gast und Gastgeber, aber auch Gromyko und Genscher, viele zusätzliche Stunden zu sehr privatem Gespräch.

Natürlich fing es, kaum daß wir in unserem Wohnzimmer angekommen waren, mit Wodka an, diesmal mit polnischem Zubrowka, den mir Edward Gierek geschenkt hatte und der Breschnew besonders gutzutun schien. Meine Wohnung ist mit Büchern gut gefüllt; plötzlich bemerkte jemand, daß Breschnew sich in einen Sessel direkt unter die vierzig Bände der gesammelten Werke von Marx und Engels gesetzt hatte. Großes Gelächter, sogar Gromyko schmunzelte.

Dann wurde es ernst. Die Gäste wollten noch vor dem Mittagessen über Politik reden, über unsere Beziehungen zur DDR, sehr eingehend über China und schließlich nochmals über Truppenabbau in Europa (MBFR). Also ließen wir die anderen Gäste im Wohnzimmer mit meiner Frau allein und zogen zu viert in mein sehr kleines Arbeitszimmer. Dort gibt es nur drei Sitzgelegenheiten; Genscher muß wohl auf der Bücherleiter gehockt haben, die beiden Dolmetscher standen. Die Stimmung war inzwischen sehr freundlich geworden, aber in der Sache wurden von keiner Seite Zugeständnisse gemacht. Eine Stunde später ging es die Treppe wieder hinunter zu Spargel und Schinken.

Inzwischen waren Brandt, Lambsdorff und Bahr hinzugekommen, es wurde eine ziemlich fröhliche Runde. Die Gäste hatten sich unter meinen Büchern umgesehen und die vielen russischen Schriftsteller bis hin zu Gorki, Scholochow, Pasternak und Solschenizyn entdeckt, und es entspann sich eine Unterhaltung über russische Literatur. Die sowjetischen Gäste konnten sehen, daß wir nicht anhand von Spickzetteln aus dem Auswärtigen Amt redeten, sondern aus eigener Kenntnis – und daß die Deutschen eine ganze Menge von russischer Literatur verstanden.

Natürlich wurde auch über Hamburg gesprochen, über gemeinsame Aspekte der hanseatisch-russischen Geschichte seit dem Mittelalter. Dann kam das Gespräch auf Ernst Thälmann,

96

Auf dem Flug von Bonn
nach Hamburg: Der
Generalsekretär ließ es
sich nicht nehmen,

Schmidts Einladung nach
Langenhorn zu folgen –
in einer Boeing 707 der
Bundeswehr.

Unten: Breschnew unter
den Gesammelten
Werken von Marx und
Engels.

den aus Hamburg stammenden einstigen Chef der KPD, der von den Nationalsozialisten umgebracht worden war und dessen Gedenkstätte in Eppendorf Breschnew am Morgen besucht hatte. Hamburg als Stadt interessierte die sowjetischen Gäste. Breschnew hatte im Gästehaus des Senats an der Außenalster geschlafen – eine sehr schöne Visitenkarte der Stadt. Danach war ein Besuch des Rathauses an die Reihe gekommen. Zwar hatte es einige Demonstranten von rechts gegeben, aber auch viele freundlich-neugierige Gesichter an den Straßenrändern. In Langenhorn hatten sich, wie schon oft bei Besuchen ausländischer Staatsmänner, viele meiner Nachbarn vor unserem kleinen Vorgarten versammelt, um ein privates Photo zu schießen.

Breschnew wollte übrigens nicht recht glauben, daß die Siedlung der Neuen Heimat, zu der mein Reihenhaus gehört, überwiegend von kleinen Leuten bewohnt wird; die Eigenheime mit Garagen und den Gärtchen vor der Haustür kamen ihm wohl für normale Facharbeiter und Angestellte zu luxuriös vor. Aber er fühlte sich offenbar wohl, es wurden viele Witze erzählt, und es gab viel Wodka und viel Gelächter. Zwischendurch brauchte Breschnew eine Spritze durch seinen Arzt, wozu sich die Herren in unser Badezimmer zurückzogen.

Der Besuch des sowjetischen Staatsmannes, der am Vortage in Bonn mit der Ausfertigung der gemeinsamen Dokumente seinen offiziellen, was das konkrete Ergebnis anlangt, allerdings keineswegs hinreißenden Abschluß gefunden hatte, endete also in Hamburg in harmonischer Stimmung. Am nächsten Tag erschienen die Resümees in den Zeitungen. Die sowjetische Presse beurteilte den Besuch sehr positiv. Das hatte gewiß sowohl innenpolitische als auch außenpolitische Gründe: Breschnew wollte angesichts seiner – übertriebenen – Sorgen über China und angesichts des für ihn unklaren Verhältnisses zu Jimmy Carter seine Europapolitik festigen. Die deutsche und die westliche Presse war mit Recht erheblich zurückhaltender; sie registrierte jedoch und betonte zutreffend, daß in den abweichenden Grundpositionen zwar eine Annäherung, aber keine Verwischung der gegensätzlichen Standpunkte stattgefunden hatte. Einer ging in seinem Lob zu weit: Franz Josef Strauß sprach öffentlich von einem »Meilenstein im historischen Prozeß« der deutsch-sowjetischen Entwicklung. Ich fragte mich, wie er sich wohl geäußert haben würde, hätte er gewußt, daß Breschnew noch drei Tage vorher ein Gespräch mit Strauß hatte absagen wollen, was ich ihm dann während einer Autofahrt ausgeredet hatte: »Was soll ich ihm denn sagen?« Worauf ich ihm geantwortet hatte: »Natürlich dasselbe wie mir, nur etwas kürzer.«

Im weiteren Verlauf des Jahres 1978 zeigte sich, daß die sowjetische SS-20-Rüstung in unvermindertem Tempo weiterging; die Amerikaner machten bei den SALT-II-Verhandlungen allerdings auch keinen ernstgemeinten Versuch, diesen Prozeß zu stoppen oder in SALT II einzubeziehen. Meine Besorgnis nahm zu, und ich lag beiden Weltmächten mit diesem Problem in den Ohren, ohne wirklich Gehör zu finden.

Das Politbüro revidiert sich

Gegen Ende des Jahres 1978 gab es über das SS-20-Problem einen Meinungswechsel im Weißen Haus. Die neue Einschätzung der Lage führte Anfang 1979 zu einem Vierertreffen von Carter, Callaghan, Giscard d'Estaing und mir auf der französischen Antillen-Insel Guadeloupe. Den dort vorformulierten Beschluß, der später so genannte Doppelbeschluß, der in präziser Form schließlich im Dezember 1979 im Nordatlantikpakt verabschiedet wurde, habe ich dem sowjetischen Generalsekretär in seinen beiden Elementen alsbald signalisiert. Er hörte von mir auch, daß ich für meinen Teil entschlossen sei, diese Linie zu verfolgen, mich also mit Nachdruck für Verhandlungen über Mittelstreckenwaffen einzusetzen, im Falle eines Scheiterns dieser Verhandlungen aber amerikanische Mittelstreckenwaffen auch auf deutschem Boden zu stationieren.

Moskau konnte andererseits im Laufe des Jahres 1979 in allen Hauptstädten der Staaten des Nordatlantikpaktes beobachten, wie umstritten dieser Beschluß in der öffentlichen Meinung des Westens sein würde. So setzte der Kreml seine Hoffnung auf die an vielen Orten sich entfaltende Opposition und gab sich große Mühe, diese Opposition zu nähren. Im übrigen vertraute Moskau ganz offensichtlich darauf, daß man bis zum Ende der von der westlichen Allianz gesetzten vierjährigen Verhandlungsperiode, also bis Ende des Jahres 1983, einen gewaltigen Vorsprung bei den Mittelstreckenraketen in Europa erreicht haben würde. Erst dann konnte der Westen ja den ersten Schritt zur eigenen Nachrüstung tun. So schien Guadeloupe Breschnew nicht zu beunruhigen; er setzte seine bisherige Politik auf allen Gebieten kontinuierlich fort. Für ihn blieben in allererster Linie China, sodann MBFR, aber auch die DDR und West-Berlin die Hauptgegenstände unserer Korrespondenz, daneben natürlich unsere bilateralen Wirtschaftsbeziehungen. Meinerseits spielten die Mittelstreckenraketen stets eine wichtige Rolle.

Auf dem Flug zum Weltwirtschaftsgipfel in Tokio kam es am 25. Juni 1979 zu einem dreistündigen Treffen mit Kossygin, Gromyko und Tichonow auf dem Moskauer Flughafen Wnukowo; begleitet wurde ich von den Bundesministern Matthöfer und Hauff. Ich brachte das Gespräch sehr schnell auf meine Hauptsorge. Kossygin und Gromyko berichteten ausführlich von dem Treffen zwischen Breschnew und Carter, das kurz zuvor, vom 16. bis 19. Juni in Wien stattgefunden hatte und bei dem das SALT-II-Abkommen unterzeichnet worden war. Die drei Moskauer Herren lobten SALT II in enthusiastischen Wendungen, ebenso die gleichzeitigen Festlegungen für die im Anschluß geplanten SALT-III-Verhandlungen, an denen auch die Nuklearmächte Frankreich, England und China beteiligt sein sollten. Natürlich müßte bei der Vorbereitung zu SALT III auch über die amerikanischen, nach Europa vorgeschobenen nuklearen Waffensysteme (Forward Based Systems, FBS) gesprochen werden.

Hier hakte ich ein:»Die Bundesrepublik hat im Hinblick auf SALT III drei Hauptinteressen: erstens muß die Zahl der interkontinental-strategischen Nuklearwaffen und -sprengköpfe weiter verringert werden; zweitens müssen bei SALT III auch die eurostrategischen Waffen [das hieß: die Mittelstreckenwaffen] einbezogen werden; drittens muß auch für diese Waffen dasselbe Gleichheitsprinzip gelten, das bei SALT II vereinbart worden ist.« Seit Anfang der sechziger Jahre habe es – abgesehen von einigen (genau gesagt achtzehn) französischen Raketensystemen – auf europäischem Boden keine Mittelstreckenwaffen mehr gegeben, welche sowjetisches Territorium hätten bedrohen können. Dagegen habe die Sowjetunion immer über SS-4- und SS-5-Raketen verfügt.»Jetzt kommen aber in ständig wachsender Zahl Ihre neuen SS-20-Raketen hinzu. Die SS 20 haben schon jetzt ein erhebliches militärisches Gewicht. In den achtziger Jahren werden sie auch ein erhebliches politisches Gewicht gewinnen. Der Westen sieht zwei Möglichkeiten, hier zum Gleichgewicht zu kommen ...«

An dieser Stelle unterbrach mich Gromyko; er suchte Kossygin zu bewegen, diesen Teil des Gesprächs einfach abzuschließen. Kossygin machte auch einen Ansatz, da er aber ein höflicher Mann war, beließ er es bei einem milden Versuch. Ich fuhr fort: »Wenn die eurostrategischen Waffen in SALT III nicht einbezogen werden, so wird nach meiner Einschätzung das westliche Bündnis um so stärker zur Nachrüstung gezwungen sein ...« Danach wendete sich das Gespräch anderen Themen zu.

Während des Essens spielte einer der russischen Gastgeber dann seinen Trumpf aus:»Herr Bundeskanzler, wir verstehen Sie nicht. Weder Präsident Carter noch sonst ein Amerikaner hat in

Wien die Mittelstreckenwaffen überhaupt erwähnt!«Ich mußte das trocken herunterschlucken und war innerlich tief konsterniert; unmittelbar nach Guadeloupe hatte ich eine solche Unterlassung nicht für möglich gehalten. Aber am nächsten Tage bestätigte mir Cyrus Vance in Tokio, daß die sowjetische Behauptung weitgehend der Wahrheit entsprach: Die Mittelstreckenwaffen waren nur einmal erwähnt worden – und bloß beiläufig.

Ein paar Tage später ließ man mich aus Moskau wissen, das Thema sei von Breschnew und Carter in Wien doch gestreift worden, allerdings nur während einer gemeinsamen Fahrstuhlfahrt in der sowjetischen Botschaft; im Lift sei Carter auf die SS 20 zu sprechen gekommen. Er habe sich mit Breschnews Antwort, man habe noch nicht genug SS 20, ohne weiteres zufriedengegeben. Man gab mir zu verstehen, Breschnew sei durchaus darauf vorbereitet gewesen, daß in Wien die SS 20 eine wichtige Rolle spielen könnten. So hatte ich zum Schaden auch noch den Spott.

Die Episode veranlaßte, wie mir schien, verschiedene Personen in Moskau wie auch in Ost-Berlin, Mißtrauen gegen die Bundesrepublik und gegen mich zu säen – als ob ich die westlichen Sorgen übertrieben hätte. Aber es gab innerhalb des Ostens auch Mißtrauen untereinander. Gewisse Kreise in Moskau beargwöhnten Honecker und – aus anderen Gründen – Gierek; anderen schien es verdächtig, daß sich offenbar sowohl Kossygin als auch Suslow im Politbüro dezidiert zu außenpolitischen Fragen äußerten. Man spürte in Moskau das Nachlassen der Präsenz Breschnews, der selbst anscheinend Tschernenko favorisierte (was Breschnew mir ein Jahr später einmal selber angedeutet hat). Aber all dies erschien mir nicht als Tröstung. Am 6. Oktober hielt Breschnew eine wichtige Rede, in der er vor dem bevorstehenden Doppelbeschluß der westlichen Allianz warnte. Eine Stationierung neuer amerikanischer Raketen in Europa führe zu einer grundlegenden Veränderung der strategischen Lage in Europa; die Sowjetunion würde dann durch zusätzliche Schritte ihre Sicherheit festigen. In ihrer Wirkung auf die öffentliche Meinung in der Bundesrepublik und allgemein in Westeuropa war die Rede eindrucksvoll.

Die Rede enthielt zugleich Drohungen und Verlockungen. Einerseits wurde die NATO beschuldigt, sich ein militärisches Übergewicht in Europa verschaffen zu wollen – »... aber es kommt zweitens anders, als man denkt!«Andererseits kündigte Breschnew den Abzug von 20.000 Mann aus der DDR an. Er versprach außerdem, die Zahl sowjetischer Mittelstreckenraketen im Westen der Sowjetunion zu verringern, sofern in Westeuropa »keine zusätzlichen Mittelstreckensysteme stationiert werden«. Selbstverständlich ging er darüber hinweg, daß die Sowjetunion sich durch die drei Sprengköpfe auf jeder SS-20-Rakete ja gerade mindestens eine Verdreifachung ihres Potentials zu verschaffen im Begriffe stand. Kein Wort darüber, daß die SS-20-Raketen ihrer größeren Reichweite wegen auch von jenseits des Ural die alten Ziele in Westeuropa auslöschen können. Immerhin kündigte Breschnew an – anders als drei Monate zuvor Gromyko in Wnukowo –, daß die Sowjetunion im Rahmen von SALT III bereit sei, »nicht nur die Begrenzung interkontinentaler, sondern auch anderer Waffen« zu erörtern; das schien zu heißen: Bereitschaft, über Mittelstreckenwaffen zu verhandeln.

Diese Verhandlungsbereitschaft habe ich sofort öffentlich begrüßt; über die Drohungen, die nach sorgfältiger Prüfung des Textes übrigens erst für den Fall tatsächlicher Stationierung, nicht bereits für die Verabschiedung des Doppelbeschlusses ausgesprochen waren, ging ich bewußt hinweg. Aber ich habe Breschnew umgehend an den Text unserer gemeinsamen Erklärung vom Mai 1978 erinnert:»Beide Seiten gehen davon aus, daß annähernde Gleichheit und Parität zur Gewährleistung der Verteidigung ausreichen.« Dann legte ich sachlich dar, daß die sowjetische SS-20-Rüstung, selbst bei gleichbleibender Zahl der Abschußlafetten (launchers), wie sie bisher für SS 4 und SS 5 bestanden, durch die dreifachen Sprengköpfe, die Mobilität, die größere Reichweite und die Nachladbarkeit das Kräfteverhältnis in Europa erheblich zu Lasten des Westens verschiebe. Im übrigen solle der bevorstehende Doppelbeschluß zu Verhandlungen darüber einladen; dabei werde sich dann zeigen, wo etwa die Militärs ihre Verantwortung für die Sicherheit zu weit trieben.

Die Sowjetführung schien sich über die Einschätzung der weiteren Entwicklung unsicher zu sein; sie schickte auf mancherlei Ebenen Briefe, Briefträger, Botschafter und Kundschafter aus, um zu sondieren. Es konnte sein, daß der gesamte Komplex, der im Laufe der Monate Oktober und November eine weltweite Bedeutung erlangte und die Öffentlichkeit in beiden Teilen Europas erregte, zu einem Test für Breschnews Position in Moskau werden würde. Dabei wurde uns in Bonn nicht klar, wieweit Breschnew selber es war, der die SS-20-Rüstung vorangetrieben hatte; ob er deren militärische Bedeutung für die NATO und die politische Wirkung auf den Westen vielleicht unterschätzt oder die Rüstung möglicherweise – wenn auch vergeblich – zu bremsen versucht hatte. Jedenfalls schien er uns unsicher geworden zu sein, was mich nicht wunderte, denn auch ich hatte zu Hause meine Schwierigkeiten. Das war die Situation, als am 23. November 1979 Gromyko bei mir zum Gespräch erschien.

Zu Beginn dieses Besuchs in Bonn lud Gromyko Genscher zu einem Besuch in die Sowjetunion ein; Genscher nahm gern an.

Ende November 1979, drei Wochen vor der Entscheidung über den lange angekündigten Doppelbeschluß, unternahm Außenminister Gromyko einen letzten Versuch, die Bundesregierung von ihrer Linie abzubringen. Der bevorstehende Beschluß werde, so Gromyko, den von der Sowjetunion angebotenen Verhandlungen die Grundlage entziehen. Schmidt hatte jedoch den Eindruck, als halte Gromyko an einer in Moskau beschlossenen Linie fest, ohne davon überzeugt zu sein: »Er wirkte auf mich zum ersten Mal etwas ratlos.«

Ich selbst annoncierte, daß ich der an mich ergangenen Einladung Breschnews bereits im Frühjahr 1980 folgen würde, da wir im Oktober 1980 Wahlkampf hätten. Mir schien es von großer Bedeutung, in den kommenden Monaten nicht nur enge außenpolitische, sondern auch persönliche Kontakte aufrechtzuerhalten. Fast unvermeidlich ging es zunächst abermals für Stunden um China. Hua Guofeng war gerade in Bonn gewesen und hatte lange Gespräche mit mir geführt. Ich schilderte ihn als einen selbstbewußten, aber bescheiden auftretenden Mann, als Vertreter einer großen, aber keineswegs aggressiven Macht. Gromyko antwortete, daß die chinesische Führung nach sowjetischem Urteil ihr Konzept von der Unvermeidlichkeit eines Krieges durchaus nicht aufgegeben habe; man sage zwar, daß man den Krieg verschieben wolle – nicht aber, daß man ihn vermeiden könne. Deshalb teile er mein »optimistisches« Urteil nicht. Übrigens verdamme China SALT II, und gegen Vietnam zeige es die von mir bestrittene Aggressivität.

Das Gespräch galt lange dem asiatischen Raum. Ich regte sowjetische Überlegungen an, in der Teheraner Geiselkrise den USA zu helfen. Gromyko wich aus, die USA müßten die Nerven behalten. Anschließend kam es zu einer normalen weltpolischen Tour d'horizon – vom Persischen Golf über das arabische Öl bis zur europäischen Energiekrise; Europa, Deutschland und Berlin wurden nur gestreift. Erst zum Schluß kam Gromyko auf das brennende Problem der Mittelstreckenwaffen, das er vormittags bereits mit Genscher erörtert hatte. Auch dabei blieb er ohne Schärfe; es sei vernünftig, jetzt über die Mittelstreckenwaffen zu verhandeln, bevor die NATO ihren Beschluß fasse und ehe es zu SALT III komme.

Ich verwies auf die drei bis vier Jahre, welche die NATO für die Verhandlungen zur Verfügung gestellt hatte; daher sei ich nicht pessimistisch. Wir jedenfalls würden unseren Einfluß geltend machen, diese Verhandlungen zum Erfolg zu führen.

Abends in meiner Bonner Wohnung kamen wir in einem Gespräch unter vier Augen auf die Raketenfrage zurück; Gromyko zeigte mir auf einer Landkarte die sowjetischen Gebiete, die nach Moskauer Analyse von westlichen vorgeschobenen Nuklearsystemen erreicht werden können. Der Dezemberbeschluß der NATO mit seinem Verhandlungsangebot werde in Wirklichkeit den von der Sowjetunion am 6. Oktober angebotenen Verhandlungen die Grundlage entziehen. Ich zeigte ihm meine Landkarte, auf der völlig korrekt die vier Jahre später, im Falle des Scheiterns der Verhandlungen zu stationierenden Pershing II etwa bis zur geographischen Länge Moskaus reichten; die auf seiner Karte eingezeichnete Reichweite der amerikanischen Raketen sei dagegen übertrieben.»Aber«, so fügte ich hinzu,»die tatsächlichen Reichweiten und vor allem die kurzen Flugzeiten sind schon schlimm genug.« Das gelte umgekehrt ebenso für uns; zur Illustration zeigte ich Gromyko meine zweite Karte, auf der die in Sibirien stationierten, nach Westen gerichteten SS 20 die ganze Bundesrepublik abdeckten – und die Flugzeiten seien auch in diesem Falle sehr kurz.

Es gab eine lange, sehr sachliche Unterhaltung über alle damit verbundenen Aspekte. Gromyko schien mir ernstlich beunruhigt; ich hatte jedoch den Eindruck, daß er auch meine tiefe Besorgnis ernst nahm. Er blieb dabei, der bevorstehende NATO-Beschluß werde die Grundlagen für Verhandlungen zerstören. Aber es kam mir so vor, als befriedige ihn dieses Festhalten an einer offenbar in Moskau festgelegten Linie innerlich nicht; er wirkte auf mich zum ersten Mal etwas ratlos. Zum Schluß fragte er mich, was er dem Generalsekretär sagen könne.

Ich antwortete, seit dem Mai 1978 hätte ich immer wieder versucht, so durchsichtig, wie es mit Rücksicht auf das westliche Bündnis möglich sei, ihm und den übrigen Herren der sowjetischen Führung zu sagen, wozu die SS-20-Rüstung fast zwangsläufig führen werde; ich hätte alles darangesetzt, Überraschungen zu verhindern. Aber was die Nuklearfragen anlange, könne ich nicht als Wortführer des Westens auftreten. Deutschland sei keine Nuklearmacht. Man dürfe auch nicht versuchen, mich von der westlichen Allianz und von der amerikanischen Führung zu trennen. Meine Regierung werde alles tun, um die bevorstehenden Verhandlungen zum Erfolg zu führen; ich glaubte nicht, daß ein Beschluß über Gegenmaßnahmen die Verhandlungsgrundlagen zerstöre. Gerne käme ich im Frühjahr nach Moskau; ich wolle auch weiterhin das deutsch-sowjetische Verhältnis pflegen und ausbauen.

Beim Abschied war mir klar: die sowjetische Führung sah noch immer nicht die Situation, in die sie Westeuropa und Deutschland gebracht hatte. Sie sah deutlich ihre eigene Verwundbarkeit und machte die Perfektionierung ihrer eigenen Sicherheit zum alleinigen Maßstab ihrer Rüstungspolitik und ihrer Gesamtstrategie. Daß der Exzeß ihres eigenen Sicherheitskomplexes bei den westlichen Nachbarn zwangsläufig Angst auslösen mußte, verstand sie entweder nicht, oder sie nahm es in Kauf. Sie schien sich zu sehr darauf festgelegt zu haben, daß das Weiße Haus im westlichen Bündnis eine ähnliche, absolut dominierende Rolle spiele wie der Kreml im Warschauer Pakt und es deshalb im Kern nur darauf ankomme, mit den USA als dem einzig wichtigen Gegenpol gleichberechtigt und paritätisch zu Vereinbarungen zu gelangen. Carters Unterlassung, bei den SALT-Verhandlungen die Interessen der europäischen Verbündeten ins Spiel zu bringen, hatte die sowjetische Führung in ihrer Vernachlässigung der westeuropäischen Sorgen noch bestärkt. Jetzt sah sie, daß sie im Irrtum gewesen war, wenn sie im Anschluß an Wien geglaubt hatte, die SS-20-Rüstung sei für den Westen ohne größere Bedeutung. Am 6. Oktober hatte ihr Generalsekretär sein persönliches Prestige aufs Spiel gesetzt. Was blieb den Sowjets jetzt noch an Handlungsfreiheit?

Am 12. Dezember 1979 faßten die Außen- und Verteidigungsminister der westlichen Allianz den lange angekündigten Doppelbeschluß zur LRTNF-Modernisierung und zur Rüstungskontrolle in ihrem Kommuniqué von Brüssel. Am 14. Dezember erklärte TASS, daß durch die Beschlüsse der NATO die Basis für Gespräche über Mittelstreckenwaffen zerstört sei.

Ich war nach wie vor sicher, Moskau werde schließlich doch verhandeln, auch wenn man bemüht sein würde, das Gesicht zu wahren. Aber am 27. Dezember marschierte die Sowjetarmee in Afghanistan ein und entfachte einen Sturm der Entrüstung in der Weltmeinung. Es war nur selbstverständlich, daß sich der amerikanische Präsident an die Spitze der Welle von Empörung und Verurteilung stellte. In dieser Lage igelte sich die sowjetische Führung ein und beharrte auf scheinheiligen Rechtfertigungsversuchen ihrer Intervention. An Rüstungsbegrenzungsverhandlungen war einstweilen natürlich nicht mehr zu denken; desgleichen verschwanden die Aussichten auf eine Ratifizierung von SALT II hinter dem Horizont.

Auch ich war über Afghanistan schockiert und empört. Dabei hätte ich es eigentlich besser wissen sollen; denn am fortwährenden Expansionsdrang Rußlands und der von Russen geführten Sowjetunion hatte ich nicht gezweifelt. Freilich gibt es einen Unterschied zwischen abstrakter Erkenntnis und konkretem Erlebnis. Noch größer ist die Kluft zwischen Illusion und Ernüchterung durch brutale Erfahrung: Jimmy Carter, der noch ein halbes Jahr zuvor in Wien Leonid Breschnew umarmt und auf die Wange geküßt hatte, nannte ihn jetzt einen Lügner.

Die bei außenpolitischen Krisen ohnehin sanguinische öffentliche Meinung der Amerikaner und das ebenso sanguinische Temperament Jimmy Carters wurden zusätzlich noch tief getroffen durch das Drama des amerikanischen Scheiterns in Teheran; der vergebliche Versuch zur gewaltsamen Geiselbefreiung demonstrierte öffentlich die gleiche Ohnmacht der westlichen Weltmacht, die auch gegenüber der sowjetischen Aggression in Afghanistan offenbar wurde. Es folgten das amerikanische Handelsembargo gegen die Sowjetunion und am 3. April 1980 der amerikanische Beschluß, die Olympischen Sommerspiele in Moskau zu boykottieren, die im Juli eröffnet werden sollten.

Die westeuropäischen Regierungen haben von Handelsembargos noch nie viel gehalten, sie wollten auch in diesem Falle dem amerikanischen Beispiel nicht folgen und lehnten Carters Aufforderung ab. Anders stand es mit ihrer Haltung zu einem Boykott der Olympischen Spiele. Die meisten Regierungschefs stimmten Carter mit moralischer Emphase zu, an der Spitze Margaret Thatcher. Aber in demokratisch verfaßten Gesellschaften ist der Sport eine Privatsache, und Regierungen können ihm nichts befehlen. Tatsächlich nahmen einige Monate später fast alle westeuropäischen Völker an den Olympischen Spielen in Moskau teil. Norwegen, die Bundesrepublik und die Türkei bildeten die Ausnahme, nicht zufällig jene drei NATO-Staaten, welche sowjetische Streitkräfte unmittelbar an ihren eigenen Grenzen stehen haben und sich deshalb stärker auf Rückhalt in der amerikanischen öffentlichen Meinung angewiesen fühlen.

Die deutschen Sportverbände und ihre Beschlußkörperschaften von der bündnispolitischen Notwendigkeit einer deutschen Abstinenz zu überzeugen – trotz großer Medaillenaussichten – war eine innenpolitisch kostspielige Anstrengung, die in Washington kaum honoriert wurde. Dort befand man sich inzwischen bereits im Präsidentschaftswahlkampf; der kluge und ausgleichende Außenminister Cyrus Vance war zurückgetreten, und die Tonart wurde schriller.

Den westeuropäischen Regierungen mißfiel der Mangel an außenpolitischer Weitsicht, der sich in den Schritten Washingtons auszudrücken schien; das galt besonders für Paris und Bonn. Schließlich wußten wir, daß wir auch nach der amerikanischen Präsidentschaftswahl auf einen Modus vivendi mit den Russen angewiesen sein würden. Ich hielt deshalb an meiner Absicht zu einem neuerlichen Moskau-Besuch fest, worüber ich in Tuchfühlung mit meinem Freund im Elysee-Palast blieb.

Valéry Giscard d'Estaing tat den ersten Schritt und traf sich am 21. Mai 1980 mit Leonid Breschnew auf halbem Wege in Warschau. Natürlich wurde Giscard in den USA scharf kritisiert, weil er die über Moskau verhängte Scheinquarantäne durchbrach, aber in meinen Augen war es ein Verdienst, der Welt vor Augen zu führen, daß man auch und gerade in zugespitzten außenpolitischen Krisen miteinander im Gespräch bleiben muß, wenn man Eskalationen vermeiden will. Natürlich konnte sich der Staatschef einer Nuklearmacht gegenüber dem Weißen Haus ein solches Treffen eher leisten als der deutsche Bundeskanzler; aber der deutsche Regierungschef konnte Giscards präjudizierendem Beispiel folgen. Und das tat ich auch – trotz scharfer Vorhaltungen Jimmy Carters, dem sein allwissender Sicherheitsberater Zbigniew Brzezinski eingeredet hatte, ich sei im Begriff, mich dem Neutralismus zuzuneigen. Bewußt reagierte ich sehr heftig; da ich Carters psychische Struktur durchaus zu verstehen meinte – er war ja in der Tat ein Mann, der nach unaufhörlichen Selbstprüfungen immer wieder zur Revision seiner Entscheidungen neigte –, schien mir gerade deshalb und gerade ihm gegenüber Festigkeit notwendig.

Als ich mich am 30. Juni auf den Weg nach Moskau machte, wußte man dort natürlich genau, daß wir ebensowenig von unserer bisherigen Politik, von unseren Bindungen, Verpflichtungen und Beschlüssen abweichen würden wie Giscard d'Estaing. Gromyko und Breschnew kannten unsere feste, zugleich gelassene und berechenbare Kontinuität besser als Brzezinski und Carter. Beide Russen wußten, daß Genscher und ich uns weder verlokken noch erschrecken oder gar umwerfen ließen. Übrigens haben sie Versuche in dieser Richtung nie unternommen, selbst bei dieser überaus prekären Begegnung nicht. Dagegen suchten die Sowjets immer wieder Bonn zu umgehen, uns bei Dritten anzuschwärzen, die Bundesregierung innenpolitisch unter Druck zu setzen – zum Beispiel durch als vertrauliche Indiskretion getarnte Desinformationen an Personen in meiner Partei und in kirchlichen Organisationen, an Schriftsteller und Journalisten, an die Friedensbewegung und so fort.

Mit all dem hat der Kreml meine außenpolitische Meinungs- und Willensbildung nicht beeinflußt; nur meine innenpolitische Lage hat man von dort aus mit Erfolg erschwert. Vielleicht glaubten einige Leute in Moskau, mit Strauß oder Kohl besser zurechtzukommen. Um solche Illusionen nicht erst aufkommen zu lassen, hatte ich mehrfach deutlich gemacht – sowohl vor dem Bundestagswahlkampf 1976 als auch im Jahre 1980 –, *jede* Bundesregierung werde unsere Außenpolitik und Gesamtstrategie gegenüber der Sowjetunion weiterführen, wobei ich ausdrücklich den in Moskau verhaßten Doppelbeschluß nannte.

So wußte ich, daß Breschnew und Gromyko nicht damit rechneten, mich von den Prinzipien abzubringen, die ich dem Generalsekretär vorweg als Punktation über seinen Botschafter Semjonow hatte zukommen lassen. Deren Inhalt war: Ich würde in Moskau zwar nur für mein Land sprechen, aber auf der Grundlage von Positionen, die mit dem amerikanischen Präsidenten und den anderen westlichen Staatslenkern beratschlagt worden seien (das Gipfeltreffen in Venedig hatte am 22./23. Juni stattgefunden). An der deutschen Bündnistreue gegenüber der westlichen Allianz, gegenüber der Europäischen Gemeinschaft und gegenüber Frankreich werde sich weder in diesem Jahr noch in Zukunft etwas ändern. Jede deutsche Bundesregierung werde am Grundsatz des militärischen Gleichgewichts festhalten. Wir würden weiterhin unseren militärischen Beitrag dazu leisten; aber wir seien auch weiterhin bemüht, das Gleichgewicht durch beiderseitige Rüstungsbegrenzung auf niedrigeren Ebenen herzustellen. Das Problem der Mittelstreckenraketen gehöre in diesen Rahmen. Meine Auffassungen seien Breschnew bekannt; es habe sich daran nichts geändert, und es werde sich daran auch nichts ändern. Im übrigen würde ich mich in Moskau auch zu Afghanistan ausführlich äußern. Ich hatte damit geschlossen, daß uns nichts davon abbringen werde, unsere Verträge mit der Sowjetunion, einschließlich des langfristigen Wirtschaftsabkommens, sowie unsere anderen Ostverträge, das Viermächteabkommen und die Helsinki-Schlußakte ebenso peinlich genau zu erfüllen wie die Verträge mit unseren westlichen Freunden und Verbündeten.

Ich hatte erläuternd hinzugefügt, wir arbeiteten zwar zum beiderseitigen wirtschaftlichen Vorteil mit den Sowjets zusammen, aber unser Hauptmotiv sei ein politisches. Das gelte auch für den bevorstehenden Besuch, bei dem die Substanz der Gespräche das wichtigste sei; deshalb solle man protokollarisches Gepränge vermeiden. Allerdings äußerte ich zum äußeren Ablauf nachdrücklich zwei Wünsche. Zum einen wolle ich gern eine Gelegenheit zum Gespräch mit Verteidigungsminister Ustinow haben, zum anderen bäte ich um eine Gelegenheit, mit den anderen führenden Persönlichkeiten der Sowjetunion zusammenzutreffen. Breschnew und ich würden ja beide nicht noch fünfundzwanzig Jahre in unseren Ämtern sein – deshalb komme es mir darauf an, die deutschen politischen Vorstellungen auch den anderen Mitgliedern der sowjetischen Führung deutlich zu machen.

Tatsächlich gestaltete sich der Besuch sowohl im äußeren Ablauf als auch im inhaltlichen Aufbau meinen Vorstellungen entsprechend. Dennoch bedeutete er für mich ein großes Risiko, wenn er auch nicht gerade ein Ritt über den Bodensee war. Mir war einerseits nicht klar, wie die Mehrheit des Politbüros reagieren würde. Zum anderen beobachteten mich viele in der Bundesrepublik wie in den USA voller Mißtrauen und verfolgten alles, was ich tat, mit scharfen Augen – jederzeit zu der hämischen Kritik bereit, man habe ja gewußt, daß der deutsche Kanzler sich hereinlegen lassen würde. Schließlich war in Deutschland wie in Amerika Vorwahlkampf – und Genscher war innerlich darauf vorbereitet, sich mit der CDU/CSU zu arrangieren. Doch auf dem Rückflug wußte ich: das Risiko hatte sich ausgezahlt.

Auf dem Wege von Wnukowo nach den Leninhügeln zeigte Breschnew in eine Richtung: dort sei das Olympische Dorf. Dies blieb die einzige Erwähnung der Spiele, an denen teilzunehmen wir soeben abgelehnt hatten. Die Eröffnungssitzung dauerte lange; sie bestand im wesentlichen aus zwei Monologen, nämlich einem langen, vorgelesenen Eröffnungsstatement des Generalsekretärs und einer ebenso langen, improvisierten Antwort meinerseits. Beide Erklärungen enthielten für die jeweils andere Seite keine wirklichen Überraschungen. Breschnew verurteilte jeden Druck auf Khomeinis Iran; Camp David habe in eine Sackgasse geführt; die Palästinenser müßten ihren Staat bekommen; Pol Pots Blutbad in Kambodscha sei China zuzurechnen, was zeige, daß sich die chinesische Politik auch unter einer neuen Führung nicht ändere.

Über Afghanistan sagte Breschnew ziemlich ruhig: »Wir kennen Ihre Meinung; es ist wohl überflüssig, zu betonen, daß wir sie ablehnen. Ihre Einschätzung der Lage beruht auf Vorurteilen gegenüber den tatsächlichen Ereignissen. Wir konnten einem befreundeten Nachbarland unsere Hilfe nicht verweigern; seine Unabhängigkeit war bedroht, und es bestand Gefahr, daß es sich in ein militärisches Aufmarschgebiet verwandelte, das der Sowjetunion feindlich gegenübergestanden hätte ... Wir werden unsere Freunde dort nicht im Stich lassen. Die Revolution des Jahres 1978 ist das Ergebnis der inneren Entwicklung Afghanistans gewesen; ohne Einmischungen von außen hätte es in diesem Land keine Unruhen gegeben. Man darf den Afghanen nicht das Recht abstreiten, selbst zu bestimmen, was ihre Regierungsform sein soll und wen sie um Hilfe bitten ... Wir sind für eine politische Lösung; sie muß Verträge mit Pakistan und Iran über die Einstellung der Einmischung und der Aggression von außen einschließen ... Im Rahmen der politischen Lösung wird dann auch, wenn die Gründe für unsere Hilfeleistung weggefallen sind, die Frage des Abzuges unserer Truppen gelöst werden.«

Erst eine Stunde später kam ich auf dieses Thema zu sprechen. Meine Argumentation lief darauf hinaus, daß mich die Argumente zur Rechtfertigung der sowjetischen Intervention nicht überzeugen könnten; wir sähen keine Anzeichen für eine Einmischung von außen, die die Intervention rechtfertige. »Uns scheint vielmehr, Herr Generalsekretär, daß sich die Masse der Bevölkerung gegen eine intellektuelle Minderheit auflehnt, die dem Lande ein System aufzwingen will, das die Ordnungen des Islam verletzt und dem Lande fremd ist. Aber wir sind nicht an Beschuldigungen interessiert, sondern an Auswegen aus der gespannten Lage ...«

Aus unserer Sicht bedürfe es einer Reihe gleichzeitiger Maßnahmen, die in gleicher Weise den Rückzug aller sowjetischen Truppen, die Selbstbestimmung des afghanischen Volkes, eine internationale Kontrolle, die Rückkehr der afghanischen Flüchtlinge und auch die sowjetischen Sicherheitsinteressen garantieren müßten. »Wie Giscard d'Estaing Ihnen schon gesagt hat, fürchten wir eine Gefährdung des Vertrauens in Ihre Politik – aber ohne Vertrauen kann auch der Prozeß der Rüstungsbegrenzung nicht weitergehen. Nicht nur wir im Westen sind beunruhigt, das zeigen die Konferenzen in Islamabad [eine Weltkonferenz der islamischen Staaten] und die Beschlüsse der Vereinten Nationen. Die Anwesenheit Ihrer Luftlandetruppen und Jagdbomber in Afghanistan ist ein besonderer Faktor der Beunruhigung, sie sollten möglichst schnell abgezogen werden ...« Ich schloß damit, daß wir den Gedanken einer politischen Lösung begrüßen; dazu seien Gespräche mit der in Islamabad gebildeten Dreierkommission zweckmäßig. Aber Moskau und Washington müßten über den neuen Konflikt auch direkt miteinander sprechen:»Das rote Telefon ist ja nicht für Weihnachtsglückwünsche eingerichtet worden, sondern es soll der direkten Verständigung in Krisensituationen dienen ...«

Über die Mittelstreckenraketen hatte Breschnew nur sehr pauschal gesprochen. Bereits am 6. Oktober, also ein dreiviertel Jahr zuvor, habe er eine Reihe von Vorschlägen unterbreitet, ohne darauf konstruktive Antworten zu bekommen. Leider habe auch die Bundesregierung den NATO-Beschluß aktiv unterstützt. »Was ist aber dabei herausgekommen? Die Grundlagen für Verhandlungen über Mittelstreckenraketen sind zerstört, die Ratifikation von SALT II ist blockiert!«

Ich wollte mir meine Antwort zum Thema der eurostrategischen Mittelstreckenwaffen für die Verhandlungen am nächsten Tag vorbehalten. Aber ich betonte, soweit ich sehen könne, habe Carter im vergangenen Winter das Ratifikationsverfahren ausgesetzt, weil dies die einzige Möglichkeit gewesen sei, SALT II vor einer parlamentarischen Niederlage zu retten. Der amerikanische Präsident wolle sich jedoch ebenso wie die westlichen Bündnispartner schon vor der Ratifikation an den Vertrag halten. Ich schloß mit einer unmißverständlichen, ziemlich umfangreichen Schilderung unserer Vertragstreue, was unser Bündnis mit den USA anlangte. Diese Allianz sei für uns und für das Gleichgewicht in Europa unverzichtbar; daher würden wir auch in Zukunft unseren militärischen Beitrag zur Aufrechterhaltung des Gleichgewichts leisten. Aber ebenso hätten wir den unbedingten Willen, die bilateralen deutsch-sowjetischen Verträge auszufüllen und auf deren Grundlage unsere Zusammenarbeit fortzusetzen.

Auch ich hatte etwa eine Stunde gesprochen. An einigen Stellen glaubten wir, bei Breschnew Zeichen des Verständnisses, bei Kossygin und Gromyko eher Gesten des Unwillens bemerkt zu haben. Ich hatte ziemlich leise und eindringlich artikuliert, langsam und mit großem inneren Ernst sprechend. Die drei Herren hatten den Ernst gespürt; sie hatten den Gast respektiert, von dem sie nichts anderes erwartet, auf dessen Besuch sie gleichwohl soviel Wert gelegt hatten. Bisher hatte sich also nichts bewegt bei diesem Treffen. Die Katharsis kam beim Abendessen. Wir waren vom Katharinensaal in den gleichfalls prächtigen alten Palast der Zaren gegangen. Dabei kamen wir an einem Historiengemälde vorbei, auf dem auch geistliche Würdenträger zu sehen waren, und ich meinte im Scherz zu Kossygin, dies seien wohl die Mitglieder des Politbüros. Kossygin antwortete mit trocken unterdrücktem Humor, diese Vermutung käme ihm unwahrscheinlich vor,»denn die tragen ja gar keinen Heiligenschein!«

In der Vorhalle erwarteten uns die Mitglieder des Politbüros. Nach den Photos, die ich gesehen hatte, erkannte ich Suslow, Ustinow, der in Uniform war, Tschernenko und Andropow. Später hörte ich, auffälligerweise hätten nur die in Moskau nicht anwesenden Politbüromitglieder gefehlt. Persönlich kannte ich bereits einige der Minister und der Spitzenbeamten. Die Staatsspitze des Riesenreiches war fast vollzählig versammelt, Breschnew hatte meinen Wunsch erfüllt.

Die Herren wirkten alle überarbeitet und grau. Es fiel auf, wie gut und geschmackvoll sie gekleidet waren. Kaum einer erschien mir jünger als ich, im Gegenteil: fast alle waren Männer jenseits ihres 65. Geburtstages. Außerdem gab es nicht eine einzige Frau darunter. Meine Vorstellung, unsere Politik auch den jüngeren Mitgliedern des Politbüros erklären zu können, war abwegig gewesen; denn es gab offenbar keine jüngeren Mitglieder. Mein Wunsch jedoch, zu den präsumtiven Nachfolgern Breschnews zu sprechen, hatte sich verwirklicht. Tatsächlich folgten ihm wenige Jahre später in kurzen Abständen erst Andropow, dann Tschernenko (Gorbatschow habe ich an jenem Abend nur flüchtig und nicht bewußt erlebt).

Alle Versammelten kamen von der Basis und waren im Laufe ihres Funktionärs- und Beamtenlebens aufgestiegen. Breschnew war Schlosser gewesen, Suslow und Kossygin waren – wie wohl auch Gromyko – Söhne von Kleinbauern. Fast alle hatten später mehrere Fortbildungsinstitute besucht; ihr Ausbildungsweg entsprach einem sehr verzögerten und verspäteten»zweiten Bildungsweg«. Die Abschlußprüfungen waren gewiß Voraussetzung für den weiteren Aufstieg gewesen. Aber den Aufstieg selbst verdankten sie ihrer Leistung in der Praxis – und vermutlich auch ihrer politischen Anpassungsfähigkeit. Schließlich hatten sie schon unter Stalin hohe Ämter innegehabt und waren

Moskau, Juli 1980: Empfang der deutschen Gäste durch Tichonow, Gromyko, Kossygin und Breschnew (von links). Unten: Außenminister Genscher, Staatsekretär Bölling, Kossygin, Gromyko, Schmidt, Ministerialdirigent Höynck (hinter Schmidt); ganz rechts Botschafter Wieck.

Oben: im Gespräch mit
Kossygin, Breschnew und
Gromyko.

Unten: Kranznieder-
legung am Grab des
Unbekannten Soldaten
an der Kremlmauer.

dann entweder in der Ära Chruschtschow oder – wohl überwiegend – in der Ära Breschnew in den gerontokratischen Areopag des Politbüros aufgestiegen.

Sie hatten harte Gesichter, geprägt offenbar vom lebenslangen Machtkampf; zugleich zeigten sie Würde und große Selbstbeherrschung. Wahrscheinlich kannte außer Gromyko keiner von ihnen die westliche Welt aus eigener Anschauung. Niemand sprach eine westliche Sprache. Da nur Breschnew und ich Dolmetscher hinter uns hatten, konnten die übrigen Russen und Deutschen, an einer langen Tafel sitzend, kaum die einfachsten Gespräche miteinander führen (einige meiner Delegationsmitglieder sprachen allerdings etwas Russisch).

Diesen Umstand hatten wir vorausgesehen. Deshalb stellte ich meine Tischrede nicht den Zufällen einer mündlichen Übersetzung anheim, sondern ließ sie den Russen in russischer Sprache gedruckt neben ihr Gedeck legen. Um gegen jede Beeinträchtigung gefeit zu sein, hatten wir die Rede schon Stunden vorher auch an die westliche und die sowjetische Presse verteilt. Es war klar: die sowjetische Presse würde diese Rede unterschlagen. Wenn wir sie den Mitgliedern des Politbüros nicht selbst in russischer Sprache in die Hand gäben, würde die politische Elite der Sowjetunion vom Inhalt so gut wie nichts mitbekommen.

Der Führungsapparat der Sowjetunion erfährt, was der Westen sagt, meist nur aus zweiter Hand – sei es aus dienstlichen Papieren oder aus der Presse. Seine Angehörigen können nur russische Zeitungen lesen, und die waren damals selektiv bis zur Umkehrung von Wahrheit in Unwahrheit. Die Zeitungen unterstellten den westlichen Politikern Motive und Zwecke ganz nach Maßgabe des Bildes, welches sich die sowjetische Ideologie vom Westen gemacht hat. Schließlich dienten die Berichte und Kommentare der Zeitungen in Moskau der Propagierung und der Legitimation der eigenen Politik.

Konnten die im Zarenpalast versammelten Männer – mit Ausnahme von Gromyko und Andropow, dem damaligen Geheimdienstchef – wissen, wie man im Westen über ihre Handlungen dachte? Konnten sie wissen, was ich dachte? Es schien notwendig, ihnen unsere Meinung schwarz auf weiß vorzulegen – auch auf die Gefahr hin, daß sie nicht nur vom Inhalt überrascht waren, sondern auf eine solche Eigenmächtigkeit auch empört reagierten. Natürlich hatte die Schriftform auch den Nebenzweck, einigen Zweiflern im Westen vor Augen zu führen, wie und mit welchen Worten der deutsche Bundeskanzler in der Löwengrube auftrat.

Breschnews Tischrede war kurz und allgemein, warnend, aber sachlich. Der zweite Teil seiner Ansprache, der von der Zusammenarbeit zwischen der Sowjetunion und uns handelte, war sogar eher freundlich. Meine Erwiderung war mehr als doppelt so lang, deshalb mußte ich schnell sprechen. Dafür sprach ich leise und verbindlich, sehr höflich nicht nur im Tonfall, sondern auch in der Formulierung.

Zu den zwei Kontroversthemen jedoch äußerte ich mich hart und klar. Ich gab der Sowjetunion die Schuld an der Krise in Afghanistan und beharrte auf dem vollständigen Abzug der sowjetischen Truppen. Ebenso gab ich der Sowjetunion die Schuld an der Situation, die den Doppelbeschluß der NATO vom Dezember 1979 notwendig gemacht habe, und appellierte an die sowjetischen Gastgeber, ohne Vorbedingungen dem Beginn von Verhandlungen zuzustimmen. Natürlich sprach ich am Schluß vom deutschen Friedenswillen, von den Schrecken des letzten Krieges und von unserem Willen zur Zusammenarbeit mit der Sowjetunion. Aber ich fügte hinzu:»Jetzt kommt es darauf an, neue gefährliche Ungleichgewichte zu verhindern, die auch das zwischen uns Erreichte in Frage stellen könnten.«

In den Mienen der Russen, die meine Rede mitlasen, wurde bald Überraschung, dann Irritation und schließlich Ärger deutlich. Suslow, der unmittelbar neben mir saß, knallte irgendwann in der Mitte demonstrativ und geräuschvoll seine Übersetzung auf den Tisch. Ich dachte, nun komme es zum Eklat, aber ich sprach mit leiser Stimme weiter, ohne zu zucken. Als ich zu meinem Gegenüber blickte, sah ich zu meiner Beruhigung, daß Breschnew selber sich nicht stören ließ; er verfolgte meinen Text – den er selbst seit zwei Stunden kannte –, ohne aufzusehen.

Am Schluß stand Breschnew auf und applaudierte; ihm folgten Suslow, Kossygin und alle anderen. Das Politbüro hatte meinen Respekt vor der Weltmacht Sowjetunion gespürt; es war zwar irritiert, aber nicht beleidigt. Es hatte die Ernsthaftigkeit meines Willens zu Frieden und Zusammenarbeit sehr wohl verstanden und war deshalb bereit, meine freimütige Offenheit zu akzeptieren.

Im Kreml hatte es wahrscheinlich seit langen Jahren keine derart unverhüllten ausländischen Vorwürfe an die Adresse der sowjetischen Führung gegeben. Einige Mitglieder dieser Führung waren nervös geworden; das sah man an gestikulierenden Gesprächsgrüppchen, die sich nach Aufhebung der Tafel bildeten. Einige russische Gäste schienen sich überrumpelt zu fühlen, ihnen konnte das Ganze als Präjudiz vorkommen – ich wußte es nicht.

Kaum hatte ich geendet, kam Breschnew auf meine Seite des Tisches herüber, um mir zu sagen, man habe noch etwas untereinander zu besprechen. So verabschiedete ich mich schnell. Offenbar brauchte Breschnew Zeit und Gelegenheit, die Wirkung meiner Worte zu kanalisieren. Ich hatte den Eindruck, etwas in Gang gesetzt zu haben – wußte aber noch nicht, was es war. Spätabends oder am anderen Morgen hörte ich dann, die Gastgeber seien verärgert. Der Generalsekretär habe als Staatsmann gesprochen, der Kanzler aber habe ein Donnergepolter losgelassen. In diesem Sinne hatten die sowjetischen Journalisten versucht, ihre deutschen Kollegen nervös zu machen. Mit einer gewissen Spannung erwartete die deutsche Delegation die sowjetische Antwort, die in der Vormittagssitzung erfolgen mußte. Das Treffen wurde auf sowjetischen Wunsch um eine Stunde auf elf Uhr verschoben – ein Zeichen dafür, daß auf sowjetischer Seite wohl nicht alles planmäßig verlief.

Inzwischen fuhren wir, wie schon in Bonn festgelegt, zum Ehrenmal für die sowjetischen Soldaten an der Kremlmauer und zum deutschen Soldatenfriedhof Ljubino. Obgleich es sich nur um einen »Arbeitsbesuch« handelte, wollte ich doch mit beiden Kränzen demonstrativ zeigen: Wir Deutschen wollen Hitlers Weltkrieg nicht vergessen, die Schrecken der Vergangenheit dürfen sich nicht wiederholen.

Die Sowjets haben für ihre zwanzig Millionen Kriegstoten keine besonderen Friedhöfe errichtet; es finden sich auch für ihre Soldaten fast nirgendwo im Lande individuelle Gräber. Statt dessen aber gibt es zahllose Kriegerdenkmäler; an diesen Orten wird der Toten gedacht, und dort finden die Totenfeiern statt. Deshalb fiel es der sowjetischen Führung zunächst sehr schwer, dem deutschen Wunsch nach Zusammenlegung deutscher Kriegstoter zu entsprechen und der Bundesrepublik die Pflege deutscher Soldatenfriedhöfe zu erlauben. Dem einstigen Feind sollte man zugestehen, was den eigenen Toten vorenthalten blieb? Es muß dankbar anerkannt werden, daß die Sowjets uns im Laufe der Jahre schrittweise die Pflege und den Besuch deutscher Soldatenfriedhöfe ermöglicht haben.

Ljubino zeigte am Morgen jenes 1. Juli 1980 Spuren eiligster Herrichtung; das am Vortag frisch gemähte Gras, das den kleinen Friedhof bedeckt hatte, war noch nicht zusammengeharkt, es lag noch am Rande des Weges. Abermals dachte ich vier Jahrzehnte zurück – die Gesichter und Namen meiner gefallenen Jugendfreunde stiegen aus der Erinnerung.

Anderntags schrieb der »Münchner Merkur«: »An den Gräbern von Ljubino standen die Gespenster des Krieges Spalier.« So konnte man es in der Tat sagen. Die Gespenster des Krieges waren auch an der Kremlmauer gegenwärtig – und ebenso waren sie gestern in unseren Verhandlungen gegenwärtig gewesen, und sie würden es heute wiederum sein.

Als Breschnew die Sitzung eröffnete, wurde schnell deutlich, daß die Sowjetführung sich inzwischen beraten hatte. Breschnew las aus handschriftlichen Notizen, improvisierte auch hier und da, und zweimal half Gromyko mit präzisen Formulierungen aus. Der Kern war: die Sowjetführung erklärte sich bereit, ohne Vorbedingungen, ohne jegliche Verzögerung, ohne auf die Ratifikation von SALT II zu warten und ehe es zu SALT III komme, mit den Amerikanern bilateral über die Begrenzung der nuklearen Mittelstreckenwaffen einschließlich der vorgeschobenen Nuklearsysteme (Forward Based Systems, FBS) zu verhandeln.

Die Russen hatten also ihr Nein vom Vortag und ihr Nein seit dem NATO-Doppelbeschluß zurückgenommen – war das der Durchbruch? Ich ließ mir meine Genugtuung nicht anmerken, sondern stellte Fragen und bat um Präzisierung:»Sie nennen beispielhaft nur amerikanische FBS. Sie nennen nicht die französischen, englischen und chinesischen Mittelstreckenwaffen. Heißt das, daß diese die Situation nicht berühren?« Gromykos Antwort:»Es geht um die amerikanischen FBS. Die britischen, französischen und chinesischen Waffen sind nicht einbezogen, weil die Mittelstreckenraketen [die im NATO-Beschluß gemeint sind] amerikanische Raketen sind. Eine andere Sache ist SALT III; dort werden wir alle Komponenten behandeln. Aber hier ist an einen engen Rahmen gedacht.«

Ich wiederholte sehr genau, was gesagt worden war, und fügte als Bemerkung hinzu:»Das bedeutet natürlich den Einschluß von SS 20, SS 4, SS 5 und Backfire.« Gromyko – nach einem kurzen Meinungsaustausch mit Breschnew – trocken:»Man sagt, der Appetit kommt beim Essen.« Der Verzicht auf Widerspruch oder eine Einschränkung an dieser Stelle machte klar: das alles war keine psychologische Geste.

Ich antwortete:»Ich werde Ihren Vorschlag Präsident Carter übermitteln. Herr Genscher wird schon morgen nach Washington fliegen ... Je eher es zu solchen Verhandlungen kommt, um so glücklicher wären wir Deutschen ... Wir fühlen uns bedroht durch die schnelle sowjetische Mittelstreckenwaffenrüstung. Zwar glauben wir nicht, daß Sie sie im Kriege anwenden wollen, aber wir fürchten sie als Mittel politischen Drucks. Ich benutze übrigens das Wort Mittelstreckenwaffen nur ungern, denn es sind strategische Waffen, welche mein Land strategisch bedrohen ...«

Nun endlich, im Sommer 1980, hätten die im NATO-Doppelbeschluß vorgeschlagenen Verhandlungen beginnen können. Ein halbes Jahr war durch die sowjetische Verweigerung vergeudet worden. Aber nun wurde infolge des amerikanischen Präsidentschaftswahlkampfes ein weiteres halbes Jahr verschenkt. Als im November 1980 Ronald Reagan gewählt worden war, mußte man ihm das übliche halbe Jahr zur Einarbeitung seiner Administration zubilligen. Tatsächlich aber verging fast das ganze Jahr 1981, bis endlich die Mittelstreckenwaffen-Verhandlungen unter dem neuen Kürzel INF (Intermediate Nuclear Forces) am 30. November in Genf begannen. Zwei Jahre waren seit dem Doppelbeschluß verstrichen, fast drei Jahre seit Guadeloupe und vier Jahre seit jenem Londoner Vortrag vor dem International Institute of Strategic Studies, in dem ich solche Verhandlungen zum ersten Mal öffentlich gefordert hatte.

Die westeuropäischen Regierungen hatten die Verhandlungen seit Dezember 1979 gewollt, denn sie waren es, die strategisch und existentiell von den nuklearen Mittelstreckenwaffen bedroht waren; die Verhandlungsführung aber war Sache der beiden Supermächte. Im November 1983 ließen Moskau und Washington die INF-Verhandlungen ergebnislos scheitern. Das Weiße Haus hat unter Reagan kein hinreichendes eigenes Interesse erkennen können; und der Kreml glaubte inzwischen einen ausreichenden Rüstungsvorsprung bei diesen neuen eurostrategischen Waffen erreicht zu haben. Seit Guadeloupe hatte es in Paris, in Bonn und in London Regierungswechsel gegeben; der Vorrat an gemeinsamen strategischen Grundvorstellungen der westeuropäischen Staaten war inzwischen einem Mangel an Gemeinsamkeit gewichen, und der Gewichtsverlust Europas gegenüber Washington nach 1981 zeitigte im Laufe der Jahre einen noch prekäreren Gewichtsverlust Westeuropas gegenüber Moskau.

Von diesem Gewichtsverlust, der in wenigen Jahren Wirklichkeit werden sollte, war im Juli 1980 in Moskau nichts zu spüren, im Gegenteil. Unser Besuch kam zu einem guten Ende. Die Russen wollten als eine von zwei gleichberechtigten Weltmächten respektiert sein, und dies war ihnen keineswegs verweigert worden. Sie hatten gehofft, den kleinen deutschen Nachbarn, den sie insgeheim zugleich auch fürchteten, zu ihren Bedingungen das Fürchten zu lehren – und das war ihnen nicht gelungen. Wir hatten vielmehr gesagt: »Wer sich um den Frieden in der Welt sorgt, muß darauf verzichten, anderen seine eigenen politischen, gesellschaftlichen und wirtschaftlichen Ordnungsvorstellungen aufzuzwingen.« Die Russen wollten Frieden und Koexistenz, sie wollten auch Zusammenarbeit mit dem kleinen deutschen Nachbarn. Die Deutschen vertraten glaubwürdig dieselben Ziele, aber sie wollten diese Ziele nicht zu russischen Bedingungen. Dies wiederum hatten die Russen begriffen und akzeptiert.

Das Echo auf das Juli-Treffen in Moskau war im Inland wie im

Ausland gleicherweise stark. Niemand hatte erwartet, daß die Sowjetunion in Sachen Afghanistan entgegenkommen werde; Bonn hatte in Westasien schließlich nur geringe Interessen. Aber daß die Tür für Rüstungsbegrenzungsgespräche wieder geöffnet werden konnte, wurde als großer Erfolg gewertet. Jimmy Carter sprach – nach der Unterrichtung durch Genscher – am 3. Juli öffentlich von »Anerkennung und Bewunderung« für den deutschen Bundeskanzler, was ganz im Gegensatz stand zu dem vorher von ihm und Brzezinski öffentlich geäußerten Mißtrauen. Eine Bundestagsdebatte am folgenden Tage, in welcher der Oppositionsführer Dr. Kohl schweigsam blieb, während der damalige Kanzlerkandidat Strauß in einer wenig überzeugenden Rede am Moskauer Treffen herumkritisierte, sorgte schließlich dafür, daß dieses auch innenpolitisch zu einem vollen Erfolg der Bundesregierung wurde.

Es bleibt noch ein Moskauer Zwischenakt nachzutragen, der – wenngleich er für das Ergebnis der Verhandlungen nicht mehr wesentlich war – einige interessante Einblicke in das sowjetische Denken ermöglichte. Entsprechend meinem Wunsch kam es am 1. Juli 1980 zu einem zweistündigen Gespräch mit Marschall Ustinow, der von Marschall Ogarkow und drei oder vier weiteren Generalen, darunter einem Admiral, begleitet war. Auf unserer Seite nahmen Genscher, mein Freund Klaus Bölling (damals Staatssekretär und Sprecher der Bundesregierung) und unser Moskauer Botschafter Wieck teil, der mir schon zehn Jahre zuvor im Verteidigungsministerium auf der Hardthöhe ausgezeichnete Dienste geleistet hatte.

Ustinow, der im 71. Lebensjahr stand, war eigentlich ziviler Rüstungsmanager gewesen; der etwa sechzigjährige Ogarkow hatte eine rein militärische Laufbahn hinter sich. Schon mit dreiunddreißig Jahren war Ustinow, ein ehemaliger Metallarbeiter, unter Stalin Volkskommissar für Rüstung geworden; er hatte dieses Amt während der gesamten Dauer des Krieges erfolgreich ausgeübt und bis 1957 beibehalten, insgesamt anderthalb Jahrzehnte. Danach war er in der Hierarchie weiter aufgestiegen; seit 1976 war er als Mitglied des Politbüros Verteidigungsminister. Ohne ihn ist der beispiellose Aufbau der Flotte, der Raumfahrt und der Raketenstreitmacht nicht zu denken. Seinen Marschallrang verdankte er, genau wie Breschnew, dem Willen der Partei, ihren politischen Primat über das Militär zum Ausdruck zu bringen. Als ich am Abend zu Breschnew eine Bemerkung über mein Gespräch mit den beiden Marschällen machte, erwiderte er: »Ja – aber Ustinow ist gar kein Militär, er ist unser Mann!«

Ustinow eröffnete unser Gespräch mit der Bemerkung, mein Buch »Strategie des Gleichgewichts« sei ins Russische übersetzt

120

Auf Wunsch Helmut
Schmidts kam es am
. Juli 1980 zu einem aus-
führlichen Gespräch mit
Verteidigunsminister
Marschall Ustinow;

neben Ustinow (halb
verdeckt) Marschall
Ogarkow.
Unten: Anderthalb Jahre
später, Ende Oktober
1981, kam es in Bonn zur

letzten persönlichen
Begegnung zwischen
Leonid Breschnew und
Helmut Schmidt.

worden und er habe große Teile davon gelesen. Einige Gedanken darin seien offenkundig vernünftig und einsehbar, über andere hingegen könne man streiten. Im weiteren Verlauf des Gespräches suchte ich ihm deutlich zu machen, daß die Bundeswehr zwar gut bewaffnet und kampffähig, ihrer technischen Ausrüstung wegen und auf Grund ihrer begrenzten Mobilität aber zu Vorstößen in grenzferne Räume gar nicht in der Lage sei. Unsere Armee sei dazu bestimmt, auf eigenem Boden mit geringem räumlichem Aktionsradius zu kämpfen. Mir liege daran, daß er und seine Fachleute sich davon überzeugten. Ich hätte dies Breschnew schon vor sechs Jahren vorgetragen, aber den Eindruck gewonnen, der Generalsekretär sei skeptisch geblieben.

Ustinow sagte ohne Zögern:»Wissen Sie, Leonid Breschnew ist über militärische Fragen gut informiert, er kennt sich darin aus. Deshalb kann er gut beurteilen, was Sie ihm vorgetragen haben ... Was das Menschenmaterial, die Technik und die Organisationsstruktur betrifft, so sind wir der Meinung, Ihre Armee ist eine der besten. Disziplin und Technik haben bei Ihnen einen hohen Stand, und Sie, Herr Bundeskanzler, haben dazu beigetragen ... Aber Sie sind etwas zu bescheiden in dem, was Sie über die deutsche Armee und deren eingeschränkten Aktionsradius gesagt haben.« Dann lobte er besonders den Leopard-Panzer. Aber immer wieder kam er auf den deutschen militärischen Aktionsradius zurück. Hitler habe 1941 auch keine ausgebaute Nachschuborganisation gehabt, aber die könne man in Deutschland aus dem Boden stampfen. Übrigens besäßen wir ja eine leistungsfähige Industrie, im Notfall könne diese schnell Massen von Panzern bauen.

Das Gespräch wandte sich schließlich dem Wiener Treffen zwischen Carter und Breschnew im vergangenen Jahr zu, bei dem Ustinow und Ogarkow mit dem damaligen US-Verteidigungsminister Harald Brown und General David Jones, dem seinerzeitigen Vorsitzenden der Vereinigten Stabschefs, zusammengetroffen waren. Ustinow beklagte sich, daß seitdem bei MBFR kein Fortschritt zu verzeichnen sei, obgleich die Sowjetunion angeboten habe, ihre Truppen um 30.000 Mann zu reduzieren, sofern die USA die ihren um 13.000 Mann reduziere. Dies führte zu einem längeren Disput zwischen Ustinow und Genscher über die wechselseitigen Vorschläge der letzten zwölf Monate; Ustinow wußte über die Details gut Bescheid. Schließlich sagte Ogarkow:»Wenn wir so weitermachen, dann brauchen wir noch zwanzig Jahre! Warum gehen Sie nicht auf unseren Vorschlag ein, den augenblicklichen Stand einzufrieren?« Ich antwortete, ohne Verabredung einer für beide Seiten gleichen Obergrenze sei das keine akzeptable Lösung.

Es war also letzten Endes das alte Schema: Laßt uns das bestehende Kräfteverhältnis zum Gleichgewichtszustand erklären und dies durch eine Vereinbarung verewigen. Das Gespräch über die eurostrategischen Mittelstreckenwaffen verlief ähnlich und brachte ebenfalls nichts Neues. Die beiden Marschälle behaupteten, das SS-20-Programm bedeute lediglich eine Modernisierung; meine detaillierten Hinweise auf die Vervielfachung der Bedrohung wurden mit der Behauptung zurückgewiesen, die Zahl der Abschußlafetten und die Summe aller nuklearen Gefechtsladungen (also die Summe der Detonationswerte) seien doch gleich geblieben. Ogarkow fügte hinzu, mit den amerikanischen FBS zusammen habe die NATO zweimal soviel Gefechtsköpfe wie die Sowjetunion.

Ziemlich entschieden antwortete ich:»Herr Marschall, Sie haben auf Mittelstreckenwaffen fast dreimal so viele Sprengköpfe wie 1970. Sie können dreimal so viele Städte damit treffen, meine Vaterstadt Hamburg können Sie mit der SS 20 sogar von jenseits des Ural erreichen, was mit Ihren alten Raketen nicht möglich war. Mit allen diesen Waffen bedrohen Sie doch gar nicht die USA, vielmehr Deutschland!« An dieser Stelle ging Ustinow ein einziges Mal über die bisher eingehaltene Linie des Politbüros hinaus und antwortete lapidar:»Das ist richtig.«

Nach einer Erörterung der sowjetischen Rüstung zur See sprach ich von der vergleichsweise kleinen Rolle der Bundesmarine. Sie werde auch in Zukunft klein bleiben, wir hätten keinerlei Ausbaupläne. Ustinow setzte dagegen, daß wir ursprünglich nur U-Boote von 350 t gebaut hätten, jetzt aber – auf angeblichen amerikanischen Druck hin – über U-Boote von 1.800 t verfügten. Auch bei den anderen Schiffen hätten wir die Grenzen schrittweise nach oben verschoben und bauten inzwischen Kriegsschiffe von 6.000 t. Hinzu komme, daß man technisch gesehen in Kiel, Bremen und Hamburg Kriegsschiffe aller Größen bauen könne. Ich erwiderte, seit Hitlers Zeiten seien in diesen drei deutschen Häfen niemals große Kriegsschiffe gebaut worden; spaßeshalber fügte ich hinzu, ich verpflichtete mich, ihm in diesem Fall eine Ansichtspostkarte zu schicken, zu meinen Lebzeiten werde das aber nicht geschehen. Ustinow hatte Sinn für schwarzen Humor und meinte, angesichts seines Alters werde er eine solche Postkarte wohl nicht mehr erhalten. Moskau müsse dennoch mit dem Potential der deutschen Werften rechnen.

Beide Marschälle machten intellektuell einen vorzüglichen Eindruck. Sie waren außerdem gut informiert und brauchten für kein Detail eine Unterlage. Sie wirkten in diesem locker und in kollegialem Ton geführten Gespräch souverän, aber keinesfalls überheblich. Mein spontaner Eindruck war: das sind Männer von einem Kaliber, das dem ihrer westlichen Kollegen in keiner Weise unterlegen ist. Was die Argumentation anlangte, so waren sie (mit der bereits erwähnten Ausnahme) immer auf der Linie ihrer Staatsführung geblieben, sie hatten weder zurückgesteckt, noch waren sie darüber hinausgegangen. Ogarkow war sozusagen die Eingreifreserve, die Hauptrolle lag bei Ustinow. Bei beiden hatte ich das Gefühl, daß sie die doch vergleichsweise kleine Bundeswehr sehr ernst nahmen; freimütig offenbarten sie ihre guten Kenntnisse über die deutschen Streitkräfte und gaben klar zu erkennen, wie sehr sie sich mit ihnen beschäftigten. An Ustinows Friedenswillen zu zweifeln hatte ich keinen Anlaß. Ebenso klar wurde mir allerdings, daß er – und Ogarkow vielleicht in noch ausgeprägterer Weise – eine materielle, auch quantitative Überlegenheit der Sowjetunion für die beste Friedenssicherung hielt. Daß eine derart enorme Überlegenheit den Deutschen unheimlich sein mußte, hatte offenbar bisher keine große Rolle in ihrem Denken gespielt. Als ich einige der deutschen Städte aufzählte, die sie mit ihren SS-20-Raketen vernichten könnten, schienen sie jedoch ein gewisses Maß von Verständnis für mich und meine Schlußfolgerungen zu haben.

Diese beiden Männer hatten als Steuerleute der gesamten sowjetischen Militärmaschinerie nach westlichen Schätzungen jahrelang 12 bis 14 Prozent des sowjetischen Bruttosozialprodukts für die Streitkräfte zur Verfügung gehabt – ein ungeheurer Anteil, wenn man ihn mit den weniger als 7 Prozent des amerikanischen oder mit den durchschnittlich weniger als 4 Prozent des Bruttosozialprodukts der westeuropäischen Staaten verglich. Mit diesem quantitativ hohen Anteil am Kuchen der sowjetischen Volkswirtschaft hatten sie einen auch qualitativ besonders guten Schnitt gemacht. Die Armee hatte nicht etwa ein senkrecht geschnittenes Stück der Torte erhalten, sondern vielmehr einen horizontalen Schnitt, das heißt, deren oberste, besonders kalorienreiche Schicht. Den mageren Tortenboden hatte man Kossygin und Tichonow für die zivile Volkswirtschaft übriggelassen.

Ich weiß nicht, in welchem Maße sich die beiden Marschälle für den Einmarsch in Afghanistan stark gemacht und ob sie begriffen hatten, wie sehr das afghanische Abenteuer ihrem Ansehen in der ganzen Welt und besonders in den USA geschadet hat. An der Forcierung der Raketenrüstung waren sie jedenfalls beide zentral beteiligt, und offenbar fehlte ihnen ganz und gar der politische Instinkt für die Reaktion der davon bedrohten Völker und Staaten.

Es wäre zu einfach, sie Militaristen zu nennen. Sie waren lediglich rücksichtslos in der Verfolgung der sowjetischen Sicherheitsinteressen und schienen ehrlich erstaunt, daß die Welt deshalb von einem sowjetischen Expansionsstreben sprach. Ebenso wie Breschnew selbst schienen sie aufrichtig besorgt um die Bewahrung ihres Friedens; aber sie begriffen nicht, daß sie selber es waren, die den Frieden gefährdeten, ohne es zu wollen. Sie waren typische Russen.

Katarakt der Gerontokratie

Breschnew habe ich danach nur noch einmal gesehen, nämlich Ende November 1981 während eines Arbeitsbesuches in Bonn. Das war alles in allem meine siebente persönliche Begegnung mit ihm – angefangen bei dem Abendessen auf dem Venusberg zu Willy Brandts Kanzlerzeit über meine beiden Besuche in Moskau und Breschnews Gegenbesuch 1978 sowie die Treffen in Helsinki und in Belgrad, wo wir uns beim Begräbnis Titos zum Gespräch getroffen hatten.

Der alte Mann hatte sich in seinen Vorstellungen nicht sehr verändert; aber jetzt war er wirklich krank und hinfällig. Er klammerte sich an seine selbstgestellte Aufgabe, den in seiner Zeit erheblich vergrößerten Machtbereich des sowjetischen Imperiums durch Vereinbarungen mit dem Westen und durch Entspannung zu konsolidieren. Einer seiner Mitarbeiter sagte mir: Breschnew will seinem Nachfolger nicht allzuviel ungelöste Probleme hinterlassen. Aber gerade so ist es dann doch gekommen. Vor allem die großen ökonomischen und außenpolitischen Probleme seines Landes, die er nicht lösen konnte, gingen auf seine Nachfolger über.

Im Laufe der vielen Begegnungen hatte er persönliches Vertrauen zu meiner Offenheit gefaßt, wenngleich er meine Sicherheitspolitik keineswegs akzeptierte. Jetzt plagte ihn sein Unvermögen, Ronald Reagans Absichten und Handeln zu verstehen. Offensichtlich hoffte er im November 1981, von mir einen Schlüssel zum Verständnis des neuen amerikanischen Präsidenten zu erhalten. Inzwischen war er in der Führung der Gespräche argumentativ und inhaltlich ganz und gar von Gromyko abhängig geworden.

Da in wenigen Tagen die INF-Verhandlungen zwischen Paul Nitze und Kwizinski in Genf beginnen sollten, spielten in unserem Gespräch wieder einmal die eurostrategischen Waffen eine Hauptrolle. Breschnew brachte dazu nichts von besonderer Bedeutung vor – vielleicht mit einer kleinen Ausnahme. Da einige sowjetische Stellen immer noch die Hoffnung hatten, den Willen Westeuropas zur Nachrüstung psychologisch aushöhlen zu können, und alles taten, um die westliche Nervosität zu steigern, sagte ich in einer Phase des Gesprächs:»Herr Generalsekretär, Sie müssen bitte klar sehen, im Falle eines Scheiterns der bevorstehenden Verhandlungen werde ich für das Zustandebringen einer westlichen Nachrüstung notfalls die Existenz meiner Regierung riskieren, und jede denkbare Bundesregierung wird der Stationierung neuer amerikanischer Waffen zustimmen, wenn es nicht bis Ende 1983 zu einem Durchbruch bei der beiderseitigen Begrenzung der Mittelstreckenwaffen kommt ... Im Westen ist jedoch der Eindruck entstanden, die sowjetische Führung setze eher auf die Friedensbewegung als auf ihre eigenen Verhandlungen.« Breschnew und Gromyko verstanden sehr wohl, daß ich mit Absicht und aus Überzeugung so entschieden gesprochen hatte. Ähnliches hörten sie übrigens auch in ihren Gesprächen mit den Vorsitzenden der politischen Parteien der Bundesrepublik.

Dann brachten beide vielerlei Beschwerden über Reagan vor – besonders aber über Weinberger. Reagan verstanden sie ganz einfach nicht, sie hielten ihn wohl schlicht für zynisch. In Weinberger sahen sie wohl tatsächlich einen Kriegstreiber. Ich machte ihnen deutlich, Reagan seinerseits könne das sowjetische Verhalten nicht verstehen. Breschnews Vorschlag eines Moratoriums könne in Washingtons Augen doch nur bedeuten, daß es bei dem von der Sowjetunion erzielten unbestreitbaren Übergewicht in Europa bleiben solle. Schließlich sagte ich:»Ich habe Ronald Reagan einmal gesagt, Leonid Breschnew will wirklich keinen Krieg. Der will Frieden. Heute möchte ich Ihnen sagen: Ronald Reagan will ebenfalls den Frieden. Er hat mir gesagt:›Ich will mit den Russen verhandeln, verhandeln und immer wieder verhandeln, bis sie meinen Standpunkt begreifen.‹ Reagan wird Zeit brauchen. Auch ein erfolgreicher Gouverneur des Staates Kalifornien bringt zunächst nur etwa soviel an weltpolitischer Erfahrung mit wie Ihr Erster Sekretär in Kasachstan. In seinem Alter wird er aber richtig einzuschätzen wissen, was er sich zutrauen kann. Dann wird er gewiß, ebenso wie seine Vorgänger Nixon, Ford und Carter, mit dem ersten Mann der Sowjetunion sprechen wollen. Mit Nixon sind Sie doch am besten zurechtgekommen; Sie werden sehen, daß Reagan sich an Nixon orientieren wird.«

Auch dieses letzte Treffen wurde von der Weltpresse und von unserer eigenen Presse durchweg günstig beurteilt; das galt zu meiner Überraschung auch von der Presse Japans und sogar von

126

der Presse Israels, wo zur Zeit von Premierminister Begin über mich nicht viel Gutes geschrieben wurde. Bonn habe zunächst Reagan zum öffentlichen Angebot einer beiderseitigen Null-Lösung gebracht und sodann Breschnew zu einem Gegenangebot. Die Welt hatte – trotz eines kleinen Restes von Mißtrauen hier und da – verstanden, daß wir dem sowjetischen Staatslenker die westlichen Abrüstungspositionen mit Festigkeit erläutert hatten und daß Breschnew diese Rolle akzeptierte. Das seien, schrieben die Zeitungen, ausreichende Ausgangspositionen für einen tatsächlichen Verhandlungsbeginn in Genf.

Ich hielt diese Urteile für zutreffend. Nur wußte ich besser als die Zeitungen, daß die Reagan-Administration in Wahrheit damals keine klare Kompromißabsicht verfolgte. Teile meiner eigenen Partei warteten unterdessen mit viel zu großer, emotional übersteigerter Ungeduld auf einen Durchbruch; sie waren deshalb geneigt, sowohl Verzögerungen als auch taktische Umsicht und Vorsicht mit Unduldsamkeit zu verfolgen. Einige gingen so weit, stillschweigend ein permanentes sowjetisches Übergewicht zu akzeptieren, indem sie die Forderung nach Gleichgewicht als von jeher gleichbedeutend mit Rüstungswettlauf denunzierten. Die Führung der SPD durch Willy Brandt ließ den Anschein der Tolerierung solcher Tendenzen zu; daß der Schein nicht getrogen hatte, erwies sich 1983, als die Führung und eine Mehrheit des Parteitages mit Emphase und Euphorie die zweite Hälfte des Doppelbeschlusses über die Stationierung eurostrategischer nuklearer Mittelstreckenwaffen ablehnte. Herbert Wehner und ich, Verteidigungsminister Hans Apel und andere Freunde in Bundesregierung, Fraktion und Partei hatten 1982 zunehmend größere Mühe, die Bundestagsmehrheit auf die außenpolitische Vernunft einzuschwören. Gleichzeitig glaubte man in Moskau jetzt ernsthaft, mit Hilfe der Friedensbewegung den Doppelbeschluß unterlaufen und die Stationierung westlicher INF verhindern zu können.

Die Koalition aus SPD und FDP begann im dreizehnten Jahr ihrer Existenz zu zerbröckeln; Außenminister Genscher, der dabei eine durchaus aktive Rolle spielte, sprach seit dem Sommer 1981 öffentlich von der Notwendigkeit einer »Wende«. Spätestens zu Beginn des folgenden Sommers wurde auch unseren außenpolitischen Partnern in Washington und in Moskau klar, daß der Erfolg meiner parlamentarischen Vertrauensfrage im Frühjahr 1982 den Zerfall meiner Regierung nicht mehr lange aufhalten konnte.

Nach meinem Rücktritt im Oktober 1982 ging, trotz Genschers Bemühen um außenpolitische und gesamtstrategische Kontinuität, das außenpolitische Gewicht der Bundesregierung schrittweise verloren. Die beiden Weltmächte brauchten in ihrer stillschweigenden Übereinkunft, sich bei den Genfer INF-Verhandlungen nicht einigen zu müssen, auf Bonn keine Rücksicht mehr zu nehmen. Bundeskanzler Kohl war das verwirrende Spiel der zweigleisigen, aber auf beiden Gleisen durchsichtigen Diplomatie gegenüber der Sowjetunion zu kompliziert; er gab es alsbald auf und fand sich ab mit der vermeintlichen Unvermeidlichkeit der amerikanischen Nachrüstung auf westeuropäischem und damit auch auf deutschem Boden. Der Reagan-Administration kam dies gelegen, sie applaudierte. Aber es zeigte sich nach kurzer Zeit, daß ihr Respekt vor Bonn und ihr Wille zu ernsthafter Konsultation mit der für sie bequemen neuen Bundesregierung immer geringer wurden.

Um gerecht zu sein: der im November 1982 einsetzende fliegende Wechsel von Breschnew zu Andropow, dann von Andropow zu Tschernenko und schließlich im März 1985 zu Gorbatschow lud nicht gerade zu einer aktiven Diplomatie des Westens ein. Wahrscheinlich hätte ein auf der Grundlage einer gemeinsamen Gesamtstrategie geschlossen handelnder Westen sogar große Schwierigkeiten gehabt, mit der Sowjetunion zu einem tragbaren Verhandlungsergebnis zu gelangen; denn die innere Unsicherheit der politischen Klasse in Moskau war mit Händen zu greifen. Erst als Gorbatschow fest im Sattel saß, kam es Ende November 1985 in Genf zu dem von mir seit langem befürworteten Gipfeltreffen zwischen dem amerikanischen Präsidenten und dem sowjetischen Generalsekretär. Die Europäer und auch die Deutschen spielten dabei aber nur noch die Rolle von freundlich applaudierenden Zuschauern. Sie hatten darauf verzichtet, ihre Interessen einzubringen – ebenso wie ein Jahr später, als sich Gorbatschow und Reagan in Reykjavik ein zweites Mal zusammensetzten, um über das Schicksal der Welt zu verhandeln.

Die Sowjetunion hat in den sieben Jahrzehnten ihres Bestehens vier große, historisch bedeutsame Staatslenker gehabt: Lenin, Stalin, Chruschtschow und Breschnew; wahrscheinlich wird Gorbatschow der fünfte. Seine vier Vorgänger waren Machtmenschen des großrussischen Typus, wie ihn einst die Moskauer Großfürsten und die Zaren verkörperten, auch wenn Stalin von Herkunft Georgier war – aber Katharina die Große war auch keine Russin, sondern eine deutsche Prinzessin gewesen. Es will mir vernünftig scheinen, auch für die überschaubare Zukunft mit solcher »russischen« Kontinuität an der Spitze der Sowjetunion zu rechnen – gleich, ob und inwieweit Michail Gorbatschow Erfolg hat mit den Reformen und Veränderungen, die er anpackt.

Gorbatschows schnelles Ausbooten einiger Alter aus dem Politbüro, die nicht wie Suslow, Kossygin, Ustinow oder auch Pelsche etwa gleichzeitig mit Breschnew, Andropow und Tschernenko gestorben waren, hat zu einer Verjüngung der Spitze geführt, und es mag sein, daß die neuen Männer beweglicher sein werden und weniger konservativ als ihre Vorgänger. Viele Sowjetbürger setzen darauf Hoffnungen. Im Interesse Deutschlands und der Deutschen in West und Ost möchte ich ihnen die Verwirklichung ihrer Hoffnungen wünschen.

Aber soweit wir im Westen diese Hoffnungen teilen, seien wir zur Vorsicht gemahnt: Die größere Vitalität jüngerer Männer im Vergleich zu ihren geistig erstarrten und risikoscheuen Vorgängern kann zwar zu mehr außen- und sicherheitspolitischer Beweglichkeit führen – sie kann aber auch eine höhere Risikobereitschaft mit sich bringen. Es scheint mir unklug, unsere eigene Politik auf ein tatsächliches Ende des russisch-sowjetischen Expansionismus zu gründen. Jedenfalls wird man auch eine Wiederaufnahme von Breschnews Strategie eines Tages für möglich halten müssen – wenn auch vielleicht mit anderen Mitteln.

Wenn man vorbereitet sein will, empfiehlt sich deshalb das Studium der Ära Breschnew. Breschnew ist dem Volke nicht als Prophet entrückt wie Lenin. Er ist nicht verhaßt, wie Stalin es weitgehend war. Er wird auch kaum lächerlich gemacht werden wie Chruschtschow mit seinem unsteten, cholerischen Temperament. Für Betrachter außerhalb der Sowjetunion mag er über kurz oder lang durchaus zum Archetypus eines sowjetischen Führers werden; dies wäre allerdings keineswegs im Sinne Gorbatschows.

Neu ins Amt kommende Regierungen neigen oft dazu, mit einer stark negativ gefärbten Eröffnungsbilanz anzutreten und die Schuld dafür den Vorgängern zuzuschieben; so haben sich Carter und Reagan verhalten, so Kohl, so auch Gorbatschow gegenüber Breschnew. Je düsterer man den Vorgänger und die mit seinem Namen verbundene Ära abbildet, um so größer ist die Chance, dem eigenen Versprechen eines Aufbruchs zu neuen Ufern Glaubwürdigkeit zu verschaffen. Später, aus größerem Abstand betrachtet, erscheinen dann die Zäsuren oft weit weniger einschneidend. Jedenfalls betreffen sie in den meisten Fällen mehr die Innenpolitik als die Außenpolitik des jeweiligen Staates; häufig ist aber auch der innenpolitische Szenenwechsel im politischen Bewußtsein der Zeit einfach nur stärker ausgeprägt. Bei der vermeintlich neuen Wirklichkeit staatlicher, gesellschaftlicher und ökonomischer Prozesse handelt es sich oft weitgehend um eine Illusion; diese kann bisweilen allerdings durchaus nützlich sein. Deng Xiaoping hat gewiß eine tiefgreifende Erneuerung in China ausgelöst, wobei er übrigens das Andenken Mao Zedongs weitgehend intakt ließ und sich bei der negativen Bilanzierung des übernommenen Erbes stark auf die »Viererbande« und ihre – mit Recht angeklagten – Verbrechen und Fehler beschränkte. Ob Michail Gorbatschow eine der Kategorie nach vergleichbare Veränderung in der Sowjetunion erreichen wird, ist heute noch nicht erkennbar. Wenn man sich heute mit Sowjetrussen unterhält, zum Beispiel mit alten Bekannten, oder wenn man die Reden Gorbatschows oder die parteiamtlichen und Regierungsverlautbarungen auf sich wirken läßt, so fällt auf, daß Andropow und Tschernenko nicht zu denjenigen gehören, die für die von Gorbatschow diagnostizierte Erstarrung verantwortlich gemacht werden. Was Andropow betrifft, so ist dies ohne weiteres verständlich, denn er wollte den Generationswechsel in den sowjetischen Führungsschichten voranbringen; so hat er zum Beispiel Gorbatschow schon gefördert, als dieser noch recht jung war. Ich halte es für wahrscheinlich, daß Andropow – wäre ihm eine längere Lebens- und Amtszeit beschieden gewesen – manche der Reformen angepackt hätte, die jetzt von Gorbatschow betrieben werden. Schon aus diesen Gründen hat Gorbatschow kein Interesse an der Herabsetzung seines Andenkens. Im Westen wird man sich wahrscheinlich noch lange an den zu Andropows Amtszeit im Spätsommer 1983 erfolgten Abschuß eines koreanischen Verkehrsflugzeuges über sowjetischem Hoheitsgebiet und an das anschließende ratlose Verhalten Moskaus erinnern; ansonsten hat Andropow in der Außenpolitik keine wesentlichen Spuren hinterlassen; dafür war seine Amtszeit zu kurz.

Für Tschernenko gilt das gleiche. Innenpolitisch bedeutet seine Amtszeit von Februar 1984 bis März 1985 wahrscheinlich nur eine kurze, postume Verlängerung der Breschnew-Ära; Breschnew selbst hatte ihn für seine Nachfolge vorgesehen, vermutlich weil er ihn als kongenial empfand. Mit Recht ist heute in Moskau von Tschernenko keine Rede mehr.

Wohl aber ist von Breschnew die Rede, der über fast zwei Jahrzehnte an der Spitze des Politbüros und der Sowjetunion gestanden hat. Dabei hat sich die Kritik – soweit ich sehe – bisher weniger der ersten als vielmehr der zweiten Hälfte der Breschnew-Ära zugewandt. Sie richtet sich einstweilen überwiegend auf die innenpolitische Entwicklung unter Breschnew, nicht auf die Außenpolitik. Zwar wird die Rüstungskontrolldiplomatie Breschnews und Gromykos de facto stark verändert, aber die Breschnew-Doktrin von der eingeschränkten Souveränität der dem sozialistischen Lager angehörenden Staaten, welche den Einmarsch in die ČSSR rechtfertigen sollte, die forcierte Aufrüstung, das politische, militärische und ökonomische Ausgreifen in den Mittleren Osten, nach Ost-, Südost- und Westafrika wie auch nach Afghanistan und Nicaragua, all dies bleibt einstweilen von der Kritik ausgespart.

Natürlich ist es denkbar, daß die Rücksicht auf das Staatsoberhaupt Andrej Gromyko dabei eine Rolle spielt. Gromyko war unter Breschnew lange Jahre hindurch der Exekutor der Außenpolitik, er ist erst 1973 Vollmitglied des Politbüros geworden. Am 11. März 1985 hat er dem Politbüro die Wahl Gorbatschows zum Generalsekretär vorgeschlagen. Er scheint auch heute im Politbüro eine jedenfalls für die Außenpolitik wichtige Rolle zu spielen; Jakowlew, Schewardnadse oder Dobrynin stehen als Außenpolitiker wohl eher im zweiten Glied.

Ich besuchte Gromyko privat im Februar 1987, als ich auf Einladung meines Freundes Kurt Körber zu einer deutsch-sowjetischen Diskussion des von ihm ins Leben gerufenen Bergedorfer Gesprächskreises zum ersten Mal seit fast sieben Jahren wieder in Moskau war. Wir haben uns beide über das Wiedersehen gefreut; Gromyko wirkte entspannt, gelassen, heiter, er war bisweilen sogar witzig. Natürlich sprachen wir über alte Zeiten; Gromyko erinnerte an unser erstes Zusammentreffen achtzehn Jahre zuvor im Spiridonowkapalais, gemeinsam mit Alex Möller und Egon Franke. Wir sprachen über Adenauer, Foster Dulles, Walter Scheel und Egon Bahr; natürlich auch über die aktuellen außen- und abrüstungspolitischen Probleme, über das deutsch-sowjetische Verhältnis und über die wirtschaftlichen Reformabsichten Gorbatschows. Aber der Name Breschnew kam nicht vor.

Ein letztes Wort zu Breschnew: Als ich am 10. November 1982 von seinem Tode erfuhr, war ich aufrichtig betrübt; ich hatte mit diesem teils harten, teils sentimentalen russischen Führer eine lange gemeinsame Geschichte. Sein Friedenswille war ernst; aber ebenso ernst hatte ich seinen Willen zur Ausdehnung der Sowjetmacht nehmen müssen. Das ideologisch-philosophische Fundament Breschnews war nur schmal, aber ihm eignete ein sicherer Instinkt für den Vorteil seines Staates. Militärische Überlegenheit der Sowjetunion und Friedenswille behinderten sich in seinem Verständnis nicht. Ob er die militärischen Lagebilder und Statistiken sowie die daraus abgeleitete Notwendigkeit zur Aufrüstung der Sowjetunion, welche ihm seine Militärs vorlegten, immer durchschaute, habe ich bisweilen bezweifelt; zumal in seinen letzten Jahren kann dies nicht oder nicht mehr der Fall gewesen sein.

Bruno Kreisky hat mir gegenüber 1983 einmal bemerkt, es liege eine Tragik darin, daß während einer Reihe von Jahren zunächst Breschnew vom weltpolitischen Prozeß nichts mehr begriffen habe; nun sei ihm in Andropow ein fähiger, hochintelligenter Mann nachgefolgt, jetzt aber habe der Mann an der Spitze der USA leider nur wenig Sachliches zu bieten. Ich habe diesem harten Urteil nur schwach widersprechen können; ich wies lediglich auf die Vorgänge im Zusammenhang mit dem Abschuß des koreanischen Verkehrsflugzeuges hin und fügte meine Zweifel hinzu, ob Andropow gegenüber dem Militär wirklich im vollen Besitz der vollziehenden Gewalt sei. Innenpolitisch traf Kreiskys Charakterisierung der letzten Jahre der Breschnew-Ära gewiß zu. Der stark gealterte kranke Generalsekretär wollte keine Neuerungen mehr und keine Kämpfe; er hatte sich mit der Schwerfälligkeit der Bürokratie abgefunden, er wollte seine Ruhe haben. Den äußeren Frieden seines Staates glaubte er gesichert zu haben, und den inneren Frieden wollte er nicht durch Veränderungen stören. Die Leute um Gorbatschow haben wohl recht, wenn sie die zweite Hälfte der Amtszeit Breschnews als eine Periode der innen- und wirtschaftspolitischen Stagnation ansehen.

Grundlegende Reform durch Gorbatschow?

Wenn Reagans Landsleute ihren Präsidenten gern einen hervorragenden »communicator« nennen, so trifft dieses Wort in gleichem Maße auch auf Gorbatschow zu. Er spricht überzeugend; seine fernsehgerechten Reden erzielen große Wirkung – nicht nur beim sowjetischen Publikum, sondern ebenso im östlichen Teil Europas, wo man erhebliche Hoffnungen auf ihn setzt, vor allem aber beim Publikum im Westen Europas, ja im Westen schlechthin. Er liest keine taktisch oder bürokratisch ziselierten Verlautbarungen vor, sondern er argumentiert in kraftvoller und zugleich sympathischer Weise; der Zuhörer kann seine Gedanken nachvollziehen und findet sie deshalb logisch.

Chruschtschow hatte auf den Westen anmaßend und mehrfach sogar rüpelhaft gewirkt, Breschnew wirkte langweilig, Gorbatschow dagegen ist interessant. Solche Fähigkeit ist in der heutigen Zeit, in der die Meinung des Publikums, seine Sympathien und Antipathien weitgehend über den Bildschirm beeinflußt werden, von hohem Wert. Ohne diese Fähigkeit und ohne das Fernsehen hätten wahrscheinlich weder John F. Kennedy noch Charles de Gaulle ihre große Ausstrahlung weit über die eigene Nation hinaus erreichen können. Freilich genügt die Begabung zur guten Fernsehrede auf Dauer nicht; es müssen sich grundlegende Fähigkeiten und Eigenschaften damit verbinden: die Kraft zu Analyse und Urteil; der Mut, beides nicht nur auszusprechen, sondern daraus auch Konzeptionen zu entwickeln und tatsächlich Konsequenzen zu ziehen; die Fähigkeit zur Menschenführung; das realistische Augenmaß für das in einer konkreten Situation Machbare; schließlich Stetigkeit und Beharrlichkeit bei der Verfolgung der gesetzten Ziele. Und dies alles muß eingebettet sein in eine Aura sittlicher oder moralischer Verantwortung gegenüber dem eigenen Volk und gegenüber der Welt.

Ob und inwieweit der große Fernseh-Kommunikator Gorbatschow über diese grundlegenden Fähigkeiten verfügt, ist nach seiner bisherigen Amtszeit noch nicht endgültig zu beurteilen. Seine analytische Urteilskraft und sein Mut sind nicht zu bezweifeln; ob ausreichende innenpolitische und hier vor allem ökonomische Konzeptionskraft damit einhergehen, auch Augenmaß und Beharrlichkeit beim »Bohren dicker Bretter« (Max Weber), das wird sich zeigen müssen. Vorerst allerdings erscheint mir sein Start atemberaubend. Sowjetfunktionäre, die ich seit Jahren kenne, reden vom »Neuen Denken«, wenn sie von »Umgestaltung« (Perestroika), von »Offenheit« (Glasnost), sogar von »Demokratisierung« sprechen, und man spürt, daß sie innerlich beteiligt sind. In den Zeitungen kommt Kritik zu Wort, bisweilen sogar Kritik an der Armee; die »Prawda« ist plötzlich interessant geworden, vor allem auch die »Literaturnaja Gazeta«; im Fernsehen gibt es kontroverse Diskussionen und Kommentare; Sacharow und andere Verbannte durften nach Moskau zurückkehren, und manchen Dissidenten (darunter auch manchen Juden) wird endlich die lang ersehnte Ausreise aus der UdSSR bewilligt. Das Ausmaß der Transparenz ist noch klein, wenn man es an der Meinungsfreiheit in den westlichen Demokratien mißt; aber der Anfang gibt vielen Sowjetbürgern Hoffnung auf Erweiterung und Steigerung. Die Intellektuellen und die Künstler sind bisher die stärksten Nutznießer der Veränderung, bei ihnen findet man die größten Hoffnungen – so auch unter den im Westen lebenden russischen Emigranten, die mit tiefer Seele an ihrem Lande hängen.

Andere dagegen sind skeptisch oder sogar pessimistisch; sie erinnern sich an frühere Enttäuschungen. Das Verhalten der Führung nach dem schweren Reaktorunfall in Tschernobyl am 26. April 1986, das anfängliche Verschweigen und Beschönigen und die lange andauernde Verheimlichung der vielen Todesopfer und der Zigtausende von Evakuierten haben gezeigt, daß es auch für Gorbatschow leichter ist, die Forderung nach Transparenz zu erheben, als ihr konkret zu entsprechen. Ebenso wurde im gleichen Jahr das Ausmaß der Aufstände in Kasachstan verschwiegen.

Schon lange sind in Kasachstan, Turkmenistan, Usbekistan und Kirgisistan – Gebiete mit immer noch beträchtlichem oder wieder wachsendem islamischem Einfluß – die Geburtenraten viel höher als im eigentlichen Rußland; sie sind auch schon seit langem eine Quelle der Beunruhigung für Moskau, ebenso wie die dortigen nationalistischen Bestrebungen nach größerer Autonomie. Es fällt schwer zu glauben, daß Öffnung und Demokratisierung den nichtslawischen Nationalitäten in der UdSSR in gleichem Maße zugute kommen werden wie den Slawen, das heißt den Russen, Ukrainern und Weißrussen, welche zusammen nur noch etwas mehr als die Hälfte der Bevölkerung des Staates ausmachen (was besonders die Rote Armee verspürt). Gorbatschow hat sich öffentlich gegen den in Mittelasien, aber auch in Georgien und Armenien sowie im Baltikum zum Ausdruck kommenden Nationalismus gewandt, die »Prawda« hat ihn als »Lokalpatriotismus« herabgesetzt. Je weiter Öffnung und Demokratisierung gehen, um so drängender könnten die Nationalitätenprobleme der Sowjetunion werden; sofern sie nicht gelöst oder bewältigt werden, erscheint mir eine Rücknahme der heute eingeleiteten Öffnung zur Meinungsfreiheit durchaus denkbar.

Diese Gefahr ist nach meinem Eindruck auf dem Felde der ökonomischen Reformen noch weit größer. Hier werden gegenwärtig Erwartungen geweckt, deren Erfüllung in absehbarer Zeit mir unwahrscheinlich vorkommt. Bisher hat sich für die Menschen im Betrieb, im Kaufhaus und auf der Straße – außer der Verknappung von Alkohol in jeder Form – tatsächlich noch gar nichts geändert. Sie durchstreifen die Straßen und die Geschäfte mit Einkaufstaschen und Plastikbeuteln in der Hand – für den Fall, daß es irgendwo zufällig etwas Brauchbares zu kaufen geben sollte; die Schlangen vor den Schuhgeschäften zum Beispiel erschienen mir 1987 nicht kürzer als 1980.

Mit dem dreizehnten Fünfjahresplan ab Januar 1991 soll sich die Versorgung spürbar bessern, so wird es dem Volk versprochen. Voraussetzung dafür wäre, daß dieser Plan 1989 seine wesentliche und im Laufe des Jahres 1990 seine endgültige Ausgestaltung erhält. Im Gespräch mit sowjetischen Wirtschaftswissenschaftlern lassen sich aber gegenwärtig – 1987 – nur unzureichende Konzepte zur Erfüllung des Versprechens an die Konsumenten erkennen. Die ökonomische Diskussion in der Wirtschaftswissenschaft der Sowjetunion und unter den Wirtschaftsfunktionären sowie Gespräche beider Gruppen mit den politischen Funktionären verlaufen kontrovers, was an sich kein schlechtes, sondern ein gutes Symptom ist; aber bisher wurden keine klaren Schlußfolgerungen gezogen. Vor allem setzt die analytische Kritik bis heute viel zu niedrig an, um zu konsequent durchgreifenden Konzeptionen gelangen zu können. Wo aber der gedankliche Entwurf fehlt, da kann – in einer auf das Schema von Anordnung und (oft schlampiger) Ausführung orientierten Gesellschaft – kein durchgreifender ökonomischer Erfolg erwartet werden.

Die Aufgabe, vor der Gorbatschow steht, ist größer als diejenige, welche Lenin sich 1921 mit der »Neuen Ökonomischen Politik« stellte. Auch kann er weder zurückgreifen auf marktwirtschaftliche Erfahrungen, noch kann er an das materielle Eigeninteresse der Sowjetbürger appellieren. Letzteres ist zwar denkbar – und es wird vereinzelt tatsächlich an wirksam leistungsorientierte Einkommens- und Lohndifferenzierung gedacht –, aber es widerspräche aller bisherigen Gewohnheit und auch der bisherigen Ideologie. Deshalb ist Gorbatschow über den Appell an stärkere Arbeitsdisziplin und über die Verknappung des Alkohols noch nicht sehr weit hinausgegangen.

Die Reformdiskussion hat ihren Schwerpunkt einstweilen in einem kleinen Bereich der Binnenwirtschaft, nämlich bei der Reorganisation der staatlichen Unternehmen (der »Sozialistischen Industriebetriebe«) und der Umstrukturierung der Moskauer Ministerien und Planungsbehörden; es gibt allein über zwanzig Ministerien für die verschiedenen Branchen der Volkswirtschaft. Außerdem ist von freier Vermarktung (bei freier Preisbildung) für einen kleinen Teil der Agrarproduktion die Rede, nämlich für die Produktion der Kolchosbauern auf ihrem »eigenen« Boden und für die »Überschußproduktion« der Kolchosen. Daneben wurde für die Industrie eine straffere staatliche Qualitätskontrolle eingeführt statt der bisher innerbetrieblichen; wahrscheinlich war die neue Qualitätskontrolle der Hauptgrund für den seit Ende 1986 konstatierten Abfall der industriellen Produktion. Alle diese Neuerungen gehen noch auf Andropow zurück, der seinerseits inspiriert war von Kossygin, von Professor Libermann und vom »Nowosibirsker Papier« aus dem Jahre 1982. Das ist aber schon fast alles.

Der »Umbau« der Wirtschaft soll bereits Ende 1990 vollendet sein. Wenn es bei den bisherigen, sehr fragmentarischen Entwürfen bleibt, dann ist eine kategorische Steigerung der ökonomischen Leistung der Sowjetunion vom Jahr 1991 an voraussichtlich Illusion.

Schon die bisherigen, bescheidenen Entwürfe stoßen bei ihrer Verwirklichung auf ganz erhebliche Widerstände. Der Gesetzentwurf über den Sozialistischen Industriebetrieb will den Betrieben Entscheidungsfreiheit auf einer Reihe von Feldern geben (allerdings nicht bei den Investitionen); nur fehlen die »Kader«, das heißt die Leitungspersonen, die fähig und mutig genug sind, solche Entscheidungen zu fällen. Dem Risiko, eine sich im nachhinein als unzureichend oder falsch herausstellende Entscheidung zu treffen, steht weder eine ausreichende Ausbildung noch ein entsprechender Anreiz gegenüber. Politische Funktionäre verlangen Verschärfung der Sanktionsmechanismen, Betriebsfunktionäre fürchten den Verlust ihrer Planstellen. Das letztere gilt natürlich auch für die staatlichen Behörden und ihre Funktionäre, die mit der Verteilung der erzeugten Waren befaßt sind. Was sich auf den unteren und mittleren Ebenen als insgesamt großes Beharrungsvermögen darstellt, äußert sich auf den oberen Ebenen auch in Form erheblicher ideologischer Widerstände. Diese Widerstände wenden sich gegen die Mobilisierung des materiellen Interesses des einzelnen und stellen ihm das allgemeine »soziale Interesse« gegenüber; sie behaupten, im Interesse der Stabilität der gesellschaftlichen und staatlichen Ordnung sei die Aufrechterhaltung des hergebrachten administrativen Zentralismus unerläßlich. Nur ein kleiner Teil aller am Wirtschaftsgeschehen beteiligten Personen engagiert sich für die Reformen, nämlich Teile der kulturellen und technischen Intelligenz. Eine positive Massenbewegung fehlt – selbst innerhalb der Partei. Gorbatschow hat nur unter deutlich erkennbaren Schwierigkeiten eine Reihe von Personen, die ihm ungeeignet erschienen, durch Beschluß des Zentralkomitees ersetzen lassen können. Er hat es gegenwärtig noch keineswegs mit einem reformfreudigen Umfeld zu tun.

Dies mag der Hauptgrund dafür sein, daß der Gesamtumriß der erstrebten Wirtschaftsreform bisher noch nicht vorgelegt worden ist. Allerdings glaube ich eher, daß ein Gesamtkonzept in der persönlichen Umgebung Gorbatschows bisher gar nicht erarbeitet wurde; es scheint, daß man sich vorerst damit begnügt, Entwicklungsanstöße in die richtige Richtung zu geben und für später auf pragmatischen Fortschritt zu vertrauen.

Im Gespräch mit Andrej Gromyko im März 1987 sagte ich, daß ich die Etablierung größerer intellektueller Freiheit und die Zulassung von Kritik in der Sowjetunion mit Interesse verfolgte. Wenn sich aber nach drei oder vier Jahren über die Nichtverwirklichung der heute entstehenden ökonomischen Erwartungen Enttäuschung breitmachen sollte, so werde sich die befreite Kritik auch auf die unzureichende ökonomische Führung richten. »Ich fürchte, die Führung der Sowjetunion wird dann die Freiheit zur Kritik wieder einschränken.« Ich fragte Gromyko, ab wann er für die Masse der Konsumenten erstmals mit fühlbaren ökonomischen Verbesserungen rechne.

Gromyko antwortete:»Wir sind optimistisch. Wir haben bisher das Potential des Sozialismus nicht voll genutzt. Der Idealfall wäre, es voll zur Geltung zu bringen. Heute wollen wir den Menschen reinen Wein einschenken. Dazu ist eine Umgestaltung der öffentlichen Meinung und der wirtschaftlichen Führung notwendig. Natürlich werden die Menschen in der Folge höhere Forderungen erheben. Wir bemühen uns, sie zu befriedigen. Aber weil die Forderungen weiter steigen werden, wird es auch nach fünf oder zehn Jahren Unbefriedigte geben. Wir sind vom zukünftigen Erfolg unserer Politik überzeugt . . .«

Gromyko hielt sich, in sehr allgemeinen Begriffen, an Gorbatschows Grundlinie. Natürlich wird man von einem Außenpolitiker keine detaillierte wirtschaftliche Darlegung erwarten. Immerhin aber nahm ich seine sehr pauschale, für Gromyko übrigens ungewöhnlich optimistische Antwort als ein Zeichen dafür, daß auch im März 1987 im engeren Kreise der Führung von Partei und Staat noch kein weitreichendes Gesamtkonzept für die Umgestaltung der sowjetischen Volkswirtschaft beschlossen worden war.

Die Unterhaltungen, die ich während des gleichen Besuches mit sowjetischen Fachleuten führte, haben diesen Eindruck verstärkt. Ein alter Gesprächspartner seit über zwanzig Jahren, der frühere Botschafter in Bonn Valentin Falin, benutzte zum Beispiel den Begriff»Sozialistischer Markt«; aber die Bedeutung dieses Begriffs blieb mir unklar. Eine Professorin der Ökonomie sagte, die beabsichtigte Umgestaltung der Wirtschaftsstruktur sei gar nicht sowjetspezifisch; es gebe in vielen Entwicklungsländern gleiche Aufgabenstellungen. Sie verwies auf die Ausbreitung der modernen Kommunikationstechnologien, auf die »technologische Revolution«im allgemeinen, auf den Übergang von der Güterproduktion zur Produktion von Dienstleistungen. Sie sprach – ebenso wie Falin – zu meiner Überraschung ausführlich über die Abhängigkeit der ökonomischen Entwicklung der Sowjetunion vom Gang der Weltwirtschaft; ökonomische Sicherheit durch Autarkie sei nicht mehr denkbar, wirtschaftliches Elend in einem Lande führe auf Grund internationaler Interdependenz zu Fehlschlägen in anderen Ländern; sie erläuterte dies anhand von Beispielen. Diesen in der Tat zutreffenden Hinweis auf die außenwirtschaftliche Verletzbarkeit der Sowjetunion hatte ich aus sowjetischem Munde früher nie so gehört. Er enthielt indirekt die neue, zutreffende Erkenntnis, daß die beabsichtigte wirtschaftliche Umgestaltung im Ergebnis durchaus auch vom Verlauf der weltwirtschaftlichen Prozesse abhängig ist.

Die Schwerpunkte des sowjetischen Exports lagen bisher bei Öl und Erdgas (ihr Anteil am sowjetischen Export in die Bundesrepublik Deutschland betrug in den letzten Jahren rund 80 Prozent). Die kolossalen Auf- und Abwärtsbewegungen der Weltmarktpreise für diese beiden Energieträger seit 1973 und ebenso die starken Schwankungen des amerikanischen Dollars, in dem sie notiert und kontrahiert werden, hat die Kontinuität der sowjetischen Wirtschaft schwer getroffen, weil die Devisenerlöse des Landes entsprechend stark fluktuierten. Jetzt ist vom künftigen Ausbau des Exports von Industrieerzeugnissen die Rede, von joint ventures, die gemeinsam mit ausländischen Unternehmungen zu diesem Zweck begründet werden sollen, von Freihandel, vom erhofften Beitritt zum IMF und zum GATT; man beschwert sich über Embargos und Cocom-Listen. Man spricht sogar davon, daß sowjetische Industriegroßbetriebe künftig über 30 Prozent der Devisenerlöse ihrer in Eigenverantwortung durchzuführenden Exporte selbst sollen verfügen dürfen.

Natürlich könnte eine stärkere außenwirtschaftliche Orientierung der Sowjetunion und eine stärkere Einbindung in die Arbeitsteiligkeit der Weltwirtschaft durchaus auch positive Auswirkungen auf die künftige Außenpolitik Moskaus herbeiführen. Einstweilen aber ist die Sowjetunion noch weitgehend binnenwirtschaftlich orientiert. Nur sofern es ihr tatsächlich gelingt, weltmarktfähige Industrieprodukte in größerem Umfang in Hartwährungsländer zu verkaufen, wird ihre binnenwirtschaftliche Modernisierung von einem Ausbau des Außenhandels profitieren können – aber hier steht noch ein sehr weiter Weg bevor.

Ein Erfolg von Gorbatschows Wirtschaftsreformen liegt im Interesse aller Nachbarn der Sowjetunion und der ganzen Welt; denn ein Fehlschlag würde die Aktivität Moskaus wahrscheinlich auf das internationale machtpolitische Feld zurückverlagern. Es wäre jedoch illusorisch, sich als Deutscher von einer Ausweitung des Rußlandhandels mehr als bloß punktuelle Anregungen für unsere eigene industrielle Beschäftigung zu versprechen; denn die Ausgangsbasis, die im Inland wie im Ausland (vor allem in den USA) oft völlig überschätzt wird, ist dafür viel zu klein: Der Anteil unserer Exporte in die Sowjetunion am deutschen Gesamtexport liegt bei lediglich 2 Prozent, das heißt, er ist nicht einmal halb so groß wie unsere Exporte in eines unserer kleinen Nachbarländer wie Österreich oder die Schweiz.

Die Grafik zeigt, wie bescheiden sich der deutsche Rußlandhandel im Verhältnis ausnimmt. Dennoch ist die Bundesrepublik Deutschland seit langem der wichtigste Westhandelspartner und damit die wichtigste Devisenquelle für die Sowjetunion. Es liegt im politischen Interesse der Bundesrepublik, daß wir diese

Exporte der Bundesrepublik

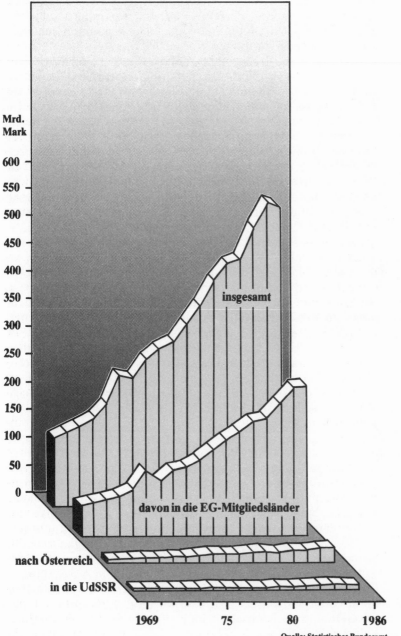

Mrd.
Mark

600
550
500
450
400
350
300
250
200
150
100
50
0

insgesamt

davon in die EG-Mitgliedsländer

nach Österreich

in die UdSSR

1969   75   80   1986

Quelle: Statistisches Bundesamt

Vorzugsposition behalten; sie eröffnet vermutlich auch in Zukunft Möglichkeiten, das ökonomische Interesse Moskaus am Ausbau sowjetisch-deutscher Wirtschaftsbeziehungen zu sowjetischen Zugeständnissen auf dem Felde der nationalen deutschen Interessen zu nutzen.

Angesichts der bisher sehr geringfügigen Exportleistungsfähigkeit der Sowjetunion einerseits und andererseits wegen geringer Neigung Moskaus zu internationaler kommerzieller Verschuldung ist mit einer schnellen Steigerung sowjetischer Importe nicht zu rechnen. Von daher sind – abgesehen vielleicht von einigen technologischen Schlüsselgütern – keine schnellen Impulse für Umbau und größeres Wachstum der sowjetischen Wirtschaft zu erwarten. Vielmehr müssen Modernisierung und Wachstum in erster Linie aus der Binnenwirtschaft kommen. Eine Umverteilung der Ressourcen würde daher wohl am schnellsten zum Erfolg führen: Die Rangordnung der vier Hauptsektoren Rüstung, Investition, Konsumgüter und Industriegüter müßte mindestens zu Lasten der Rüstung verändert werden. Der noch von Stalin herrührende, seit über vier Jahrzehnten andauernde Sicherheitskomplex der sowjetischen Führungsschichten und ihre militärische Obsession sind der Hauptgrund für das immer noch kümmerliche wirtschaftliche Wachstum. Ich neige zu der Annahme, daß hier ein Hauptmotiv für Gorbatschows erfreuliche Kursänderungen in der sowjetischen Abrüstungs- und Rüstungsbegrenzungspolitik liegt. Zwar wird angesichts der starken Stellung des sowjetischen Militärs ein solches Motiv bisher keineswegs ausgesprochen. Ich kann mir aber gut vorstellen, daß die sowjetische Generalität über die Vorschläge, die Gorbatschow seit Ende 1986 in Reykjavik vorgelegt hat, erheblich beunruhigt ist.

In Reykjavik haben sowohl Gorbatschow als auch Reagan einen schweren Fehler begangen, und nach Abschluß ihrer Unterhaltungen haben sie gemeinsam noch einen dritten Fehler obendrauf gesetzt. Gorbatschows Fehler war, die westliche Supermacht und ihren Chef mit einem umfassenden Abrüstungsangebot überraschen zu wollen. Seine Erwartung konnte realistischerweise nicht darin bestehen, an Ort und Stelle eine flächendeckende Abrüstungsvereinbarung mit Reagan zustande zu bringen; er konnte lediglich hoffen, weltweit den taktisch-agitatorischen Vorteil einzuheimsen, einen dem Anschein nach überzeugenden Vorschlag gemacht zu haben, der durch Reagan zurückgewiesen wurde (und zwar wegen dessen Vorhaben, mittels SDI die amerikanische Nation aus dem nuklearen Kriegsrisiko auszuklammern).

Reagans Fehler bestand darin, sich ohne gehörige Vorbereitung an Ort und Stelle auf Verhandlungen über Gorbatschows umfassendes Vorschlagspaket einzulassen. Der amerikanische Präsident hätte durch eine Reihe von Fragen sich ein umfassendes Bild von den Vorschlägen, deren Vorzügen und Nachteilen verschaffen, ernsthafte Prüfung zusagen und ein weiteres Treffen binnen acht oder zehn Wochen anbieten müssen; statt dessen hat er zugelassen, daß der Eindruck erweckt werden konnte, als ob ein konstruktiver Abrüstungsvorschlag der Sowjetunion lediglich an der fixen Idee von SDI gescheitert sei.

Der gemeinsame Fehler beider Staatslenker bestand darin, daß sie ohne neue Terminverabredung, ja sogar ohne gemeinsames Pressekommuniqué auseinandergegangen sind, um anschließend – zwar getrennt, wohl aber im Ergebnis übereinstimmend – den Fehlschlag ihrer Verhandlungen zu verkünden. Beide Seiten haben danach sehr schnell begriffen, daß weder ihre eigene Nation, weder ihre Verbündeten und Klienten noch die Welt insgesamt bereit sein konnte, die übereinstimmende Verkündigung des Fehlschlages als ausreichende Bemühung anzuerkennen. Unzufriedenheit und zum Teil heftige Kritik machten sich breit; deshalb beeilten sich beide Regierungen alsbald, den negativen Eindruck mit dem Versprechen, sich neu zu bemühen, wieder zu verwischen. Beiden Regierungen ist klargeworden, daß es nicht mehr bloß um Versprechungen gehen kann, sondern daß ein tatsächliches Abkommen dringend notwendig ist.

Für beide Staatslenker waren es jedoch in der Hauptsache vermutlich innenpolitische Erwägungen, die 1987 zur Wiederaufnahme ernsthafter Gespräche zur Rüstungsbegrenzung geführt haben. Gorbatschow hat zweifellos die wirtschaftlichen Reformbeispiele sorgfältig studiert, die ihm bei halbwegs vergleichbaren Ausgangssituationen zur Verfügung stehen: Lenins Neue Ökonomische Politik (NEP), die Wirtschaftsreformen Deng Xiaopings und die über längere Zeiträume schrittweise entwickelte Wirtschaftspolitik unter Kádárs Führung in Ungarn. Er bedarf eines Abrüstungserfolges speziell aus ökonomischen Gründen.

Gorbatschows Opposition gegen Reagans SDI-Pläne ist ebenfalls im wesentlichen ökonomisch begründet. Technisch ist die Sowjetunion fähig, vom Panzer über Kampfflugzeuge bis zu raketentragenden U-Booten, Kampfsatelliten und Antiraketensystemen gleichwertiges militärisches Gerät zu entwickeln und zu produzieren; in aller Regel bleibt ein westlicher Vorsprung auf nur wenige Jahre begrenzt. Allerdings ist in der Sowjetunion immer ein größerer wirtschaftlicher Aufwand erforderlich, um das gleiche Ergebnis zu erzielen. Gorbatschow muß nicht fürchten, auf dem Felde von SDI etwa in der Rüstungstechnik mit den

USA nicht gleichziehen zu können; wohl aber muß er fürchten, daß ihn ein Wettlauf auf diesem Felde einen noch höheren Anteil am sowjetischen Bruttosozialprodukt kostet.

Rüstungsabbau durch Vertrag - eine historische Chance

Als Einstieg in den Prozeß der Rüstungsverminderung bietet sich für Gorbatschow das Feld der Mittelstreckenwaffen an. Hier gibt es zusätzlich einen starken strategischen Anreiz; denn inzwischen werden in Westeuropa amerikanische Mittelstreckenwaffen aufgestellt, die Ziele auf sowjetischem Boden mit nuklearen Sprengköpfen auslöschen können.

Nachdem die in der Breschnew-Ära genährte Erwartung getrogen hat, mit Hilfe der SS-20-Raketen Westeuropa politisch unter Druck setzen und Angst und Psychose hervorrufen zu können, liegt es jetzt im strategischen Interesse der Sowjetunion, die westliche Gegendrohung zu beseitigen; aus diesem Grund scheint die heutige Sowjetführung sogar bereit, auf ihre gegen Westeuropa gerichteten Mittelstreckenwaffen ganz zu verzichten.

Wenn es zu einem beiderseitigen Verzicht auf Mittelstreckenwaffen in Europa kommen sollte, so wäre dies für mich ein großer, wenn auch etwas später persönlicher Triumph. Denn der Vorschlag der beiderseitigen Null-Lösung, 1979 erstmals formuliert, stammt von mir; Breschnew hatte ihn 1980 und 1981 abgelehnt; Reagan hatte ihn 1981 akzeptiert. Die Sowjetunion wäre ohne westliche Nachrüstung zum Verzicht auf ihre Mittelstreckenraketen nicht bereit gewesen.

Jetzt aber gibt es innerhalb des Westens Opposition gegen die beiderseitige Null-Lösung. Die von einigen europäischen und amerikanischen Politikern und Generälen vorgetragene Besorgnis, eine Beseitigung der Mittelstreckenraketen in Europa werde den Westen Europas der Gefahr eines konventionellen Angriffs ausliefern, ist allerdings nur schlecht begründet. Einige der strategisch denkenden Generäle im Westen, zum Beispiel der amerikanische General Bernard Rogers – im Frühjahr 1987 noch Oberbefehlshaber der NATO-Truppen in Europa –, und einige der militärisch denkenden Politiker im Westen, zum Beispiel Manfred Wörner, haben das Argument vorgebracht, eine totale Abschaffung von Mittelstreckenwaffen beraube den Westen der Möglichkeit, im Falle eines sowjetischen konventionellen Angriffs als erste kriegführende Partei nukleare Waffen zur Verteidigung einzusetzen. Zur Begründung dieser Besorgnis verweisen sie auf die zahlenmäßige Überlegenheit, über welche die Sowjetunion auf dem Felde konventioneller Streitkräfte in Europa verfügt. Das Argument hält näherer Prüfung nicht stand. Zum einen hat die behauptete zahlenmäßige konventionelle Überlegenheit der Sowjetunion in den letzten vierzig Jahren immer bestanden, ja sie war bis zur Aufstellung der Bundeswehr sehr viel größer. Das heutige Ausmaß zahlenmäßiger Überlegenheit war in gleicher Weise bereits vorhanden, als die Sowjetunion in den siebziger Jahren mit der SS-20-Aufrüstung begann und 1979 der westliche Nachrüstungsbeschluß eventualiter für die Zeit ab 1983 gefaßt wurde. Das Motiv der beteiligten westlichen Staatsmänner für die Nachrüstung war nicht etwa, die altgewohnten konventionellen Streitkräfte der Sowjetunion auszubalancieren, sondern vielmehr ihre neuen SS 20.

Zum anderen wird das Ausmaß der heutigen sowjetischen konventionellen Überlegenheit vor allem von amerikanischer Seite oft übertrieben dargestellt. Ich war – auch früher als Verteidigungsminister – wegen der größeren Zahl sowjetischer konventioneller Truppen niemals wirklich besorgt, weil ich von dem hohen Kampfwert überzeugt war und bin, den die Bundeswehr im Falle eines Angriffs aus dem Osten an den Tag legen würde, und weil die Bundesrepublik – ebenso Frankreich und alle übrigen kontinentaleuropäischen Allianzpartner – dem amerikanischen Beispiel der Abschaffung der Wehrpflicht nicht gefolgt ist. Wegen der Beibehaltung der Wehrpflicht stehen uns schnell mobilisierbare, militärisch vollausgebildete Personalreserven zur Verfügung; diese Reserven brauchen nicht über den Kanal oder über den Atlantik transportiert zu werden. Die westeuropäischen konventionellen Streitkräfte haben – dies fand ich unter anderem in meinem Gespräch mit Ustinow und Orgakow bestätigt – einen hohen Abschreckungswert; der Abschreckungswert würde noch erheblich gesteigert, wenn endlich die konventionellen französischen, deutschen und Benelux-Streitkräfte integriert würden. Auf jeden Fall reichen die vorhandenen Streitkräfte aus, um eine rationale Kremlführung von jedem Gedanken an einen konventionellen Angriff auf Westeuropa abzuschrecken.

Der Alpdruck hoffnungsloser konventioneller Unterlegenheit des Westens ist seit Vollendung des Aufbaus der deutschen Streitkräfte nicht mehr gerechtfertigt. Wohl aber ist die wegen dieses Alpdrucks seit 1962 entfaltete und 1967 im Bündnis beschlossene Strategie der »flexible response« durchaus geeignet, den Verteidigungskampfwert der Bundeswehr entscheidend zu verkrüppeln. Denn in Wirklichkeit sahen seit 1967 alle Militärpläne und Manöver keine wirkliche Flexibilität vor; vielmehr ging die NATO-Führung immer von einer schnellen Eskalation aus, sie unterstellte und übte in ihren Manövern einen frühen Erstgebrauch nuklearer Waffen durch den Westen. Als ich 1969 Verteidigungsminister wurde, war mir klar, daß diese Strategie im Ernstfall innerhalb weniger Tage zu millionenfacher Vernichtung menschlichen Lebens in beiden Teilen Deutschlands führen konnte.

Ich hielt es für ganz unrealistisch zu glauben, daß im Verteidigungsfall unsere Soldaten weiterkämpfen würden, wenn erst einmal nukleare Waffen auf deutschem Gebiet explodiert wären. Absurd erschien mir die Vorstellung der NATO, daß unsere Soldaten in diesem Falle den Verteidigungskampf fanatischer und selbstmörderischer fortsetzen würden als die Japaner, die 1945 nach den beiden Nuklearbomben auf Hiroshima und Nagasaki sofort kapituliert haben, obgleich noch kein amerikanischer Soldat die japanischen Hauptinseln betreten hatte. Ich war deshalb als Inhaber der Befehls- und Kommandogewalt fest entschlossen, für den (unwahrscheinlichen) Fall eines sowjetischen konventionellen Angriffs einer westlichen Eskalation in die nukleare Kampfführung keinerlei Beihilfe zu leisten. Es erschien mir allerdings nicht sinnvoll, dies öffentlich auszusprechen; denn es war denkbar, daß eine Portion Ungewißheit über die zu erwartende westliche Reaktion auf die Sowjetunion abschreckend wirkte.

Heute ist es an der Zeit, die Strategie der »flexible response« durch ein neues Konzept zu ersetzen, etwa durch Bereitstellung ausreichender konventioneller Streitkräfte und mittels Integration von deutschen, französischen und Benelux-Truppen unter gemeinsamem französischem Oberbefehl. Ein solches Konzept liegt dringlich auch im aufgeklärten Interesse Frankreichs; man sollte sich in Paris einmal bildhaft die Lage Frankreichs vorstellen, die eintreten würde, wenn wegen nuklearer Zerstörung Deutschlands die Bundeswehr den Verteidigungskampf aufgäbe!

Für den Westen darf die Funktion nuklearer Waffen nur darin liegen, die östliche Seite davon abzuhalten, ihrerseits einen Erstgebrauch ins Auge zu fassen. Dieser Satz gilt nicht nur für eurostrategische Mittelstreckenwaffen jeder Reichweite, er gilt auch für Langstreckenwaffen (sogenannte »strategische« Raketen). Er gilt ebenso für sogenannte »taktische« und für sogenannte »Gefechtsfeld«-Nuklearwaffen.

Ich habe diese Überzeugung schon 1961 in meinem Buche »Verteidigung oder Vergeltung« vertreten: »Die These von der Unvermeidbarkeit nuklearer Verteidigung ist tödlicher Unfug...

Die Verteidigung mit begrenzter nuklearer Waffenwirkung als Drohung behält auf die Dauer ihre Glaubwürdigkeit lediglich für [den Fall von] Aggressionen, die mit gleicher Waffenwirkung beabsichtigt sind. Ausschließlich zur Abschreckung *solcher* Aggressionen braucht die NATO in Europa ... *taktische* Nuklearwaffen ... [Eine] tatsächliche Verteidigung gegen eine nichtnukleare (konventionelle) Aggression in Europa mit Hilfe taktischer Nuklearwaffen wäre ... mit hoher Wahrscheinlichkeit gleichbedeutend mit weitgehender Vernichtung Europas, jedenfalls ... Deutschlands.«

Es liegt im westlichen wie auch im sowjetischen Interesse, durch Verträge die beiderseitigen Militärpotentiale zu verringern. Hinsichtlich ihrer Nuklearwaffen sind die USA und die Sowjetunion durch den Nichtverbreitungsvertrag seit zwanzig Jahren dazu verpflichtet. Sie haben beide diese Pflicht bisher nicht erfüllt – im Gegenteil. Eine beiderseitige Null-Lösung auf dem Felde der nuklearen Mittelstreckenwaffen wäre seit dem Ende des Zweiten Weltkrieges der erste Schritt zu vertraglich vereinbarter, tatsächlicher Abrüstung. Falls dieser Schritt zustande kommt, werde ich mich für meine Mitwirkung am NATO-Doppelbeschluß und für meine Urheberschaft des Konzeptes der Null-Lösung gerechtfertigt wissen. Falls er durch westliche Gegenargumente zunichte gemacht werden sollte, könnten nachträglich jene recht bekommen, die seinerzeit den Doppelbeschluß abgelehnt haben.

Bei Drucklegung dieses Buches ist der Ausgang der sowjetisch-amerikanischen Verhandlungen und der innerwestlichen Meinungsverschiedenheiten über die Null-Lösung durchaus ungewiß. Wir Deutschen im Westen wie im Osten müßten tief betroffen und besorgt sein, wenn der angestrebte Vertrag vereitelt werden würde. Wir wissen beide, daß Verträge der Vertragspartnerschaft bedürfen. Wir wollen beide Partner zum Frieden sein. Wir wollen beide unsere Supermächte im Westen wie im Osten als Partner zum Frieden und nicht als Scharfmacher.

Nachbarschaft

Gegenwärtig ist die Gefahr eines Krieges in Europa nicht sehr groß, aber sie ist nicht gleich Null. Durch beiderseitige Aufrüstung wird diese Gefahr keineswegs geringer. Es gibt kein Patentrezept, den »ewigen Frieden« zu garantieren, den Immanuel

Kant uns als erstrebenswerte Utopie vor Augen geführt hat. Vielmehr will ich gern einräumen, daß meine Zielvorstellung eines annähernden Gleichgewichts konventioneller – wie auch nuklearer – Truppen und Waffen zu Lande, zu See und in der Luft den Frieden noch nicht garantieren kann; Hitler war zahlenmäßig unterlegen, als er fast alle europäischen Nachbarstaaten angriff. Aber die Gefahr politischer oder militärischer Überwältigung durch einen mächtigen Nachbarn ist im Falle des Gleichgewichts kleiner.

Zum Gleichgewicht muß hinzukommen der Wille, miteinander zu reden, einander zuzuhören und Verträge zu schließen. Die Sowjetunion, zumal unter ihrem gegenwärtigen Staatslenker Gorbatschow, ist kein kriegslüsterner Staat. Aber die Geschichte generationenlanger russischer Expansion darf uns nicht dazu verführen, die heutige Sowjetunion für einen Wohltäter der Menschheit zu halten; sie ist auch heute und morgen ein gefährlich mächtiger, großer Nachbar. Aber sie ist nicht unser »Feind«; deshalb habe ich als Inhaber der Befehls-und Kommandogewalt seinerzeit den Gebrauch des Wortes »Feindbild« untersagt.

Die Wirkungen, welche Gorbatschow bisher ausgelöst hat, in Osteuropa, in Westeuropa und in den USA, sind ihrer Zwiespältigkeit wegen hochinteressant. Die große Mehrheit der Bürger in den osteuropäischen Klientenstaaten der Sowjetunion verbindet mit Gorbatschow die Hoffnung, sein Reformprozeß werde auch in ihren eigenen Staaten zu Auflockerungen und Erleichterungen führen. Einigen Tschechen erscheint Gorbatschow als eine Art neuer Dubček, zwei Jahrzehnte nach dem »Prager Frühling«; aus dem gleichen Grunde fürchten die gegenwärtigen Machthaber um Strougal und Bilak eine zu weitgehende Reform durch den sowjetischen Generalsekretär. Ähnlich sieht es in einigen Köpfen in Ost-Berlin aus. Anders jedoch in Budapest und in Warschau: Kádár und Jaruzelski setzen Hoffnungen auf Gorbatschows Reformen, sie versprechen sich für ihre eigene Reformpolitik einen größeren Spielraum und eine nachlassende Bevormundung durch Moskau. Daß Gorbatschow den Staatslenkern oder den kommunistischen Führungskadern Osteuropas einige zusätzliche Entscheidungsfreiheiten einräumen könnte, wäre denkbar. Er könnte sogar einige zusätzliche Annäherungen zwischen Ost- und Westeuropa zulassen; schließlich spricht er selbst von dem »europäischen Haus«, zu dem er auch die Sowjetunion rechnet.

Die politischen Chefs der osteuropäischen Staaten werden jedoch zweierlei zu bedenken haben. Zum ersten wird auch Gorbatschow – sosehr er gegenwärtig die expansionistische Gesamtstrategie seines Staates zu dämpfen im Begriff zu sein scheint –

keineswegs zulassen, daß Staaten des Warschauer Paktes sich aus dem militärischen Verbund und aus der ihnen von Moskau oktroyierten gemeinsamen Strategie lösen. Wer dies versuchen sollte, wird es wahrscheinlich teuer bezahlen. Die Tatsache, daß man Ceauşescu seine eigenwilligen außen-und innenpolitischen Eskapaden bisher durchgehen ließ, ist kein Gegenbeweis; zum einen rechnet man in absehbarer Zeit mit seiner Ersetzung, zum anderen kann er außerhalb Rumäniens der Sowjetunion kaum schaden – und im Notfall sind sowjetische Truppen in nächster Nähe. Dies letztere gilt ebenso für die an westlich-demokratische Staaten angrenzenden Warschauer-Pakt-Staaten Ungarn, die ČSSR und die Deutsche Demokratische Republik, auf deren Boden eine größere Anzahl sowjetischer Truppen stationiert ist. Besonders die Führung der DDR wird auch aus diesem Grunde und nicht allein aus innenpolitischen Erwägungen weiteren Öffnungswünschen zugunsten des Zusammenhaltes der geteilten deutschen Nation nur vorsichtig begegnen. Obgleich sie wirtschaftlich von allen die Erfolgreichsten sind, werden Honecker und die SED-Führung besonders sorgfältig auf jedes Signal aus Moskau reagieren.

Der zweite und einstweilen wichtigere Grund zur Vorsicht osteuropäischer kommunistischer Führer liegt in der Ungewißheit über den ökonomischen Erfolg Gorbatschows. Er braucht dafür jedenfalls noch einige Jahre. Zwar ist er bei weitem der intelligenteste, tatkräftigste und modernste Chef, den die Sowjetunion seit Jahrzehnten erlebt hat; falls er jedoch scheitern sollte, weil seine Reformen keinen Erfolg haben oder weil sie seine Parteifunktionäre weit überfordern, so ist nicht etwa eine Rückkehr zur behäbigen Dickfelligkeit der letzten Breschnew-Jahre wahrscheinlich, sondern weit eher ein tiefer Rückfall in Tyrannei durch Geheimpolizei, in zentralverwaltete Kommandowirtschaft und außenpolitisch in Diktatur über die Klientenstaaten des Warschauer Paktes. Von Menschenrechten, gar von »Demokratisierung« wäre auf lange Zeit keine Rede mehr.

Wer in gutem Wohlstand lebend eine sehr arme und bedrückte, aber notfalls auch rücksichtslose Familie im Nachbarhaus wohnen hat, die mit scheelem oder gar neidischem Blick auf ihn schaut, der wünscht diesen Nachbarn aus eigenem Interesse Fortschritt und Besserung ihrer Lebensverhältnisse – möglicherweise entschließt er sich sogar, dabei ein wenig zu helfen. Dies ist die Lage der Deutschen in der Bundesrepublik, die insgesamt in gutem Wohlstand leben, gegenüber dem Nachbarn Sowjetunion, deren Panzer und Jagdbomber nur Minuten von unseren Landesgrenzen entfernt stationiert sind. Es ist deshalb natürlich, daß die meisten Deutschen auf einen Erfolg der Gorbatschowschen Reformen hoffen. Sie ahnen, daß der neue Mann die geschichtlich gewachsenen Formen des Staates und der Gesellschaft genausowenig umstürzen kann wie dreihundert Jahre zuvor Peter der Große – aber sie wünschen sich im eigenen Interesse, daß er genausoviel Erfolg haben möge wie jener erste große russische Reformator.

Auch die Völker Westeuropas werden zu dieser Einsicht gelangen. Ähnlich müssen es wohl auch die klugen Chinesen empfinden, denn sie sind – wie wir Deutschen – unmittelbare Nachbarn der Sowjetunion. Etwas schwerer fällt das Urteil manchen Amerikanern; einige möchten ganz einfach ihr ideologisches Feindbild nicht verlieren. Andere, wie Henry Kissinger, verweisen darauf, daß eine ökonomisch und reformerisch erfolgreiche Sowjetunion als Machtfaktor mehr Gewicht in der Welt haben werde als derzeit. Diese Prognose ist wohl zutreffend; dennoch bleibt die allgemeine Lebenserfahrung richtig, daß ein satter Nachbar angenehmer ist als ein hungriger. Ob die Sowjetunion später wieder zu einer expansionistischen Gesamtstrategie zurückkehrt, ist heute nicht vorherzusagen. Deshalb bleibt westliche Vorsicht geboten: die Aufrechterhaltung des abschreckenden Gleichgewichts als Grundlage der Sicherheit des Westens und auf dieser Grundlage die vielfältige Zusammenarbeit mit der Sowjetunion zwecks ihrer ökonomischen, technischen, wissenschaftlichen und schlechthin zivilisatorischen Einbeziehung in den internationalen Zusammenhang.

Als ich im März 1987 mit Gromyko sprach, sagte er:»Wir sind vom zukünftigen Erfolg unserer Politik überzeugt; wir brauchen dazu aber eine friedliche Innen- und Außenpolitik.« Ich sprach ihm dazu meine besten Wünsche aus:»Ihr Erfolg liegt in unser aller Interesse: im Interesse der Völker der Sowjetunion wie auch ihrer Nachbarn in Europa.«

»Dies ist ein sehr gutes Wort«, meinte Gromyko.»Wir wohnen alle in einem gesamteuropäischen Haus und werden stets nach Ihrer Hand suchen. Sie selbst können einen großen Beitrag leisten, da Sie nach wie vor in ganz Europa große Autorität haben.« Ich fand das sehr liebenswürdig und erwiderte:»Zu den Händen, die man ergreifen muß, gehört auch die Hand von George Shultz.«

Gromyko:»Ich habe Shultz oft getroffen, ich stimme Ihnen zu. Wir haben manchmal auch scharfe Gespräche gehabt... aber Shultz ist ein Mann, mit dem man gut reden kann; er macht keine zu großen Worte, und er kann zuhören. Er spielt eine gute Rolle.«

Dann fragte mich Gromyko, wie ich den gegenwärtigen Stand der deutsch-sowjetischen Beziehungen beurteilte; dies bezog sich auf eine abträgliche Bemerkung Bundeskanzler Kohls über Gorbatschow. »Die Zeit geht über das Interview hinweg«, entgegnete ich. »Wichtig ist, daß in diesem Sommer ein amerikanisch-sowjetischer Vertrag über INF zustande kommt; falls diese Zeit nicht genügt und infolgedessen die Ratifizierungsdebatte in den USA tiefer in das Wahljahr 1988 hineinreicht, so steht eine Ratifizierung nicht mehr zu erwarten. Der neue Präsident kommt erst im Januar 1989 ins Amt; er wird dann vermutlich neu verhandeln, so daß ein ratifizierungsfähiges Ergebnis erst 1990 oder 1991 vorliegen kann.« Ob Gorbatschow so lange warten könne?

Je früher ein Vertrag zustande komme, desto besser, antwortete Gromyko. Wenn aber bei den Amerikanern weder Wunsch noch Wille bestehe, dann könne die Sowjetunion auch warten.

Mein Eindruck sei, sagte ich, daß bei Shultz und ebenso bei Reagan selbst der Wille vorliege. »Übrigens ebenso bei Bundeskanzler Kohl. Daß jetzt Sie eine Null-Null-Lösung vorschlagen, liegt in der Logik der seinerzeitigen Bundesregierung. Allerdings hat sich inzwischen durch die Vorwärts-Stationierung Ihrer Kurzstrecken-INF in der DDR und in der ČSSR die Lage abermals verändert; die Entscheidung über das Zustandekommen eines INF-Abkommens liegt in einer befriedigenden Einbeziehung der Kurzstrecken-INF in den Vertrag.«

»Wir sind uns bewußt«, entgegnete Gromyko, »daß der Vorschlag der Null-Null-Lösung von Ihnen stammt; wir sind bereit, die SR-INF im gleichen Kontext zu behandeln. Ihre Äußerungen hinsichtlich der sowjetischen Vorschläge haben einen gesunden Kern. Als Sie Bundeskanzler waren, haben wir beide schon gewußt, daß kein echter Friede in der Welt eintreten kann, solange es noch nukleare Waffen gibt. Aber damals haben wir uns zu sehr auf die europäische Region konzentriert; jetzt ist uns klar, daß eine globale Lösung nötig ist . . . Ich weiß nicht, ob die Dinosaurier Vegetarier waren oder Raubtiere. Wohl aber weiß ich, aus späterer Rückschau werden die nuklearen Dinosaurier schrecklich aussehen! Es gibt zu viele Analysen, zuviel Feilschen, zuviel risikoreiches Spiel. Der Homo sapiens muß sich selbst ins Ohr kneifen, um sich das Risiko ins Bewußtsein zu führen.«

Ich hatte Andrej Gromyko sechs Jahre nicht gesprochen. Er wirkte auf mich offen und befreit. Ich dachte: Um Himmels willen, laßt uns diese beiden Männer, Gorbatschow und Gromyko, beim Worte nehmen! Auf dem Rückflug meine Moskauer Gespräche überdenkend, erinnerte ich mich an einen prägenden Eindruck meiner Jugend. Als Fünfzehn- und Sechzehnjähriger hatte ich mir aus der öffentlichen Bücherhalle in der Nähe des Landwehrbahnhofs nacheinander die großen russischen Romanciers und Novellisten des neunzehnten Jahrhunderts ausgeliehen. Ich hatte ihre Werke mit jugendlich-überschwenglicher Anteilnahme gelesen. Andere Eindrücke russischer Kultur kamen hinzu, und zeit meines Lebens habe ich immer gewußt, die Schriftsteller, die Maler und Musiker Rußlands sind ein Teil des kulturellen Kontinuums Europa; auch während des Krieges gegen die Sowjetunion habe ich daran nicht gezweifelt. Und jetzt, im Jahre 1987, entdecken endlich auch die kommunistischen Führer Rußlands ihre Zugehörigkeit zum »gemeinsamen Haus Europa«. Ich gestehe, daß ich davon angerührt war. Ich mußte mich selbst zur Ordnung rufen, damit nicht Rührung und Sympathie mich zur Illusion verführten.

Wir Deutschen dürfen Hitler und seinen Krieg, wir dürfen alle die Schandtaten nicht vergessen, die von Deutschen begangen worden sind. Ich weiß: Wir haben keinerlei moralische Legitimation, sie etwa gegen Stalins Untaten aufzurechnen. Aber ich weiß auch: Das zaristische Rußland war schon zu Bismarcks Zeiten ein gefährlich mächtiger Nachbar – die Sowjetunion ist noch mächtiger. Sie ist keineswegs eine international-karitative Institution. Aber als Feind dürfen wir sie nicht ansehen! Wir müssen sie als Nachbarn sehen und gute Nachbarschaft mit ihr erstreben.

Teil II

Die USA –
von der Schwierigkeit,
eine Weltmacht zu sein

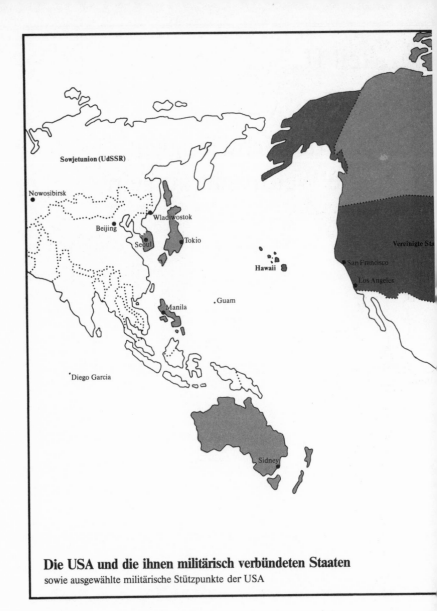

Die USA und die ihnen militärisch verbündeten Staaten

sowie ausgewählte militärische Stützpunkte der USA

Die Bundesrepublik Deutschland hat in den fast vier Jahrzehnten ihres Bestehens bisher sechs Regierungschefs gehabt. Sie hatten verschiedene Lebenswege und verschiedene innen- und außenpolitische Vorstellungen. Aber keiner von ihnen hat einen Augenblick lang vergessen, daß die Sicherheit unseres Staates letztlich von der Strategie und von dem Willen der USA abhängt, ihren europäischen Verbündeten beizustehen.

Jalta und Potsdam waren die zwangsläufige Folge des amerikanischen Entschlusses gewesen, die zweite Front gegen Hitler 1944 auf französischem und italienischem Boden zu errichten und nicht – wie Churchill vorgeschlagen hatte – auf dem Balkan. Kein deutscher Bundeskanzler war politisch legitimiert, die Entscheidung von Jalta nachträglich zu kritisieren; wohl aber mußte jede deutsche Politik von der politischen und militärischen Lage des zweigeteilten Europa und des zweigeteilten Vaterlandes ausgehen, wie sie 1945 entstanden war.

Die Deutschen waren sich in den Nachkriegsjahren keineswegs sicher, ob und wie lange es bei dieser Spaltung bleiben würde. Aber sie wußten: Ohne die USA und ihr Eintreten für unsere Freiheit würden die westlichen Besatzungszonen, aus denen 1949 die Bundesrepublik entstand, dem sowjetischen Druck preisgegeben sein. Ohne die große Hilfe des Marshallplanes wäre der stupende wirtschaftliche Aufbau nicht möglich gewesen. Ohne die Luftbrücke wäre Berlin verloren worden. Ohne das Nordatlantische Bündnis wäre das demokratische Europa nicht zu halten gewesen.

Zwar hatte Adenauer seit 1949 manche ernsthafte Dispute mit Washington – und ähnliche Auseinandersetzungen hatten dann auch Erhard, Kiesinger und Brandt durchzustehen, zum Beispiel über den »Radford-Plan« einer peripheren Verteidigung Europas von Spanien und Gibraltar aus; über die MLF, das NATO-Vorhaben einer »multilateralen« nuklearen Polarisstreitmacht zur See; über »Ausgleichs«-Zahlungen zur Kompensation der US-Ausgaben für die amerikanischen Truppen in Deutschland; über den Genfer Kernwaffensperrvertrag von 1969 oder über die deutsche Ostpolitik. Doch kein Bundeskanzler hat darüber die existentielle Bedeutung des Bündnisses mit den USA aus den Augen verloren. Und keiner, der mit der Sowjetunion friedenssichernde Kompromisse anstrebte, hat jemals den kategorischen Unterschied im Verhältnis der Bundesrepublik zu den beiden Supermächten vergessen.

Mit den Amerikanern verbinden uns gemeinsame Wertentscheidungen über die Freiheit und die Rolle des einzelnen, über die offene Gesellschaft und über die demokratische Staatsform; von den Sowjetrussen hingegen trennen uns deren Instrumen-

154

talisierung der Person, ihre der Gesellschaft mit doktrinärem Eifer rücksichtslos aufgezwungene Ideologie und das System der Diktatur. Die Grundrechte unserer Verfassung und die ihnen zugrunde liegenden Werte stammen nicht aus Rußland; die geistigen Wurzeln unseres Staates liegen im Westen. In London, in Philadelphia und in Paris traten sie zuerst in die Praxis von Staaten. Mit diesen Überzeugungen wurde ich 1969 zum ersten Mal Mitglied einer Bundesregierung. Ich habe meine Meinung in dieser Hinsicht nie geändert. Als ich dreizehn Jahre später mein Ausscheiden aus der Regierung vorbereitete, habe ich am Vorabend meines Sturzes die in Bonn akkreditierten Botschafter zu mir gerufen. Meine Ansprache war kurz. An die USA gewandt, sagte ich:»Wir werden nicht vergessen: Das geistige Erbe der Freiheitsrechte des einzelnen haben wir ... von Franklin, von Jefferson, von Washington. Und wir wissen auch, was wir George Marshall und millionenfacher amerikanischer Großzügigkeit seit dem Kriege verdanken ... Millionen Deutscher haben nicht nur ›Onkel Toms Hütte‹ gelesen, sondern ebenso Thornton Wilder oder Ernest Hemingway. Der Jazz ist Teil der Kultur aller Europäer geworden. Dies alles ist *eine* zusammenhängende Kultur! ... Unsere Aufgabe bleibt, dafür zu sorgen, daß auch die nachfolgenden Generationen auf beiden Seiten des Atlantik an der gegenseitigen Freundschaft festhalten ...«

Am nächsten Morgen, am 1. Oktober 1982, sprach ich zum letzten Mal als Bundeskanzler vor dem Bundestag:»Die nordatlantische Allianz entspricht den gemeinsamen Interessen der Europäer und der Nordamerikaner ... Nur gemeinsam können sie alle ihre Sicherheit und ihre Freiheit, ihren Frieden bewahren. Zugleich ist die Allianz eines der wichtigsten Verbindungsglieder für die deutsch-amerikanische Freundschaft ... Wir sind einander durch Grundwerte verbunden, sosehr wir uns auch voneinander unterscheiden. In solcher Freundschaft ist gegenseitige Kritik notwendig und hilfreich; denn wer gegenüber dem Freunde Kritik unterdrückt, der kann auf die Dauer kein guter Freund bleiben. Wer seine eigenen Interessen gegenüber dem Freunde nicht vertritt, kann eben dadurch Respekt und Freundschaft verlieren. Gerade weil ich vier amerikanischen Präsidenten und Administrationen ein kritischer Partner gewesen bin, deshalb bekenne ich mich in dieser Stunde noch einmal zur deutsch-amerikanischen Freundschaft ...«

In beiden Reden lag mir besonders am Herzen, sowohl unsere westlichen Freunde und Verbündeten als auch unsere östlichen Nachbarn der Stetigkeit deutscher Außen- und Sicherheitspolitik zu versichern, an der sich auch in Zukunft nichts ändern werde. Mancher Zuhörer mag das riskant gefunden und seiner Regierung zu Hause einen hinsichtlich der Zukunft mit Fragezeichen versehenen Bericht geliefert haben. Ich jedoch fühlte mich auf Grund meiner Analyse der deutschen Lage in meiner Prognose ziemlich sicher. Und jahrelang hatte ich betont: Ohne Stetigkeit, ohne Berechenbarkeit unseres Landes wären seine Sicherheit und seine Interessen gefährdet.

Die Regierung Kohl hat sich tatsächlich um Stetigkeit bemüht, wenn auch nicht umsichtig genug; eine für ihn selbst neue persönliche Deutschlandpolitik signalisierte auch die Einordnung von Franz Josef Strauß in diese Stetigkeit. Daß Moskau 1984 eine andere Einschätzung der Lage zu verbreiten suchte, geht nur zum Teil auf das Konto von Kohl oder Genscher oder Strauß. In der Außen- und Sicherheitspolitik der Bundesrepublik hat weder 1982 noch 1983 oder später eine »Wende« stattgefunden, auch wenn zur Schau gestelltes gegenseitiges Schulterklopfen von Präsident Reagan und Kanzler Kohl zeitweilig danach ausgesehen haben mag.

Ganz anders entwickelte sich die Situation jedoch in den USA. Die Präsidentenwechsel 1969 von Johnson zu Nixon, 1977 von Ford zu Carter und 1981 von Carter zu Reagan haben erhebliche Veränderungen der Außen- und Sicherheitspolitik der USA mit sich gebracht; in den letzten beiden Fällen waren die Interessen Europas und Deutschlands stark berührt. Jimmy Carter gefährdete schon in seinen ersten außenpolitischen Handlungen eine der wichtigsten Voraussetzungen jener Verhandlungspolitik, die er gegenüber der Sowjetunion ins Auge gefaßt hatte. Er unterminierte, ohne dies zu wollen oder auch nur zu erkennen, das sowjetische Vertrauen in die Kontinuität der strategischen Ziele und Absichten Amerikas. Mir bleibt unvergeßlich, wie Carter im Mai 1977 mich im privaten Gespräch fragte:»Helmut, können wir beide nicht die Mauer in Berlin beseitigen?«Verblüfft fragte ich zurück:»Wie? Auf welchem Wege?«Carters Antwort:»Ich dachte, Sie hätten vielleicht ein Rezept dafür.«Natürlich hatte weder ich noch sonst jemand im Westen ein Rezept.

So sah ich, wie wenig mein Gegenüber von der Lage im gespaltenen Europa und von der Macht der Sowjetunion und deren Interessen verstand. Als Carters Nachfolger Ronald Reagan von der Sowjetunion öffentlich als vom »Reich des Bösen« sprach und seiner Abneigung freien Lauf ließ, als man sich in Washington das Ziel militärischer»Überlegenheit«über die Sowjetunion zu setzen schien, hat mich diese abermalige Naivität nicht minder bestürzt; sie war dieses Mal in das andere Extrem umgeschlagen.

Carter erklärte seinen europäischen Verbündeten, aber auch

der Sowjetunion unverhohlen, die SALT-Politik seiner beiden Amtsvorgänger Nixon und Ford sei unzureichend gewesen; tatsächlich waren sie jedoch von einer realistischen Politik zur Begrenzung strategischer Rüstungen ausgegangen, einer Politik, die wir, die europäischen Regierungen, gestützt und für die wir öffentlich unsere Autorität eingesetzt hatten. Jetzt sollte alles ganz anders und ganz neu verhandelt werden.

Vier Jahre später, nachdem wir loyal Carters neue SALT-Politik gestützt hatten, erklärte uns sein Nachfolger Reagan, auch Carters SALT-Politik sei falsch gewesen; überhaupt sei das ganze Konzept der Entspannungspolitik völlig illusionär. Dies waren keineswegs die einzigen Wechselbäder, denen die europäischen Verbündeten und ebenso die Politiker im Kreml ausgesetzt wurden. Denn sogar während der Amtsperioden beider Präsidenten gab es einschneidende außenpolitische Wendemanöver, ebenfalls mit erheblicher Bedeutung für deutsche Interessen. Bonn mußte auf alle diese Wechsel reagieren – wie übrigens auch Paris, London und die übrigen NATO-Staaten. Dazu bedurfte es sowohl der Kompromißbereitschaft als auch der eigenen Beharrlichkeit. Davon will ich berichten.

In allen Phasen, selbst in den vielen Kehrtwendungen, habe ich die Vitalität der amerikanischen Nation immer bewundert, und ein Quentchen Neid habe ich nie unterdrücken können. Diese Vitalität wird von Optimismus und moralischem Idealismus getragen. Eine ihrer Wurzeln liegt wahrscheinlich in jenem Zustrom aus Europa, der jahrhundertelang Menschen über den Ozean brachte, deren Freiheitsdrang besonders stark ausgeprägt war und die sich – im Vertrauen auf die eigene Kraft – aus dem Nichts eine wirtschaftliche Existenz aufzubauen bereit waren.

Die Weite des Raumes bis zum Pazifik erlaubte eine ungeheure Entfaltung; die Landnahme zu Lasten der indianischen Ureinwohner und deren weitgehende Ausrottung geschahen mit naiver Selbstverständlichkeit. Zugleich war und ist die Weite des eigenen Raumes auch einer der Gründe für die weltpolitische Selbstbeschränkung der Amerikaner, die – ungeachtet einiger imperialistischer Episoden und ungeachtet des Zwischenspiels im Ersten Weltkrieg – bis zum Zweiten Weltkrieg anhielt. Diese Grundtendenz zum Isolationismus nach dem Motto »Die Welt soll uns in Frieden lassen, wir mischen uns auch in ihre Händel nicht ein« und die Monroedoktrin spielen auch heute und in Zukunft eine wichtige Rolle in der amerikanischen Politik. Damit ist zugleich ein empfindlicher Mangel an Weltkenntnis verbunden; das geographische, historische und politische Wissen des amerikanischen Volkes über andere Völker und Staaten außerhalb der »westlichen Hemisphäre«, genauer gesagt: außerhalb des *nord-*

amerikanischen Kontinents, ist relativ gering. Das Geschichtsbild der meisten Europäer war jahrhundertelang und ist immer noch stark eurozentrisch geprägt; aber eben damit ist schon gesagt, daß es immerhin eine große Zahl von Völkern und Staaten umfaßt. Das Weltbild der meisten Amerikaner – und der meisten amerikanischen Politiker – reicht jedoch nur wenig über die Grenzen des eigenen Landes hinaus. Von daher rührt die Naivität in der Beurteilung und Behandlung anderer Staaten und ihrer Interessen, die wir häufig genug erleben.

Als Mitglied der Bundesregierung und als Bundeskanzler habe ich an der weitgehenden Grundübereinstimmung zwischen den USA und uns nie gezweifelt; wohl aber hatte ich eine große Zahl von Meinungsverschiedenheiten auf wichtigen Feldern durchzustehen. Manche Konflikte konnten schon im Keim erstickt, andere konnten schnell beigelegt werden.

Im wesentlichen gibt es drei verschiedene Kategorien von Meinungsverschiedenheiten zwischen Europa und den USA:

1. Kurzfristige Diskontinuitäten der amerikanischen Außenpolitik, etwa Carters Embargo für nukleare Brennstoffe gegen die Bundesrepublik; die Affäre um die Neutronenwaffen; das Vorspiel des Olympiaboykotts; die Behandlung Polens nach 1981; das sogenannte Röhrenembargo Reagans im Sommer 1982.

2. Auseinandersetzungen über die Krise der amerikanischen Gesamtstrategie gegenüber der Sowjetunion; über die amerikanische Vernachlässigung der auf Westeuropa und die Bundesrepublik gerichteten strategischen Mittelstreckenwaffen der Sowjetunion; und prinzipiell über Amerikas Abkehr von der Entspannungspolitik seit 1976 und von der SALT-Politik seit 1980.

3. Meinungsverschiedenheiten über die Bewältigung der Kette ökonomischer Weltkrisen; zum Beispiel über die erste Dollarkrise 1969 bis 1973, die zugleich eine Krise des Weltwährungssystems von Bretton Woods auslöste; über die strukturelle Weltwirtschaftskrise als Folge der Ölpreisexplosionen 1973/74 und erneut – schwerer wiegend – 1979/80; über die zweite Dollarkrise 1977/79; und – als Folge amerikanischer Rekord-Haushaltsdefizite und deren weitgehender Finanzierung durch das Ausland – die dritte Dollarkrise seit 1985.

Nur ein kleiner Teil der in der ersten Kategorie genannten Meinungsverschiedenheiten war bilateraler Natur, ging also nur die Bundesrepublik und die USA an; die Meinungsverschiedenheiten der zweiten Kategorie betrafen die USA und die europäischen Verbündeten insgesamt, waren also multilateraler Natur; dies galt noch mehr von den Kontroversen der dritten Kategorie.

Manche Auseinandersetzungen wären zu vermeiden gewesen oder hätten unter geringeren Reibungsverlusten beigelegt werden können, wenn die politische Klasse in den USA annähernd soviel über russisch-sowjetische Geschichte, über Europa und über die Weltwirtschaft wüßte, wie umgekehrt die politischen Führer der europäischen Staaten gemeinhin über Amerika und über die Sowjetunion wissen. Wir Europäer müssen unser Wissen über Amerika ständig überprüfen und ergänzen. Bei Kriegsende war mein eigenes Wissen über Amerika äußerst gering; ich mußte es mir in den nächsten zwei Jahrzehnten erarbeiten und bin deswegen oft in die USA gereist. Dabei habe ich viele amerikanische Freunde gewonnen, für deren großzügige Gastfreundschaft – auch intellektuell – ich zeitlebens dankbar bleiben werde.

Erste Eindrücke von Amerika

In meiner Schulzeit hatte ich über Amerika so gut wie nichts gelernt – abgesehen von der Monroedoktrin, der Rolle der USA im Ersten Weltkrieg, Wilsons Vierzehn Punkten und dem Schwarzen Freitag an der New Yorker Börse 1929. Mit der amerikanischen Literatur sah es nur wenig besser aus; ich hatte – außerhalb der Schule – Melvilles »Moby Dick« gelesen, als Kind natürlich »Onkel Toms Hütte«, auch »Tom Sawyer«, »Huckleberry Finn« und Kurzgeschichten von Mark Twain; dann ein paar Bücher von Jack London und Gruselgeschichten von Edgar Allan Poe; den tiefsten Eindruck hatte Thornton Wilders »Die Brücke von San Luis Rey« hinterlassen.

Aber von der amerikanischen Revolution, von der Unabhängigkeitserklärung, der Erklärung der Menschenrechte, von Thomas Jefferson, Benjamin Franklin oder George Washington hatte die damals in Deutschland heranwachsende Jugend keine Ahnung; wir wußten natürlich nichts von der amerikanischen Demokratie oder von Alexis de Tocqueville, nichts von der Sklavenbefreiung unter Abraham Lincoln, und fast ebensowenig hatten wir von der großartigen amerikanischen Literatur des zwanzigsten Jahrhunderts gehört.

Franklin D. Roosevelt wurde uns als »Plutokrat« dargestellt, was soviel heißen sollte wie: Exponent der Herrschaft des großen Geldes. Diese am Vulgärmarxismus anknüpfende Verächtlichmachung des amerikanischen Kapitalismus fiel bei mir auf fruchtbaren Boden; denn meine Tante Marianne, eine Schwester meiner Mutter, berichtete aus eigener Erfahrung nichts Gutes. Sie war der Depression wegen kurz vor Ausbruch des Zweiten Weltkrieges aus den Vereinigten Staaten nach Hamburg zurückgekehrt, nachdem sie sich als gescheiterte Sängerin fünfzehn Jahre lang mit Klavierunterricht in Minnesota durchgeschlagen hatte. Es war ihr dabei nicht eben gut ergangen; sie redete zwar anerkennend über ihre amerikanischen Freunde und über unsere Verwandten in Duluth, welche sie aufgenommen und ihr immer wieder geholfen hatten. Aber sie brachte auch sehr negative Eindrücke mit. Mit einem Wort: Bei Kriegsausbruch waren meine Kenntnisse über Amerika äußerst gering, und sie hatten, was meine wirtschaftlichen und sozialen Vorstellungen anging, einen negativen Akzent.

Erst die antiamerikanische Hetzpropaganda während des Krieges ließ mich ahnen, daß die USA auch ihre guten Seiten haben mußten – warum sonst gab sich Goebbels solche Mühe, sie in unseren Augen herabzusetzen? Schon zu Beginn von Hitlers Rußlandfeldzug im Juni 1941 wußte ich, dies wird unser Ende; ich erinnerte mich an Napoleons Zug nach Moskau, an seinen katastrophalen Rückmarsch; die Weiten Rußlands erschienen mir unüberwindlich. Ich hatte damals einen Streit mit einem Onkel, der zutiefst empört war, als ich ihm im Sommer 1941 erklärte, nach Kriegsende würden wir Deutschen alle in Erdlöchern und bestenfalls in Baracken leben. Als Hitlers Hybris im Dezember 1941 den Eintritt der USA in den Krieg gegen Deutschland provozierte, erinnerte ich mich an Amerikas kriegsentscheidende Rolle 1918. Ich war entsetzt und fühlte mich in meiner Baracken-Prognose nur bestätigt. Damals standen wir tief in Rußland, kurz vor Moskau; und doch kämpften wir schon ums Überleben und darum, nicht in Kriegsgefangenschaft zu geraten. Also haben wir Soldaten unsere Gedanken über die größeren Zusammenhänge beiseite geschoben.

Erst drei Winter später, nach dem Zusammenbruch der Ardennen-Offensive, welche in Amerika »Battle of the Bulge« genannt wird, bin ich zum ersten Mal Amerikanern begegnet. Genauer gesagt: ich bin ihrem Artilleriefeuer, ihren »Thunderbolts« und »Lightnings« begegnet, aber ich habe keinen einzigen amerikanischen Soldaten gesehen. Sie griffen immer erst an, wenn wir durch massivstes Artilleriefeuer und durch drückende amerikanische Luftherrschaft – die amerikanische Luftwaffe hatte geradezu ein Monopol von der Morgen- bis zur Abenddämmerung – zermürbt waren und uns zurückgezogen hatten. Ich hielt den Kampf gegen die Amerikaner und Engländer für unsinnig und sagte meinem Kommandeur, man solle doch die Amis so weit wie möglich nach Deutschland hereinlassen und sich auf die Abwehr der russischen Armeen konzentrieren. Er lehnte das entrüstet ab, zeigte mich aber nicht an. Vielleicht glaubte auch er – wie damals viele deutsche Soldaten –, es werde bald zu einem amerikanisch-russischen Konflikt in Mitteleuropa kommen, aber er sprach nicht davon.

Ich hatte mir Kriegsende und Kriegsfolgen noch weitaus schrecklicher vorgestellt, als es dann gekommen ist. Der Winter 1946 auf 1947 war zwar trostlos; die Menschen hungerten und froren in den zerstörten Städten, in die Millionen von Flüchtlingen aus dem Osten geströmt waren. Aber im September 1946 hielt der amerikanische Außenminister James Byrnes in Stuttgart eine Rede, die den Deutschen wieder eine Zukunftsperspektive entwickelte. Knapp zwei Jahre später widerstanden die USA der Berlin-Blockade Stalins. Wir sahen das politische und militärische Risiko, das die amerikanische Führung auf sich nahm, und wir bewunderten die Piloten der»Rosinenbomber«. Dies war die Zeit, in der sich die Hoffnungen und das Vertrauen der Deutschen den Amerikanern zuwandten.

Mir waren die Augen über Amerika schon früher aufgegangen. Während meiner Studentenjahre von Ende 1945 bis zum Sommer 1949 im zerbombten Hamburg habe ich auf das Studium nur wenig Zeit verwendet; es fiel uns alten Soldaten auch etwas schwer, den Universitätsbetrieb und die Professorenschaft ganz ernst zu nehmen – obwohl es glanzvolle Ausnahmen gab, Lehrer, die wir sehr verehrten. Einen erheblichen Teil meiner Zeit wendete ich an den Broterwerb, einen weiteren Teil an meine politische Bildung; ich war Ende 1945 zur SPD gegangen und ihr kurz darauf auch formell beigetreten. Der Rest meiner Zeit blieb für die allgemeine Bildung. Jetzt endlich konnte meine Generation, dank Ernst Rowohlts Buchausgaben in Rotationsdruck und Zeitungsformat, die moderne Literatur des Auslands lesen. Jetzt endlich las ich Walt Whitman, Theodore Dreiser, Sinclair Lewis, Upton Sinclair, William Faulkner, Thomas Wolfe, F. Scott Fitzgerald, William Saroyan, Ernest Hemingway, John Steinbeck und wie sie alle hießen. Ich war hingerissen von der Fülle und von der Kraft.

Wenn wir es uns irgend leisten konnten, gingen wir in die Kammerspiele, ein kleines, kaltes Theaterchen in der Hartungstraße. Die Prinzipalin Ida Ehre stellte uns dort mit primitivsten Mitteln, aber mit großartigen Schauspielern (sie selbst eingeschlossen) die zeitgenössischen Stücke des Auslands vor. Eine Aufführung von Thornton Wilders»Wir sind noch einmal davongekommen« mit Hilde Krahl als Putzfrau werde ich nie vergessen.

Im Hungerwinter 1946 lebten wir von 896 Kalorien pro Tag. Aber Tante Marianne bekam ab und zu ein Care-Paket von den Verwandten in Duluth und ließ die ganze Hamburger Sippe am Kaffee teilhaben; Amerika war offenbar ein Wunderland – und unzweifelhaft waren die Amerikaner eine großzügige Nation, von George Marshall und dem Marshallplan bis zu Uncle August in Duluth, Minnesota.

Es war eine turbulente Übergangszeit zwischen dem Kriegsende und der Gründung der Bundesrepublik, eine Zeit, die trotz Hungers und vielfältigen Elends für viele von uns eine großartige geistige Befreiung und Entfaltung bedeutete. Zwei Ereignisse gegen Ende dieser Zeit haben mein Verständnis für die USA besonders befruchtet. Das eine war die Währungsreform vom Juni 1948, welche der damalige Wirtschaftsdirektor der Bizone, Ludwig Erhard, mit der Abschaffung der meisten Bezugsscheine und Lebensmittelkarten verknüpfte. Dies waren ökonomische Großtaten. Zum ersten Mal in meinem Leben erlebte ich eine funktionierende Marktwirtschaft, von der ich auf der Universität nur gehört und die ich lediglich abstrakt begriffen hatte, ohne sie mir wirklich vorstellen zu können. Für uns hatte bis dahin nur der schwarze Markt existiert: Eine amerikanische Zigarette hatte 6 Reichsmark gekostet; für einen Korb Kartoffeln und ein Brot hatte meine Frau nächtelang Pullover stricken müssen.

Ein Jahr später schrieb ich meine Diplomarbeit über die Währungsreform 1946 in Japan und 1948 in Deutschland. Ich verstand, daß die Währungsreform in Japan viel zu früh, bei völlig ungenügendem Güterangebot, versucht worden war und deshalb hatte fehlschlagen müssen. Ich begriff aber auch, daß die deutsche Währungsreform zwei Jahre später die Voraussetzungen ihres Erfolges dem Marshallplan verdankte. Einer der Köpfe, die hinter der deutschen Reform steckten, der junge Amerikaner Edward A. Tenenbaum, ist, sehr zu Unrecht, kaum in das Bewußtsein der Deutschen gedrungen. Er war das intellektuelle Bindeglied zwischen amerikanischer Militärregierung und deutschen Fachleuten. Leutnant Tenenbaum aus New York war der Sohn jüdischer Emigranten aus Polen. Er verdient ein Denkmal in der deutschen Wirtschaftsgeschichte.

Das andere Ereignis war die Bekanntschaft mit einem Amerikaner, der eigentlich ein deutscher Jude aus Hamburg war, Eduard Heimann von der New School of Social Research in New York. Vorträge dieses großartigen Universitätslehrers, vor allem bis tief in die Nacht reichende Unterhaltungen mit ihm haben mir den Blick geöffnet und erweitert. Ich begriff zum Beispiel, warum der Marxismus ethisch ins Bodenlose führen mußte. Heimann war vor seiner Emigration religiöser Sozialist gewesen

162

und gehörte zum Kreis um Paul Tillich; so hörte ich zum ersten Mal von der katholischen Soziallehre. Heimann brachte mich auch dazu, die Schriften der amerikanischen Revolution zu lesen. Bei aller Liebe zu seiner neuen Heimat Amerika war er gleichwohl von europäischer Bildung geprägt, und seine geistigen Wurzeln reichten in das geschichtliche und kulturelle Erdreich Deutschlands ebenso wie in den geistigen Boden der Franzosen, Spanier und Italiener. Wohl zwangsläufig wurde »Freiheit und Ordnung« sein Schlüsselwort: Die Freiheit hatte er in den USA festgegründet erlebt, die Einsicht in die Notwendigkeit zur Ordnung hatte er wahrscheinlich aus Europa mitgebracht. Eduard Heimann war der erste große Amerikaner, den ich unmittelbar erlebt habe.

Wenig später kam es zu meiner ersten Reise in die USA. Inzwischen sind es fast einhundert Reisen geworden; außer Idaho und den beiden Dakotas habe ich alle Staaten besucht und ungeheuer viel dabei gelernt. Wer Amerika, seine Lebensformen und sein Wertgefühl oberflächlich mit französischen oder deutschen Maßstäben mißt, dem bleibt vieles unverständlich, manches befremdlich, und einiges kommt ihm sogar unsympathisch vor. Auf der anderen Seite muß der Amerikaner, der seine Südstaatenmentalität oder sein Go-West-Naturell zum Maßstab seiner Kritik an Europa macht, von dessen zweitausendjähriger Geschichte und der sprachlichen und kulturellen Vielfalt aber nicht viel weiß, ebenfalls vieles unverständlich finden. Da wir, Amerikaner und Europäer, jedoch aufeinander angewiesen sind und bleiben, sollten wir auf beiden Seiten große Anstrengungen machen, uns besser kennenzulernen. Düsenflugzeuge, Fernmeldesatelliten und Fernsehen bieten ja die technischen Mittel, die wir nutzen sollten, um uns näherzukommen und voneinander zu lernen. Solange uns aber zum Beispiel die deutschen Fernsehanstalten die amerikanischen Freunde erst jahrelang vor allem in Gestalt von Soldaten in Vietnam und dann überwiegend als dekadente kapitalistische Clans in Dallas oder Denver vorführen und solange im amerikanischen Fernsehen die Deutschen größtenteils als Soldaten Hitlers oder sogar als Schergen der SS, wenig später dann als militante Pazifisten gezeigt werden, so lange wird das gegenseitige Verständnis immer wieder erschwert.

Mit meiner ersten Amerikareise 1950 war ein geschäftlicher Auftrag verbunden. Für mehrere Wochen hatte ich den Hamburger Hafen auf einer internationalen Messe auf dem Navy-Pier in Chicago zu vertreten. Wenngleich ich außer in Chicago nur je zwei Tage in New York und Duluth gewesen bin, so habe ich doch auf jener Reise vieles gesehen. Ich war spontan fasziniert – meine Zuneigung zu Amerika nahm ihren Anfang.

Der Hamburger Hafen war zerstört. Was meine beiden Chefs – der damalige hamburgische Wirtschaftssenator Karl Schiller und der Hafendirektor Ernst Plate – und ich ausstellten, waren lediglich Pläne und Modelle für den Wiederaufbau; wir warben um Vertrauen in Hamburgs Zukunft. In Wahrheit hatten wir noch nichts zu bieten. Trotzdem kamen interessierte amerikanische Besucher in unsere Ausstellungskoje:»Sehr interessant; aber eines möchte ich gerne wissen: Wie benehmen sich eigentlich die Sowjets bei Ihnen in Hamburg? Erlauben die denn, daß Sie zu uns gekommen sind?« Daß Hamburg im Westen des geteilten Landes liegt, wußten die Fragesteller nicht; wie sollten die Leute im amerikanischen Mittelwesten dies auch wissen? Die Hamburger wußten damals auch nicht, ob Seattle zu den USA oder zu Kanada gehört.

Als meine beiden Chefs nach der offiziellen Eröffnung wieder abgereist waren, zog ich in ein billigeres kleines Hotel, und auf diese Weise machte ich bald eine Reihe von Zufallsbekanntschaften. Ich las amerikanische Zeitungen und Magazine und hörte Radio; abends lief ich durch die Loop und bestaunte Amerika. Ein Eindruck hat sich mir schon damals aufgedrängt, den ich noch heute – dreieinhalb Jahrzehnte später – an erster Stelle nenne, wenn vom amerikanischen Volke die Rede ist: die ungeheure Vitalität.

Eine große Dynamik und der Hang zum Optimismus, der freilich mit der Neigung einhergeht, Sachverhalte und Probleme bisweilen über die Grenze des Zulässigen hinaus zu vereinfachen, erlauben jene typisch amerikanische Haltung des»Keine Sorge, wir werden das schon schaukeln«; aus dieser Grundeinstellung kommt am Ende auch der Erfolg.

1950 machte Senator Joseph McCarthy viel von sich reden; ein Großteil der einfachen Leute schien seiner exaltierten Kommunistenjagd verfallen zu sein. Mich hat das zwar gestört, denn der Mann kam mir wie eine größenwahnsinnige Taschenausgabe von Marat vor und seine Anklagen erinnerten mich an die Nazis, aber der fanatische, für viele seiner Landsleute gefährliche Unfug McCarthys hat meiner Liebe zu Amerika nichts anhaben können.

Das persönlichste Erlebnis dieser ersten Amerikareise war die großzügige Freundschaft meiner Verwandten in Duluth, die ich ein langes Wochenende genoß. Als ich am Bahnhof ankam, empfing mich eine größere Zahl von etwa gleichaltrigen Cousins und Cousinen (alle zweiten Grades) samt ihrer Ehegatten; die Cousinen behaupteten, die Ehrenjungfrauen der Stadt zu sein, und küßten mich der Reihe nach ab. Der Empfang durch meine Onkel und Tanten war nicht ganz so überschwenglich, aber doch

950 vertrat Helmut Schmidt zusammen mit seinem damaligen Chef, dem Senator Karl Schiller, und dem Hamburger Hafendirektor Ernst Plate die Interessen der Hansestadt auf einer internationalen Messe in Chicago. Anschließend besuchte er Verwandte in Duluth, Minnesota; unten der Bahnhof dieser Stadt im Norden der USA.

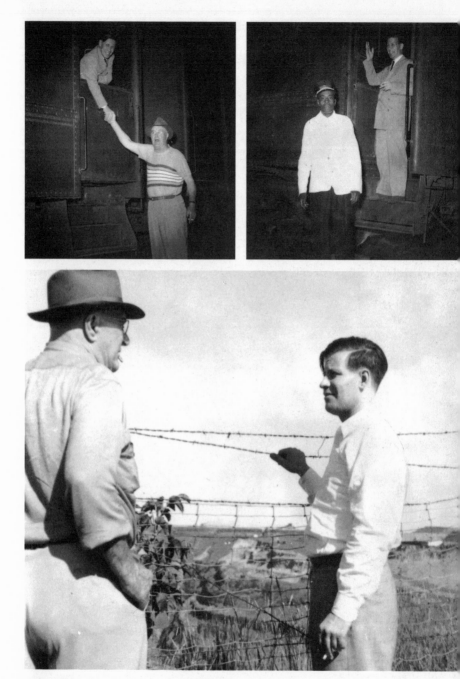

Bei August Hanft und
den Verwandten in
Duluth erlebte Helmut
Schmidt jene herzerfri-
schende Spontaneität
und Großzügigkeit, die
das amerikanische Volk
in seinen Augen bis
heute kennzeichnet.
»Uncle August« hatte
Schmidt eine Stellung in
seiner kleinen Eisengie-
ßerei angeboten.

Visitor Extols Reich-West Bond

★ ★ ★   ★ ★ ★
German Economy Revived by U. S. Aid, Hamburg Man Says

Picture on Page 9.

Three dachshunds, a piano, plenty of coffee, and approximately 30 distant relatives are giving Helmut H. W. Schmidt, Hamburg, Germany, a memorable 36-hour visit here.

On his first visit to Duluth during his first trip to the U. S., he is personally doing something about a problem best stated in his own words: "We don't know enough about each other."

Last night as he entertained at the home of rela-

tives, Mr. and Mrs. Rodney Olson, 2328 Jefferson street, he typified. a new spirit that is strengthening the bonds between a new Germany and its western associates.

Schmidt is in the U. S. to attend the Chicago International Trade fair. He is general secretary of the Hamburg economy and transport authority, thus a key man in the economic recovery of the battered German port city, once second biggest harbor in Europe.

He was surprised to learn that

an average of 60,000,000 tons of shipping is handled in Duluth Superior harbor each year, compared to Hamburg's prewar 25,-000,000 tons.

"You see." he said, "the people of Hamburg do n o t know very much about t h e things they do. It is the same with Duluth people a b o u t Hamburg. We don't know enough about each other. I have had m a n y people in

See GERMANY, Page 8

'SCHNORK' LIKES VISITOR

Story on page 1.

Schnork, one of three dachshunds in his host's household, gets an honored place on the lap of Helmut H. W. Schmidt, Hamburg, as Schmidt chats with Mr. and Mrs. Rodney Olsen, Duluth relatives. Schnork came from kennels kept by Gen. Claire Chennault in China.—(Herald staff photo.)

Germany
(Concluded From Page 1.)

America ask where Hamburg is situated."

Schmidt declared Hamburgians and people of other German communities are not hostile toward the western powers. Rather, they recognize that in the western world only can they hope to enjoy full freedom and get genuine help in healing their war sores.

Himself an eight-year veteran of the once-mighty German war machine, Schmidt expressed the thanks of a grateful community for the Marshall plan help it has received.

"It is hard to imagine what would have happened without Marshall plan aid." he said. "In Hamburg, 250,000 of our 500,000 homes w e r e destroyed. U. S. aid has helped build 35.000 new homes."

With half of the farm production power of Germany cut off by the Iron Curtain, western sectors have had to depend upon Marshall plan food imports to live on.

"The Iron Curtain really represents a trade war between the two sections. We cannot get through to develop normal trade within our own country," the visitor said.

The country that has sent CARE packages and vital dollars to the rubble-splotched cities of Germany has rewon German c o n f i d e n c e and trust, Schmidt concluded. H e remarked:

"The overwhelming majority of the people of Hamburg and Germany feel convinced that they would have no chance of living under a Communist government. Their only chance. is to live in close contact with the western world."

Die Lokalpresse von Duluth ließ den deutschen Gast ausführlich

zu Wort kommen; der Artikel des »Herald« dürfte der erste Bericht

über Helmut Schmidt in den amerikanischen Medien gewesen sein.

sehr herzlich. Ein Vierteljahrhundert später bin ich als Bundeskanzler zusammen mit meiner Frau einmal für einen Tag in Duluth gewesen; es gab einen »großen Bahnhof«, und die ganze Sippe traf sich abermals in dem großen Haus meines Cousins Philipp Hanft – die meisten von uns inzwischen ergraut. 1950 war ich eigentlich gekommen, um im Auftrag meiner Tante Marianne und der Hamburger Sippe für die Care-Pakete Dank zu sagen. Ich wurde über Deutschland ausgefragt, aber es gab kein Wort der Anklage wegen der Naziverbrechen und des Krieges, der so viele amerikanische Leben gekostet hatte. Onkel August führte mich in seine von ihm selbst geleitete Fabrik, eine kleine, einfache Eisengießerei. Sie hatte etwa fünfzehn oder zwanzig Arbeiter und Angestellte und schien die ganze Familie gut zu ernähren. Das Faszinierende aber war: Es standen genauso viele Autos davor, wie Leute dort beschäftigt waren, jeder besaß ein Auto! Dergleichen hätten wir in Deutschland nicht zu träumen gewagt; tatsächlich hat die Motorisierung des kleinen Mannes bei uns erst in den siebziger Jahren ein vergleichbares Maß erreicht.

Man muß mir mein Staunen angesehen haben. Jedenfalls machte mir mein Onkel am nächsten Tag ein verlockendes Angebot:»Bleib einfach hier; wir stellen dich in der Fabrik ein. Ein leeres Haus haben wir auch für dich, du brauchst Loki und Susanne nur nachkommen zu lassen.« Da war sie wieder, diese herzerfrischende amerikanische Spontaneität und diese umwerfende Großzügigkeit. Wir haben uns nicht entschließen können, Deutschland zu verlassen, obschon wir damals mit vier Familien in einer Vierzimmerwohnung ziemlich trostlos hausten. Aber die Freundschaft mit den Verwandten, die mit mir nur einen Urgroßvater gemeinsam haben, und mit ihren Kindern haben wir aufrechterhalten.

Neue amerikanische Freundschaften kamen in den fünfziger Jahren hinzu, besonders nachdem ich 1953 in den Bundestag gewählt worden war. Damals kam es zur ersten Bekanntschaft mit Henry Kissinger, der sich als junger Associate Professor in Harvard mit Strategie beschäftigte; später ist daraus eine zuverlässige Freundschaft geworden. In diesen Jahren lernte ich auch Robert Bowie kennen, der später unter Kennedy den Planungsstab im State Departement leitete; ich traf Herman Kahn, Donald Brennan, William Kaufmann, Hans Bethe, Edward Teller, Robert Osgood und Roger Hilsman. Ich lernte die Rolle Albert Einsteins verstehen, und ich begriff die Oppenheimer-Tragödie. Vor allem ging mir die Funktionsweise des Kongresses auf, die sich so gänzlich von derjenigen des Bundestages, aber auch von der des britischen Unterhauses unterscheidet.

Auf meinen Reisen durch die Vereinigten Staaten erlebte ich die ruhige, gelassene Autorität, die von Präsident Eisenhower ausging. Er hatte den Koreakrieg beendet und die amerikanischen Soldaten nach Hause geholt. Im Juni 1953 hatte er beim Aufstand in der DDR nicht eingegriffen, und er hatte sich auch beim Aufstand in Ungarn zurückgehalten. Er respektierte die zwar nicht vereinbarte, de facto aber bestehende sowjetische Einflußzone in Europa; jedoch ließ er nicht zu, daß Moskau den Amerikanern den Rang ablief. Ich hatte Vertrauen zu ihm und seiner ausgewogenen auswärtigen Politik.

Damals wollte der demokratische Senator Michael Mansfield (den ich ein Vierteljahrhundert später als amerikanischen Botschafter in Tokio wiedertraf) die amerikanischen Truppen aus Europa nach Hause holen. Wilhelm Mellies, bis 1958 stellvertretender Vorsitzender der SPD unter Erich Ollenhauer, und ich gehörten zu den vielen, die in den fünfziger Jahren vergeblich versuchten, Mansfield davon zu überzeugen, daß dies ein strategischer Fehler wäre. Ich hielt Mansfields Konzept, das zur »idée fixe« geworden war, für gefährlich, weil es zu einem überwältigenden Übergewicht sowjetischer Truppen in Europa führen mußte. Die Notwendigkeit eines strategischen Gleichgewichts begann damals in meinem Denken Platz zu greifen. Wir besuchten auch Senator James W. Fulbright, der in Washington als der führende außenpolitische Kopf galt. Fulbright teilte die Meinung seines Kollegen nicht; er vermißte vielmehr eine globale Friedensstrategie seiner Administration.

Wir lernten damals daß es im amerikanischen Senat nicht so sehr darauf ankommt, daß Republikaner der republikanischen Administration helfen (wie es in Europa für eine regierende Partei selbstverständlich war und ist), sondern daß der Senat als Ganzes und über die Parteien hinweg sich zuallererst als selbstbewußte Kontrolle und als Gegengewicht zum Präsidenten und seiner Administration versteht. Das geschickte Zusammenspiel der beiden *floorleader,* Lyndon Johnson für die Demokraten und William Knowland für die Republikaner, hätte in Bonn eher als Parteiverrat gegolten – wobei man allerdings zugeben muß, daß parlamentarische Abstimmungsniederlagen für die Regierungen in Europa im allgemeinen weit ernstere politische Folgen mit sich bringen als eine Abstimmungsniederlage für einen amerikanischen Präsidenten.

Auf einer meiner frühen Amerika-Reisen habe ich Walter Lippmann besucht, der damals Dean des politischen Journalismus war und dessen weitverbreitete Kolumnen ich bewunderte. Auch heute empfinde ich Hochachtung vor den Spitzenleuten des amerikanischen Journalismus – Marvin Kalb, Joe Kraft, Flora

Lewis oder James Reston sind mir immer hervorragende Seismographen gewesen. Die meisten Zeitungen in den USA sind schrecklich provinziell in ihrer Berichterstattung, die selten über Lokalereignisse hinausreicht; sie können sich mit europäischen Provinzzeitungen kaum messen. Aber einige der im ganzen Land gedruckten Kolumnisten gehören zu den besten der Welt, ebenso einige der Zeitungen, wie zum Beispiel der »Christian Science Monitor«, die erste Seite des »Wall Street Journal«, die »New York Times«, die »Washington Post«; auch die Wochenmagazine wie »Time« und, nicht immer ganz so zuverlässig, »Newsweek«.

Die in Paris herausgegebene, an mehreren Orten Europas gedruckte amerikanische »International Herald Tribune« halte ich für die beste Tageszeitung der Welt, weil sie drei Vorzüge in sich vereint: ausgewogene weltweite Berichterstattung auf knappem Raum, einen vorzüglichen Überblick über die USA und schließlich vielfältige, reiche Kommentare auf hohem Niveau, die aus vielen amerikanischen Quellen schöpfen. Im Zeitalter des Fernsehens und der Überfütterung des Publikums mit Fernsehkanälen und -programmen haben die Zeitungen nur einen vergleichsweise geringen Einfluß auf die Urteilsbildung der amerikanischen Nation, sie beeinflussen aber die politische und die wirtschaftliche Elite.

Als Abgeordneter, Minister und als Bundeskanzler habe ich mich immer gern dem Einfluß der Zeitungen ausgesetzt; jeden Tag habe ich bis zu anderthalb Stunden Zeitungsberichte und -kommentare gelesen, und nicht etwa nur die vom Presseamt angefertigten Kurzfassungen. Die mir mitunter nachgesagte Journalistenfeindlichkeit beruht auf einem Mißverständnis. Zwar habe ich es immer verabscheut, sozusagen auf der Treppe, im Fahrstuhl oder am Rande einer Sitzung Fünf-Minuten-Interviews zu geben; auch habe ich Interviews mit inkompetenten Fragestellern oft genug für eine Zumutung gehalten. Ich habe immer gewußt, daß der Begriff »Journalist« ein Sammelbegriff ist, der ebenso wie der Sammelbegriff »Politiker« sehr unterschiedlich qualifizierte Menschen umfaßt; die Skala reicht in beiden Bereichen vom Beinahe-Kriminellen bis zum Staatsmann. Aber für ein Gespräch mit Kurt Becker oder Hans Reiser, mit Catherine Graham, Anatole Grunwald oder James (»Scotty«) Reston habe ich meinen Terminkalender immer gern über den Haufen geworfen.

Hervorragend sind in den USA die wenigen großen politischen Fernsehinterviewer, die oft exzellent informierte und außerordentlich urteilsfähige Journalisten sind. Sie stellen kluge Fragen und zwingen ihren Partner, seine Meinung zu entfalten, ohne ihn nach vorgefaßtem Urteil in eine bestimmte Ecke oder ins Abseits zu drängen. Natürlich kommt hinzu, daß ein Interview mit Barbara Walters oder Walter Cronkite nicht nur intellektuell Spaß machte, sondern auch ein hervorragendes Instrument war, den Bürgern der USA deutsche Politik gedanklich und gefühlsmäßig nahezubringen.

Bei meinen Besuchen in Washington besuchte ich immer auch den Präsidenten der mächtigen Gewerkschaftsorganisation AFL-CIO George Meany und später seinen Nachfolger Lane Kirkland. Die Auffassungen der Gewerkschaftsspitze zu kennen erschien mir immer genauso wichtig wie das Gespräch mit den herausragenden Industriellen und Bankern; in den ersten Jahren war es vor allem David Rockefeller, dem ich viel verdanke. Natürlich sprach ich bei meinen Besuchen in den Firmen und großen Fabriken des Landes möglichst viele Leute: Von Detroit bis Seattle, von Cleveland bis Houston, von South-Carolina bis Kalifornien sammelte ich meine Eindrücke. Fast überall gab man großzügig Auskunft. Aber die Leistungen waren ja auch eindrucksvoll! In der Mitte der fünfziger Jahre war die amerikanische Industrie der deutschen noch hoch überlegen.

Zu Besuch bei Hollywoods Filmindustrie sahen Wilhelm Mellies und ich einen Nachmittag lang Grace Kelly zu, die damals ihren letzten Film drehte. Viele Jahre später habe ich sie, in Begleitung von Raymond Barre und seiner Frau, als Fürstin von Monaco wiedergesehen; gemeinsam tanzten wir einen altmodischen Walzer. Ihr Unfalltod kurz darauf ist mir nahegegangen.

Von Hollywood ging es zu den Flugzeugwerken Boeing in Seattle, wo uns die erste zivile 707 gezeigt wurde, die gerade aus einem militärischen Langstrecken-Tankflugzeug entwickelt worden war. Bald sollte sie ihren Siegeszug durch die ganze Welt antreten; als Bundeskanzler flog ich bei meinen Auslandsreisen stets mit einer Boeing 707.

Dreißig Jahre später war ich wieder zu Besuch bei Boeing; es war eine Genugtuung für mich, daß man in den höchsten Tönen von der Lufthansa redete, die inzwischen eine in der ganzen Welt angesehene Luftfahrtgesellschaft geworden war. Im Auftrag der Hamburger Landesregierung hatte ich in den frühen fünfziger Jahren geholfen, sie aus der Taufe zu heben; heute ist mein alter Freund Heinz Ruhnau ihr Vorstandsvorsitzender.

Der Stern Kennedys

Den Präsidentschaftswahlkampf des Jahres 1960 habe ich strekkenweise aus der Nähe miterlebt. Die deutschen Sozialdemokraten haben von Kennedys Wahlkampftechnik profitiert und sie in Teilen auf Willy Brandts Bundestagswahlkämpfe 1961, 1965 und abermals 1969 zu übertragen gesucht – oft mit Erfolg. Die eigentliche Faszination durch Kennedy begann jedoch erst nach seinem knappen Sieg über Nixon, sie begann mit Kennedys Inaugurationsrede. Deren Inhalt, Sprache und Stil haben auch die Deutschen mitgerissen.

Kennedys Bild und der Glanz, der von ihm ausging, die Leistung, aber auch der Fehlschlag seiner kurzen Ära mögen in der amerikanischen Geschichtsschreibung – und in der internationalen historischen Diskussion – noch manche Ergänzungen, Abstriche, vielleicht auch Umwertungen erfahren. Auch für mich sind das Schweinebucht-Desaster, das gefährlich-leichtfüßige Treffen mit Chruschtschow in Wien 1961, das dem Bau der Berliner Mauer vorausging, und die Verstrickung der USA in den von Frankreich schon verlorenen Vietnamkrieg zwiespältige Erinnerungen; aber die später in den USA nicht seltene, mitunter scheinheilige, oft zynische Bemerkung, Kennedy sei angesichts des Desasters des Vietnamkrieges rechtzeitig ermordet worden, fand ich widerlich. Die Führungsunsicherheit zur Zeit des Mauerbaus habe ich miterlebt; ich werde den 13. August 1961 nicht vergessen, an dem sich Zehntausende Berliner auf dem Platz vor dem Schöneberger Rathaus versammelten, um ihrer Empörung und ihrer Angst, aber auch ihrer Hoffnung auf Kennedys Eingreifen Ausdruck zu geben. Der Regierende Bürgermeister Willy Brandt, damals der überragende Führer der Berliner, war offensichtlich ohne befriedigende Zusagen aus Washington geblieben. Ich erlebte seine Rede am Radio mit: Er gab seinen Berlinern Zuversicht, und zugleich hielt er sie ab von unüberlegten und gefährlichen Reaktionen; das war charakterlich und rhetorisch eine Meisterleistung; erst einige Tage später schickte Kennedy seinen Vizepräsidenten Johnson in die zutiefst verunsicherte alte deutsche Hauptstadt. Mit einem Wort: 1961 hatte ich meine Zweifel, ob Kennedy, dem außenpolitische Erfahrungen offenkundig fehlten, genug Urteils- und Entschlußkraft zur Bewältigung internationaler Krisen besitzen würde.

Diese Zweifel wurden im Oktober 1962 durch seine unvergleichlichen Operationen zur Beilegung der kubanischen Raketenkrise beseitigt. Ich war damals Senator für Inneres in Hamburg, also von der Bundespolitik und erst recht von der internationalen Politik weit entfernt. Gleichwohl war mir die Gefahr eines bewaffneten Zusammenstoßes der beiden nuklearen Weltmächte, die Gefahr eines neuen Weltkrieges sehr deutlich. Die allwöchentlichen Konferenzen mit meinem Staatsrat Hans Birckholtz und den Amtsleitern der Behörde für Inneres beschäftigten sich denn auch mehr mit der Beobachtung der Weltkrise – für die wir nun wirklich keinerlei Zuständigkeit besaßen – als mit hamburgischen Kommunalangelegenheiten.

Wir haben den amerikanischen Präsidenten bewundert; fast täglich erörterten wir unter uns, welche Optionen ihm für den jeweils nächsten Schritt zur Auswahl stünden – aber Kennedy und sein Team erfanden etwas, was es historisch oder völkerrechtlich gar nicht gab: eine partielle Seeblockade des Inselstaates, verharmlosend »Quarantäne« genannt, ohne daß geschossen wurde. Daß Washington schließlich den Knoten lösen konnte, den Chruschtschow in draufgängerischem Abenteurertum geschürzt hatte, ohne diesen als großen Verlierer hinzustellen, weil Kennedy große Mühe daran wendete, ihn das Gesicht wahren zu lassen, hat mich stark beeindruckt.

Die Kuba-Krise und die Art ihrer Beilegung hat die spätere Entwicklung des Verhältnisses der beiden nuklearen Weltmächte zueinander, auch die Beziehungen zwischen den USA und ihren europäischen Verbündeten – insbesondere zu dem Frankreich de Gaulles – wesentlich beeinflußt, allerdings nicht nur in positiver Hinsicht. Damals, 1962, stand aber Kennedys Leistung im Vordergrund. Der Präsident entsprach den politischen Wunschvorstellungen vieler Deutscher von einem politischen Führer: ein Idealist mit einer großen Vision und einer kleinen Ingredienz Romantik, zugleich aber ein Mann praktischen, erlebbaren Erfolgs. Der ideale Staatsmann soll nach einer weitverbreiteten illusionären Vorstellung des Publikums ein mitreißendes Bild von der Zukunft entfalten; zugleich soll er es aber auch verwirklichen. Er soll sympathisch sein – sogar ein Quentchen erotische Anziehungskraft ausstrahlen – und ein großer Redner; aber er soll auch ein guter Rechner sein. Er soll wahrhaftig und durchsichtig sein, zugleich aber ein »Realpolitiker«. Diese niemals in einer Person vereinten Eigenschaften und Fähigkeiten hatten die Deutschen bei Schumacher, Adenauer und Erhard nur partiell gefunden. Jetzt aber schien es, als ob ein junger amerikanischer Präsident alle diese Wunschvorstellungen zugleich erfüllte.

Viele Deutsche waren unter diesem Eindruck bereit, sich der amerikanischen Führung ohne Vorbehalte anzuvertrauen. Wir wären auch bereit gewesen, der deutsch-amerikanischen Freundschaft Opfer zu bringen, wenn Kennedy an uns appelliert hätte. Seine Rede am 4. Juli 1962 in Philadelphia schien uns zu demonstrieren: Dieser amerikanische Präsident hat Europa verstanden, er bietet uns Europäern Partnerschaft gleichen Ranges mit seiner eigenen Nation an – ein Eindruck, den ich später nur noch ein einziges Mal gehabt habe, nämlich bei Gerald Ford. Wir liebten Kennedy und mit ihm Amerika. Als er ermordet wurde, waren Bestürzung und Trauer in Deutschland nicht geringer als in seinem eigenen Land. Zugleich aber kam der erste Hauch jener Angst vor der politischen Zukunft auf, welche die Deutschen seither des öfteren heimgesucht hat, einmal schwächer, das andere Mal stärker.

Am Abend des 22. November 1963 hielt ich eine Rede auf einer sozialdemokratischen Parteiversammlung in Hamburg-Winterhude. Während ich sprach, reichte mir jemand einen Zettel mit der Nachricht von Kennedys Ermordung auf das Rednerpult. Ich unterbrach meine Rede und las die Nachricht vor. Es war unmöglich, weiterzusprechen oder weiterhin zuzuhören. Ich sagte: »Dieser Tod erschüttert uns alle. Er verändert die Welt. Laßt uns still nach Hause gehen.« Die Menschen wirkten, als seien sie von einer Keule getroffen: dumpfe Verstörung, verständnisloses Entsetzen und Trauer. Sie erhoben sich und verließen schweigend den Saal. Ein Stern war erloschen. Nie waren wir der amerikanischen Nation so nahe gewesen wie an diesem Abend.

Johnson stürzt Erhard

Die Johnson-Jahre haben manchen amerikanischen Enthusiasmus desillusioniert; in der Rückschau wird das immer deutlicher. Es dauerte freilich einige Jahre, bis die Ernüchterung im eigenen Land, dann der Widerstand gegen das Engagement in Vietnam, schließlich die Verzweiflung über die sinnlosen Opfer auf den südostasiatischen Reisfeldern von der Jugend Amerikas auf Europa und auf Deutschland übergriffen. Nach dem Tode Kennedys war zunächst einfach nur eine Leere eingetreten. Präsident Johnson blieb hinter den Erwartungen, die sein Vorgänger geweckt hatte, in unseren Augen weit zurück. Trotz der Propagierung der »great society« und trotz der ohne Zweifel wesentlichen sozialpolitischen Fortschritte, mit denen die amerikanische Gesellschaft in den sechziger Jahren den europäischen Wohlfahrtsstaat nachzuahmen schien, fehlte die Großzügigkeit – jedenfalls Europa gegenüber.

174

Unter Johnson gab es Mitte der sechziger Jahre zwei Auseinandersetzungen mit der amerikanischen Administration. Der erste Fall hing mit dem noch von Kennedy stammenden Projekt einer multinationalen Flotte von Trägerschiffen für Atomraketen zusammen (Multi-Lateral Force, MLF). Ich vermutete damals ein doppeltes Motiv bei den Amerikanern: Durch eine Beteiligung der Europäer sowohl an der nuklearstrategischen Abschreckung als auch an der Disposition über diese Nuklearwaffen konnte zum einen die Verwirklichung der Zweisäulentheorie ein gutes Stück vorangetrieben werden; zum anderen sollte das Projekt wohl der nach der kubanischen Raketenkrise immer deutlicher werdenden Distanzierung Frankreichs von der NATO begegnen. Die Raketenkrise hatte allen Europäern unmißverständlich vor Augen geführt, daß der Frieden Europas vollkommen von rein amerikanischen Entscheidungen abhing. De Gaulle hatte im Augenblick der dramatischen Zuspitzung der Krise Frankreichs Schicksal eindeutig mit demjenigen der USA verknüpft; er handelte, soweit ich erkennen konnte, als ein mustergültiger Verbündeter, ohne nach Details zu fragen.

Aus meiner Zeit im Straßburger Europaparlament kannte ich jedoch einige der französischen Anhänger de Gaulles und deren Ansichten über Amerika; deshalb stellte ich mir Anfang der sechziger Jahre vor, de Gaulle würde versuchen – nicht zuletzt wegen der Erfahrung der Kubakrise –, Frankreich aus der totalen strategischen Abhängigkeit von den USA zu lösen. Mir war dieses Streben der Gaullisten in seinen Konsequenzen nicht geheuer, da es einen tiefen Keil in die Allianz hineintreiben konnte. Auch in Deutschland entwickelte sich, vor allem bei der CSU in Bayern, ein ähnliches, an de Gaulle orientiertes Denken. Die Exponenten der CSU mit Franz Josef Strauß an der Spitze galten in Bonn als Sekundär-Gaullisten, während wir anderen zu den sogenannten Atlantikern gezählt wurden. Nachdem de Gaulle 1966 Frankreich brüsk aus der gemeinsamen, integrierten Militärorganisation der Allianz herausgenommen hatte, flaute der deutsche Sekundär-Gaullismus ab.

Das MLF-Projekt war mit fast unlösbaren Schwierigkeiten und daher mit endlosen Diskussionen verbunden, sowohl in den USA als auch in Europa; England legte einen eigenen, modifizierten Vorschlag vor (Allied Nuclear Force, ANF). Sollte es multinational gemischte Besatzungen geben? Wer sollte über den Einsatz entscheiden? Sollten den beteiligten europäischen Regierungen gegenüber einem amerikanischen Oberbefehl Vetorechte eingeräumt werden? Und, falls diese Fragen bejaht wurden, wäre die MLF überhaupt funktionstüchtig? Würde sie gegenüber Moskau ein glaubwürdiges Abschreckungselement werden können?

Auch in der deutschen Sozialdemokratie nahm diese Auseinandersetzung einen immer breiteren Raum ein. Der von mir sehr verehrte ehemalige Hamburger Bürgermeister Brauer, unbezweifelbar ein enger Freund der USA (er war während der Hitlerzeit in die USA emigriert), war der führende Exponent der Gegner. Ich selbst war aus antigaullistischen Motiven ein Befürworter; aber viel wichtiger war, daß sich Fritz Erler, außenpolitisch damals der führende Kopf der Sozialdemokratie, am Ende zur Bejahung durchrang.

Der Bundesparteitag 1964 folgte Fritz Erler und bereitete Brauer an dessen politischem Lebensabend eine bittere Niederlage. Aber wenige Monate später, im Dezember 1964, ließ Johnson über Nacht das Projekt ersatzlos fallen. Wir, die wir uns für ein strategisch wichtiges Anliegen der USA eingesetzt hatten, waren düpiert und verloren zu Hause an Ansehen. Damals begriff ich zum ersten Mal, daß es innenpolitisch riskant sein kann, sich engagiert für eine Politik der Führungsmacht einzusetzen, wenn auf deren Stetigkeit kein Verlaß ist.

Der zweite Fall ereignete sich im Sommer 1966. Diesmal ging es um die Erneuerung oder Verlängerung der auslaufenden deutsch-amerikanischen Vereinbarungen über einen Devisenausgleich (Offset) zugunsten der USA, konkret gesagt, um eine Entlastung der amerikanischen Zahlungsbilanz, die auch durch die Ausgaben für die in Deutschland stationierten Truppen aus dem Gleichgewicht gekommen war. Die USA erbrachten derartige Aufwendungen für ihre Truppen und sonstigen militärischen Einrichtungen auch in Frankreich, England, Italien, Belgien und so weiter; diesen Staaten wurde jedoch kein »Devisenausgleich« abgefordert. Deshalb betrachtete ich diese ausschließlich an die Bundesrepublik gerichtete Forderung als eine Camouflage für die Einforderung von Besatzungskosten, die gewiß nicht mehr zeitgemäß waren; bei freundlicherer Interpretation war es eine lediglich dem deutschen Partner auferlegte Kontribution.

Bundeskanzler Erhard stand Ende September 1966 vor einem Besuch bei Präsident Johnson; seiner Abreise ging eine Bundestagsdebatte voraus, die auch eine breite amerikanische Pressekampagne betraf, welche man in den USA im Vorfeld des Besuches entfaltet hatte, um Erhard unter Druck zu setzen und auf Zugeständnisse einzustimmen. Die amerikanische Regierung wollte sich auf ein nukleares »Mitbestimmungsrecht«, das die Bonner Regierung forderte, nicht einlassen. Statt dessen verlangte man höhere Zahlungen von Bonn, die teils als Devisenausgleich, teils als Bezahlung für amerikanische Waffen und Geräte deklariert wurden, welche die USA der Bonner Regierung in großem Umfang aufdrängte.

In dieser Debatte schlug ich vor, die von Erhards Regierung erhobene Forderung nach nuklearer »Mitbestimmung« anläßlich des Besuches aufzugeben, neue Verpflichtungen im Rahmen des Devisenausgleichs von Juli 1964 an aber nicht mehr in der bisherigen Höhe einzugehen. Die Bundesregierung hielt nichts von dieser Empfehlung. Der Besuch bei Johnson endete mit einer Demütigung für Erhard. In einer Bundestagsdebatte wenige Tage nach seiner Rückkehr verlangte ich, er möge den Umfang der Verpflichtungen, die er bestätigt hatte oder neu eingegangen war, auf den Tisch legen. Da Erhard das Konto der deutschen Leistungsfähigkeit offenbar überzogen hatte, konnte er einer solchen Aufforderung nicht nachkommen. Erhard war zu weich, um Johnsons Zumutungen abzulehnen. Das Ergebnis seiner Verhandlungen auf Johnsons Ranch in Texas war nicht akzeptabel und wurde als zusätzliches Symptom seiner Unzulänglichkeit aufgefaßt. Wenige Wochen später ließ seine eigene Partei ihn fallen, und zum ersten Mal seit 1930 kam es wieder zu einer sozialdemokratischen Regierungsbeteiligung. Ich glaube nicht, daß Johnson und seine Berater willentlich zum Sturz Erhards beitragen wollten; vermutlich haben sie dessen innenpolitische Situation gar nicht in Rechnung gestellt, denn sonst wären sie ihm entgegengekommen und hätten ihm geholfen, der deutschen Öffentlichkeit und dem Bundestag einen Erfolg vorzuweisen oder wenigstens das Gesicht zu wahren. So haben 1966 amerikanischer Mangel an außenpolitischer Erfahrung und egoistische Rücksichtslosigkeit eines amerikanischen Präsidenten dazu beigetragen, einen Kanzlersturz und gleichzeitig einen Koalitionswechsel in Bonn auszulösen.

Es war nicht schade um die Regierung Erhard-Mende; sie war reif zur Ablösung. Historisch gesehen war eine Regierungsbeteiligung der Sozialdemokraten seit längerem fällig. Dennoch blieb ein bitterer Nachgeschmack; er kam mir nach über einem Jahrzehnt in Erinnerung, als die Präsidenten Carter und Reagan immer wieder einseitig über die Köpfe ihrer europäischen Verbündeten hinweg handelten oder sich nicht an getroffene Vereinbarungen hielten; genau wie Johnson, die innenpolitischen Konsequenzen für ihre Bündnispartner nicht kennend oder vernachlässigend, brachten sie mich als Bundeskanzler dadurch mehrmals in Schwierigkeiten.

Ähnlich wie Johnson einen wesentlichen Anteil am Sturz Erhards und am Zerbrechen der Koalition von CDU/CSU und FDP im Jahre 1966 hatte, so war anderthalb Jahrzehnte später Reagan, wenn auch unwillentlich, am Zerbrechen der sozial-liberalen Koalition aus SPD und FDP beteiligt, indem er seine Politik gegenüber der Sowjetunion, aber auch seine Wirtschaftspolitik ohne Rücksicht auf die Interessen der Europäer und besonders der Deutschen betrieb und dadurch manche Anhänger in meiner Partei verunsicherte. Natürlich spielten in beiden Fällen auch innenpolitische und ökonomische Faktoren eine wichtige Rolle, besonders die raison d'être der FDP, mit einer gewissen Regelmäßigkeit den Koalitionspartner zu wechseln.

Ich habe Johnson, seine Minister und Berater nicht näher kennengelernt, mit Ausnahme von McGeorge Bundy und Robert McNamara. Bundy machte auf mich einen sehr gebildeten und zugleich energischen, entschlußkräftigen Eindruck; es lag nahe, Vertrauen in ihn zu setzen. Auch in späteren Jahren bin ich ihm bisweilen begegnet; die Vietnam-Erfahrung hat ihn zu einem strategischen Denker werden lassen, mit dem jedes Gespräch sich lohnt.

Dies gilt ebenso für McNamara. Ihn habe ich in den sechziger Jahren bei meinen USA-Reisen als Hamburger Senator und als Fraktionsvorsitzender häufig besucht – sowohl während seiner Amtszeit als Verteidigungsminister als auch später, als er an der Spitze der Weltbank stand. Er hatte einen ausgeprägten Willen, alle strategischen Möglichkeiten durchzudenken, und war dabei von großer intellektueller Stringenz. Als Verteidigungsminister zog er schon 1962 die Konsequenz aus dem annähernden nuklearstrategischen Patt zwischen Washington und Moskau und löste die USA von der bis dahin offiziell geltenden Nuklearstrategie der massiven Vergeltung.

Die Erfahrung der kubanischen Raketenkrise, noch mehr aber seine Mitverantwortung für die Entwicklung des Vietnamkrieges haben seither McNamaras Denken geprägt und ihm über die strategische und ökonomische Urteilsfähigkeit hinaus eine starke ethische Orientierung gegeben. Als wir einmal Ende der sechziger Jahre über Vietnam sprachen und ich angesichts der Bemühungen Nixons und Kissingers um Beendigung des Krieges die Frage stellte, warum das nicht schon von der vorangegangenen demokratischen Administration versucht worden sei, antwortete er zu meiner Überraschung: »Bobby could have done it.« Aber Robert Kennedy hatte sich längst mit Johnson überworfen und sich von dessen Administration abgewandt, und 1968 war auch er ermordet worden. McNamara hielt nach John F. Kennedys Tod große Stücke auf den gleichfalls charismatischen jüngeren Kennedy. Johnson hingegen kreidete er an, keinen wirklich ernsthaften Versuch zur Beendigung des Vietnamkrieges gemacht zu haben; aus diesem Grunde war er auch Ende 1967 als Verteidigungsminister zurückgetreten.

Seine Arbeit an der Spitze der Weltbank war für McNamara

mehr als eine komplizierte multinationale Aufgabe; er sah darin eine Mission von moralischer Qualität, und er brachte alle seine Fähigkeiten ein. McNamara war der erste Politiker, der die vorrangige Bedeutung der Entwicklung der Landwirtschaft in den Entwicklungsländern begriffen hatte und ihnen klarmachte, daß sie in der Lage seien, sich selbst zu ernähren. Er überzeugte vornehmlich durch seinen unbedingten persönlichen Einsatz zugunsten der Menschen in den unterentwickelten Ländern. So wurde McNamara, obgleich er von Hause aus nicht zur demokratischen Partei gehörte, für mich zu einem Symbol jenes sozialen Idealismus, der große Teile der demokratischen Partei der Ostküste seit Roosevelts *New Deal* immer wieder ausgezeichnet hat.

Für einen deutschen Sozialdemokraten liegt es nahe, den traditionellen Konservatismus der Südstaaten-Demokraten abzulehnen, sich ansonsten aber zur demokratischen Partei und zu den Gewerkschaften hingezogen zu fühlen. So ist es zunächst auch mir ergangen, bis ich als Kanzler ausländischen Staatsmännern gegenüberzutreten und mit ihnen zu verhandeln hatte. Jetzt begriff ich: Affinitäten auf Grund der Parteizugehörigkeit können zwar außenpolitisch bisweilen von Nutzen sein; entscheidend aber sind Urteils- und Entschlußkraft des jeweiligen Gegenüber, seine Fähigkeit, ein gegebenes Wort zu Hause durchzusetzen, seine Zuverlässigkeit und seine Stetigkeit. Gemessen daran ist es ziemlich unwichtig, ob einer ein Republikaner ist oder ein Demokrat.

Seit 1969 habe ich mit vier amerikanischen Präsidenten und ihren Administrationen zusammengearbeitet – am glücklichsten mit Gerald Ford, der ein Republikaner ist, deutlich weniger glücklich mit Carter, dem Demokraten, und mit Reagan, der wiederum ein Republikaner ist.

Nixon:
die Strategie des Gleichgewichts

Wenn in Europa die Rede auf Richard M. Nixon kommt, so fällt jedem automatisch der Watergate-Skandal ein; Nixons Name löst Unbehagen aus. Ich habe das oft zu spüren bekommen, wenn ich ihn – aus Überzeugung – einen weltpolitischen Strategen von hohen Graden nannte.

Nixon muß auf seine weltpolitische Rolle gut vorbereitet gewesen sein, als er Ende 1968 im Wettstreit mit Hubert Humphrey zum Präsidenten gewählt wurde. Ein Jahr später erlebte ich ihn zum ersten Mal. Mein amerikanischer Kollege im Verteidigungsministerium, Melvin Laird, hatte im November 1969 die Mitglieder der Nuclear Planning Group der NATO zu einer Sitzung auf die Farm Airlie-House in Virginia eingeladen. Am zweiten Tag wurden wir vom Präsidenten zum Frühstück in das Weiße Haus gebeten. Manlio Brosio, damals Generalsekretär des Bündnisses, stellte uns vor, wir aßen unsere »cereals« und »scrambled eggs«, und dann sprach Nixon etwa zehn Minuten über die Weltlage. Er sagte weder Tiefschürfendes noch Neues oder gar Originelles – seine Bemerkungen waren wenig mehr als gehobener »small talk«, gedacht als höfliche Geste an uns. Als Nixon geendet hatte, erhob sich Brosio und sagte ihm ziemlich unverblümt, das alles reiche eigentlich nicht aus – etwas mehr Substanz hätten wir uns schon gewünscht.

Nixon zuckte etwas zurück. Dann besann er sich und hielt eine etwa dreiviertelstündige zweite Rede ganz aus dem Stegreif (ich saß neben ihm und konnte sehen, daß er ohne Notizen sprach). Der wichtigste Mann des westlichen Bündnisses entwickelte vor uns ein gleichsam improvisiertes, aber nichtsdestoweniger überzeugendes Bild der Welt. Er analysierte die Lage in Vietnam, die Rolle der Volksrepublik China und deren wachsende Bedeutung, die Situation der Sowjetunion und die Notwendigkeit einer Zusammenarbeit mit ihr, vor allem um zu einer Begrenzung der strategischen Rüstungen zu gelangen (später SALT genannt). Nixon sprach über den Mittleren Osten und seine Probleme; vor allem ging er detailliert auf die gemeinsame Gesamtstrategie des Nordatlantischen Bündnisses ein. Im Ergebnis wich er nicht von den beiden wichtigen Konzepten ab, welche das Nordatlantische Bündnis sich im Dezember 1967 gegeben hatte: einerseits dem Harmel-Bericht und seiner Doppelstrategie, militärische Sicherheit mit politischer Entspannung zu verbinden, andererseits der militärischen Strategie der »flexible response«.

Ich war gewiß nicht der einzige, der angesichts von Nixons Kompetenz augenblicklich Respekt empfand. Nach Bonn zurückgekehrt, ging ich zu Willy Brandt. Dieser bereitete sich auf seinen ersten Besuch in Washington als Bundeskanzler vor, und ich riet ihm, seine Vorbereitungen sehr ernst zu nehmen, um unsere deutschen Interessen und Absichten in den Gesamtzusammenhang westlicher Strategie einbetten zu können, wenn er mit Nixon spreche. Der amerikanische Präsident verstehe sein Geschäft, jedenfalls verstehe er von Strategie gegenüber der Sowjetunion sehr viel mehr als Johnson, von dem Brandt in Berlin so enttäuscht gewesen war.

Aus der Rückschau der achtziger Jahre kann ich Nixons

Am 12. November 1969
lud Richard Nixon die
Mitglieder der Nuclear
Planning Group der
NATO zum Frühstück
ins Weiße Haus. Nixons
Kompetenz in außenpo-
tischen Fragen nötigte
Schmidt augenblicklich
Respekt ab.

The President

requests the pleasure of the company of

H.E. Helmut Schmidt

at breakfast

on Wednesday, November 12, 1969

at 8:30 o'clock

Verhalten in der Watergate- und Tonbänderaffäre noch immer nicht verstehen, dafür um so mehr die Reaktion des amerikanischen Publikums und des Senats. Andererseits hält Nixons außen- und verteidigungspolitische Konzeption dem Vergleich mit derjenigen seines Vorgängers und seiner Nachfolger sehr gut stand. Mehr noch: Richard Nixons Öffnung gegenüber China, der von ihm erstrebte und – wenn auch nicht ohne Umwege und Zeitverlust – schließlich erreichte Rückzug der USA aus Vietnam, seine Gleichgewichtsstrategie gegenüber der Sowjetunion, herausragend gekennzeichnet durch den ABM-Vertrag und das SALT-I-Abkommen, sein Verständnis für die Interessen der europäischen Verbündeten, seine weltpolitische Urteilskraft und Handlungsfähigkeit insgesamt zeichnen Nixon vor Johnson, Carter und Reagan deutlich aus.

Natürlich spielten seine Berater und Minister in der außenpolitischen Praxis eine Rolle, vor allen anderen Henry Kissinger. Man tut Nixon aber unrecht, wenn man ihn gewissermaßen als Vollzugsorgan der Konzepte Kissingers interpretieren zu dürfen glaubt. Im Falle der Öffnung der bis dahin geradezu bornierten, seit zwanzig Jahren festgeschriebenen amerikanischen Chinapolitik ist offensichtlich, daß Nixon sie geplant hatte, bevor er Kissinger, der ihm durch Nelson Rockefeller zugeführt wurde, in seinen Stab aufnahm.

Zwölf Jahre nach Nixons Rücktritt, 1986, bin ich mit ihm zu einem persönlichen Meinungsaustausch zusammengetroffen. Wir trafen uns in seinem Büro, das in einem New Yorker Hochhaus untergebracht und mit vielen Erinnerungsphotos dekoriert ist. Der äußere Anlaß war ein Fernsehgespräch; Nixon vertrat loyal die Positionen Präsident Reagans, verstand es aber zugleich, seine eigene, abweichende Meinung hervorzuheben. Er wirkte persönlich sicherer, als ich erwartet hatte, geradezu souverän gegenüber der Vergangenheit; sein Überblick über die gegenwärtige Weltlage war stupend, auch in wichtigen Details, was im privaten Gespräch noch deutlicher zum Ausdruck kam als vor laufenden Kameras. Ich war beeindruckt und fühlte mich in meinem Urteil bestätigt, daß der westlichen Welt in Richard M. Nixon – durch dessen eigenes Versagen – ein bedeutender Stratege verlorengegangen ist.

Mein unmittelbarer Gesprächspartner in Washington war während der ersten Nixon-Jahre Melvin Laird. Wir hatten von Anfang an ein herzliches Verhältnis zueinander; es hat bis auf den heutigen Tag gehalten. Mel war damals natürlich vor allem durch den Vietnamkrieg in Anspruch genommen. Er hatte unter anderem die Aufgabe, die »Vietnamisierung« des Krieges zu betreiben, die Nixon sich Anfang 1970 zum Ziel setzte, um die ame-

Die Mitglieder der Nuclear Planning Group der NATO während ihrer Tagung am 11. und 12. November 1969 in Warrenton, Virginia; links neben Schmidt der Generalsekretär des Nordatlantischen Bündnisses, Manlio Brosio, und US-Verteidigungsminister Melvin Laird; Schmidt gegenüber der britische Verteidigungsminister Denis Healey.

Wachablösung auf der
Hardthöhe: Im Oktober
1969 übernahm die
sozial-liberale Koalition
die Regierung in Bonn;
Helmut Schmidt wurde
Nachfolger Gerhard
Schröders im Amt des
Verteidigungsministers;
Vorgänger und Nach-
folger hatten stets ein
kollegiales Verhältnis
zueinander.

Schmidts unmittelbarer
Gesprächspartner in
Washington bis zum Juli
1972, als Schmidt aus
dem Verteidigungsmini-
sterium ins Finanzmini-
sterium überwechselte,
war Melwin Laird.
Schmidt und Laird ver-
band von Anfang an ein
herzliches Verhältnis.

rikanischen Truppen schrittweise aus Vietnam herauslösen zu können. Auf Grund seiner langen Zugehörigkeit zum Kongreß war Laird ein erfahrener Politiker, der unter dem seit 1968 in der Jugend Amerikas schnell wachsenden Widerstand gegen diesen Krieg litt und der sein Land von dieser Bürde befreien wollte. Den schrittweisen amerikanischen Truppenabzug aus Vietnam verfolgte ich mit innerer Anteilnahme und geradezu mit Spannung. Aber die Verkündung des Verzichts auf die allgemeine Wehrpflicht im Herbst 1972 machte mir Sorgen. Laird erklärte mir, angesichts des Truppenabbaus brauchten die USA nicht mehr so viele Soldaten und für andere Aufgaben könne er sie nicht einsetzen. Mir schien das Hauptmotiv jedoch die Beruhigung der öffentlichen Meinung in den USA zu sein. Ich fürchtete, in der deutschen Öffentlichkeit – und in meiner eigenen Partei – könnten sich Stimmen erheben, die forderten, wir sollten dem Vorbild der Bündnisvormacht folgen, die Bundeswehr auf die Basis von freiwilligen Berufssoldaten stellen und ebenfalls die Wehrpflicht abschaffen. Es gab bereits Ideen über eine kurzzeitige »Miliz«-Dienstpflicht.

Mich irritierten solche Erwägungen aus zwei Gründen. Zum einen schreckten die Erinnerungen an den Weimarer Demokratieversuch, zu dessen Fehlschlag auch der Umstand beigetragen hatte, daß die Reichswehr auf Grund des ihr im Versailler Vertrag auferlegten Verbots der allgemeinen Wehrpflicht in der neuen Demokratie nicht verankert werden, sondern sich zu einem »Staat im Staate« entwickeln konnte. Deshalb sah ich die allgemeine Wehrpflicht als einen Faktor an, der die demokratische Grundgesinnung unserer Streitkräfte sichern half. Diese Überzeugung habe ich seit Mitte der fünfziger Jahre bis auf den heutigen Tag unverändert beibehalten. Zum anderen hätte die Abschaffung der allgemeinen Wehrpflicht in der Bundesrepublik – der sich wahrscheinlich auch andere europäische Bündnisstaaten angeschlossen hätten – die ohnehin vorhandene zahlenmäßige Überlegenheit der sowjetischen Truppen in Europa noch verstärkt. Hinsichtlich der konventionellen Landstreitkräfte war ja die Bundeswehr inzwischen das Rückgrat der gemeinsamen Verteidigung im Mittelabschnitt Europas geworden.

Es gelang uns, die beginnende Diskussion im eigenen Lande in Grenzen zu halten. Melvin Laird wußte das zu schätzen. Er hatte stets Verständnis für die politischen Probleme seiner europäischen Kollegen und unterschied sich darin wesentlich von dem bisweilen etwas großspurig auftretenden späteren Verteidigungsminister James Schlesinger, dem es nichts ausmachte, eine Ehrenformation des Bonner Wachtbataillons mit den Händen in der Tasche abzuschreiten. Meinem Freund Georg Leber, meinem Nachfolger auf der Hardthöhe, machte das sehr viel aus!

185

Mel Laird verstand aber auch sofort, weshalb ich der damals beabsichtigten Verlegung von ADM (Atomic Demolition Munitions, im deutschen Zeitungsjargon etwas irreführend »Atomminen« genannt) entlang der Demarkationslinie Widerstand entgegensetzen mußte. Als ich 1969 Verteidigungsminister wurde, lag diese in einem militärischen Ausschuß der NATO betriebene Planung bereits vor. Ich widersprach vehement: Da die andere Seite an der Verlegung von Stacheldraht und Selbstschußanlagen nicht gehindert werden konnte, durften wir auf unserer Seite erst recht nicht nukleare Waffen an der Grenze in Stellung bringen; übrigens hätte die Positionierung dieser Waffen entlang der Grenze im Ernstfall jeden Versuch zu konventioneller Verteidigung illusorisch und deshalb überflüssig gemacht. Bei einem weniger souveränen Mann als Laird hätte mein Widerspruch eine Krise in den Beziehungen zwischen Washington und Bonn auslösen können; einige Zeitungen hüben wie drüben hätten meine Bündnisloyalität in Frage gestellt. Dank Lairds Einfühlungsvermögen konnte der Plan, ohne daß dies in der Öffentlichkeit breitgetreten wurde, zu den Akten gelegt werden; Laird wußte, was man einem Verbündeten zumuten konnte und was man ihm keinesfalls zumuten durfte.

Statt dessen haben wir im Dezember 1970 gemeinsam das sogenannte European Defense Improvement Program (EDIP) auf den Weg gebracht. Neben seinem militärischen Hauptzweck hatte es den politischen Nebenzweck, Moskau deutlich zu machen, daß trotz des Vietnamkrieges, den damals die ganze Welt intensiv verfolgte, die Verteidigung Europas nicht vernachlässigt werde.

In Wirklichkeit ist in den frühen siebziger Jahren in den westeuropäischen Hauptstädten aber doch ein Gefühl der Vernachlässigung aufgekommen. Dies hing nicht nur mit dem Vietnamkrieg und der starken Konzentration Nixons und Kissingers auf dessen Beendigung zusammen, sondern auch mit den intensiven, rein bilateral zwischen Washington und Moskau geführten, die europäischen Verbündeten weitgehend ausschließenden SALT-Verhandlungen, die im Mai 1972 im SALT-Abkommen über die Begrenzung der Zahl der strategischen Raketen und im ABM-Vertrag über die Begrenzung der Raketenabwehr ihren Niederschlag fanden. Darüber hinaus hing diese Empfindung der Unsicherheit mit der katastrophalen Entwicklung des Weltwährungssystems zusammen und mit der am 15. August 1971 von Finanzminister Connally erklärten amerikanischen Einstellung, sich darum nicht zu kümmern: »benign neglect«.

Als Henry Kissinger im April 1973, fünf Monate vor seiner Ernennung zum Außenminister, das »Year of Europe« proklamierte, konnte dieser deklamatorische Akt – der übrigens ohne praktische Folgen blieb – in Europa nur ungläubiges Staunen auslösen, gemischt mit Spott.

Inzwischen hatten sich allerdings zunächst das Unbehagen und schließlich der Schock über Watergate auf Europa übertragen. Schon der Einmarsch in Kambodscha 1970 hatte Nixon sowohl zu Hause in den USA als auch bei uns Vertrauen gekostet.

Das europäische Mißtrauen wegen der seit 1969 betont exklusiv geführten SALT-Verhandlungen war verständlich; unberechtigt hingegen kamen uns das anfängliche Mißtrauen und die Querschüsse der Nixon-Administration gegen Willy Brandts Ostpolitik vor, insbesondere gegen den Moskauer Vertrag vom August 1970.

Als im September 1971 das Viermächteabkommen über Berlin folgte (und damit der Weg für den Ende 1972 folgenden Grundlagenvertrag mit der Deutschen Demokratischen Republik frei gemacht wurde), war die Skepsis Washingtons so gut wie beseitigt; schließlich lagen SALT- wie Ostpolitik auf der Grundlinie der im Harmel-Beschluß 1967 festgelegten, von Nixon bei Amtsantritt indossierten Gesamtstrategie des westlichen Bündnisses gegenüber der Sowjetunion. Aber ein Stachel blieb: Nixon hatte keinen persönlich-freundschaftlichen Kontakt zu seinen europäischen Kollegen – vielleicht mit der einzigen Ausnahme de Gaulles; Nixon hat seine Bewunderung für den französischen Staatspräsidenten nie verleugnet. Für die meisten Europäer blieb Nixon während der gesamten Dauer seiner Amtszeit eine schwer faßbare Persönlichkeit.

In den Nixon-Jahren hielt ich guten Kontakt zu Henry Kissinger, der bis Mitte 1973 Nixons Sicherheitsberater und bis Ende 1976 Außenminister war. Das lag nicht nur daran, daß wir uns lange kannten; ohne engen Austausch ging es gar nicht, wenn man rechtzeitig erkennen und verstehen wollte, welche Entwicklungen der amerikanischen Politik sich vorbereiteten oder schon unmittelbar bevorstanden. Denn die komplizierte, von Mißtrauen gegen die eigene Administration erfüllte Natur Nixons hatte dazu geführt – dies war auch in Bonn erkennbar –, daß Außenminister Rodgers und seine wichtigsten Beamten im State Department nicht nur viel weniger Einfluß, sondern auch einen weit geringeren Überblick über die Außen- und Sicherheitspolitik besaßen, als dies in den entsprechenden Ministerien in Paris, London oder Bonn der Fall war. Natürlich besuchte man seine Gegenspieler im State Department und im Pentagon, aber die entscheidenden Auskünfte und Eindrücke konnte man sich nur bei Kissinger im Weißen Haus holen.

Die erste Dollarkrise

Als ich im Juli 1972 aus dem Verteidigungsministerium ins Finanzministerium überwechselte – für ein halbes Jahr hatte ich als sogenannter Doppelminister auch das Wirtschaftsministerium zu führen –, stand ich im Begriff, zu einer routinemäßigen Reise nach Kanada und in die USA aufzubrechen. Es wurde eine Reise der Abschiedsbesuche bei meinen bisherigen Kollegen Donald McDonald und Mel Laird und zugleich eine Reise der Antrittsbesuche bei meinen neuen Finanzministerkollegen, dem Liberalen John Turner in Ottawa und bei George Shultz in Washington. Beide hatte ich bis dahin nie getroffen, aber mit beiden sollte sich eine lebenslange Freundschaft entwickeln, genau wie mit Kissinger und Laird.

Dies galt auch für Arthur Burns, der damals, schon weißhaarig, Präsident der amerikanischen Bundesbank war. Neun Jahre später, 1981, wurde Arthur amerikanischer Botschafter in Bonn; er war ein Botschafter, den ich nicht nur respektierte, sondern zu dem ich eine große Zuneigung empfand, obschon er oft genug Meinungen seiner Regierung zu vertreten hatte, die den meinigen entgegengesetzt waren. Burns war nach den Maßstäben des diplomatischen Dienstes gewiß kein idealer Botschafter – dazu war er in seinem freimütig geäußerten Urteil viel zu unabhängig. Aber weil er die Tugenden Amerikas in seinem Denken verkörperte, war er ein großartiger Botschafter seiner Nation. Er hat viel zum gegenseitigen Verständnis beigetragen; Reagan hätte keinen besseren Mann nach Bonn schicken können.

Arthur war ein weiser Mann von präziser ökonomischer Urteilskraft, von umfassender politischer und Lebenserfahrung, von unkorrumpierbarer moralischer Integrität – und alles dies verbunden mit einer sehr bescheidenen privaten Lebensführung. Loki und ich haben im August 1983 zwei oder drei Tage mit Helen und Arthur Burns – und ihrem von Helen sehr verwöhnten Yorkshire-Terrier Hansi – in ihrem Sommerhaus in Vermont zugebracht; ein altes, winziges Farmhaus aus Holz, in dessen Stall der Botschafter sich ein primitives Maleratelier und einen Platz für Handwerksarbeiten eingerichtet hatte. In einer Bretterhütte im Wald gab es einen zweiten Arbeitsplatz zum Schreiben, ohne Wasser, ohne Licht und natürlich ohne Telefon. Dort haben wir über Gott und die Welt, über Amerika und Deutschland, über Christentum und Judentum philosophiert – wie schon oft in Bonn, wenn wir bis spät in die Nacht zusammensaßen.

Im Juli 1972 lag das alles noch in weiter Ferne. Ich wußte lediglich von meinem Freund Karl Klasen, der damals Präsident der

Alte Freunde: Zu den
Amerikanern, deren Rat
und Urteil Gewicht
hatten, zählte für
Helmut Schmidt der 1987
verstorbene Arthur
Burns (links). Ähnliches
gilt für John McCloy
(unten), den ehemaligen
amerikanischen Hohen
Kommissar in
Deutschland.

Deutschen Bundesbank war, daß er seinen amerikanischen Zentralbankkollegen Burns sehr schätzte. Es war die Zeit der ersten großen Dollarkrise, in der beide Männer fast wöchentlich, manchmal täglich, miteinander zu tun hatten. Denn das 1944/45 in Bretton Woods geschaffene weltweite System fester Wechselkurse lag im argen, weil der Dollar auf den internationalen Märkten stetig an Wert verlor. Dies war eine weder in den Lehrbüchern noch in den Überzeugungen der Zentralbanken und des Weltwährungsfonds vorgesehene Situation.

Es gab, so fand ich bald heraus, unter den Verantwortlichen auf beiden Seiten des Atlantik eigentlich niemanden, der ein Lösungskonzept und zugleich die zu seiner Verwirklichung notwendige Autorität gehabt hätte. Der Sommer 1972 war währungspolitisch relativ ruhig – aus der Rückschau war es die Ruhe vor dem Sturm. Ich selbst beschränkte mich im Juli 1972 in Washington darauf, meinen neuen amerikanischen Gesprächspartnern Shultz und Burns Fragen zu stellen. Natürlich kannte ich die deutsche Sicht des Problems aus den Vorträgen meiner Kabinettskollegen Alex Möller und Karl Schiller, die vor mir Finanzminister gewesen waren, und aus den Diskussionen über die richtige Rolle der DM in diesem Chaos und über unsere währungspolitische Taktik, die wir unter Brandts Vorsitz im Kabinett häufig genug führten. Daher konnte ich mir erlauben, neben Fragen die eine oder andere sachliche Bemerkung in das Gespräch mit Shultz und Burns einzuwerfen. Ich war und bin noch heute prinzipiell ein Anhänger fester Wechselkurse, weil sie der internationalen Arbeitsteilung, also dem freien Welthandel, am besten dienen, und damit zugleich allen beteiligten Volkswirtschaften. So brachte ich die entsprechenden Argumente vor. Ich werde nie vergessen, wie Arthur daraufhin meinte:»Was Sie da sagen, junger Mann, ist sehr vernünftig (Your talk makes a lot of sense, young man).« Junger Mann? Immerhin war ich 53 Jahre alt – dennoch fühlte ich mich geschmeichelt.

Was waren die Gründe für die Krise? Das Bretton-Woods-System beruhte auf dem US-Dollar; dieser war praktisch das Metermaß für alle anderen Währungen. Der Dollar seinerseits war identifiziert mit dem Wert des Goldes; eine Unze Gold war 35 Dollar wert. Jede ausländische Zentralbank konnte zu diesem Preis Gold von den USA kaufen; umgekehrt konnten auch die USA für Gold Dollars oder jede andere Währung kaufen, die sie gerade benötigten. Dabei galten zum Beispiel im Herbst 1969 DM 4,00 soviel wie ein Dollar (Parität), oder anders ausgedrückt: DM 140,00 galten soviel wie eine Unze Gold.

Wenn nun ein Land Dollars benötigte, zum Beispiel, um ein Defizit in seiner Handelsbilanz zu bezahlen, so konnte es sich zwar die Dollars zunächst leihen, am Ende mußte es diese aber bei der US-amerikanischen Zentralbank in Gold bezahlen. Hatte ein Land dagegen Handelsbilanz*überschüsse* (genauer: Leistungsbilanzüberschüsse), so sammelten sich bei seiner Zentralbank Guthaben in den Währungen der Partnerstaaten (sogenannte Devisen) oder aber in Gold; beides zusammen bildet die sogenannten Währungsreserven.

Lange bevor eine Zentralbank ihre eigene Währung oder ihr Gold hergibt, müssen die Waren- oder Leistungsimporteure ihre Rechnungen bezahlen. Zu diesem Zweck kaufen sie am Devisenmarkt die fremde Währung, in der sie zu zahlen haben, damals weit überwiegend Dollars, und zwar mit dem Geld ihres eigenen Landes. Auf diese Weise werden der Dollar oder die anderen benötigten Devisen am Markte knapper und teurer, das heißt, der eigene Wechselkurs verschlechtert sich. Umgekehrt verbessert sich der eigene Wechselkurs, wenn die Exporteure ihre in fremder Währung verdienten Erlöse auf dem Devisenmarkt in eigene Währung umtauschen; denn dieser Vorgang führt zu vermehrter Nachfrage nach eigener Währung und zu vermehrtem Angebot der fremden Währung. Deswegen lösen nachhaltige Exportüberschüsse einen Wechselkursanstieg, Exportdefizite einen Wechselkursabfall der eigenen Währung aus.

Das Bretton-Woods-System hatte für diesen Fall vorgesorgt: Es erlaubte einen Wechselkursanstieg oder -abfall bis zu einem Prozent der Dollarparität jeder Währung. Wenn die Grenze nach oben oder unten erreicht wurde, hatte die betreffende Zentralbank einzuschreiten, zu »intervenieren«, das heißt, sie mußte spätestens bei Erreichen der unteren Grenze aus ihren Devisenreserven soviel an fremder Währung verkaufen und damit zugleich eigene Währung aus dem Markt herausnehmen, daß die Grenze nicht unterschritten wurde. Umgekehrt mußte sie bei Erreichen der oberen Grenze eigene Währung verkaufen, um damit fremde Währung hereinzunehmen. Praktisch waren die »fremden Währungen« fast ausschließlich US-Dollars. Der Dollar war nämlich nicht nur der Paritätsmaßstab für alle beteiligten Währungen, sondern zugleich auch die entscheidende Interventions- und Reservewährung; er war darüber hinaus die im internationalen Handel weit überwiegend benutzte »Transaktionswährung«, das heißt, die meisten internationalen Rechnungen wurden in Dollars ausgestellt und bezahlt.

Wenn ein Defizit-Land seine Kreditmöglichkeiten ausgeschöpft hatte oder wenn es um den Restbestand seiner Währungsreserven fürchtete, konnte es bei den Organen des Weltwährungsfonds eine Abwertung der eigenen Parität beantragen, die Dollarparität der eigenen Währung wurde also gesenkt. Dies befreite das entsprechende Land fürs erste von der Last der Intervention und führte gleichzeitig sowohl zu einer künstlichen Verbilligung der eigenen Exporte als auch zu einer Verteuerung der eigenen Importe; es bestand also die Hoffnung auf einen besseren Ausgleich der Zahlungsbilanz und damit auf Einhaltung der neuen Parität.

Weder Abwertungen noch Aufwertungen sind im eigenen Lande populär; denn der Anstieg der Importpreise führt zu einem inländischen Preisanstieg und damit zu inflatorischen Wirkungen; der Anstieg der Exportpreise dagegen läßt die Industrie und die Gewerkschaften um die ausländischen Absatzmärkte und um die Beschäftigung fürchten. Das Bretton-Woods-System trug dieser Unpopularität, welche die betreffende Regierung Prestige bei den Wählern kosten konnte, nicht nur Rechnung, sondern der Weltwährungsfonds gab auch Ratschläge zur Vermeidung: Er riet den abwertungsverdächtigen Staaten zu einer Verringerung ihrer Haushaltsdefizite und ihrer Geldversorgung. Mit anderen Worten: Zahlungsbilanzschwache Staaten wurden angehalten, ihre hausgemachte Inflation zu drosseln.

Genau dies aber hatten die USA nicht getan; der Vietnamkrieg hatte den Haushalt weit überfordert, das Defizit wurde aus dem amerikanischen Kapitalmarkt mit Hilfe großzügiger Geldversorgung finanziert. Dadurch stiegen die Preise in den USA, der Dollar verlor an Kaufkraft, die Handelsdefizite wurden chronisch, der Dollar stieß an die untere Interventionsgrenze. Von 1968 an waren wir in Bonn über diese Entwicklung sehr beunruhigt. Die deutsche Bundesbank verzichtete unter amerikanischem Druck als erste darauf, daß die USA ihre Zahlungssalden in Gold beglichen, und nahm statt dessen verzinsliche Papiere des amerikanischen Schatzamtes. Ende 1969 werteten wir das erste Mal die DM gegenüber dem Dollar auf. Im August 1971 folgte Nixons Aufhebung der Goldkonvertibilität gegenüber dem Rest der Welt; im gleichen Jahr kam es zur zweiten formellen Aufwertung der DM gegenüber dem Dollar.

Dies alles war ohne durchschlagenden Erfolg geblieben. Wohl aber führten die ständigen DM-Interventionen zu unerwünscht hoher Geldversorgung in Deutschland, und infolgedessen kam es auch bei uns zu inflatorischen Prozessen.

Das Drama hatte viele Akte, die ich hier nicht schildern will. Zu den indirekten Folgen gehörte das Ausscheiden zweier deutscher Finanzminister aus dem Amte, meines Freundes Alex Möller im Mai 1971 und seines Nachfolgers Karl Schiller (als Doppelminister für Finanzen und Wirtschaft) Anfang Juli 1972. Jetzt stand ich als Finanzminister vor dem gleichen Problem. Ich begriff, daß Shultz und Burns im Grunde ähnlich dachten wie

Karl Klasen und ich. Alle vier waren wir überzeugte Marktwirtschaftler und leidenschaftliche Anhänger eines freien Welthandels; zugleich waren wir überzeugt davon, daß feste Wechselkurse für beides zwar keine notwendige, jedenfalls aber die beste Voraussetzung waren.

Meine beiden Gesprächspartner wußten jedoch, daß Nixon seine Wirtschaftspolitik nicht ändern wollte und nicht ändern würde; schließlich war es ein Präsidentschaftswahljahr. Zwar summte es in Washington an allen Ecken von akademischen währungspolitischen Vorschlägen verschiedenster Art; aber es lohnte sich kaum, auf deren Diskussion viel Kraft zu verschwenden. Nixon würde eher versuchen, die Folgen der inflatorischen Politik – die Johnson in Marsch gesetzt hatte – durch staatliche Lohn- und Preiskontrollen vor dem eigenen Volk zu vertuschen (was er am 15. August 1972 gegen den Rat von Shultz tatsächlich tat), als das Übel an seiner Wurzel zu packen. Es würde bei »benign neglect«, bei der »großzügigen Vernachlässigung« bleiben.

Im Juli 1972 flog ich nach Bonn zurück, wohl wissend, daß auch uns in jenem Herbst Bundestagswahlen ins Haus standen; bis dahin konnten wir angesichts des massiven Andrangs von spekulativen Dollars aus aller Welt auf die international abermals aufwertungsverdächtige DM kaum mehr tun, als mit Hilfe staatlicher Devisenkontrollen eine weitere Ausweitung der Geldversorgung der Märkte mit DM und damit eine Verschlimmerung unserer Inflationsraten abzuwehren, so gut es eben ging. Der Dollar war damals DM 3,22 wert.

Im weiteren Verlauf des Jahres 1972 und während der ersten Monate des Jahres 1973 entfaltete sich eine fast hektische internationale Aktivität, um das Schlimmste zu verhüten. Die USA weigerten sich beharrlich, durch Gold- oder Devisenverkäufe den Dollar zu verknappen und dadurch seinen Wechselkurs zu stützen. Es gab einen engen Kontakt zwischen dem französischen Finanzminister Valéry Giscard d'Estaing und mir, ebenso mit Shultz und seinem hochbefähigten Vertreter Paul Volcker. Schließlich gründeten wir einen privaten Klub, der schnell große Effizienz bewies: die sogenannte Library Group. Sie bestand aus Shultz, Giscard, dem britischen Finanzminister Anthony Barber, dem japanischen Kollegen Takeo Fukuda und mir. Lange Zeit blieb sie der Öffentlichkeit – aber auch den Gremien des Weltwährungsfonds – verborgen; ihren nur uns bekannten Namen hatte sie von dem Ort, an dem zufällig das erste Treffen arrangiert worden war, nämlich der Bibliothek des Weißen Hauses.

Sofern wir uns nicht zu fünft trafen, war Paul Volcker der wichtigste »go-between« (auch mein Staatssekretär Karl-Otto Pöhl mußte seinerzeit viel reisen). Man hatte Volcker ein Militärflugzeug zur Verfügung gestellt, das keine Fenster besaß; Pöhl und ich nannten es »das fliegende U-Boot«. Damals habe ich Volkkers feste Überzeugungen und seine stets zuverlässigen sachlichen Kenntnisse sowie seine Umsicht schätzengelernt. Man verstand sich gut, obgleich er lange eine Grundposition seiner Regierung zu vertreten hatte, die wir nicht billigen konnten, und obwohl ich Schwierigkeiten hatte, seinen Dialekt zu verstehen – ich hielt Volcker lange für einen Südstaatler, was ganz falsch war, denn er stammte aus New Jersey. Volcker ist später in den Dienst des amerikanischen Zentralbanksystems getreten. Er wurde zunächst Präsident der Federal Reserve Bank in New York und später Chairman des Federal Reserve Board in Washington; das war eine Parallele zu Pöhl, der Präsident der deutschen Bundesbank wurde. Schon damals aber habe ich Volcker seiner unbeugsamen Stetigkeit wegen – vor allem während der zweiten und dritten Dollarkrise – immer als einen Leuchtturm in den Turbulenzen der ökonomischen Politik bewundert. Später, während der Krise der Haushaltspolitik der Reagan-Administration, wurde er rundheraus zum ökonomischen Staatsmann der USA.

Die politische Führung der USA hatte sich zu Anfang der siebziger Jahre von Shultz' Vorgänger Connally auf eine großzügige Vernachlässigung der Gefahren festlegen lassen, die mit der fortschreitenden Dollarabwertung verbunden waren. Sie entschloß sich weder zur Korrektur ihrer inflatorisch wirkenden Haushalts- und Geldpolitik noch zur Intervention auf den Devisenmärkten, zu der sie auf Grund ihrer immensen Goldbestände befähigt gewesen wäre; die USA hätten sich auch fremde Währungen ausborgen können. Da aber die anderen wichtigen Währungen (vor allem diejenigen Europas und Japans) mit Rücksicht auf die eigenen Exporte nicht alle paar Monate ad libitum aufgewertet werden durften und weder Paris noch Bonn, weder London noch Tokio bereit waren, durch ständige massive Dollarankäufe – also durch Interventionen mit eigener Währung zugunsten der Aufrechterhaltung der Dollarparität – ihre eigene Volkswirtschaft zu inflationieren, mußten sich die Teilnehmer der »Library Group« im März 1973 unvermeidlicherweise auf die Freigabe der Wechselkurse, auf das sogenannte »floating« einigen. Unmittelbar anschließend sank der Dollar auf DM 2,83; zu Beginn des Sommers 1973 stand er dann bei nur noch DM 2,58.

Zu Hause in Bonn wurde dies alles als großer Prestigegewinn gefeiert, und ich mußte mich der wohlmeinenden Glückwünsche von Laien erwehren. Tatsächlich hatten Valéry Giscard d'Estaing und ich große Sorgen hinsichtlich der weiteren Konsequenzen des floating. Uns war klar, daß mit dem Wegfall des Sy-

Durch seinen Einsatz zugunsten der Menschen in den unterentwickelten Ländern wurde Robert McNamara für Schmidt zum Symbol des sozialen Idealismus der amerikanischen Ostküste (Aufnahme November 1983).

Ein Leuchtturm in den Turbulenzen der Weltwährungspolitik und einer der wichtigsten Vermittler war Paul Volcker (unten Mitte, links Fred Bergsten; Aufnahme April 1985).

stems fester Wechselkurse die Weltwirtschaft in ein völlig neues Klima, in eine neue Ära eintreten würde. Wir hatten lange Verzögerungsgefechte geführt. Wir versuchten auch, wenigstens die wichtigsten europäischen Währungen beisammenzuhalten und schufen dafür später das Europäische Währungssystem (EWS). Aber die ein halbes Jahr später beginnende erste Ölpreisexplosion und deren katastrophale Folgen für die Weltwirtschaft, an denen die Dollarschwemme ursächlich beteiligt war, haben auch wir nicht vorausgesehen.

Ich hatte schon in den sechziger Jahren von meinem Freunde Alex Möller, dem ersten Finanzminister Willy Brandts, den Lehrsatz gelernt: Währungspolitik ist (auch) Außenpolitik. Auch aus außenpolitischen Gründen hatten die europäischen Verbündeten die Währung ihres wichtigsten Bündnispartners gestützt, solange es ökonomisch irgendwie verantwortbar war. Aber die Führungsmacht wollte jene Einschränkungen der eigenen geld- und haushaltspolitischen Handlungsfreiheit, die mit geregelten, zuverlässigen Wechselkursparitäten nun einmal zwangsläufig verbunden sind und ja auch sein sollen, nicht länger in Kauf nehmen. Die USA gaben die währungspolitische Führung preis – und damit praktisch einen Teil ihrer De-facto-Führung des Westens. George Shultz hat bei alledem als ein loyaler Diener der Politik seines Präsidenten gehandelt. Möglicherweise hat er vorübergehend auch mit der damals in den USA vielfach vertretenen These geliebäugelt, wonach der internationale Preis einer Währung sich am besten nach dem Markt, das heißt nach Angebot und Nachfrage auf dem täglichen Devisenmarkt richtet.

Während der Krise kam es natürlich zu Auseinandersetzungen mit den USA – insbesondere auch zwischen Shultz und Giscard; schließlich stand im Bewußtsein aller beteiligten Finanzminister nicht nur die Zuverlässigkeit der Währungspolitik der jeweiligen Regierung, sondern auch das Prestige des eigenen Landes auf dem Spiel. Zu meiner Verblüffung sah ich mich 1973 einmal in der Lage, einen lautstarken Streit zwischen Giscard und Shultz mit energischen Worten schlichten zu müssen.

Eine der wenigen Annehmlichkeiten im Berufsleben eines Finanzministers sind die alljährlichen Tagungen von Weltbank und Weltwährungsfonds, die abwechselnd einmal in Washington, einmal in einem der anderen Mitgliedsstaaten stattfinden. Im September 1973 traf sich die Library Group anläßlich einer solchen Jahrestagung in Nairobi, der Hauptstadt Kenias. Die unberührten Landschaften Ostafrikas zähle ich zu den schönsten der ganzen Welt; sie reichen von Ozeanstränden über Savannen und Wälder bis hin zu schneebedeckten Gipfeln. Mehrere Naturparks bieten dem Europäer hinreißende Panoramen und Tau-

sende wilder Vögel und Säugetiere. Karl Klasen, sein Bundes-
bankkollege Irmler, Loki, meine Tochter Susanne und ich be-
nutzten die Gelegenheit zu einem Flug zum Ngorongoro-Krater
und in die Serengeti. Es war ein begeisterndes Abenteuer: Löwen, Geparde, Büffel, Nashörner, Elefanten, Gnus und vielerlei
Antilopenarten. Beim Picknick in der Wildnis stahl ein Milan
Karl Klasen das Brot aus der Hand.

Auf dem Rückflug geriet unser kleines einmotoriges Propel-
lerflugzeug in ein Hagelgewitter. Es prasselte auf Kabinendach
und Tragflächen, und es war nichts mehr zu sehen; die Blitze er-
hellten lediglich die Wolkentürme, in denen wir hin und her geworfen wurden. Natürlich gab es weder Radar noch Funkfeuer,
wohl aber im Sekundentakt ein lautes »Piep piep« von einem Gerät im Armaturenbrett. Auf die Frage nach der Bedeutung dieses
Signals sagte der Pilot: »Wir verlieren an Höhe.« Er hatte vollkommen die Orientierung verloren; die Bergkanten des ostafri-
kanischen Grabens waren in unmittelbarer Nähe, und jeder hatte
Angst, wir würden gleich gegen einen Berg rasen. Den Funkver-
kehr des Piloten mit dem Tower in Nairobi konnten wir mithö-
ren; der Tower sprach ihm beruhigend zu und gab ihm Ratschläge. Als wir schließlich unversehrt in die Helligkeit des Tages zu-
rückkehrten und uns Nairobi näherten, sagten ihm die Leute auf
dem Tower: »Very, very fine.« Dies fanden wir selbst auch, und
nach der Landung bedankten wir uns voller Freude über die Ret-
tung mit Whisky und Planter's Punch. Ein paar Jahre später hörten wir, unser Pilot sei abgestürzt.

Die Nairobi-Tagung vereinigte fast alle internationalen Freunde im gleichen Hotel – und abends in der gleichen Bar. Die währungspolitischen Wirren lagen hinter uns, der Ölpreisschock war
noch nicht zu erkennen; wir waren fröhlich und genossen die
heitere Stimmung. Es war die angenehmste internationale Konferenz, die ich je erlebte. Natürlich gingen wir zum Abschluß
auch noch für eine Nacht in die Tree-Tops-Lodge und beobachteten aus der Höhe die Elefanten; nach den beschwingten Tagen
von Nairobi erinnerte mich der Anblick dieser Dickhäuter an die
erste europäische Gipfelkonferenz, die ich miterlebt hatte.

Am Ende hatten wir alle gelernt, daß wir uns auf das Wort des
Kollegen verlassen konnten, über alle Meinungsverschiedenheiten hinweg. Daraus sind persönliche Freundschaften entstanden: zwischen Giscard und mir, zwischen Giscard und Shultz,
zwischen Shultz und mir – auch Freundschaft mit Fukuda, dem
späteren japanischen Premierminister, und mit Anthony Barber,
dem britischen Chancellor of the Exchequer, der leider bald die
internationale Szene verließ und als Banker in London in die Pri-
vatwirtschaft ging.

In dieser Zeit wurde George P. Shultz mein engster Freund in den USA. In unserem jetzt fünfzehn Jahren dauernden Meinungsaustausch habe ich gewiß häufig ein Wort mehr gesagt, als unbedingt nötig gewesen wäre. Shultz sagte eher ein Wort weniger. Er war ein exzellenter Zuhörer, kommentierte aber das Gesagte mit fundiertem kritischen Urteil. Wir waren ungefähr gleichzeitig Finanzminister geworden und hatten beide zu jener Zeit schon beträchtliche Regierungserfahrung. Shultz war bereits Arbeitsminister und Chef des Amtes für Verwaltung und Haushalt (Office of Management and Budget, OMB) im Weißen Haus gewesen; davor hatte er die Administrationen Eisenhowers, Kennedys und Johnsons beraten. Er hatte eine glänzende akademische Laufbahn als Wirtschaftswissenschaftler hinter sich; dennoch stand auch er mit dem Wegfall des Systems von Bretton Woods vor einer völlig neuen ökonomischen Aufgabe – wie wir anderen auch. George ist wie ich ein überzeugter Anhänger der Marktwirtschaft und des Freihandels und ein Gegner inflationistischer ökonomischer Politik; dies verbindet uns.

Intellektuell und politisch ist er unbestechlich. Allerdings war seine Loyalität zu Nixon noch größer als seine herausragende Urteilskraft. Auch ein Jahrzehnt später, als Außenminister Reagans, sollte seine Loyalität gegenüber dem Präsidenten seine oberste Richtschnur sein. Als Nixon gegen Shultz' Rat Preis- und Lohnkontrollen verhängte, rief Shultz mich an, um mich vorab über diese Entscheidung zu informieren:»Helmut, ich brauche dir ja nicht zu erklären, daß dies gegen meine Überzeugung und gegen meine Empfehlungen geschieht.« Als Shultz jedoch im Zusammenhang mit Watergate das Ausmaß der Verfehlungen seines Präsidenten begriffen hatte, zog er im März 1974 die Konsequenz und erklärte seinen Rücktritt, der im Mai angenommen wurde. Fast gleichzeitig schieden auch Giscard d'Estaing und ich als Finanzminister aus dem Amt. Schon ein Jahr darauf, als wir den ersten sogenannten Weltwirtschaftsgipfel von Rambouillet vorbereiteten, trafen wir drei uns wieder, Shultz als privater Emissär von Präsident Ford. Dann vergingen sieben Jahre, bis Shultz nach einer erfolgreichen Tätigkeit an der Spitze von Bechtel, der größten Ingenieurfirma der Welt, im Juni 1982 in die amerikanische Regierung zurückkehrte, diesmal als Außenminister.

Wenige Tage nach seiner Ernennung versuchte der Londoner »Economist«, sich in meine Lage als Bundeskanzler zu versetzen. In einem Artikel, der in Form eines Briefes an mich verfaßt war, hieß es:»Nach vier Jahren wachsenden Erschreckens über amerikanische Unbeständigkeit unter Präsident Carter haben Sie achtzehn Monate zunehmender Irritation durch Präsident Reagan erlebt ... aber jetzt hat einer Ihrer ältesten Freunde das

State Department übernommen. Zwar ist er noch kein außenpolitischer Fachmann; aber er ist äußerst vernünftig, viel herumge-
kommen, hat überall in der Welt ausgezeichnete Kontakte, ist
humorvoll – und durchaus kein so großer Kompromißler, wie jedermann glaubt, eher entschlossen und zugleich schlau... Er hat
selten Versprechungen gemacht, aber er hat seine Versprechen
immer gehalten. Sie hoffen, dies könne sich abermals bewähren
... Daß George jetzt bei Reagan ist, mag für Sie ein Anlaß sein,
einen neuen Anfang zu machen.«
In der Tat – so ähnlich habe ich im Sommer 1982 empfunden.
Privat waren wir ohnehin für Ende Juli 1982 in seinem Haus in
Palo Alto verabredet; als ich dort eintraf, war George inzwischen
als Außenminister bestallt, und der Senat hatte seiner Ernennung ohne eine einzige Gegenstimme zugestimmt. Wir hatten
mehrere schöne Tage für uns; Obie Shultz – der Spitzname ist
wohl eine Verballhornung ihres Mädchennamens O'Brien – ist
eine umsichtige Gastgeberin. Wir redeten über Gott und die
Welt; abends kamen meist Freunde oder andere Gäste, ein oder
zwei Nächte waren auch Henry Kissinger und Harry Lee Kuan
Yew zu Gast. Kurz gesagt: es war ein wohltuendes Treffen alter
Freunde. Nachts pflegten George und ich eine halbe Stunde in
seinem heißen Whirlpool im Garten zu sitzen und zu entspan-
nen. George stellte viele Fragen, die ich so beantwortete, wie wir
es immer gehalten hatten: freimütig, ohne Rücksicht auf taktische Erwägungen oder Prestige. Ich gab ihm einen einzigen Rat-
schlag:»George, vergiß eines nicht: Dein Präsident kann es sich
nicht leisten, im Laufe einer Präsidentschaftsperiode drei Außenminister zu ernennen. Du bist also sehr stark, wenn es in einer wichtigen Frage verschiedene Meinungen geben sollte.«
Mein Freund hat daraufhin bloß gelächelt – und wir haben über
uns die Sterne im klaren Sommerhimmel der Bay Area betrachtet.

Im Juli 1982 lag die erste Ölpreisexplosion der Jahre 1973/74
schon fast ein Jahrzehnt zurück, aber die Auswirkungen der
zweiten Ölpreisexplosion von 1979/80 waren noch überall zu
spüren. Als wir im März 1973 zu einem weltweiten System freier
Wechselkurse übergegangen waren, hatten wir diese Explosio-
nen nicht vorhergesehen. Aber wir hatten im Frühjahr 1973 immerhin darin übereingestimmt, daß die geld- und währungspolitischen Entwicklungen einen erheblichen Einfluß auf die Handelspolitik wie auch auf die Energieversorgung der Welt haben
würden und daß sie deshalb als Fragen von weltpolitischer Qualität angesehen werden müßten. Shultz und ich kamen 1973
überein, sie bei zukünftigen internationalen Konferenzen »un-

ter dem Aspekt ihrer überragenden außenpolitischen Bedeutung« behandeln zu wollen. Shultz schlug im März 1973 vor, sich öffentlich dahingehend auszusprechen, bei der allgemeinen Freigabe der Wechselkurse handele es sich um ein zeitweiliges, vorübergehendes Arrangement; die Beteiligten gingen von einer späteren Rückkehr zu festen Wechselkursparitäten aus. Allerdings setzte die Konstruktion eines neuen, auf feste, aber anpassungsfähige Paritäten gegründeten Weltwährungssystems voraus, daß sich vorher die Devisenmärkte auf neue Paritätsniveaus einpendeln würden. Auch hinsichtlich unseres weiteren Vorgehens verständigten wir uns: Im Laufe der Jahre 1973 und 1974 sollte im Rahmen des Weltwährungsfonds (IWF) und seiner Gremien die neue Weltwährungsordnung entwickelt werden.

Tatsächlich aber führte dann der Yom-Kippur-Krieg dazu, daß das bis dahin nicht sehr erfolgreiche OPEC-Kartell unter arabischer Führung seine Verkaufsmengen drastisch herabsetzte, um den Westen zu einer Änderung seiner Nahostpolitik zu zwingen. Daraufhin stiegen die Ölpreise steil an und vervierfachten sich innerhalb der wenigen Monate vom September 1973 bis zum April 1974.

Nun zeigten sich schnell die Pferdefüße der Wechselkursfreigabe. Zum einen waren die Regierungen von der Verantwortung befreit, die Wechselkurse ihrer Währungen irgendwelchen offiziell festgesetzten Paritäten entsprechen zu lassen; viele Regierungen nutzten diese Freiheit für eine insgesamt stärker inflatorische und sogar inflationistische Geld- und Haushaltspolitik.

Der Hang zur Inflation breitete sich aus, weil immer mehr Regierungen zu starken Haushaltsdefiziten bereit waren und weil die jeweiligen Zentralbanken durch eine Expansion der Geldpolitik für ausreichende Finanzierbarkeit der Haushaltsdefizite sorgten. Einige Regierungen, zum Beispiel die englische, stellten sich sogar ausdrücklich auf diesen Standpunkt, weil der höhere Ölpreis den Volkswirtschaften Kaufkraft entziehe; deshalb müsse die Geldmenge kompensatorisch ausgeweitet werden.

In den Zahlungsbilanzen der ölimportierenden Länder entstanden hohe Defizite, denen schnell wachsende Überschüsse bei den meisten OPEC-Staaten gegenüberstanden. Da diese Überschüsse sogleich zinsbringend in westlichen Geschäftsbanken angelegt wurden, kamen die Banken in die Rolle des »recycling of petrol-dollars«. Das hieß, bei Lichte besehen: Sie finanzierten kreditweise die Zahlungsbilanzdefizite der ölimportierenden Länder. So setzte eine hohe Beschleunigung des Wachstums der internationalen Kreditvolumina ein; sowohl die staatliche als auch die private internationale Verschuldung wuchsen in rasantem Tempo.

Da der internationale Ölhandel herkömmlicherweise in US-Dollars fakturierte und auch zahlte, wurden vor allem die internationalen Dollarkreditvolumina ausgeweitet. Um die Sache zu vereinfachen, wurden neue Finanzierungspraktiken erfunden; der sogenannte Eurodollar-Markt – ein Wort, das wenige Jahre zuvor noch weitgehend auf Unverständnis gestoßen wäre – entwickelte sich zu einem florierenden Geschäft; an vielen Stellen außerhalb der USA wurden Bankniederlassungen aus dem Boden gestampft, die mit billigen Dollarkrediten gewaltige Gewinne einstrichen.

Die für den Dollar verantwortliche amerikanische Zentralbank war dagegen machtlos; sie war sich allerdings auch gar nicht über die damit verbundenen Gefahren im klaren. Ebensowenig erkannte sie die Gefahren, die in der de facto *lang*fristigen Kreditfinanzierung zugunsten der zahlungsbilanzschwachen Ölimportländer durch amerikanische Privatbanken lagen; die Banken schienen genügend Depositen von arabischen Einlegern zu bekommen. Diese Einlagen waren aber *kurz*fristig! Für die international tätigen Geschäftsbanken in England, Deutschland und den anderen betroffenen Ländern war die Lage prinzipiell ähnlich: Pro Vierteljahr strömten acht bis zehn Milliarden US-Dollar kurzfristig aus arabischen Quellen nach Europa, die alsbald wieder international ausgeliehen wurden, und zwar langfristig. Dies waren die Ursachen der internationalen »Schuldenkrise« der Entwicklungsländer in den achtziger Jahren.

Ich habe die Schuldenkrise damals so nicht vorausgesehen; mich bewegten zwei andere Sorgen. Ich fürchtete um die Bonität und Zahlungsfähigkeit derjenigen Banken, die außerhalb ihres eigenen Währungsgebietes tätig waren, noch dazu in fremder Währung, die also weder der Aufsicht noch im Notfalle der Stützung durch die eigene nationale Zentralbank unterlagen. Ich hielt – wie sich zeigen sollte, nicht unbegründet – eine Bankenkrise für möglich. Zum anderen fürchtete ich, daß für alle Ölimportländer letztlich eine Zahlungsbilanzkrise und in deren Folge eine Deflationskrise mit allen Auswirkungen auf die Beschäftigung unvermeidlich war.

Diesen Sorgen gab ich in einer öffentlichen Rede in Rheinland-Pfalz drastisch Ausdruck: Wir gingen anstrengenden Zeiten entgegen und müßten uns auf große Einschränkungen gefaßt machen; in Anspielung auf Churchills berühmte Kriegsrede sprach ich von »Schweiß und Tränen«. Daran nahm Bundeskanzler Brandt Anstoß, ich dürfe die Konjunktur nicht zerreden. Ich fügte mich, aber am 5. November 1973 schrieb ich einen besorgten privaten Brief an den amerikanischen Außenminister, Henry Kissinger. Darin schlug ich ihm vor, eine private Konferenz von

Diplomaten, Öl- und Währungsfachleuten der wichtigen Industriestaaten abzuhalten, um eine gemeinsame Politik der Regierungen des Westens zu entwickeln. Es sei nötig, über einen Erfahrungs- und Meinungsaustausch zur Kooperation untereinander und zu einer gemeinsamen Politik gegenüber den OPEC-Staaten zu gelangen.

Meine Anregung fiel bei Kissinger zunächst nicht auf fruchtbaren Boden, weil es im November 1973 zu Spannungen zwischen Washington und Bonn gekommen war, die durch die Medien genährt wurden. Die US-Regierung hatte aus ihren militärischen Arsenalen in Bremerhaven ohne Wissen der Bundesregierung Schiffstransporte für Israel zusammengestellt, so daß die Bundesrepublik Deutschland zur Drehscheibe für militärischen Nachschub im Yom-Kippur-Krieg gemacht worden war. Willy Brandt hatte daran mit Recht Anstoß genommen. Erst im Februar 1974 hat sich aus meiner Anregung die Washingtoner Energiekonferenz entwickelt; Henry Kissinger hat in seinen Memoiren ausführlich darüber berichtet.

Da Präsident Pompidou nicht – wie gehofft – seinen Finanzminister Giscard, sondern vielmehr seinen Außenminister Jobert zu der Konferenz entsandte, kam es zu heftigen Kontroversen zwischen diesem und dem Gastgeber Kissinger. Brandt hatte sowohl seinen Außenminister Scheel und auch mich entsandt; Scheel fiel es zu, als Vorsitzender des Rates der Europäischen Gemeinschaft für diese zu sprechen – ich dagegen sollte die deutschen Interessen vertreten. Das habe ich auch getan: an der Seite Kissingers gegen Jobert, der recht streitsüchtig war und seine Vorstellung von der Rolle Frankreichs in der Welt weitaus wichtiger nahm als die bedrohlichen ökonomischen Probleme, um die es ging und die er nicht verstand.

Die Konferenz blieb ohne unmittelbare Wirkung. Die Strukturkrise der Weltwirtschaft nahm ihren Anfang, ohne daß die wichtigsten Regierungen sich in der Diagnose einig waren, ganz zu schweigen von der Therapie.

Freundschaft mit Gerald Ford

Die Washingtoner Energiekonferenz, überschattet von amerikanisch-französischen Gegensätzen, war für mich der letzte Akt der Zusammenarbeit mit der Nixon-Administration. Danach habe ich Richard Nixon als Präsident nur noch einmal, Ende Juni 1974, bei einem NATO-Treffen in Brüssel gesehen; ich war gerade Bundeskanzler geworden, und Fragen der Außenpolitik standen im Vordergrund. Deshalb streiften wir die auf der Washingtoner Energiekonferenz nicht gelösten Probleme nur kurz; Nixon machte mir ein eigentlich unangebrachtes Kompliment über meine dortige Rolle. Er wirkte angespannt und zugleich unsicher – sechs Wochen später trat er zurück.

Den bisherigen Vizepräsidenten Gerald Ford, der an seine Stelle trat, hatte ich bis dahin nicht näher kennengelernt. Ford war von Nixon im Oktober 1973 überraschend zum Vizepräsidenten vorgeschlagen worden, nachdem der 1969 – zugleich mit Nixon – in dieses Amt gewählte Spiro Agnew wegen steuerlicher Unregelmäßigkeiten zurückgetreten war. Ford seinerseits ernannte Nelson Rockefeller zum Vizepräsidenten, so daß jetzt beide Spitzenmänner der USA auf ungewöhnliche Weise, wenngleich durchaus verfassungskonform, zu ihrem Amt gekommen waren.

Die Anklage und das Gerichtsverfahren gegen den ehemaligen Präsidenten Nixon standen noch bevor; die Welt spekulierte, ob Nixon verurteilt werden würde. Um nach Vietnam und nach Watergate eine weitere Erschütterung und eine innere Entzweiung der Nation zu vermeiden, begnadigte Ford nach einigen Wochen seinen Vorgänger. Auch dies war zwar verfassungskonform, aber erneut höchst ungewöhnlich – und für die meisten Europäer kaum verständlich, da die europäischen Verfassungen ein solches Verfahren (nämlich Begnadigung *vor* dem Gerichtsurteil) nicht kennen. Als ich von Gerald Fords Entscheidung erfuhr, sagte ich zu meinen Mitarbeitern: »Donnerwetter, der Ford hat Courage.«

Da Nixon nun aus dem Spiel war, stürzte sich ein Teil der Medien auf Ford. Er ist in den zweieinhalb Jahren seiner Amtszeit von den Medien seines Landes und vor allem vom amerikanischen Fernsehen ziemlich unfair behandelt worden. Diese vorwiegend negative Haltung übertrug sich zunächst auch auf Europa. Aber spätestens während der großen europäischen Konferenz in Helsinki Ende Juli 1975 und während des ersten Wirtschaftsgipfels in Rambouillet im November 1975 haben die Staatsmänner Europas Gerald Ford als einen zuverlässigen außenpolitischen Partner schätzengelernt, dem sie auch persönlich und menschlich vertrauten – trotz zwangsläufiger Interessenkollisionen und Meinungsverschiedenheiten.

Die sowjetische Führung unter Breschnew, dem die innenpolitische Bedeutung der Watergateaffäre wohl ziemlich unverständlich geblieben war, wurde durch die erneute Ernennung Henry Kissingers zum Außenminister beruhigt; unter Ford würde also kein grundlegender Wandel der außenpolitischen Ziele und Methoden der USA zu befürchten sein. Das Treffen zwischen Ford und Breschnew in Wladiwostok im Dezember 1974 mag schon vor Helsinki etwa verbliebene Zweifel vollends aus dem Weg geräumt haben.

Ich selbst habe Gerald Ford während seiner kurzen Amtsperiode achtmal in ausführlichen Gesprächen oder Verhandlungen gesehen und erlebt. Die erste Begegnung im Spätherbst 1974 in Washington diente im wesentlichen dem Kennenlernen. Von Mai 1975 an sahen wir uns dreimal in kurzen Abständen, zunächst Ende Mai in Brüssel aus Anlaß eines großen Treffens der Atlantischen Allianz, acht Wochen später in Bonn bei einem bilateralen Besuch des amerikanischen Präsidenten in der Bundesrepublik und wenige Tage darauf erneut in Helsinki.

Spätestens bei seinem Besuch in Bonn faßte ich großes persönliches Zutrauen zu dem neuen Präsidenten. Ich bin darin nicht enttäuscht worden; ebenso hat Gerald Ford mich niemals – etwa durch einseitig, also ohne Konsultation getroffene Entscheidungen – überrascht. Im Gegenteil: er führte auf fast allen Feldern die Außenpolitik Nixons fort; unter seiner Präsidentschaft waren die USA – von Bonn aus gesehen – ein immer berechenbarer und zuverlässiger Partner und Führer der Atlantischen Allianz.

So blieb es bei der doppelten »Grand Strategy« der Allianz, wie sie schon Ende 1967 gemeinsam definiert worden war: sowohl gemeinsame Sicherheit *vor* der Sowjetunion durch gemeinsame Verteidigungsfähigkeit als auch Kooperation *mit* der Sowjetunion, besonders auf dem Felde der vertraglichen Rüstungsbegrenzung durch SALT und MBFR. Daß die USA darüber hinaus eigene Interessen wie auch Gesamtinteressen des Westens in jenen Regionen wahrzunehmen hatten, die über den geographisch definierten Bereich des Nordatlantikpakts hinausgingen, war den Europäern selbstverständlich; es war nichts Neues.

Zu den leichten Meinungsverschiedenheiten des Jahres 1975 gehörte die Frage nach der Einstellung gegenüber Portugal und Spanien. In einem Gespräch am 29. Mai 1975 in Brüssel kam es darüber zu folgendem Dialog zwischen Ford und Kissinger auf der einen und mir auf der anderen Seite:

Schmidt: »Können Sie in Ihrer Rede vor dem Nordatlantikrat in bezug auf Spanien nicht etwas zurückhaltender sein, als es in Ihrem Entwurf steht?«

Ford: »Wollen Sie, daß ich Spanien gar nicht erwähne?«

Schmidt: »Nein, aber vielleicht ließe sich die ganze Spanienpassage etwas umformulieren. Für uns in Europa sieht das spanische Problem etwas anders aus als für die USA, für die Spanien vornehmlich ein strategischer Faktor ist. Die Ära Franco geht offenkundig zu Ende [Franco starb am 24. November 1975]. Es ist noch unklar, wer danach das Steuer in die Hand bekommt. Wir

Erstes Kennenlernen
Gerald Fords,
Washington, Anfang
Dezember 1974.

Ende Juli 1975, auf dem
Weg nach Helsinki,
besuchte Gerald Ford die
Bundeshauptstadt
(oben).

Ein Jahr später war
Schmidt wiederum zu
Gast in Washington; von
links nach rechts: Ford,
Schmidt, Vizepräsident

Nelson Rockefeller sowi
die beiden Außen-
minister Kissinger und
Genscher.

sollten diejenigen ermutigen, von denen wir hoffen, daß sie nach Franco regieren werden. Das heißt: wir dürfen nicht bloß mit denen reden, die gegenwärtig die Macht ausüben.«

Ford: »Wir stehen in Vertragsverhandlungen über einen Stützpunkt, dem wir hohe Priorität beimessen. Wenn diese Verhandlungen scheitern sollten, so würde das auch für das Bündnis erhebliche Nachteile mit sich bringen. Also muß man einen Balanceakt vollbringen.«

Schmidt: »Ja, sicher. Damit Sie aber auch morgen Ihrer Stützpunkte und Ihrer besonderen strategischen Verbindungen mit Spanien sicher sein können, sollten Sie auch mit den Mächtigen von morgen darüber sprechen. Es geht dabei auch um das ›standing‹ der USA in Europa; denn man sollte den USA nicht nachsagen dürfen, sie setzten auf das falsche Regime.«

Kissinger: »Wir Amerikaner wenden auf Spanien die gleiche Theorie an, die Sie als Europäer auf Portugal anwenden: Wir wollen keine unkontrollierbaren Bewegungen unterstützen ... Die jüngste Entwicklung in Portugal hat das Gewicht zugunsten der kommunistisch eingestellten Offiziere verschoben.«

Schmidt: »Man kann sich noch kein endgültiges Urteil über den Ausgang der Sache bilden. Portugal erlebt einen wirtschaftlichen Niedergang, es steht ökonomisch vor einer verzweifelten Situation. Auch Mario Soares, der mir ein mutiger Mann zu sein scheint, könnte damit kaum fertig werden [Soares war 1974, nach seiner Rückkehr nach Portugal, zunächst Außenminister geworden, er regierte das Land von Juli 1976 bis 1978]. Die Kommunisten sind zwar gut organisiert, aber wirtschaftlich müssen sie sich ganz auf sowjetische Hilfe verlassen. Ich glaube nicht, daß die Sowjetunion über längere Zeit bereit sein wird, wirtschaftliche Hilfe in großem Stil für Portugal zu leisten.«

Kissinger: »Die öffentlichen Auseinandersetzungen zwischen den Kommunisten und den Sozialisten haben immerhin den Vorteil, daß keine Volksfrontideen aufkommen.«

Ford: »Was können die USA jetzt Nützliches zur Entwicklung beitragen?«

Schmidt: »Eine offene Einmischung der Sowjetunion in Portugal verhindern. Allerdings ist Moskau bis jetzt eher vorsichtig und schickt lieber Rumänien oder die DDR vor.«

Kissinger: »Das ist richtig. Aber für die Allianz hätte auch eine Art von rumänischem oder jugoslawischem Kommunismus gefährliche Wirkungen.«

Ford: »Wie würden die Europäer reagieren, falls sich die Azoren von Portugal lösten und ihre Unabhängigkeit erklärten?«

Schmidt: »Die osteuropäischen Propagandamaschinen würden das als Ergebnis amerikanischer Einmischung darstellen. In

Westeuropa dagegen würde eine Lösung der Azoren dann akzeptiert werden, wenn die Lage in Lissabon unhaltbar geworden sein sollte. Heute ist das aber nicht der Fall. Deshalb würde gegenwärtig eine Unabhängigkeitserklärung der Azoren in westeuropäischen Augen nicht gerechtfertigt sein.«

Ich sagte mit alledem nichts anderes, als was die Meinung der meisten meiner europäischen Kollegen war. Wir hielten die Chancen für eine demokratische Entwicklung vor allem in Spanien für gut – und wir unterstützten *alle* demokratischen Parteien und Gewerkschaften nach Kräften. Der Premierminister Adolfo Suarez und der Oppositionsführer (und spätere Ministerpräsident) Felipe Gonzalez, vor allem auch König Juan Carlos haben eine ausgezeichnete Rolle gespielt. Heute ist vom Francismus nur noch wenig zu spüren; Spanien ist inzwischen sowohl Mitglied der Nordatlantischen Allianz als auch der Europäischen Gemeinschaft geworden.

In Portugal lag der Fall etwas anders, denn das Land war von Anfang an Mitglied der NATO. Aber seit dem Ende der Diktatur Salazars und zuletzt unter Caetano war die portugiesische Revolution innenpolitisch weit in den Kommunismus abgedriftet. Einige der Militärs, die für Portugal in den Gremien des Bündnisses und der NATO auftraten, äußerten erstaunlich naive, zum Teil vulgärmarxistische Ansichten. Das galt auch und besonders für Regierungschef Gonçalves und das Staatsoberhaupt Costa Gomes. Ich konnte deshalb gut verstehen, daß Ford und Kissinger dem Lissaboner Regime die kalte Schulter zeigten; aber wir hatten auch im Falle Portugals durchaus noch Hoffnungen auf eine demokratische Entwicklung, wenn auch die östlichen Versuche, das ohnehin starke kommunistische Element in der Regierung zu stabilisieren, unverkennbar waren. Auch Portugal ist inzwischen Mitglied der Europäischen Gemeinschaft geworden, nachdem das dilettantische, halbkommunistische Regime 1976 durch Mario Soares abgelöst worden war. Allerdings macht die innere Entwicklung Portugals bisher nicht immer einen ähnlich gefestigten Eindruck wie diejenige Spaniens.

In beiden Fällen haben wir in Bonn auf positive Entwicklungen gesetzt und dazu beizutragen gesucht, während man in Washington skeptisch war. Aber unter europäischem Einfluß verzichteten Ford und Kissinger darauf, die ihnen naheliegend erscheinenden Konsequenzen tatsächlich zu ziehen. Bisher hat die Entwicklung auf der iberischen Halbinsel der europäischen Einschätzung der Lage recht gegeben. Aus ähnlichen Erwägungen erschien es mir später richtig, Tendenzen in Europa entgegenzutreten, die angesichts der Rückkehr der Türkei zu einem militärischen Regime die Türken aus dem Bündnis herauskomplimentieren wollten; ebenso entschieden trat ich amerikanischen Tendenzen entgegen, angesichts destruktiv und provozierend wirkender Maßnahmen Papandreous Griechenland aus der NATO drängen zu wollen.

Natürlich waren die Probleme der iberischen Halbinsel nicht der wichtigste Gegenstand der Gespräche, die zwischen der Ford-Administration und der Bundesregierung erörtert wurden. Ich bin hier nur deshalb darauf eingegangen, weil es – von einer Ausnahme abgesehen, auf die ich noch zu sprechen kommen werde – keine ins Gewicht fallenden Meinungsverschiedenheiten zwischen Washington und Bonn gegeben hat. Viel wichtiger waren in unseren Beratungen die mit SALT I und MBFR (Mutual Balanced Force Reductions, beiderseitige gleichgewichtige Truppenreduzierung in Mitteleuropa) zusammenhängenden Fragen, dann natürlich die Helsinki-Schlußakte von 1975, die Strukturkrise der Weltwirtschaft, dabei besonders die Öl- und Energieproblematik, die Währungsproblematik, schließlich der Nahe und Mittlere Osten, China – und endlich das rein bilaterale Thema der von mir gewünschten definitiven Beendigung deutscher Offset-Zahlungen an die USA.

Was MBFR anlangte, so wünschte Ford aus innenpolitischen Interessen einen baldigen Fortschritt. Er hoffte darauf, vor Beginn des eigentlichen Präsidentschaftswahlkampfes im Rahmen eines Verringerungsabkommens bereits einen Teil der amerikanischen Truppen aus Europa abziehen zu können, um das dem Kongreß in Washington als Erfolg vorzuführen. Er hatte den Eindruck, daß sowohl auf sowjetischer als auch auf westlicher Seite während der Verhandlungen zu viele taktische und arithmetische Kunststücke gemacht wurden.

Ford wollte die Sache vorantreiben, und diese Absicht traf sich mit meiner eigenen Auffassung. Schon Ende der fünfziger Jahre und erneut zehn Jahre später als Verteidigungsminister hatte ich mich mit beträchtlichem Aufwand in Wort und Schrift für die Herstellung eines europäischen Truppengleichgewichts auf niedrigerer Ebene eingesetzt – ohne Erfolg. Um so lieber war mir Fords Einstellung. Aber unser beider Einfluß hat nicht ausgereicht, die zählflüssig-buchhalterischen MBFR-Verhandlungen in Wien tatsächlich voranzubringen.

Auch zu SALT II hatten wir keine Meinungsverschiedenheiten. Ford und Kissinger hatten Breschnew und Gromyko im November 1974 in Wladiwostok getroffen. Man war offenbar sehr nahe an eine vollständige Einigung über SALT II herangekommen. Es gab jedoch noch zwei Hindernisse. Eines davon hatte mit der amerikanischen Innenpolitik zu tun, nämlich mit dem bevorstehenden Wahlkampfjahr 1976. Denn das Erreichbare wäre aller Voraussicht nach von zwei Seiten kritisiert worden: zum einen von jenen Demokraten, denen das Abkommen nicht weit genug gegangen wäre, zum anderen von den rechten Republikanern, mit Kaliforniens Gouverneur Ronald Reagan an der Spitze, die das Abkommen als für die USA nachteilig denunziert hätten und denen Kissingers Gleichgewichtspolitik aus ideologischen Gründen ohnehin verdächtig und verdammenswert erschien. Ford wollte SALT II deshalb erst nach den präsidentiellen Primärwahlen des Sommers abschließen, möglicherweise erst nach den Präsidentschaftswahlen im November. So ließ er sich Zeit.

Andererseits brauchte er auch Zeit, um das zweite Hindernis zu überwinden: die inzwischen neu in Produktion gegangenen sowjetischen Bombenflugzeuge vom Typ Backfire und die Mittelstreckenraketen vom Typ SS 20. Unter vier Augen sprachen Ford und ich im Mai 1975 sehr offen über diese neuen Schwierigkeiten.

Ich konnte Fords innenpolitische Erwägungen durchaus nachvollziehen, und sein Kalkül irritierte mich nicht. Ich setzte auf die Wahrscheinlichkeit seiner Wiederwahl und hatte keinen Zweifel, daß er danach das SALT-II-Abkommen, an dem uns Deutschen sehr gelegen war, zustande bringen würde. Was die Backfire-Bomber und in noch höherem Maße die SS-20-Raketen betraf, gab es natürlich ein dringendes deutsches Interesse, sie in das mit SALT II beabsichtigte bilaterale Gleichgewicht einzubeziehen. Seit der Kuba-Raketenkrise war mir das innereuropäische Übergewicht sowjetischer nuklearer Mittelstreckenwaffen als gefährlich erschienen, und als Verteidigungsminister hatte ich mehrfach mit Melvin Laird darüber gesprochen. So war ich froh, daß Gerald Ford diese Sorge nicht nur verstand, sondern teilte; er versprach ausdrücklich, die SS 20 und Backfire in SALT II einzubeziehen. Wir haben jene Übereinstimmung damals nicht aktenkundig gemacht; angesichts unseres persönlichen Vertrauensverhältnisses schien uns dies nicht nötig zu sein – und außerdem wollten wir keine schlafenden Hunde wecken.

Im Mai 1975 stand das große europäische Gipfeltreffen von Helsinki noch nicht ganz fest; tatsächlich kam es dann Ende Juli zustande. Über den Inhalt der anzustrebenden Helsinki-Schlußakte, auch über den sogenannten Korb Drei, der die Absichtserklärungen zur Einhaltung der Menschenrechte in Europa betraf, und über die sonstigen in Helsinki zu behandelnden politischen Fragen gab es zwischen Washington und Bonn keine zu Buche schlagenden Differenzen.

Präsident Fords zweitägiger Staatsbesuch in Bonn Ende Juli 1975, also unmittelbar vor Helsinki, wurde deshalb zu einem glänzenden Erfolg für beide Seiten. Fords außenpolitische Erklärungen zu Berlin und zur gemeinsamen Verteidigung Europas, die er in einem kleinen hessischen Ort vor Truppen beider Staaten abgab, erlaubten keinerlei Zweifel an Amerikas Festigkeit. Was wir gemeinsam zu Helsinki und der wünschenswerten KSZE-Schlußakte sagten, bestätigte jedermann, daß die bundesdeutsche CDU/CSU-Opposition völlig isoliert war, als sie die Helsinki-Schlußakte als unzureichend ablehnte. Aber auch sonst waren wir ein großes Stück weitergekommen.

Ford wohnte, wie fast alle hohen Staatsgäste, auf Schloß Gymnich in der Nähe der Bundeshauptstadt; die offiziellen Gespräche wurden im Palais Schaumburg in Bonn geführt, in dem seit Adenauer alle Bundeskanzler residiert hatten (der Umzug in das neue Bundeskanzleramt fand erst ein Jahr später statt). In meinem Arbeitszimmer hing ein gutes und zugleich menschlich eindrucksvolles Bebel-Porträt aus dessen letztem Lebensjahr, das mir Alfred Nau geschenkt hatte. In der Unterhaltung über den großen sozialdemokratischen Führer, über die Geschichte des Allgemeinen Deutschen Arbeitervereins und die Entwicklung der Sozialdemokratischen Partei Deutschlands zeigte sich der amerikanische Außenminister zu meiner Überraschung bestens orientiert; der amerikanische Präsident wiederum hatte ein sehr detailliertes Bild von Bebels großem Gegenspieler Bismarck. Bei Kissinger, der zur intellektuellen Ostküsten-Elite zählte und obendrein in Deutschland geboren war, konnte man deutsche Geschichtskenntnisse voraussetzen; bei Jerry Ford hingegen erschienen sie mir ungewöhnlich. Bei keinem seiner beiden Nachfolger habe ich eine solche Vertrautheit mit der Geschichte meines Landes gefunden.

Beim abendlichen Zusammensein kam das Gespräch auch auf die Malerei des deutschen Expressionismus und besonders auf Emil Nolde. Hitler hatte fast alle Expressionisten in Acht und Bann getan, ihre Bilder aus den Museen entfernt, vernichten lassen oder auf ausländischen Auktionen verschleudert. Mehrere Expressionisten waren mit Ausstellungsverbot belegt worden, anderen war überhaupt untersagt worden, weiterhin zu malen. Beeinflußt durch die Kunsterziehung an der Lichtwark-Schule in Hamburg war ich seit meiner Jugend vom deutschen Expressionismus begeistert; mein Enthusiasmus hat sich im Laufe des Lebens eher noch gesteigert. Durch die von Hitler veranlaßte Ausstellung»Entartete Kunst« war ich 1937 als Achtzehnjähriger vollends von der Abartigkeit des Nationalsozialismus überzeugt worden. Als Bundeskanzler nutzte ich jede Möglichkeit, den Expressionisten im Bewußtsein sowohl der Deutschen als auch des Auslandes zu ihrem wohlverdienten Durchbruch zu verhelfen, denn noch immer spielten sie – im Vergleich etwa mit den französischen Fauves – in der Welt nur eine untergeordnete Rolle. Deshalb habe ich auch den Neubau des Bundeskanzleramtes mit expressionistischen Kunstwerken ausgestattet, was ausländischen Besuchern immer Anlaß zum Gespräch gab. So auch Ford und Kissinger. Wir unterhielten uns über die Unterbewertung Noldes auf dem amerikanischen Kunstmarkt; Kissinger regte an, durch eine zusammenfassende Ausstellung in den USA der amerikanischen Öffentlichkeit einen ersten grundlegenden Überblick über den deutschen Expressionismus zu verschaffen. Eine solche Schau ist dann tatsächlich 1981 im Guggenheim-Museum zustande gekommen; inzwischen sind auch, wie das Gästebuch zeigt, viele Amerikaner zur Noldestiftung nach Seebüll gepilgert, ein paar Kilometer südlich der deutsch-dänischen Grenze.

Bundespräsident Walter Scheel lud Ford und Kissinger zu einer Fahrt auf dem Rhein ein, an der neben prominenten Gästen aus Europa eine ganze Kompanie amerikanischer Journalisten teilnahm. Es war ein schöner Sommerabend, Tausende von Menschen umlagerten die Anlegestellen, die Weinkönigin von Linz bot den Fords einen Pokal guten Weines. Später die nächtliche Silhouette des Siebengebirges, vielerlei Lichter auf dem Rhein, Gespräche über vielerlei Gegenstände, auch über Adenauer (»Da drüben im Dunkeln liegt Rhöndorf; dort hatte er sein Haus. Deshalb ist Bonn Hauptstadt geworden«). Betty Ford hatte gerade eine Krebsoperation hinter sich und fühlte sich noch schwach; eigentlich brauchte sie Ruhe. Aber in der Öffentlichkeit spielte sie ihre Rolle großartig, und die Menschen applaudierten ihr überall herzlich.

Unsere Gäste schienen sich wohl zu fühlen: Alles zusammen entsprach dem Bild von Deutschland, welches die deutschen Einwanderer Ende des neunzehnten Jahrhunderts nach Amerika mitgebracht hatten; es war das Deutschlandbild, das unsere amerikanischen Gäste – trotz Hitler und Auschwitz – bewahrt hatten. Natürlich hätten auch das Hofbräuhaus, die Nibelungen, Sauerkraut oder »Alt-Heidelberg« dazu gepaßt. Und als ich ein Jahr später anläßlich der 200-Jahr-Feier der Vereinigten Staaten Jerry Ford zu einem Empfang an Bord unseres Schulschiffes »Gorch Fock« einlud, da paßte auch dieses über die Toppen geflaggte Segelschiff in das romantische Deutschlandbild vieler Amerikaner.

Allerdings: Weder Ford noch Kissinger waren so naiv, die offenkundige Zuneigung der deutschen Gastgeber oder die weinselige Rheinfahrt für eine ausreichende Kennzeichnung dessen zu halten, was die Bundesrepublik, ihre Probleme, ihre Ängste und ihre Hoffnungen ausmachte. Beide waren Realisten; der

Präsident dank der Erfahrung einer langen politischen Laufbahn als Kongreßabgeordneter, in der er sich alle zwei Jahre um seine Wiederwahl hatte bemühen, das heißt: die Sorgen anderer Leute hatte ernst und wichtig nehmen müssen. Und der amerikanische Außenminister, gestern noch Professor in Harvard, wußte über die jüngste deutsche Geschichte mehr als viele deutsche Teilnehmer der nächtlichen Rheinfahrt.

Beiden war klar, daß die andauernde Teilung der Nation für die Deutschen ein gravierendes Problem sein mußte; sie wußten, daß die Teilung nicht nur sichtbare, sondern auch innere Wunden verursacht hatte. Und sie kannten die Hoffnungen auf deren Heilung. Ford war in diesen Dingen weder kaltschnäuzig – er sagte nicht:»Damit müßt ihr Deutschen euch eben abfinden« –, noch weckte er illusionistische Erwartungen. Das»Time«-Magazin schrieb nach dieser Reise:»Kein Land Europas ist mit Ford zufriedener als die Bundesrepublik Deutschland. Kanzler Schmidt ... findet Ford wohlvorbereitet, gut informiert und zugleich ernsthaft ... Was die Deutschen an Ford höher schätzen als alles andere, ist das Gefühl der Stabilität und Gelassenheit, das ihnen die Ford-Regierung vermittelt.« Dies traf in allen Punkten zu.

Wenige Tage nach Fords Deutschlandbesuch sahen wir uns in Helsinki wieder. Zwei Dinge sprangen während der finnischen Tage ins Auge: die Selbstverständlichkeit, mit der die USA als europäische Macht auftraten und akzeptiert wurden, und die zurückgenommene natürliche Würde Gerald Fords. Wichtiger noch war die relative Leichtigkeit, mit der in Helsinki zwischen Ford, Giscard d'Estaing, Wilson und mir die Verabredung zu einem Weltwirtschaftstreffen der Regierungschefs der großen industriellen Demokratien getroffen wurde. Der Gedanke war ursprünglich in einem Gespräch zwischen Giscard und mir entstanden; wir dachten an eine Art Fortsetzung der alten Library Group auf höherer Ebene. Aber Washington hatte zunächst gezögert; denn sein Verhältnis zu Paris war seit de Gaulles Zeiten von Vorsicht, zeitweilig auch von leichtem Mißtrauen gekennzeichnet gewesen. In Bonn hatten Ford und ich ein gemeinsames Konzept erarbeitet, und inzwischen hatte sich auch ein gutes persönliches Verhältnis zwischen Ford und Giscard entwikkelt. So beschlossen wir an einem schönen Sommernachmittag an einem Gartentisch in Helsinki die erste Gipfelkonferenz; damit sie nicht in die Hände der Bürokraten fiele, kamen wir überein, sie durch persönliche Beauftragte vorbereiten zu lassen. Wir waren uns auch rasch über die Notwendigkeit der Teilnahme Japans einig – was mir sehr wünschenswert erschien, damit Deutschland nicht als einziges besiegtes Land am Tische sitzen

würde. Als Gerald Ford Anfang August 1975 Europa wieder verließ, hatte er viele Freunde unter den Regierenden des alten
Kontinents gewonnen. Er konnte mit ihnen zufrieden sein, und
sie waren es mit ihm.

Wenige Monate später erwies sich auf dem ersten der sogenannten Weltwirtschaftsgipfel in Rambouillet – inzwischen war
auch Italien eingeladen worden –, daß Ford urteilskräftig war, sowohl was die volkswirtschaftliche Lage seines Landes als auch
die Weltwirtschaft betraf. Er hatte einigen Erfolg bei der Bekämpfung der Inflation vorzuweisen; aber er wollte die Anstrengungen in dieser Richtung angesichts der Gefahr steigender Arbeitslosigkeit nicht übertreiben. Währungspolitisch kamen sich
Paris und Washington entgegen, wenngleich ohne konkrete Er-
gebnisse; immerhin wurde damit ein wichtiges Hindernis für die
Reform der Statuten des IWF und für den bevorstehenden
Nord-Süd-Dialog aus dem Wege geräumt.

Trotz deutlicher Zurückhaltung des japanischen Ministerpräsidenten Miki schieden wir voneinander in dem Bewußtsein, daß
die Wirtschaftskrise, die inzwischen alle Länder erfaßt hatte, uns
nicht wie die Krise in den frühen dreißiger Jahren zu einem han-
dels- und währungspolitischen Kampf aller gegen alle verleiten
dürfe. Jeder hatte die strategische Bedeutung vernünftiger, auf
die internationalen Zusammenhänge Rücksicht nehmender
ökonomischer Maßnahmen begriffen und wußte, daß alle anderen Teilnehmer das genauso sahen. Unsere Außen- und Finanzminister hatten daran mitgewirkt, daß es zu dieser Atmosphäre
des Vertrauens gekommen war; keiner hatte den Medien zu
Hause irgendwelche Tataren-Nachrichten für innenpolitische
Zwecke zuspielen lassen; und alle hatten abermals eine zielsi-
chere und gelassen auftretende amerikanische Staatsführung erlebt. In meinen Augen wog dies alles weit mehr als das Fehlen
präziser Vereinbarungen, mit denen ich ohnehin nicht gerechnet
hatte; im Gegenteil: wir hatten im voraus die Erwartungen soweit wie möglich heruntergespielt. Ein Dreivierteljahr später gab
es – der zeitliche Abstand war ein wenig zu kurz – ein zweites
Treffen dieser Art in Puerto Rico, wozu Jerry Ford eingeladen
hatte; zum ersten Mal wurde auch Kanada hinzugezogen, und
Pierre Trudeau zeigte sich als ein produktiver Gesprächspartner.
Auch dieses zweite Treffen – mit dem die Gipfeltreffen zu einer
Institution wurden – war in dem Sinne erfolgreich, daß alle Teilnehmer sich einig waren, die Strukturkrise der Weltwirtschaft
werde sich nur gemeinsam bewältigen lassen.

Während der folgenden Treffen ging der intime Charakter bald
verloren. Gleichwohl haben diese Gipfel noch immer einen hohen politischen Wert: Sie ermöglichen einen relativ zwanglosen

Meinungsaustausch über akute Probleme, und sie wecken Verständnis füreinander, vor allem bei neu ins Amt kommenden Staats- und Regierungschefs. Dabei ermöglichen sie eine realistische Einschätzung des künftigen Verhaltens der anderen Führungspersonen, und, als wichtigstes, sie stärken das Vertrauen von Person zu Person.»Staaten haben Interessen«, so heißt es, und das ist auch zutreffend. Aber ihre Interessen werden von Menschen an der Spitze interpretiert und verfolgt, und verschiedene Menschen an der Spitze desselben Staates tun dies auf sehr verschiedene Weise. Deshalb ist es nützlich, einander gut zu kennen. Deshalb ist auch die häufig nachgedruckte Floskel falsch, wonach ein internationales Treffen nur dann sinnvoll sei, wenn vorher feststehe, daß »etwas dabei herauskommt«.

Die drei großen Gipfelkonferenzen des Jahres 1975 – im Mai im Rahmen der Allianz in Brüssel, im Juli/August anläßlich der KSZE-Konferenz in Helsinki und im November in Rambouillet – zeigten den Westen in meinen Augen auf einem Höhepunkt der Einigkeit. Es gab keinen Zweifel über die gemeinsame »Grand Strategy«, es kam zu keinen gegenseitigen Verbitterungen und Verdächtigungen, und es bestand Vertrauen in eine maßvoll ausgeübte amerikanische De-facto-Führung, die darauf verzichtete, ihre Rolle öffentlich auszuspielen.

Dies alles ging nach dem nächsten Präsidentenwechsel in Washington zwar nicht völlig verloren, aber es zerbröckelte. Wenn Valéry Giscard d'Estaing, Jim Callaghan und ich uns noch heute ab und zu auf Jerry Fords Einladung in Vail in den Bergen Colorados treffen, so kann sich abends beim Whisky das Gespräch von den aktuellen Problemen der Zeit ab- und nostalgisch der Mitte der siebziger Jahre zuwenden. Etwas wehmütig – und zugleich leicht überheblich – kann dann einer von uns sagen: »Natürlich war die Welt damals besser regiert als heute.« Und die übrigen nehmen das, wie es gemeint ist: cum grano salis; einer sagt dann »Cheers!«, erhebt sein Glas, und man prostet sich zu.

Das Ende der Ära Nixon-Ford-Kissinger war zugleich, das kann man heute klar erkennen, das Ende jener erfolgreichen Phase der Gesamtstrategie des Westens, wie sie zehn Jahre zuvor, im Dezember 1967, von Pierre Harmel in dessen Bericht über die »Zukünftigen Aufgaben der Allianz« formuliert worden war. Aber das konnten wir 1975 und 1976 noch nicht wissen.

Wie ich bereits schrieb, gab es ein wichtiges deutsch-amerikanisches Problem, das ich zusammen mit Ford zu lösen hatte. Ich war schon lange der Meinung gewesen, mit den immer wieder erneuerten mittelfristigen Offset-Abkommen über deutsche Finanzbeiträge für die amerikanischen Truppen in Deutschland müsse es ein Ende haben. Diese Zahlungen hatten, wie gesagt, nur die Deutschen zu leisten, obgleich die amerikanischen Truppenstationierungen in anderen europäischen Ländern den amerikanischen Haushalt und, da sie weitgehend in der jeweiligen Landeswährung anfielen, die amerikanische Zahlungsbilanz ebenfalls belasteten. Sosehr ich für den ökonomischen Zusammenhang Verständnis hatte, so wenig erschien es mir akzeptabel, daß die Deutschen die einzigen waren, die zu zahlen hatten, und daß dadurch der Eindruck einer moralischen Verpflichtung entstanden war. Schließlich standen die amerikanischen Truppen auch im Interesse der anderen europäischen Staaten auf deutschem Boden – und außerdem und zuallererst im amerikanischen Interesse. Weder Paris noch Brüssel, Den Haag oder Ottawa erhoben derartige Forderungen, obschon sie ebenfalls Truppenkontingente auf deutschem Boden stationiert haben.

Ich war immer ein Gegner jedweder Sonderbehandlung Deutschlands im Rahmen des westlichen Bündnisses: eine Sonderbehandlung allein durch die USA kam für mich erst recht nicht in Frage. Es durfte sich auch nicht unterschwellig die Vorstellung eines amerikanisch-deutschen Vasallenverhältnisses einnisten, weder jenseits des Atlantik noch diesseits. Deshalb vor allem – und nicht so sehr aus finanziellen Gründen – wollte ich die deutschen Zahlungen in Milliardenhöhe beenden, die jahrzehntelang geleistet worden waren. Auch für die USA waren es nicht vornehmlich haushalts- oder zahlungsbilanzpolitische Gründe, sondern psychologisch-politische Motive, derentwegen sie an den deutschen Sonderzahlungen festhielten. Dies war mir klar. Die Tatsache, daß dieses Problem ein Jahrzehnt zuvor zum Sargnagel für die Kanzlerschaft Ludwig Erhards geworden war, war für mich eine beredte Mahnung, vorsichtig vorzugehen.

Der gesunde Menschenverstand Gerald Fords und ebenso die Gewißheit seiner Minister, sich auf die Bündnisgenossenschaft Deutschlands verlassen zu können – und auf unsere Überzeugung, aus der eigenen Interessenlage heraus am Bündnis mit den USA festzuhalten –, erleichterten die Verhandlungen. Als wir endlich im Juli 1976 durch einen Briefwechsel die Kuh vom Eise brachten, hatten sowohl wir selbst als auch unsere Außenminister das Problem mehrere Male durchgesprochen, ohne daß es öffentliches Aufsehen erregt hätte. Die entscheidenden Sätze des zwischen Ford und mir persönlich verabredeten Textes meines Briefes an ihn vom 29. Juli 1976 lauteten:

»... möchte ich unser Einvernehmen darüber feststellen, daß der herkömmliche Zahlungsbilanzausgleich gegenstandslos geworden ist. Es kann jedoch davon ausgegangen werden, daß die militärischen Beschaffungskäufe durch die ... Bundesrepublik Deutschland in den Vereinigten Staaten von Amerika ... wie in der Vergangenheit fortgeführt werden. Die Bundesregierung begrüßt die Absicht der amerikanischen Regierung, eine Kampfbrigade nach Norddeutschland zu verlegen. Sie mißt diesem Vorhaben eine besondere Bedeutung für die Stärkung der Verteidigungskraft der Allianz bei und ist in diesem außergewöhnlichen Falle bereit, mit einer einmaligen Zahlung bis zu 171,2 Millionen DM zu den Kosten der militärischen Unterbringung der Brigade beizutragen. Die Bundesregierung legt allerdings Wert auf die Feststellung, daß dieser besondere einmalige Kostenbeitrag keine Verpflichtung der Bundesrepublik Deutschland zur Zahlung von Stationierungskosten begründet.«

Die Stationierung einer zusätzlichen amerikanischen Brigade in Schwanewede bei Bremen bot also den Anlaß für eine einmalige Abschlußzahlung, deren geringes Ausmaß finanzwirtschaftlich nicht ins Gewicht fiel und die den Amerikanern erlaubte, das Gesicht zu wahren. Der Wunsch, diese Brigade aus den USA nach Norddeutschland zu verlegen, ging vor allem auf die beiden Verteidigungsminister Georg Leber und James Schlesinger zurück. Offenbar hatte Schlesinger dabei nicht von vornherein die Zustimmung Fords gehabt, der sich wohl ein wenig unter Druck gesetzt fühlte. Ich glaubte bei Ford im übrigen mehrfach Verstimmungen über Schlesinger zu spüren; im November 1975 löste er ihn durch Donald Rumsfeld ab.

Ford und seine Berater Kissinger, Rumsfeld und Scowcroft (der im November 1975 Nachfolger Kissingers als Sicherheitsberater geworden war, damit sich dieser ganz auf das State Department konzentrieren konnte) hatten sich bei der Beendigung des Devisenausgleichs als verständnisbereite Partner erwiesen. Gerade weil sie die amerikanische Führungsrolle nicht öffentlich im Munde führten, konnten wir leicht die weitgehende Führungsrolle anerkennen, welche die USA tatsächlich ausübten. In allen wesentlichen Fragen der Weltpolitik, ob sie China betrafen oder den Nahen und Mittleren Osten, die westliche Gesamtstrategie gegenüber der Sowjetunion oder unser aller Verhalten in der weltwirtschaftlichen Strukturkrise, immer stimmten wir entweder ohnehin überein, oder wir waren zumindest imstande, ein ausreichendes Maß von Übereinstimmung zu erarbeiten. Dies galt für das Verhältnis zwischen Washington und den Regierungen der europäischen Partnerstaaten im allgemeinen, es galt besonders für das deutsch-amerikanische Verhältnis.

Eine Meinungsverschiedenheit ergab sich im November 1975 anläßlich der Finanzkrise der Stadt New York. Diese amerikanische Metropole, ein Zentrum des privaten Kreditgewerbes und der Aktienbörsen der ganzen Welt, zugleich eine Industrie-, Handels-, Gewerbe- und Dienstleistungszusammenballung und eine kulturelle Hauptstadt der amerikanischen Zivilisation, sie war häufig nahe der Grenze der Unregierbarkeit. Höchster Reichtum und millionenfache Armut, ja schreiendes Elend liegen hier dicht nebeneinander. Wenn ich New Yorks Probleme sah, so kamen mir alle Sorgen der europäischen Oberbürgermeister immer vergleichsweise gering vor.

Von Fiorello La Guardia bis zu Edward Koch habe ich die Männer bewundert, die es fertigbrachten, eine solche Stadt halbwegs anständig und erfolgreich zu verwalten; im Vergleich dazu ist die anständige Verwaltung meiner Vaterstadt Hamburg höchstens ein Gesellenstück. Die Wirtschaftskrise, die sich von 1974 an in steigender Arbeitslosigkeit auswirkte, brachte fast alle großen Städte der Welt in erhebliche finanzielle Schwierigkeiten; denn die Ausgaben für Sozialleistungen wuchsen schnell, nicht aber die Steuereinnahmen. New York City aber geriet in eine besonders schwere Haushaltskrise.

Wieweit die Stadt New York schon vorher über ihre Mittel hinaus gewirtschaftet hatte, konnte ich nur ahnen. Aber die im Sommer und Herbst 1975 kursierenden Gerüchte über ihre angeblich bevorstehende Zahlungsunfähigkeit und die öffentlichen Kontroversen über die Notwendigkeit einer Finanzhilfe durch die Regierung in Washington, die angeblich verweigert wurde, beunruhigten mich. Denn ein finanzieller Kollaps New Yorks konnte leicht zum Muster für andere hochverschuldete Großstädte werden – und keineswegs bloß für amerikanische Metropolen. Ein Zusammenbruch der Kurse von kommunalen Anleihen konnte nach Europa und in andere Erdteile überschwappen, zumal er von einem Finanzzentrum der Welt ausgehen würde; schließlich hatten beinahe alle Riesenstädte der Welt über ihre Verhältnisse gelebt.

Die Stadt, ihre politischen Vertreter, der Gouverneur des Staates New York und die demokratische Opposition im Kongreß setzten den republikanischen Präsidenten unter Druck, zumal bereits der Staat New York in Mitleidenschaft gezogen wurde. Auch Ford fürchtete einen Modellfall, freilich mit anderen Vorzeichen, nämlich eine lange Reihe weiterer Städte, die im Falle einer Hilfe für New York gleiche Ansprüche stellen würden. Er machte es deshalb zur Bedingung, daß die Stadtregierung gegen die Unzahl der Pressure-groups zunächst Haushaltseinsparungen durchsetzte und damit die Voraussetzungen für eine dauerhafte finanzielle Gesundung schuf. Dies entsprach im Prinzip meinen eigenen Denkgewohnheiten. Dennoch durfte es zu keiner Zahlungsunfähigkeit kommen, davon war ich überzeugt.

Anfang Oktober 1975, auf dem Wege nach Washington, wurde ich während einer Pressekonferenz in New York nach meiner

Meinung gefragt. Ich machte den Fehler, die Fragen zu beantworten. Meine Antworten wurden von den New Yorker Medien als Kritik an der Haltung des Präsidenten interpretiert. Als ich zwei Tage später zu Gerald Ford kam, hatte ich ein schlechtes Gewissen; denn was immer ich zur Sache gesagt hatte, im Grunde hätte ich mich auf eine öffentliche Diskussion innerer Probleme des Gastlandes überhaupt nicht einlassen dürfen. Der Präsident ging mit einem Halbsatz freundlich darüber hinweg, hörte sich aber sorgfältig meine Auffassung zur Sache an; einige Tage darauf einigte er sich mit der Stadt New York.

Als Ford die Primärwahlen gegen Ronald Reagan knapp gewonnen hatte, war ich froh; denn Reagan kannte ich nicht, und Ford schätzte ich sehr. Als er im November 1976 dann die Präsidentschaftswahlen gegen Jimmy Carter, den ich gleichfalls nicht näher kannte, verlor, war ich besorgt. Ford und ich hatten sehr eng zusammengearbeitet, ebenso unsere Außenminister Genscher und Kissinger; die Zusammenarbeit war weit über den Bereich der Allianz und über die Gesamtstrategie gegenüber Moskau hinausgegangen. Wir hatten die gleichen Auffassungen über die künftige Rolle der Volksrepublik China, über die wichtige Rolle Anwar as Sadats, über den Nahen und Mittleren Osten insgesamt, über die Rolle der OPEC, über die Lage der Entwicklungsländer und die hier notwendigen Hilfsmöglichkeiten, über die Wirtschaftskrise – und wir hatten uns auf diesen Feldern gegenseitig geholfen. Ich war dem scheidenden Präsidenten der Weltmacht USA zutiefst dankbar. In einem langen Abschiedsbrief schrieb ich ihm am 23. November 1976:

»... Sie haben die Integrität der Präsidentschaft und des Weißen Hauses und damit zugleich das Vertrauen von Hunderten Millionen Menschen – Amerikanern ebenso wie Ausländern – in die Vereinigten Staaten wiederhergestellt... Ich glaube, kein anderer Bundeskanzler hat sich einem amerikanischen Präsidenten gegenüber jemals so frei gefühlt, auf solch freundschaftlichem Fuße und so zuverlässig eingebettet in das Gefühl der Freundschaft... Einer der Gründe für den Erfolg unserer Bundesregierung in den Bundestagswahlen vom 3. Oktober 1976 war gewiß das Bewußtsein der deutschen Wähler von den ausgezeichneten Beziehungen zwischen den USA und meinem Lande, die wir zumeist Ihnen verdanken... Ich weiß, daß ich für Sie nicht immer ein einfacher Partner gewesen bin – aber wie hätte es auch anders sein können, da doch jeder Regierungschef das vertreten und schützen muß, was er als die Interessen seines eigenen Landes ansieht...«

Natürlich bedankten meine Frau und ich uns auch bei Betty Ford, die wir sehr schätzengelernt haben. In meinem Brief an den Präsidenten erwähnte ich ausdrücklich die große Hilfe durch Henry Kissinger und durch Fords Finanzminister Bill Simon und betonte schließlich, welche Rolle unsere ausgezeichneten persönlichen Beziehungen gespielt hatten. Gerald Ford dankte in sehr warmen Worten für meinen Brief, und wir haben uns gegenseitig versichert, die persönliche Freundschaft weiterhin zu pflegen. In der Tat haben wir diese gute Beziehung zu meiner großen Befriedigung und Bereicherung bis zum heutigen Tag fortgesetzt.

Mein Abschiedsbrief an Kissinger und dessen Antwort hatten ähnlichen Charakter. Als Kissinger sein Amt an seinen Nachfolger Cyrus Vance übergab, lag der Beginn unserer Bekanntschaft bereits zwei Jahrzehnte zurück. Ich hatte Henry Kissinger Mitte der fünfziger Jahre kennengelernt, als er durch ein intelligentes Buch über nukleare Kriegführung international bekannt wurde. Ich war mit der Tendenz des Buches keineswegs einverstanden gewesen, hatte ihm aber viele Anregungen zu verdanken. Als ich 1960 daranging, in einem eigenen Buch die in der Bundesrepublik damals fast unbekannte englische und amerikanische militärstrategische Literatur der fünfziger Jahre zusammenfassend darzustellen und sie mit der deutschen Interessenlage zu vergleichen, um daraus alternative Gedanken zu entwickeln, hatte ich von Kissinger mancherlei Hilfe erfahren. Das galt auch für die späteren Jahre, als er längst Sicherheitsberater und danach Außenminister geworden war. Ich glaube, mitunter habe auch ich ihm hilfreich sein können.

Kissinger hat konzeptionell wie auch als Operateur die Gesamtstrategie seines Landes immer als Einheit gesehen. Seine moralischen Grundwerte waren typisch amerikanischer Natur; aber er war viel zu rational, um Amerikas Macht als Büttel der moralischen Besserwisserei zu gebrauchen, wie es viele Amerikaner in außenpolitischen Fragen gern tun. Kissinger war ein Stratege des Gleichgewichts zwischen West und Ost, weder jenes Überlegenheitsstrebens, das später der rechte Flügel der Republikaner unter Reagan so lautstark propagierte, noch des Nachgebens gegenüber sowjetischem Expansionsstreben oder sowjetischem Rüstungsehrgeiz, wie ihm das mitunter vorgeworfen wurde. Willy Brandt hatte als Bundeskanzler bisweilen Schwierigkeiten mit Kissinger gehabt, der den Motiven der deutschen Ostpolitik anfangs mißtraute. Auch ich habe bisweilen erhebliche Meinungsverschiedenheiten mit ihm gehabt, aber ich empfand weit öfter Übereinstimmung; vor allem bestand zu jeder Zeit ein außergewöhnliches Maß an gegenseitigem Vertrauen. Auch heute, abermals ein gutes Jahrzehnt später, hat sich daran nichts geändert.

Gute Freunde: Ein
außergewöhnliches Maß
an gegenseitigem Ver-
trauen kennzeichnet bis
heute Schmidts Verhält-
nis zu Henry Kissinger
die Aufnahme entstand
während Kissingers

Besuch der Fußballwelt-
meisterschaft im Juli
1974 in München). An
George Shultz fasziniert
Schmidt vor allem die
intellektuelle und poli-
tische Unbestechlichkeit
(Aufnahme Bonn 1973;

Shultz war damals
Finanzminister unter
Nixon; rechts der dama-
lige Staatssekretär Karl
O. Pöhl, links hinter
Schmidt sein Bürochef
Klaus D. Leister).

Jimmy Carter:
Idealismus und Wankelmut

Präsident James Earl Carter hat im Januar 1977 die Bühne der Weltpolitik betreten. Als Gouverneur von Georgia konnte er keine internationalen Erfahrungen mitbringen; seine Ausrüstung bestand vielmehr aus einem großen Vorrat an gutem Willen, einer beträchtlichen Intelligenz und einem unverkennbaren persönlichen Sendungsbewußtsein. Diese Eigenschaft war es wohl auch, die ihn knapp gegen Ford gewinnen ließ. Wahrscheinlich wäre die Wahl zwischen beiden anders ausgegangen, wenn Amerika die Enttäuschungen, Demütigungen und Erschütterungen des Vietnamkrieges und der Watergateaffäre damals bereits hinter sich gelassen hätte. Viele Amerikaner hofften, Carter werde einen neuen Anfang setzen.

Die Europäer waren, wie immer, deutlich skeptischer. Die Regierungen in Europa brauchten keinen neuen Anfang in Washington; vielmehr erhofften sie gerade eine Bestätigung der Gesamtstrategie Amerikas und Stetigkeit in deren Befolgung. Diese Hoffnungen wurden bald zunichte. Vom Moment seines Amtsantrittes an ließ Carter keinen Zweifel an seinem Willen, die Haltung gegenüber der Sowjetunion erheblich zu verändern; die Strategie der Ära Nixon-Ford-Kissinger würde nicht fortgesetzt werden. Schon nach relativ kurzer Zeit wurde außerdem deutlich, daß Carter seine neue Linie keineswegs mit Stetigkeit verfolgte. Widerstände anderer Regierungen, eigene Skrupel und seine kritische Intelligenz führten immer wieder zu Revisionen der kurz zuvor deklarierten Einsichten und Absichten.

Am erschreckendsten erscheint mir aus der Rückschau, daß er seine Bewertung der Sowjetunion in weniger als vier Jahren weitgehend änderte. Als er in seinem letzten Amtsjahr – nach dem sowjetischen Einmarsch in Afghanistan – öffentlich erklärte, jetzt habe er die wahre Natur der Sowjetunion richtig verstanden, lag darin das offene Eingeständnis einer prinzipiellen Fehleinschätzung Moskaus während der ersten Jahre seiner Amtszeit.

Aus meiner europäischen Sicht der Dinge wies Carters Ansatz gegenüber der sowjetischen Politik im Jahre 1977 schwerwiegende Fehler auf. Die von ihm immer wieder öffentlich erhobene Anklage, die Sowjetbürger besäßen keine Grundrechte (human rights), konnte an deren Schicksal natürlich nichts bessern, wohl aber mußte sie die sowjetische Führung verbittern. Der Fehlschlag der Menschenrechtskampagne war vorhersehbar, ebenso Carters Enttäuschung darüber. Ihm fehlten Kenntnisse der russischen Geschichte, Tradition und Mentalität. Er wußte nicht, daß die Russen keine Bürgerrechte im Sinne der englischen, der amerikanischen oder der französischen Revolution kennen und nie gekannt haben. Er war sich auch nicht darüber im klaren, wie empfindlich die sowjetische Führung auf seine Kampagne, die sie als feindseligen Versuch der Unterminierung ihrer Herrschaft interpretieren mußte, reagieren würde.

Natürlich kann sich ein amerikanischer Moralist und Idealist einen weltweiten, mit allen politischen und ökonomischen Machtmitteln Amerikas ausgeübten Druck auf die Sowjetführung vorstellen. Er kann sich auch Illusionen über die Erfolgsaussicht eines solchen Feldzuges machen. Er kann sogar recht weitgehende Zustimmung im Westen wie zum Teil auch im Osten erreichen. Aber er muß wissen, daß der Kreml die Oberhoheit besitzt über eine Reihe anderer Staaten und über ungezählte Millionen Menschen und daß der Kreml die ideologischen, polizeilichen und militärischen Schrauben anziehen kann, wenn ihm dies geraten erscheint.

Nicht nur in Bonn fürchtete man deshalb eine Verschlechterung der Lage der Menschen in Osteuropa, zumal Hunderttausender Deutscher, die seit langer Zeit auf eine Ausreiseerlaubnis warteten. Auch andere Regierungen im Europäischen Rat waren besorgt über die Gefährdung des Entspannungsprozesses, die von der Carterschen Menschenrechtspolitik ausging. Wir Europäer hatten von vornherein gesehen, daß der Korb Drei der Helsinki-Schlußakte nur bei günstiger politischer und ökonomischer Entwicklung Osteuropas verwirklicht werden konnte – und selbst dann nur sehr langsam und schrittweise. Wir hofften auf eine allmähliche Ausweitung der Bewegungsfreiheit der Regierungen in Warschau, Budapest, Prag oder Ost-Berlin; wir befürchteten einen Rückfall in die brutale Handhabung der Breschnew-Doktrin. Nur zu deutlich erinnerten wir uns an Budapest 1956, Prag 1968, an Dubček und die Machtlosigkeit des Westens in solchen Situationen.

Als im Frühjahr 1977 Jimmy Carter die im Präsidentschaftswahljahr unterbrochenen SALT-Verhandlungen wieder aufnahm, entsandte er zunächst seinen Außenminister Cyrus Vance zu den Regierungen der wichtigsten europäischen Verbündeten. Vance kannte Europa und die Welt gut, er hatte schon früher operative Aufgaben auf internationalem Feld wahrgenommen. Viele europäische Politiker, darunter ich selbst, hatten Vance lange vor seinem Amtsantritt schätzengelernt. Er war kenntnisreich, offen für die Interessen anderer, ein gewichtiges Mitglied des New Yorker Council on Foreign Relations, erfahren im internationalen Umgang, zuverlässig – und in seinen Umgangsformen ein Gentleman.

Vance hatte einen offenkundig unerfüllbaren Auftrag: Er sollte den Kreml dazu überreden, über die zwischen Ford und Breschnew gut zwei Jahre zuvor in Wladiwostok erzielten gemeinsamen Absichtserklärungen zu SALT II weit hinauszugehen. Die beiden Staatslenker hatten das SALT I Interim Agreement über nuklearstrategische Angriffswaffen, das im Herbst 1977 auslief, durch einen mittelfristigen Vertrag ersetzen wollen; dies wollte auch Carter. Aber Carter strebte jetzt wesentlich stärkere Reduzierungen der Arsenale beider Seiten an, als man sie in Wladiwostok ins Auge gefaßt hatte. Ich hatte große Sorgen, daß dies die Stellung Breschnews erschweren würde. Er war nicht nur der im Kreml für SALT wichtigste Mann, er war auch derjenige gewesen, der in Wladiwostok die sowjetische Kompromißbereitschaft herbeigeführt hatte; auf seinen Willen und Einfluß war auch Carter angewiesen. Meiner Einschätzung nach durfte Breschnew in den Augen seiner Politbürokollegen nicht desavouiert werden. Wer durch die Menschenrechtskampagne die Sowjetführung fortwährend bloßstellte, konnte kaum hoffen, sie über alte Verabredungen zur Begrenzung der Rüstungen hinaus für eine tatsächliche Abrüstung zu gewinnen.

Ich sagte Vance, die Sowjets würden konsterniert sein; hinter den Gedankengängen Carters, die ihnen unverständlich bleiben müßten, würden sie Absichten wittern, die sie nicht entziffern könnten – und infolgedessen würden sie die Vorschläge ablehnen. Vance schien mir insgeheim zuzustimmen, aber er hatte eine klare Weisung seines Präsidenten erhalten, tief einschneidende Kürzungen (»deep cuts«) im beiderseitigen Waffenarsenal anzustreben. Er sollte dem Kreml zu diesem Zweck einen neuen, umfassenden Entwurf vorlegen.

Tatsächlich kam es kurz darauf bei Vance' Besuch in Moskau zu der erwarteten Reaktion des Kreml: Breschnew und Gromyko beharrten auf den in Wladiwostok erzielten Vereinbarungen und machten keinerlei Gegenvorschläge zu Carters idealistischen Plänen. Der amerikanische Präsident erlitt eine Niederlage, zumal er seine Vorschläge schon vor dem Moskauer Treffen absichtlich an die Öffentlichkeit hatte gelangen lassen und dabei besonders die Notwendigkeit einer Verminderung der überschweren Langstreckenraketen hervorhob. Das aber war gerade die Waffenkategorie, in der die Sowjets deutlich überlegen waren; wie sollten sie ohne eigenen Vorteil auf anderem Felde darauf verzichten?

Der Fehlschlag des Carterschen »deep-cuts«-Vorschlages brachte ihn in ein doppeltes Dilemma; zum einen mußte er jetzt eine neue Konzeption erarbeiten, zum anderen hatte er allen

SALT-Gegnern in Washington einen Maßstab vorgegeben, an dem sie wenig später, 1979, sein im Ergebnis deutlich schwächeres SALT-II-Abkommen messen konnten – um es dann einfach zu verwerfen.

Noch im gleichen Jahr 1977 gab Carter den amerikanischen SALT-Gegnern ein weiteres Argument an die Hand: Er strich das Programm für den geplanten Langstreckenbomber B 1 zugunsten einer Modernisierung der vorhandenen B-52-Bomber. Wie fundiert auch immer seine Entscheidung gegen die Planung der Nixon-Ford-Administration gewesen sein mochte, Carter erwarb sich damit im eigenen Lande den Ruf – den er nicht wieder losgeworden ist –, zu »weich« gegenüber der Sowjetunion zu sein. Seine SALT-Verhandlungsposition wurde durch den Verzicht auf B 1 tatsächlich geschwächt, da die Sowjets sich mit dessen Einführung bereits abgefunden hatten. Hinzu kam, daß für die Wiederaufnahme der SALT-Verhandlungen nicht einmal ein Termin vereinbart worden war.

Angesichts dieser verfahrenen Lage hatten die Europäer im Laufe des Jahres 1977 genügend Zeit, sich über die in Washington angestellten Überlegungen zu SALT II besser zu informieren und sie zu analysieren. Im Laufe dieser Analyse wurde mir deutlich, daß die Carter-Administration – im Gegensatz zu Gerald Ford – nicht daran dachte, die von den Sowjets seit einiger Zeit mit relativ hohen monatlichen Stückzahlen in Stellung gebrachten eurostrategischen Mittelstreckenraketen SS 20 und die Backfire-Bomber in die angestrebten Begrenzungen der strategischen Waffen einzubeziehen. Sie war nur bereit, die auf Langstreckenflugzeuge gestützten Cruise Missiles zu begrenzen; auch die lediglich auf europäische Ziele gerichteten sowjetischen Cruise Missiles empfand man in Washington nicht als Bedrohung.

Meine Besorgnis über dieses Verhandlungskonzept brachte ich zunächst in sehr zurückhaltender Form zum Ausdruck. Mir war anfangs nicht klar, ob hinter dieser Vernachlässigung der sowjetischen Aufrüstung auf dem Felde der nuklearen Mittelstreckenwaffen, die fast ausschließlich auf Westeuropa und damit hauptsächlich auf Ziele in der Bundesrepublik gerichtet waren, vor allem die Besorgnis stand, daß andernfalls auch ein Teil der in Europa stationierten amerikanischen nuklearen Waffen in die Verhandlungen einbezogen werden würden, oder ob es sich um eine Rücksichtnahme auf die französischen und englischen Mittelstreckenwaffen handelte. Einige Europäer hatten den Verdacht, mit der Weigerung, die auf europäische Ziele gerichteten Mittelstreckenwaffen in die Verhandlungen einzubeziehen, verfolge Washington die Absicht, allein die strategische Bedrohung des amerikanischen Territoriums zu verringern und sich dabei nicht von Rücksichtnahmen auf europäische Sicherheitsinteressen stören zu lassen. Mir erschien eine Mischung aller drei Motive wahrscheinlich. Die zunehmend brüske Zurückweisung meiner Argumente verstärkte jedoch meinen Eindruck, daß der dritte Beweggrund in der Tat der ausschlaggebende war.

Im Laufe des Jahres 1977 habe ich dem Präsidenten wie auch mehrfach seinem Sicherheitsberater Zbigniew Brzezinski meine Besorgnisse persönlich dargelegt. Als ich Carter Mitte Juli 1977 in Washington besuchte, konnte ich ihm – nach vorangegangenen Unterhaltungen mit Tito, Kádár und Gierek – berichten, wie sehr auch die kommunistischen Führer in Osteuropa auf Breschnews Entspannungswillen setzten und wie genau sie darüber unterrichtet waren, daß keineswegs alle Mitglieder des Politbüros im Kreml diesen Willen teilten. Ich riet Carter, Leonid Breschnew einen Informationsvorsprung gegenüber seinen Kollegen zu verschaffen. Als sich Carter zum Beispiel entschlossen hatte, die innen- und außenpolitischen Risiken seiner B-1-Entscheidung auf sich zu nehmen, hätte er das vorher Breschnew mitteilen können.

Carter räumte ein, daß seine Politik von den Sowjets bisher nicht verstanden werde; er fragte mich, ob ich es für möglich hielte, daß der sowjetische Botschafter in Washington, Dobrynin, nicht akkurat nach Moskau berichte. Ich wies darauf hin, daß dessen Berichte gewiß durch das Moskauer Außenministerium laufen müßten, wo alle Berichte zusammengefaßt und bewertet würden, ehe sie Breschnews Schreibtisch erreichen, sofern sie überhaupt an die Spitze gelangen. Es sei deshalb zweckmäßig, wenn der amerikanische Präsident und der sowjetische Generalsekretär einen sehr persönlichen Kontakt miteinander pflegten. Carter schien diese Anregung aufgreifen zu wollen; aber bis zum Schluß seiner Amtsperiode hat es kein beständiges persönliches Verhältnis zwischen Carter und Breschnew gegeben. Man schwankte zwischen Mißtrauen (1977), Bruderküssen (1979 in Wien) und bitteren Vorwürfen (ein Jahr später).

Meine andere, zunächst diplomatisch-vorsichtig vorgebrachte Anregung, die eurostrategischen Mittelstreckenwaffen in die SALT-Verhandlungen einzubeziehen, war mir im Grunde weit wichtiger als die persönliche Beziehung zwischen Carter und Breschnew; aber damit stieß ich bei Carter und seinen Beratern auf taube Ohren. Die damals rund sechstausend nuklearen Sprengköpfe, montiert auf Waffen der verschiedensten Art, über welche die USA allein auf westdeutschem Boden verfügten, wurden in Washington höchst harmlos als Theater Nuclear Weapons deklariert; genauso sah man die sowjetischen Nuklearwaf-

Als Helmut Schmidt Mitte Juli 1977 Carter in Washington besuchte, lagen – ein halbes Jahr nach dessen Amtsantritt – die ersten Differenzen über die amerikanische Politik gegenüber der Sowjetunion bereits offen zutage (auf dem oberen Bild links neben Carter US-Außenminister Cyrus Vance, daneben Außenminister Genscher).

fen, die für den Gebrauch auf europäischem Boden bestimmt waren. Beide Seiten konnten mit diesen Waffen das Gebiet oder gar die Hauptstadt der jeweils anderen Weltmacht nicht erreichen (mit einigen geringfügigen Ausnahmen am südwestlichen Rand der Sowjetunion, der vom östlichen Mittelmeer aus erreichbar ist). Im wesentlichen waren lediglich Menschen in den jeweils verbündeten Staaten bedroht; so nahm man dieses Problem nicht sehr wichtig.

Schon der Sprachgebrauch, der sich eingebürgert hatte, war absurd: Die Möglichkeit, selbst nuklear vernichtet zu werden, wurde als »strategische« Qualität betrachtet; der Möglichkeit der Vernichtung von Menschen in den Staaten Europas wurde dagegen bloß »taktische« Qualität beigemessen. Zu allem Überfluß kam dann noch das in wörtlicher deutscher Übersetzung geradezu blasphemisch klingende Wort »Theater Weapons« hinzu; wenn man den Begriff – sinngemäß richtig – als »Kriegsschauplatz-Waffen« ins Deutsche übertrug, wurde die Sache nur noch schlimmer; fünfundsiebzig Millionen Deutsche lebten im Zentrum des gedachten »Kriegsschauplatzes«, und es war durchaus vorstellbar, daß im Falle eines bewaffneten Konfliktes der »Schauplatz« im wesentlichen auf die beiden deutschen Staaten beschränkt blieb. Schon aus psychologischen und semantischen Gründen sprach ich deshalb meist von »eurostrategischen« Waffen, die mein Volk bedrohten.

Ich erläuterte Carter und Brzezinski immer wieder, es sei für uns unerträglich, die nukleare Bedrohung und Verletzbarkeit der USA so hoch zu bewerten, daß sie dringend begrenzt und jedenfalls ins Gleichgewicht gebracht werden müsse (was ganz meine Meinung war), gleichzeitig aber die genauso offenkundige nukleare Bedrohung und Verletzbarkeit Deutschlands zu vernachlässigen. Ich könne keineswegs akzeptieren, daß man diese Gefahr für so unerheblich ansehe, daß man glaube, sich weder um quantitative Begrenzungen noch um ein annäherndes Gleichgewicht bemühen zu müssen. Bei jeder Unterhaltung brachte ich meine zunehmende Besorgnis zum Ausdruck. Ich sprach darüber zu den Amerikanern wie zu den Sowjets in der gleichen Sprache und mit den gleichen Argumenten. Später gewann ich den deprimierenden Eindruck, daß Leonid Breschnew meine Besorgnisse besser verstehen konnte als Jimmy Carter.

Carter wie auch Vance hatte ich im Verlauf des Jahres 1977 mehrfach gesehen. Offenbar wuchs in dieser Zeit Brzezinskis Einfluß auf den Präsidenten. Der Sicherheitsberater bekam immer mehr Spielraum für seine außenpolitischen Operationen, und es wurde zunehmend erkennbar, daß die Leute im Weißen Haus in vielen Fällen den von uns allen geschätzten Cyrus Vance und das State Department übergingen. Im Zuge dieses wachsenden Einflusses kam es 1977 zu zwei Besuchen Brzezinskis bei mir; er trat unverhüllt als selbstbewußter Vertreter einer Weltmacht auf. Wahrscheinlich hielt er sich für einen Realpolitiker; zweifellos aber war er ein Falke, was die Politik gegenüber der Sowjetunion anlangte. Der Präsident dagegen war ein Moralist. Beide, Carter und Brzezinski, überschätzten in gleicher Weise die Gestaltbarkeit der Welt durch bloße Entscheidungen im Weißen Haus. Dies wurde ein Jahr später besonders deutlich, als man dort Schah Mohammed Reza Pahlevi mit großem propagandistischem Aufwand an der Macht zu halten suchte, ohne an den Preis zu denken, daß nämlich das nachfolgende Regime Khomeinis für absehbare Zeit ein Todfeind der USA sein würde.

Carters Vorstellung von der Überlegenheit seiner moralischen Position und seine Überschätzung der Gestaltbarkeit der internationalen Politik, kombiniert mit der Neigung Brzezinskis, sich als Vertreter der Weltmacht ohne viel Aufhebens über die Interessen der deutschen Verbündeten hinwegsetzen zu können: etwas Vergleichbares hatte es im Verhältnis zwischen Washington und Bonn seit Johnsons Umgang mit Erhard nicht mehr gegeben.

Schon in den ersten sechs Monaten der Carter-Administration wurden Meinungsverschiedenheiten sichtbar. Vergeblich forderte uns Carter wenige Tage nach seinem Amtsantritt im Januar 1977 durch seinen Vizepräsidenten Walter (»Fritz«) Mondale zu einer expansiven Geld- und Finanzpolitik auf. Dabei wurde uns für die gesamte westliche Welt eine konzertierte Keynessche Politik des deficit spending angetragen; wir verwiesen auf die daraus resultierende weltweite Inflation und lehnten ab. Wir widerstanden auch Carters Versuch, uns durch die Verweigerung der Lieferung nuklearen Brennstoffs zu zwingen, unter Bruch unseres mit Brasilien geschlossenen Vertrages diesem Land keine Technik zum zivilen Gebrauch der Nuklearenergie zur Verfügung zu stellen; nach dem Atomsperrvertrag waren wir zu solchen Lieferungen durchaus berechtigt.

Auf dem Wege zum Doppelbeschluß

Im Sommer 1977 traten die erwähnten Meinungsverschiedenheiten über die Antwort auf die sowjetische SS-20-Aufrüstung hinzu. Im September nahm ich mir viel Zeit, Brzezinski die strategische Lage meines Landes und des geteilten deutschen Volkes verständlich zu machen. Dabei spielte die politische Bedrohung der Bundesrepublik Deutschland durch die schnell wachsende SS-20-Armada der Sowjets die Hauptrolle. Der Erfolg meiner Mühe war gering. Brzezinski meinte, das alles sei doch gar nicht die Sache Bonns, sondern die der USA. Falls die Bundesrepublik von der Sowjetunion jemals mit den SS 20 unter Druck gesetzt werden sollte, so seien die USA mit Hilfe ihrer strategischen Nuklearwaffen in der Lage, dem zu begegnen. Carter pflichtete anfangs seinem Sicherheitsberater bei – wie Brzezinski hatte auch er keinerlei Verständnis für meine Sorgen; immerhin blieb er freundlich und verbindlich. Fünfzehn Monate später kam er allerdings zu einem ganz anderen Ergebnis – freilich erst nach einer Kette erheblicher zusätzlicher Meinungsverschiedenheiten und erst nachdem ich in einer Rede vor dem Internationalen Institut für Strategische Studien (IISS) meine Besorgnisse öffentlich plausibel gemacht hatte.

Diese Rede, die ich am 28. Oktober 1977 in London hielt, ist später mitunter als die eigentliche Geburtsstunde des sogenannten Doppelbeschlusses bezeichnet worden, mit dem das Nordatlantische Bündnis Ende 1979 auf die SS-20-Aufrüstung geantwortet hat. Tatsächlich verfolgte ich – der Text ist eindeutig – nicht das Ziel, auf die sowjetische Vor-Rüstung mit einer westlichen Nach-Rüstung zu antworten, sondern ich verlangte, die eurostrategischen Nuklearwaffen und ebenso die konventionellen Streitkräfte in Europa in die von den beiden Supermächten angestrebte Rüstungsbegrenzung von SALT II einzubeziehen. Darüber hinaus stellte ich die Forderung auf, die von Carter ins Gespräch gebrachte Einführung von sogenannten Neutronenwaffen (Enhanced Radiation Weapons, ERW) unter dem Aspekt zu prüfen, wie sich diese neuen Nuklearwaffen auf die Bemühungen um eine Rüstungsbegrenzung auswirkten.

Im übrigen galt die Rede hauptsächlich den aktuellen Problemen der Weltwirtschaft. In diesem Zusammenhang kam eine Reihe von Themen zur Sprache, bei denen Bonn und Washington ebenfalls verschiedene Auffassungen vertraten, zum Beispiel in der Energiepolitik und über den Ost-West-Handel. Ich bemühte mich um einen verbindlichen Tonfall und vermied alle Spitzen; bewußt endete ich mit einander ergänzenden Zitaten aus jüngsten Äußerungen Carters und Breschnews. Gleichwohl erkannte die internationale Zuhörerschaft – zumal während der anschließenden Unterhaltung beim Abendessen –, daß der deutsche Bundeskanzler Akzente setzte, die sich von denen des neuen amerikanischen Präsidenten deutlich unterschieden.

In Washington war man zunächst verblüfft, dann verärgert, schließlich betroffen. Danach kam es im Laufe des Jahres 1978 im Weißen Haus zu einem Prozeß des Umdenkens, was die sowjetischen eurostrategischen Waffen anlangte. Man begriff, daß die von uns so genannte »Grauzone« tatsächlich nicht vernachlässigt werden durfte (der Ausdruck bezog sich auf jenen Rüstungsbereich, der weder von den seit Jahren in Wien laufenden MBFR-Verhandlungen noch von den bisherigen SALT-Verhandlungen abgedeckt wurde).

Ende 1978 schlug Carter für den Januar 1979 ein Vierertreffen auf amerikanischem Boden vor, das dann auf der französischen Antilleninsel Guadeloupe stattfand und das der allgemeinen Erörterung außen- und sicherheitspolitischer Fragen diente. Für manchen Beobachter war es spektakulär, daß neben den Regierungschefs der USA, Frankreichs und Großbritanniens der deutsche Regierungschef als vierter in der Führungsgruppe des Nordatlantischen Bündnisses sichtbar in Erscheinung trat.

Wir trafen uns am Strand von Guadeloupe unter einem Sonnendach aus Palmwedeln. Strahlende Sonne und ein milder Meereswind sorgten für gute Stimmung. Während der Unterhaltung kam Carter auf das Problem der Grauzone zu sprechen. Offensichtlich beschäftige mich diese Sorge besonders; um diese Beunruhigung aus der Welt zu schaffen, schlage er vor, den sowjetischen SS 20 amerikanische Mittelstreckenraketen in Europa gegenüberzustellen; damit werde das Gleichgewicht wieder hergestellt. Carter fragte mich nach meiner Meinung, aber ich hielt mich zunächst bedeckt. Ich war auf diesen Vorschlag nicht vorbereitet gewesen; deshalb wies ich lediglich darauf hin, daß die beiden anderen europäischen Regierungschefs Nuklearmächte vertraten und ich ihre Stellungnahme abwarten wolle. So geschah es auch.

Ob Jim Callaghan auf das Thema vorbereitet war, konnte ich nicht erkennen; jedenfalls meinte er, ein derartiger Schritt sei am Ende wahrscheinlich notwendig. Man solle ihn aber erst dann tun, wenn amerikanisch-sowjetische Verhandlungen über die Begrenzung von Waffen in der Grauzone zu einem negativen Ergebnis führten. Callaghan plädierte für baldige Aufnahme solcher Verhandlungen.

Valéry Giscard d'Estaing trat diesem Vorschlag bei, allerdings mit einer bedeutsamen Qualifikation: Weil die Sowjets mit ihrer in vollem Gange befindlichen SS-20-Rüstung bereits über einen großen Vorsprung verfügten, könnten sie die Verhandlungen endlos und bis zum Fehlschlag in die Länge ziehen; sie hätten ja die besseren Karten. Deshalb müßten die Verhandlungen durch die USA von vornherein zeitlich begrenzt werden. Falls nach Ablauf der festgelegten Frist kein Verhandlungsergebnis erzielt worden sei, müßten die amerikanischen Mittelstreckenraketen in Stellung gebracht werden. Entscheidend sei, daß die Sowjets diese Entschlossenheit von Anfang an begriffen.

Ich sprach als letzter. Ich pflichtete Giscard bei. Mir war klar, daß ein solcher Schritt zu Hause in Europa und in meiner eigenen Partei nicht auf ungeteilte Zustimmung stoßen würde. Ich war aber von der Notwendigkeit eines Gleichgewichtes gerade in der Grauzone seit langem überzeugt; ich wollte seit langem, daß darüber zwischen West und Ost verhandelt werde. Daß solche Verhandlungen ohne ein westliches Faustpfand kaum erfolgreich sein konnten, war offenkundig. Da aber das westliche Faustpfand lediglich in einer Absichtserklärung bestand, notfalls vier Jahre später ebenfalls Mittelstreckenraketen zu stationieren, war zu erwarten, daß die Sowjetunion in der Zwischenzeit ihre gewaltige Propagandamaschine gegen solche Pläne mobilisierte und daß diese Anstrengungen sich auf Deutschland konzentrieren würden. Deshalb betonte ich, daß die Bundesrepublik nicht das einzige Land sein dürfe, das sein Territorium für die Stationierung amerikanischer Mittelstreckenwaffen zur Verfügung stelle; auch die Territorien anderer europäischer NATO-Staaten müßten für die Stationierung zur Verfügung stehen, wenn es denn dazu käme. Angesichts der auch unter Giscard weiterhin gültigen Doktrin de Gaulles über die nukleare Autonomie Frankreichs war mir klar, daß Frankreich sich auf keinen Fall beteiligen würde.

Carter akzeptierte die auf diese Weise von seinen drei europäischen Hauptverbündeten erarbeitete Lösung. Dies war die Geburtsstunde des später sogenannten Doppelbeschlusses, der vom Ministerrat des Nordatlantischen Bündnisses zehn Monate danach, im Dezember 1979, formalisiert worden ist und der – vornehmlich in Belgien, Holland und Deutschland – zu heftigen Auseinandersetzungen Anlaß geben sollte. 1980 war er auch Gegenstand heftiger Auseinandersetzungen mit Carter – davon soll noch die Rede sein. In Guadeloupe jedoch schien noch die Sonne. Die künftige Rolle Chinas, die Lage im Iran, die Haltung der Sowjetunion und die Probleme des Nahen Ostens standen im Vordergrund unserer weiteren Gespräche.

Das Treffen auf Guadeloupe verlief harmonisch und angenehm, auch für die vier Ehefrauen – und Carters kleine Tochter

Im Januar 1979 wurde auf der französischen Antilleninsel Guadeloupe der später so genannte Doppelbeschluß konzipiert. Daß neben den Regierungschefs der drei westlichen Nuklearmächte – Carter, Giscard d'Estaing und Callaghan – auch der deutsche Bundeskanzler an diesem Treffen teilnahm, erschien einigen Beobachtern spektakulär.

Amy, die wie immer auch diesmal dabei war. Die bei protokollarisch ausgestatteten Besuchen oder Konferenzen allgemein üblichen »Damenprogramme« sind für die Ehefrauen oft langweilig bis qualvoll. Manche glauben, wenn sie die Bilder im Fernsehen verfolgen, es müsse den Frauen der Politiker doch eine große Freude sein, in quasihöfischer Weise ihr Land zu repräsentieren. In Wahrheit ist oft das Gegenteil der Fall – wie überhaupt die Ehefrauen und die Familien führender Politiker enorme Opfer im Privatleben bringen müssen. Auf Guadeloupe aber war es anders: Es gab eine schöne Abendparty in einem alten kreolischen Gutshaus, das Freunden der Giscards gehörte; wir lernten Kokosnüsse mit der Machete aufzuschlagen und waren guter Dinge. Meiner Frau blieb als besonders schönes Erlebnis in Erinnerung, daß sie einen halben Tag lang einen großen Trimaran steuerte, der gerade den Atlantik überquert hatte.

Carter setzte die Chinapolitik Nixons fort. Gerald Ford hatte den späteren Vizepräsidenten George Bush als persönlichen Beauftragten nach Beijing entsandt, Carter stockte die dortige amerikanische Vertretung zu einer normalen Botschaft auf und eröffnete reguläre diplomatische Beziehungen. Das war in den Augen der europäischen Regierungen folgerichtig und vernünftig. Die Bundesrepublik hatte diesen Schritt schon früher vollzogen; wir rechneten seit langem mit der künftigen Weltmachtrolle Chinas, wenn auch der Zeitraum bis dahin schwer abgeschätzt werden konnte. Allerdings vermieden wir sorgfältig, die Sorgen des Kremls auszunutzen und Beijing gegen Moskau auszuspielen. Wir vergaßen nie, daß die am weitesten im Westen stehenden sowjetischen Truppen nur eine Stunde, die sowjetischen Flugzeuge nur wenige Minuten östlich der Grenzen der Bundesrepublik Deutschland stationiert waren. Demgegenüber war China weit entfernt. Es würde Jahrzehnte dauern, bis seine Streitkräfte denen der sowjetischen Militärmacht halbwegs gleichwertig waren. Vor allem aber gab es für Beijing – trotz der zu Lebzeiten Mao Zedongs vertretenen These von der Unvermeidlichkeit eines dritten Weltkrieges – keinen Anlaß, sich in die West-Ost-Spannungen anders als gelegentlich und peripher einzumischen; wenn dies geschah, beschränkte sich die chinesische Führung meist auf psychologisch-propagandistische Kommentare.

Aus der völlig anderen geographischen Perspektive der USA heraus konnte das auf den ersten Blick anders aussehen. Als Beijing amerikanische und auch europäische Waffen kaufen wollte, hielt Brzezinski dies eine Zeitlang für eine Gelegenheit, China in zusätzliche Spannungen mit der Sowjetunion hineinzumanövrieren und für die amerikanische Außenpolitik einspannen zu können. Wir Europäer haben Carter gemeinsam davon abgeraten; er ist diesem Rat gefolgt. Seine Schwierigkeiten, im Kreml verstanden zu werden, waren ohnehin groß genug.

Teilerfolg im Nahen Osten

Von der definitiven Normalisierung der amerikanisch-chinesischen Beziehungen abgesehen, lagen die außenpolitischen Erfolge Carters vor allem im Zustandebringen des Vertrages über den Panamakanal und in seiner Mitwirkung am Teilerfolg der großartigen Friedensmission Anwar as Sadats. Dessen Reise nach Jerusalem hatte bereits im November 1977 stattgefunden. Auf Carters Initiativen kamen im September 1978 und im März 1979 die beiden Camp-David-Konferenzen zwischen Sadat und Begin zustande; als Gastgeber vermittelte er und erreichte schließlich den Friedensvertrag. Carter ist dabei, auch durch seine persönliche Reisediplomatie in Kairo und Jerusalem, ein hohes innenpolitisches Risiko eingegangen, zumal inzwischen die Umwälzung im Iran scharfe Kritik an seiner Politik gegenüber Teheran ausgelöst hatte. Der durch den Friedensvertrag erreichte Teilerfolg mußte und muß gleichwohl als eine Errungenschaft Carters gewertet werden.

Bonn spielte während dieses Prozesses nur eine Nebenrolle; sie bestand in flankierenden Gesprächen mit dem saudischen König und mit Kronprinz Fahd, dem als Ministerpräsident eine entscheidende Bedeutung zukam, und in vielen Kontakten mit dem ägyptischen Präsidenten Sadat, der ohnehin den Meinungsaustausch mit mir suchte. Von der für ihn entscheidend wichtigen Rückgabe der Sinai-Halbinsel abgesehen, hat Sadat sein Ziel – eine Autonomie für die Palästinenser im West-Jordan-Gebiet und im Gazastreifen – nicht erreichen können. Dennoch nahm er eine bedenkliche Isolierung Ägyptens im Verhältnis zu den anderen arabischen Staaten in Kauf. Die Gefahr – auch für ihn persönlich – war in Kairo deutlich erkennbar. Da Sadat in seiner Großherzigkeit solche Risiken auf sich nahm, scheinen die USA geglaubt zu haben, zur Begrenzung seines Risikos keine besonderen Anstrengungen unternehmen zu müssen.

Für uns in Bonn gab es keinen Grund zur Einmischung, wenngleich ich mit Besorgnis sah, daß der Friedensvertrag, eben weil er für die von Israel besetzten Territorien in Westjordanien und im Gazastreifen keine Lösung bot, Ägypten innerhalb der arabischen Liga isolieren und damit in steigende Abhängigkeit von den USA bringen konnte; deutlich war mir auch, daß der Prozeß die USA als bedingungslosen Bundesgenossen Israels erscheinen lassen und damit besonders die saudische Führung befremden mußte. Riad hatte sich bis dahin sehr zurückgehalten; die Saudis hatten Sadats Initiative anfänglich toleriert, wenn auch ohne öffentliche Billigung. Die Hoffnungen König Khalids richteten sich auf eine »Lösung« für das Jerusalemproblem: eine Internationalisierung des Bezirkes der heiligen Stätten mit der Fahne des Propheten über dem Felsendom, der Stätte, von der aus Mohammed in den Himmel erhoben worden ist. An der Klagemauer sollte die Fahne Israels wehen, und für die heiligen Stätten der Christenheit hatte er ein vergleichbares Symbol ins Auge gefaßt: Jerusalem als die heilige Stätte der drei großen Weltreligionen. Obgleich die Preispolitik der OPEC, welche die Weltwirtschaft erschüttert hatte, ohne saudische Führung nicht möglich gewesen wäre, war Washington bis dahin behutsam mit Riad umgegangen. Um so mehr waren die Saudis über Camp David enttäuscht, das ihre Vision einer Friedenslösung desavouierte.

Die europäischen Regierungschefs haben sich am 12. und 13. Juni 1980 in Venedig auf eine Erklärung zum Nahen Osten verständigt. Wir stützen uns dabei auf die UNO-Resolutionen 242 und 338 sowie auf eigene Stellungnahmen seit 1977. In dieser Erklärung heißt es, man beabsichtige, Konsultationen mit den verschiedenen Parteien aufzunehmen und entsprechend den Ergebnissen dieser Gespräche eine Initiative zu ergreifen. Dazu fühlten sich die Länder der Europäischen Gemeinschaft wegen der traditionellen Bindungen und gemeinsamen Interessen zwischen Europa und dem Nahen Osten verpflichtet. Carter verhielt sich zu diesen Vorschlägen indifferent. Der Einfluß Israels auf die amerikanischen Medien und damit auf die amerikanische Innenpolitik erschien ihm offenbar zu stark und eine ausgewogene Mittelostpolitik daher innenpolitisch riskant. So blieben die europäischen Ratschläge ohne Ergebnis.

Aber eben jetzt begann eine Kette von umwälzenden Ereignissen die Gesamtlage im Mittleren Osten von Grund auf zu verändern. Im Januar 1979 hatte eine revolutionäre Erhebung der Massen das zuletzt größenwahnsinnige Regime des Schahs gestürzt und nach einer mehrjährigen Phase des Chaos und der Krise das fanatisch antiamerikanische (und antiwestliche) Khomeini-Regime etabliert. Im Dezember 1979 war die Sowjetunion in Afghanistan einmarschiert und hatte – nach vorangegangener zweijähriger sowjetischer Einmischung – ganz unverhüllt ein kommunistisches Satellitenregime installiert. Im November 1980 war der

Irak in Grenzregionen des Iran einmarschiert; dies sollte – entgegen den Erwartungen Bagdads – zu einem langen erbitterten Krieg führen.

Seit dem November 1979 war es im Zusammenhang mit der von Khomeini zunächst geduldeten, später ausdrücklich geförderten Besetzung der amerikanischen Botschaft in Teheran und der Geiselnahme von 52 amerikanischen Staatsbürgern zu einem schnellen Verfall der amerikanischen Autorität in der gesamten Region des Nahen und Mittleren Ostens gekommen. Die dilettantische Vorbereitung und die schwächliche Durchführung einer fehlgeschlagenen militärischen Befreiungsaktion versetzten Carters Ansehen den entscheidenden Schlag.

Man konnte darüber streiten, ob die Anwendung militärischer Gewalt in diesem Falle gerechtfertigt war; offenbar hat Vance neben anderen Besorgnissen auch völkerrechtliche Bedenken geäußert – jedenfalls trat er noch vor Beginn der Befreiungsaktion zurück. Immerhin waren alle vorausgegangenen politischen Versuche, auf Teheran einzuwirken, erfolglos geblieben, und fast jedermann war unter diesen Umständen bereit, Washington das Recht zur Verteidigung von Freiheit und Leben seiner Staatsangehörigen im Iran zuzugestehen. Offensichtlich gab es im Chaos des Iran keine Autorität mehr, welche die Sicherheit fremder Staatsbürger garantieren konnte. Auch hatte es einige Zeit zuvor zwei spektakuläre Aktionen von einer gewissen Vergleichbarkeit gegeben; nämlich zum einen 1977 die gewaltsame Befreiung von fast hundert Deutschen, deren Flugzeug durch Terroristen nach Mogadiscio in Somalia entführt und die dort als Geiseln mit dem Tode bedroht worden waren; zum anderen die gewaltsame Befreiung entführter Israelis in Entebbe in Uganda. In beiden Fällen waren die Befreiungsaktionen weit vom Heimatstaat entfernt mittels insgeheim eingeflogener bewaffneter Kräfte durchgeführt worden. Die Operation in Mogadiscio war riskant gewesen, denn sie mußte innerhalb weniger Stunden improvisiert werden; trotzdem war sie wesentlich einfacher durchzuführen als die Operation in Entebbe, weil der somalische Staatschef Siad Barre sein Einverständnis gegeben hatte.

Die Aktion zur Befreiung der amerikanischen Geiseln in Teheran war ein noch weit schwierigeres Unternehmen als Entebbe; allerdings hatte man reichlich Zeit zur Vorbereitung. Um so wichtiger wäre eine sorgfältige Planung und eine ausreichende materielle und personelle Stärke des Kommandos gewesen, zumal es von seinem Landeplatz in der Wüste mehrere hundert Kilometer nach Teheran und zurück hätte bewältigen müssen. Der überstürzte Abbruch der Aktion, kaum daß sie begonnen hatte, die offenbare Nervosität der handelnden Personen, die Konfusion an Ort und Stelle: all dies löste bei mir und bei anderen Regierungschefs und Verteidigungsministern gewisse Zweifel an der Gefechtsfähigkeit der eingesetzten konventionellen Waffen der Amerikaner aus. Natürlich ließ keine europäische Regierung solche Zweifel erkennen. Die Skepsis wurde 1983 durch Reagans bombastisch inszenierte Landungsoperation auf der kleinen Antilleninsel Grenada keineswegs behoben.

Der empörende Abschuß eines vom Kurs abgewichenen koreanischen Verkehrsflugzeuges durch die sowjetische Luftverteidigung hat meine Zweifel an der Solidität der amerikanischen Operationsfähigkeit bestärkt. Natürlich war die sowjetische Reaktion, über deren einzelne Schritte der Westen durch den aufgezeichneten Funksprechverkehr genau unterrichtet war, ein Skandal; aber die amerikanische Radaraufklärung über dem nördlichen Pazifik, besonders um Kamtschatka und Sachalin, hätte erkennen müssen, daß sich hier ein tödliches Drama entwickelte – doch weder wurde das koreanische Verkehrsflugzeug gewarnt, noch wurde das sowjetische Befehlszentrum informiert, daß sich ein tragisches Mißverständnis zu entwickeln begann. Noch immer habe ich den Eindruck, daß bei den amerikanischen Streitkräften das Reglement eine zu große Rolle spielt und daß die Erziehung der unteren Vorgesetzten zum selbständigen Entschluß vernachlässigt wird. Manches spricht dafür, daß der Wille zur Selbständigkeit bei den unteren Führungsstellen und Kommandobehörden sogar entmutigt wird. Jedenfalls werden selbst gefechtstaktische Entscheidungen viel zu weit oben getroffen,»weit ab vom Schuß«. Auch im Zweiten Weltkrieg waren taktisch wendige militärische Führer wie Patton und Bradley offenbar die Ausnahme, welche die Regel bestätigt.

Natürlich muß bei akut drohender Involvierung nuklearer Waffen von der politischen Spitze des Staates aus geführt werden. Wahrscheinlich ist das militärische Führungssystem der USA aber zu stark auf diese eine Eventualität zugeschnitten. Auch unabhängig davon symbolisiert die Ansammlung von mehr als 30.000 Soldaten und Beamten im Pentagon eine hohe Kopflastigkeit des militärischen Apparates. Die Carter-Administration hatte dies nicht zu verantworten; sie hat das schwerfällige System vorgefunden, hat es allerdings auch nicht reformiert.

Der Fehlschlag des Carterschen Befreiungsunternehmens in Teheran war der äußere Höhepunkt einer verfehlten amerikanischen Iranpolitik. Der Schah war in den fünfziger Jahren mit Hilfe des amerikanischen Geheimdienstes Sieger über den Putschversuch des populären Ministerpräsidenten Mossadegh geblieben; auf den Schah hatte sich die amerikanische Konstruktion des Cento-Paktes, mit dem Iran als Anker, seither im wesentlichen gestützt. Von daher datierte die amerikanische Vorliebe für den Mann auf dem Pfauenthron; sie hielt an, als der Cento-Pakt längst keine Bedeutung mehr besaß und Reza Pahlevi den Kontakt zur Wirklichkeit schon lange verloren hatte.

Der Schah regierte das Land vornehmlich mit Hilfe seiner Geheimdienste, mit Hilfe des Militärs und schließlich – seit der ersten Ölpreisexplosion, bei der er einer der Antreiber gewesen war – mit Hilfe überwältigender Finanzkraft. Diese verführte ihn zu einer überstürzten Industrialisierungsanstrengung, mit welcher weder die hergebrachte Sozialstruktur noch die Infrastruktur (Häfen, Straßen, Elektrizitätsversorgung und städtische Leistungsfähigkeit) Schritt halten konnten. Das Land und seine Bevölkerung wurden rücksichtslos überfordert; zugleich wurden alle Oppositionellen brutal unterdrückt. Dagegen lebten die oberen Zehntausend in Saus und Braus. Korruption und Bereicherung erreichten ein Ausmaß, das ich in keinem anderen Lande jemals erlebt habe.

Schon 1975 hatte mich ein kurzer Besuch in Teheran davon überzeugt, daß dieses Regime keinen Bestand würde haben können. Der einzige Mensch, der am Hofe des Schahs seinen Mund öffnete, ohne vom Kaiser-der-Kaiser gefragt zu sein, war die intelligente und couragierte Schahbanu Farah. Einen ähnlichen Grad an höfischer Unterwürfigkeit habe ich nur noch ein einziges Mal erlebt, nämlich am »Hofe« des Führers Ceauşescu, dessen Familienclan das Land im Namen des Marxismus ausbeutet und den Staatschef nahezu vergöttlicht.

Nicht wenige deutsche Industrielle wie auch die Industriellen anderer europäischer Staaten und der USA wallfahrteten damals nach Teheran, jedermann wollte am Boom teilhaben. Westliche Unternehmer gaben sich die Klinke in die Hand, und Mahnungen zur Vorsicht wurden nicht ernst genommen. 1977 begannen Demonstrationen der verschiedenen oppositionellen Gruppierungen; sie führten zu blutigen Unterdrückungsmaßnahmen und zu einer Kette gegenseitiger Eskalation, die 1978 kulminierte.

Im Januar 1979 verließ der Schah das Land. Erst in den letzten Wochen vor seiner Flucht begriff man in Washington den Ernst der Lage. Aber jetzt rächte es sich, daß man zu keiner der oppositionellen Gruppen Kontakte gepflegt hatte, schon gar nicht zu den muslimisch-schiitischen Kräften, die am Ende ein diffuses, in seinem diktatorischen Charakter der gestürzten Herrschaft des Schahs aber durchaus vergleichbares Regime errichteten – unter der geistigen Führung Khomeinis, den der Schah verbannt und verleumdet hatte. Über Nacht standen die USA vor der Notwendigkeit, ihre gesamte Strategie im Mittleren Osten neu zu definieren und sich neue Stützpunkte zu sichern. Dabei hatte Washington zunächst viele der ins Gewicht fallenden Kräfte gegen sich; seit dem sowjetischen Einmarsch in Afghanistan schlug allerdings die Furcht fast der ganzen Region vor der Sowjetunion für die USA positiv zu Buche.

Aus dem großen Abstand, den die Bundesrepublik zu den dramatischen Veränderungen im Nahen und Mittleren Osten hatte, waren die objektiven Probleme wohl besser zu erkennen als in Washington, wo man direkt involviert war. Nicht nur durch den Anschein der offenen Parteinahme für Israel und gegen die Palästinenser hatten sich die USA die islamische Welt immer mehr entfremdet, zuletzt sogar die konservativen und prowestlichen Staaten in der Region. Auch das rasche Fallenlassen des Schahs nach so vielen Freundschaftsbeteuerungen schockierte Saudi-Arabien wie Ägypten gleichermaßen, trotz aller Kritik, die sie an dem Monarchen geübt hatten. Als Washington Reza Pahlevi nicht einmal Exil gewähren wollte, stand Sadat dem inzwischen todkranken Manne bei und holte ihn nach Ägypten. Als Carter überflüssigerweise auch noch öffentliche Vorwürfe an die Adresse von Zia ul-Haq in Pakistan richtete, hatte er seine Position in der Region insgesamt weitgehend verspielt.

Carters Reaktion auf die sowjetische Besetzung Afghanistans war gleichfalls nicht wohlerwogen. Er erließ ein teilweises Handelsembargo (vor allem für Weizen) und verkündete einen Boykott der Moskauer Sommerolympiade 1980; Brzezinski redete polemisch von der Notwendigkeit einer »Bestrafung« der Sowjetunion. Aber dafür gab es weder brauchbare Mittel noch die Zustimmung der Alliierten; zur Entschädigung ließ sich Brzezinski mit einer Maschinenpistole in der Hand an der afghanischen Grenze für die Weltpresse fotografieren. Carter reduzierte den diplomatischen Verkehr mit Moskau und setzte die Ratifikation von SALT II aus.

Für die Ratifikation gab es im Senat in Washington ohnehin kaum noch eine Chance; mit der Aussetzung des Verfahrens versuchte Carter nun, aus der innenpolitischen Not eine außenpolitische Tugend zu machen. Der Vorwahlkampf zu den im November 1980 fälligen Präsidentschaftswahlen war in vollem Gange, und der Präsidentschaftskandidat Reagan kritisierte den SALT-II-Vertrag auf das schärfste. Im ganzen Lande breitete sich eine starke antisowjetische Stimmung aus. Carter suchte sich diesem Trend anzupassen, aber weder seine Autorität noch seine Kraft reichten aus, diesem Trend zu steuern, den Überblick zu bewahren und sich die Entscheidungsgewalt über den politischen Prozeß gegenüber der Sowjetunion vorzubehalten.

Immerhin gelang es der Carter-Administration in relativ kurzer Zeit, eine Reihe strategischer Punkte für eine zukünftige amerikanische Politik am Persischen Golf neu zu etablieren. Das Verhältnis zu Pakistan wurde wieder entkrampft; Washington und Islamabad brauchten sich inzwischen gegenseitig. Mit Oman, Somalia und Kenia kamen Stützpunktvereinbarungen zustande. Da aus gesamtstrategischen Gründen eine direkte militärische Abstützung auf Israel nicht in Betracht kommen konnte, andererseits das Verhältnis zu dem in vielerlei Hinsicht enttäuschten Saudi-Arabien abgekühlt war, wurde Ägypten nolens volens zu einem Anker der amerikanischen Position. Aber das belastete die innenpolitische Lage Sadats zusätzlich und gefährdete ihn außenpolitisch noch mehr; der Zündstoff häufte sich, als Ende 1980 die ersten Übungen der neugeschaffenen »Rapid Deployment Forces« auf ägyptischem Boden abgehalten wurden.

Es gab aber auch eine Kehrseite all dieser Anstrengungen: Sowohl die »linken«, sich betont »fortschrittlich« gebenden arabischen Regierungen als auch die traditionalistisch-konservativen Regimes der Region gewannen den Eindruck, die USA strebten im Mittleren Osten nach einer hegemonialen Stellung. Dies löste bei ihnen die Besorgnis aus, *beide* Supermächte könnten sich im Zuge des Krieges zwischen Iran und Irak direkt einmischen, und da die sowjetischen Streitkräfte weit entfernt schienen, kam es vorwiegend zu antiamerikanischen Stimmungen. Die öffentliche Erklärung von Reagans Außenminister Alexander Haig am 18. März 1981 über die »strategische Übereinstimmung« (»strategic understandig«) zwischen den USA und Israel hat diesen Trend noch verstärkt. Ebenso überflüssig war Reagans unglücklich verlaufenes, von vornherein aussichtsloses militärisches Engagement im Minenfeld Libanon 1983; niemand bei uns begriff, wie man sich von dieser militärischen Aktion eine Klärung der verworrenen Verhältnisse erhoffen konnte.

In Paris und in London gibt es bessere Kenntnisse und mehr Verständnis, was den Nahen Osten anlangt, als in Washington; man hat auch größere Erfahrungen. Diese Erfahrungen mit den religiösen und politischen Kräften der Region gehen an der Seine wie an der Themse auf Generationen zurück. Madrid hat noch ältere – wenngleich begrenzte – Einblicke in arabische Mentalität. Dennoch, oder besser: gerade deswegen ist keine europäische Regierung oder gar die Europäische Gemeinschaft auf den Gedanken gekommen, der Westen könne eine »Lösung« für »das Nahostproblem« anbieten oder verwirklichen. In Europa weiß man, daß anhaltender Friede in der Region, zumindest in einem großen Teil, zuletzt unter der Herrschaft des Osmanischen Reiches geherrscht hat. Eine solche Herrschaft ist aber heute weder tatsächlich möglich noch sittlich verantwortbar. Die Ordnungsmächte des Osmanischen und des Habsburgischen Reiches sind mit dem Ersten Weltkrieg zerbrochen; jede Vorstellung, ähnliche Macht über dem Nahen und Mittleren Osten oder über dem Balkan aufzurichten, bleibt Illusion. Im einen Falle erlebt das heute Washington, im anderen Moskau.

Die Amerikaner sind in dieser Hinsicht optimistischer. Sie wissen nicht, daß Sabotageakte junger Palästinenser angesichts einer seit zwanzig Jahren bestehenden fremden Militärregierung nicht einfach in Bausch und Bogen als »internationaler Terrorismus« verdammt werden können. Der Kampf dagegen kann so lange erfolglos bleiben, wie die Ursachen der Erbitterung nicht beseitigt oder wesentlich gemindert sind. Die Amerikaner kennen nicht die tief in arabischer Tradition und religiöser Mentalität begründete Bereitschaft islamischer Extremisten, sich selbst zu opfern, wie sie am stärksten bei den iranischen Schiiten, aber auch im Libanon ausgeprägt ist, wo sie fast täglich sichtbar die Welt schockiert. Sie sehen nicht, daß allein die Situation im Libanon ein Dutzend Probleme aufwirft, die man nicht isoliert betrachten kann. Die Region von Zypern bis Kurdistan und vom blauen Nil bis zum Khaiber-Paß aber hält mehrere Dutzend schwerer, ungelöster und zum Teil unlösbarer Probleme bereit.

Der Blick der Amerikaner ist – unter grandioser Vernachlässigung der inneren Dynamik der Region und ihrer ethnischen, religiösen und ökonomischen Probleme – auf das bedrohte Existenzrecht des Staates Israel eingeengt, auf die Sorge um ausreichende Ölversorgung der westlichen Welt und auf eine Eindämmung weiteren sowjetischen Vordringens in der Region.

Dies waren während der Carter-Jahre die Hauptsorgen auch der Europäer, einschließlich der Deutschen; sie werden es auch in Zukunft sein. Die europäischen Regierungen haben sich in Kissingers, Carters und Reagans Nahostpolitik kaum eingemischt, schon allein deshalb, weil sie die dafür nötigen militärischen und ökonomischen Mittel nicht besitzen. Wir haben die unstete und zum Teil einäugige Politik Washingtons bisweilen allerdings mit Sorge verfolgt. Wir Europäer haben Hilfe geleistet, wo wir es konnten: Auf Carters Wunsch hat meine Regierung zum Beispiel national und international große Anstrengungen unternommen, die Türkei finanziell zu stabilisieren; Ägypten ist zu einem der größten Empfänger deutscher Entwicklungshilfe geworden. Frankreich hat im Tschad und im Libanon geholfen, ebenso England und Italien. Dabei ist den Europäern immer bewußt gewesen, daß der Westen bestenfalls hier und da explosive Situationen in der Region entschärfen und Kriege abschwächen kann und daß er insgesamt eine für die Welt bedrohliche Entwicklung durch entsprechende Verlagerung seines Einflusses immer wieder verhindern muß.

Wir Europäer wissen auch, daß der sowjetische Einfluß in der Region gegenwärtig nicht mehr ganz zu beseitigen ist; wenn er in Ägypten oder Somalia zurückgedrängt werden konnte, so tauchte er in Äthiopien, im Südjemen, in Libyen, Syrien und Afghanistan wieder auf. Diese Erfahrung zwingt nach europäischer Auffassung den Westen zwar zur Eindämmung, aber auch zu einer gewissen Zurückhaltung. Umgekehrt bleiben die Folgen eines großen Krieges oder einer Explosion in der Region auch für den Kreml unkalkulierbar – und dort ist die Angst vor Terrorismus nicht kleiner als im Weißen Haus.

Die Regierungen der mit den USA verbündeten europäischen Staaten waren also hinsichtlich der Hauptinteressen des Westens weitgehend mit Washington einig. Auf Grund ihrer besseren Kenntnis des Nahen Ostens waren die Europäer gegenüber der oft unsteten, meist von großen Hoffnungen geprägten Politik der Amerikaner allerdings zurückhaltend. Sie wußten, daß sie ihre vitalen Interessen nur gemeinsam mit den Amerikanern verfolgen konnten; diese wiederum hätten wissen müssen, daß sie des Beistandes der Europäer bedurften. Insoweit unterschieden sich die Voraussetzungen für eine gemeinsame Gesamtstrategie gegenüber dem Nahen und Mittleren Osten keineswegs von denen für eine gemeinsame Gesamtstrategie gegenüber der Sowjetunion.

Carters Außenpolitik bricht zusammen

Spätestens seit der Jahreswende 1979/80 wurde mir deutlich, daß Jimmy Carter von großer Sorge um seine Chancen zur Wiederwahl im November 1980 gequält wurde. Seine auswärtige Politik wurde zunehmend auf kurzfristige innenpolitische Effekte hin orientiert. Dies betraf nicht nur den Iran; es galt noch mehr gegenüber der Sowjetunion. Im Verhältnis zu den Verbündeten der USA, insbesondere gegenüber der Bundesrepublik Deutschland, ließ er bald Umsicht und Rücksicht vermissen. Sich Schulter an Schulter mit Jimmy Carter zu zeigen, wurde deshalb zu einem innenpolitischen Risiko für manche europäische Regierung – und jedenfalls für mich. Auch ich hatte im Herbst 1980 Bundestagswahlen zu bestehen, und Giscard hatte im Frühjahr 1981 Präsidentschaftswahlen. Carter brachte es fertig, sich nach Ausbruch der Afghanistankrise nacheinander mit uns beiden über Anlässe zu streiten, welche seine Administration aus Unachtsamkeit selbst geschaffen hatte.

Schon vierzehn Tage nach dem Beginn der sowjetischen Besetzung Afghanistans begann Carter, an Giscards Verläßlichkeit im Falle einer tiefgreifenden Auseinandersetzung mit der Sowjetunion zu zweifeln – völlig zu Unrecht, wie ich wußte und wie ich dem amerikanischen Präsidenten am 11. Januar 1980 in einem langen Telefongespräch erläuterte. Bei dieser Gelegenheit unterstrich ich die Notwendigkeit, in solchen Krisenzeiten die Kommunikation mit der Sowjetunion nicht abreißen zu lassen. Carter erwiderte, man müsse der Sowjetunion zeigen, daß ihr für ihr Verhalten eine Strafe auferlegt würde; deshalb sei es wichtig, daß sich alle unmißverständlich äußerten. Das Wort »alle« umfaßte für ihn ausdrücklich alle Verbündeten von Begin bis zu Giscard und mir.

Am 28. Januar 1980 hatte Carter seine »State of the Union Address« (Bericht zur Lage der Nation) zu halten. Angesichts der »ernstesten Bedrohung des Weltfriedens seit dem Zweiten Weltkrieg« beschwor er die Entschlossenheit der USA, die stärkste Nation zu bleiben; die Sowjetunion müsse einen »konkreten« Preis für ihre Aggression bezahlen. Nach diesen starken Worten kam die Ankündigung sehr begrenzter amerikanischer Schritte: das Verbot der sowjetischen Fischerei in amerikanischen Küstengewässern, ein begrenztes Ausfuhrverbot für bestimmte Agrarprodukte und Hochtechnologie-Ausrüstungen, schließlich die Ankündigung, im Falle einer Aufrechterhaltung der Besetzung Afghanistans den Olympischen Spielen in Moskau fernzubleiben. In diesem Punkt, so bat er mich am gleichen Tage in einem seiner vielen kurzen, persönlichen Briefe, möge ich ihm beipflichten: »... der bedeutsamste und wirksamste Schritt, um die sowjetischen Führer vom Ernst der Lage ... zu überzeugen«.

Carter hatte die von ihm erstrebte gemeinsame Reaktion des Westens nicht mit den verbündeten Regierungen abgestimmt. Zwar hatten wir gegen die einzelnen Schritte nicht allzuviel einzuwenden, aber wir sahen deutlich, daß eine in sich schlüssige Krisenbewältigungsstrategie nicht vorhanden war. Deshalb erbat Ministerpräsident Cossiga (der dafür den Kreis der sieben Weltwirtschaftsgipfel-Teilnehmer vorschlug) mit Bonner Unterstützung eine umfassende Konsultation; Carter war dazu bereit, »auch wenn die Franzosen nicht zustimmen sollten« (!). In einem Telefongespräch wurde Carters Soupçon gegen Giscard erneut deutlich. Natürlich verteidigte ich den französischen Präsidenten. Im übrigen drängte ich noch einmal auf gemeinsame Abstimmung: Es komme darauf an, nicht nur den nächsten und übernächsten Schritt zu überlegen, sondern man müsse auch wissen, welche Maßnahmen man im fünften oder im zehnten Takt ergreifen könne.

Die Konsultation zu fünft (ohne Japan und Kanada) kam auf Außenministerebene in der letzten Februarwoche auf Schloß Gymnich zustande – zu spät, denn schon am 11. Februar hatte sich Carter allen Teilnehmerstaaten gegenüber in einem persönlichen Brief auf ein Dutzend Details der von ihm betriebenen Bestrafungsaktion der Sowjetunion festgelegt. Der Brief enthielt jedoch kein Wort darüber, wie man die sowjetische Führung dazu bringen konnte, ihre Aufgabe in Afghanistan für beendet zu erklären und sich zurückzuziehen, ohne daß sie das Gesicht verlor. Der Versuch Washingtons, Breschnew mit einem Dutzend Nadelstichen zum Rückzug zu bringen, war nicht überzeugend; nach dem Studium dieses langen Briefes mußte ich mich fragen, ob denn Carter einen sowjetischen Rückzug aus Afghanistan wirklich erstrebte.

Gewiß war die Lage in vielerlei Beziehung anders als zur Zeit der Kuba-Raketenkrise 1962, aber eine doppelte Lehre daraus bot sich doch auch für die Afghanistankrise an: Die USA mußten bereit sein, zur Krisenbewältigung ihre Macht einzusetzen, und zwar in einer für den Kreml unmißverständlichen Weise; und sie mußten darauf achten, eine öffentliche Bloßstellung der Sowjetunion zu vermeiden, sie mußten Moskau vielmehr die Möglichkeit geben, sich ohne großen Prestigeverlust zu arrangieren.

Am 20. Februar bedrängte ich Cyrus Vance in diesem Sinne. Vance hatte den Vorzug, daß er sich seine Sicht der Dinge nicht allein auf Grund der Berichterstattung in den Medien bildete; außerdem konnte er zuhören. Ich fragte ihn nach den amerikanischen Absichten für den wahrscheinlichen Fall, daß die Sowjets sich nicht aus Afghanistan zurückziehen würden, und wie man auf nicht auszuschließende Zwischenfälle im Iran oder in der Golfregion reagieren wolle, die die Lage zusätzlich gefährden könnten; die USA seien doch in jenem Teil des Mittleren Osten auf dem Felde konventioneller Machtmittel sehr schwach. Ich warnte davor, durch demonstrative militärische Lieferungen an die Volksrepublik China der Sowjetführung das Gefühl einer erneuten Einkreisung zu geben, wo diese tatsächlich doch gar nicht beabsichtigt sei.

Vance meinte, man habe die politischen und wirtschaftlichen Beziehungen zu China nur mäßig entwickelt; aber die sowjetische Seite habe jetzt verstanden, daß die Zeit der amerikanischen Gleichbehandlung der beiden kommunistischen Großmächte vorüber sei. Er glaube, die »energische Reaktion« Washingtons auf die sowjetische Besetzung Afghanistans werde zum Rückzug und zur Wiederherstellung des Status quo ante, also eines neutralen Afghanistan führen. Im übrigen wolle man die Drähte zum Kreml aufrechterhalten. Auch SALT I und II wolle man nicht gefährden; SALT II werde möglicherweise noch 1980 erneut zur Ratifikation vorgelegt werden, die Abrüstungsgespräche würden fortgesetzt und insgesamt solle das »Grundgerüst der Ost-West-Beziehungen lebendig gehalten« werden.

In diesem Falle habe Brzezinski mit seiner Maschinenpistole im pakistanischen Flüchtlingslager das falsche Signal gegeben, meinte ich. Wenn die Sowjets den Eindruck gewinnen sollten, daß nunmehr eine neue Runde des Wettrüstens bevorstehe, dann könnten sie auch zu dem Entschluß gelangen, die gegenwärtige Phase ihrer relativen Stärke zu nutzen, da sie ein Wettrüsten nicht gewinnen könnten. Wir Deutschen hätten jedenfalls Bedenken gegen einen neuen Rüstungswettlauf, und keineswegs wollten wir als einziger Bündnispartner der USA in einen solchen hineingezogen werden. Dies gelte auch für unsere Haltung zu Handelssanktionen gegen Moskau; wir hätten wirtschaftliche Verträge mit Moskau und wollten nicht vertragsbrüchig werden. Ich verwahrte mich gegen die wiederholte amerikanische Kritik an unseren Verteidigungsanstrengungen und wies auf unsere Mobilisierungsstärke hin. Wir vergäßen bei alledem nicht, daß sechzehn Millionen Deutsche in der DDR unter sowjetischer Oberhoheit und zwei Millionen Deutsche in West-Berlin leben; wer von einer Bestrafung der Sowjetunion spreche, der müsse wissen, daß es für die Sowjets ziemlich einfach sei, ihrerseits die Deutschen zu bestrafen. »Wir wollen und werden an Bord des amerikanischen Schiffes sein. Man darf aber nicht zuviel Dampf in der Maschine machen, wenn man noch nicht weiß, wohin die Reise gehen soll ... Wir wollen nicht Opfer um ihrer selbst willen bringen.«

Vance sagte im Zusammenhang mit den neuerlichen handelspolitischen Opfern, die von uns erwartet wurden, die Sanktionen gegen den Iran seien »... korrekt gewesen; die Drohung hat gewirkt«. Ich wußte jedoch, daß sie nicht gewirkt hatte und daß Handelssanktionen gegen die Sowjetunion bloß die Wirkung von Nadelstichen haben würden.

Auf meine Frage, wie Washington die weitere Entwicklung im Nahen Osten einschätze, sagte Vance, man sei sich der Notwendigkeit bewußt, »die Palästinenserfrage zu lösen«. Ich hingegen traute den USA weder die Entschlossenheit noch die Fähigkeit zu, über die Golanhöhen, die Gebiete auf dem westlichen Jordanufer (Westbank) und den Gazastreifen eine Vereinbarung herbeizuführen, aber ich sprach es nicht aus.

Der amerikanische Zweifel am französischen Staatspräsiden-

Carters Reaktion auf den Einmarsch der Sowjetunion in Afghanistan führte zu neuen Spannungen zwischen Bonn und Washington. Über Cyrus Vance (hier zwischen Schmidt und Genscher; ganz links Botschafter Walter Stoessel) versuchte Schmidt Einfluß auf den amerikanischen Präsidenten zu nehmen, den er drei Wochen später, Anfang März 1980, besuchte (links).

In seiner »Bestrafungspo-
litik« gegenüber der
Sowjetunion folgte
Carter vor allem seinem
Sicherheitsberater
Zbigniew Brzezinski (im
Hintergrund; rechts Bot-
schafter von Staden).
Angesichts der völlig
unbegründeten Vor-
behalte Carters gegen
Giscard d'Estaing unter-
strich Helmut Schmidt
noch einmal die enge
Allianz zwischen
Deutschland und Frank-
reich (Aufnahme Tokio
1979).

ten kam auch diesmal wieder zur Sprache. Die USA, sagte ich, seien unser wichtigster, Frankreich aber unser engster Verbündeter. Man solle in Washington nicht versuchen, Paris und Bonn gegeneinander auszuspielen; wir würden alles tun, um dergleichen zu verhindern. Im übrigen sei ich mit Giscard einer Meinung, daß der Sowjetunion nicht gestattet werden dürfe, einen Keil zwischen Europa und die USA zu treiben. Aber ohne rechtzeitige Unterrichtung *vor* einer Aktion sei es für Bonn schwierig und für Paris unmöglich, gemeinsam mit den USA zu handeln.

Was die Notwendigkeit einer besseren Abstimmung innerhalb der Allianz anlangte, so war Vance mit meiner Forderung einverstanden. Es war deutlich, daß er um bessere Tuchfühlung bemüht war. Der Gesprächsverlauf machte aber auch den Mangel an Abstimmung zwischen State Department und Weißem Haus erkennbar; so sagte Vance zum Beispiel, er benutze den Ausdruck »Bestrafung« nicht. Auch in der Sache des Olympiaboykotts ließ er erkennen, daß die Verbündeten über die Absicht des Präsidenten unzureichend unterrichtet worden waren, und zwar von Angehörigen der Administration, die es seiner Meinung nach besser hätten wissen müssen. Vance war offen und zugleich verständnisvoll. Die Unterhaltungen mit ihm waren wie immer fruchtbar. In diesem Fall bedeuteten sie für mich eine gute Vorbereitung auf einen Besuch in Washington, der vierzehn Tage später stattfand.

Die Gespräche mit Carter am 5. März 1980 betrafen im wesentlichen dieselben Themen, die ich mit Vance erörtert hatte; sie wurden auch auf beiden Seiten im gleichen Sinne bewertet. Nur wenige Punkte sind noch nachzutragen. Carter äußerte abermals Zweifel an der Zuverlässigkeit Giscards; zudem gebe die französische Verteidigungspolitik den nuklearen und den Interventionsstreitkräften höhere Priorität als den konventionellen. Seit dem 5. Februar habe er das Gefühl, daß Frankreich aus innenpolitischen Gründen eine neutralistische Richtung einschlage; er sei darüber »zutiefst besorgt«. Mir wurde klar: Carter hatte noch immer weder die Seele Frankreichs noch die Vorstellungswelt des französischen Präsidenten verstanden. Ich erläuterte Carter die innenpolitische Zweifronten-Auseinandersetzung, in der sich Giscard in seinem Vorwahlkampf befand. Es gebe für mich keinerlei Zweifel, daß man in einer ernsten Lage auf Frankreich zählen könne. Genau dies meine doch Giscard, wenn er öffentlich erkläre, Frankreich habe noch nie gezögert, seinen vertraglichen Pflichten nachzukommen. Es gebe keinen anderen führenden Politiker in Frankreich, der den USA so nahestehe wie Giscard.

Ich hatte nicht das Gefühl, Carter überzeugt zu haben. Der

amerikanische Präsident schien nur mehr in der Lage zu sein, Schwarzweißdarstellungen zu akzeptieren. Dies wurde besonders bei seinem beharrlichen Drängen deutlich, Europa müsse sich am Olympiaboykott beteiligen. Ihm fehlte jedes Bewußtsein für die schwierige Lage, in die er Giscard, mich und andere europäische Regierungschefs durch seine einseitige Ankündigung des Boykotts gebracht hatte. Vor Carters öffentlicher Ankündigung hatte ich mich auf Grund von Gerüchten dreimal in Washington erkundigt, ob es solche Absichten gebe; noch vier Tage vor Carters Bekanntgabe hatte ich seinen gerade in Bonn anwesenden stellvertretenden Außenminister Warren Christopher danach gefragt. Auf die jedesmal negative Antwort vertrauend, hatte ich die deutschen Sportverbände unterrichten lassen, es stehe kein Olympiaboykott ins Haus. Völlig überraschend verkündete Carter dann doch den Boykott und verlangte umgehend und ohne Rücksicht auf die innenpolitische Bloßstellung seiner Verbündeten deren Einschwenken auf seine öffentlich gemachte Entscheidung.

Ich sagte dem Präsidenten, am Ende würden wir auf der richtigen Seite stehen, aber nach der unglücklichen Vorgeschichte benötigte ich Zeit. Einige europäische Regierungen, besonders Margaret Thatcher, erklärten zwar eilfertig ihren Beitritt zum Boykott. Als die Olympischen Sommerspiele in Moskau aber eröffnet wurden, nahmen fast alle NATO-Mitgliedstaaten teil.

Im Zuge der Auseinandersetzungen über das Olympiathema fragte ich am 5. März den Präsidenten, was er denn tun wolle, wenn die Olympischen Spiele hinter uns liegen würden, der Boykott auch funktioniert habe, die sowjetischen Truppen aber gleichwohl immer noch in Afghanistan stünden. Um die Sowjets zu einem Rückzug zu bewegen, brauche man Druck und Anreiz zugleich. Brzezinski habe in diesem Zusammenhang von der Dreiheit aus westlicher Einheit, islamischer Einheit und afghanischem Widerstand gesprochen; die Einheit des Islam sei aber ohne eine Lösung der Palästinafrage nicht zu haben.

Carter antwortete mit entwaffnender Offenheit, er glaube nicht, daß die Sowjets sich aus Afghanistan zurückziehen würden. Es ging ihm also, so wurde mir klar, lediglich um innenpolitisches Prestige. Und um seines Prestiges willen sollten Giscard und ich das unsere opfern – und der deutsche Bundeskanzler sollte einer aussichtslosen Operation wegen auch noch vitale Interessen seiner Landsleute östlich der Grenze der Bundesrepublik gefährden. Ich beschloß, keine weiteren Zugeständnisse mehr zu machen, und lehnte sowohl die verlangten Handelseinschränkungen gegenüber der Sowjetunion ab als auch die Idee alternativer westlicher Sommerspiele.

Zu Palästina sagte Carter, er rechne damit, sich etwa im Mai wieder einschalten zu müssen; dabei könne es zu unangenehmen Auseinandersetzungen mit Israel kommen, denn in der Sache seien die USA der ägyptischen Position näher als der israelischen. Wenige Monate später wurde der Welt deutlich, daß Begin sich in der Palästinafrage vollständig durchgesetzt hatte, wie unangenehm auch immer seine Verhandlungen mit Carter gewesen sein mögen. Vom Sommer 1980 an setzte Begin auf eine Wahlniederlage Carters.

Bevor wir uns dem geselligen Teil meines Besuches zuwandten, unterrichtete ich den Präsidenten von meiner Absicht, Breschnew zu besuchen; der Termin liege allerdings noch nicht fest. Carter verzichtete auf einen Kommentar. Später hat er sich meinem Besuch in Moskau jedoch vehement widersetzt; er hat trotzdem stattgefunden. Am Ende der Verhandlungen zwischen Carter und mir sorgten wir gemeinsam für ein Kommuniqué, daß zwar zwischen den Zeilen Meinungsverschiedenheiten ahnen ließ, diese aber nicht aufdeckte, sondern nach Möglichkeit kaschierte. Ich verließ Washington in dem bedrückenden Bewußtsein, daß die westliche Führungsspitze sich ihres eigenen Kurses nicht sicher war, ihn vielmehr von Tag zu Tag neu bestimmte, und daß man sich deshalb auf die Stetigkeit dieses Kurses nicht verlassen konnte. Bei mehreren öffentlichen Auftritten und gegenüber den Medien gab ich mir jedoch große Mühe, keinen Zweifel an der prinzipiellen deutschen Bündnistreue aufkommen zu lassen. Aber ich machte auch keinen Hehl aus unserer engen Allianz mit Frankreich.

Sowohl die amerikanischen als auch die deutschen Medien haben am 6. und 7. März recht einheitlich berichtet und kommentiert. Im Osten war die Reaktion unsicher: TASS redete von deutscher Unterwerfung, Radio Moskau und die polnischen Medien dagegen meinten, Schmidt habe sich amerikanischem Druck widersetzt. Meine eigene Bewertung fand ich in der Londoner »Financial Times« ausgedrückt: »Der Wert von Schmidts Reise nach Washington besteht darin, das Verständnis der USA dafür gesteigert zu haben, daß die Verbündeten unterschiedliche Interessen und Verbindungen mit den Russen haben und daß dies dazu führt, daß mit unterschiedlichem Nachdruck reagiert wird.« Die Kopenhagener »Politiken« traf den Nagel auf den Kopf: »Ungeachtet aller Zugeständnisse ist es für die westlichen Verbündeten schwer und streckenweise unmöglich gewesen, Klarheit darüber zu erhalten, was man in Washington beschlossen hatte ... und wieweit die erbetene Unterstützung durch Bonn und andere schließlich gehen sollte ... Wenn Präsident Jimmy Carter glaubte, Bundeskanzler Helmut Schmidt von seinen Fähigkeiten zu überzeugen, eine durchdachte Außenpolitik aufrechterhalten zu können, so darf man sagen, er hatte ausgesprochenes Pech.«

Franz Josef Strauß, der im Herbst 1980 als Kanzlerkandidat der CDU/CSU gegen mich antreten sollte, teilte im Grunde mein Urteil; auch er wollte gegenüber Moskau Handelsvertragstreue, keine Überreaktion und eine Beteiligung am Olympiaboykott erst nach einer Bedenkpause. Strauß besuchte Carter kurz nach mir; falls er in Washington wesentlich von meiner Linie abgewichen wäre, hätte Brzezinski dies gewiß die Medien wissen lassen. Aber Strauß verhielt sich – vielleicht zur Enttäuschung einiger – staatsmännisch und wahrte unsere Interessen.

Acht Wochen später, am 7. Mai, traf ich Premierministerin Thatcher in London. Mit Genugtuung hörte ich aus ihrem Munde Urteile über die amerikanische Außenpolitik, die den unsrigen entsprachen: In Washington fehle der Überblick über den Zusammenhang zwischen Afghanistankrise, Irankrise und Nahostkonflikt. Was den letzten Punkt anlange, so werde sich die proisraelische Haltung Washingtons bis zu den amerikanischen Wahlen im November noch verstärken. Sollten die neun Mitgliedsstaaten der Europäischen Gemeinschaft im Sicherheitsrat der Vereinten Nationen einen Entschließungsantrag zum Nahostkonflikt einbringen, würden die Amerikaner ihn voraussichtlich mit einem Veto belegen. Carters Politik sei in beängstigendem Ausmaß von Wahlkampfüberlegungen bestimmt. Dies bestätigte sich im Vorfeld des sechsten Weltwirtschaftsgipfels, der am 22. und 23. Juni in Venedig stattfand.

Am 16. April teilte ich Carter telefonisch den bevorstehenden Entschluß der Bundesregierung mit, dem Nationalen Olympischen Komitee zu empfehlen, nicht zu den Olympischen Spielen zu gehen; tags darauf wurde der Entschluß den deutschen Sportverbänden im Vorwege übermittelt, die formelle Kabinettsentscheidung erfolgte am 23. April. Ich hätte – wie Carter wisse – schon im Januar vor dem Bundestag und dann noch einmal bei meinem Besuch in Washington erklärt, es liege an Moskau, die Voraussetzungen für eine Teilnahme zu schaffen; dies sei aber nicht geschehen. Ich rechnete damit, daß die deutschen Sportverbände der Empfehlung folgen würden. Wir hätten diesen Entschluß schweren Herzens gefaßt.

Zugleich habe ich Carter auf einen von mir in mehreren öffentlichen Reden vorgetragenen Gedanken hingewiesen, der mir im Rahmen des Doppelbeschlusses geeignet erschien, die Sowjets unter Wahrung ihres Gesichtes zu den vom Westen angestrebten Rüstungsbegrenzungsverhandlungen über die Mittelstreckenwaffen zu bringen. Der Vorschlag lief auf ein Zwischenabkommen zwischen Washington und Moskau in Form von zwei einseitigen öffentlichen Erklärungen hinaus, bis Ende 1983 keine Mittelstreckenwaffen zu dislozieren. Ein solches Moratorium bedeute für den Westen keinen Nachteil, da er noch drei Jahre für die Produktion der Pershing II benötige, während die Sowjets ohne Zwischenabkommen bis 1983 ihren großen Vorsprung ausbauen könnten. Eine Zwischenvereinbarung begrenze diesen sowjetischen Vorsprung auf den ohnehin erreichten Stand, erwecke aber den Anschein einer gleichgewichtigen Vereinbarung, unter deren Dach die eigentlichen Begrenzungsverhandlungen im Sinne des Doppelbeschlusses beginnen könnten. Ich hoffte, so sagte ich, daß dieser Vorschlag die amerikanischen Abrüstungsexperten interessiere.

Carter erwiderte, mit Rücksicht auf die »wacklige Haltung in Italien und Holland« müsse der Anschein vermieden werden, daß man am Doppelbeschluß rüttele. Er plädiere dafür, meinen Vorschlag nebst einer Erläuterung den anderen NATO-Partnern zuzuleiten und dabei klarzumachen, daß er keine Abweichung vom Doppelbeschluß vom 12. Dezember 1979 darstelle. Ich stimmte zu, und so geschah es auch. Im übrigen, sagte ich Carter, würde ich sehr ärgerlich werden, wenn jemand versuchen sollte, die Dezemberentscheidungen in Frage zu stellen. Carter bedankte sich, und wir kamen überein, die Tatsache unseres ausführlichen Telefongespräches bekanntzumachen. Ich benutzte den Gedanken eines Moratoriums auch in einer öffentlichen Rede in Düsseldorf – zum Mißvergnügen von Außenminister Genscher.

Im Mai gab es dann mehrere kritische Äußerungen amerikanischer Regierungsangehöriger wegen angeblicher Loyalitätsmängel der Europäer gegenüber den USA. Vor allem Giscards Treffen mit Breschnew im Mai in Warschau erregte Zorn im Weißen Haus. Ende Mai erschien ein von Washington inspirierter Aufsatz in »Business Week«, der Giscard und mich gleichermaßen angriff. Er stellte die unsinnige Behauptung auf, ich verlöre meine (angebliche) Fähigkeit, dank meiner Freundschaft mit Giscard ein Ausscheren Frankreichs aus der Allianz (!) zu verhindern; auch hätte ich mit meinem Vorschlag eines Zwischenabkommens den Doppelbeschluß widerrufen. Meine bevorstehende Moskaureise sei eine »gottgesandte« Propagandachance für die Sowjets; ich sei auf dem Wege in die Neutralität Deutschlands. Ich habe derartigen Unfug nicht ernst nehmen können – wohl aber tat dies Jimmy Carter, aus dessen Mitarbeiterkreis die Inspiration zu diesem und anderem Gebräu vermutlich gekommen war.

Jedenfalls erhielt ich unter dem Datum des 12. Juni einen erstaunlichen Brief Carters, der von Washington unverzüglich an die Presse lanciert wurde. Im ersten Satz bezog sich der Präsident auf »widersprüchliche Presseberichte«. In einigen werde »... unzutreffenderweise behauptet, Sie hätten ein Ost-West-Einfrieren der stationierten Mittelstreckenwaffen vorgeschlagen; andere Berichte schließen ein, Sie hätten die Sowjets aufgerufen, für einen bestimmten Zeitraum keine weiteren Mittelstreckenwaffen zu stationieren. Im Hinblick auf Ihre bevorstehende Reise nach Moskau erscheint es mir angebracht, noch einmal unsere Haltung zu dieser Frage festzustellen.« Carter erklärte, die USA würden keinem Vorschlag zustimmen, der ein Einfrieren, ein Moratorium oder einen Verzicht auf die Stationierung neuer oder zusätzlicher Mittelstreckenraketen vorsehe, auch nicht für einen begrenzten Zeitraum. Der amerikanische Präsident fuhr fort, er wisse, daß ich weiterhin den Doppelbeschluß nachdrücklich unterstützte. Er selbst trete für einen sofortigen und bedingungslosen Beginn der Klärung (»to explore«) von Begrenzungen der Mittelstreckenwaffen ein; er werde die Sowjets drängen, ihre SS-20-Stationierungen anzuhalten; aber er werde kein Einfrieren bis 1983 akzeptieren, selbst wenn dies allein die Sowjetunion beträfe; die USA würden weiterhin zügig mit der Stationierung von Mittelstreckenwaffen fortfahren.

Der Brief war angesichts der Tatsache, daß die Texte meiner Reden dem Weißen Haus offiziell zugeleitet worden waren, sehr ungewöhnlich, stützte er sich doch ausschließlich auf Presseberichte. Die Quelle von Carters Ärger war mein bevorstehendes Treffen mit Breschnew. Die Lancierung des Briefes an die Washingtoner Presse war offene Ränküne. Allem Anschein nach wollte hier jemand sein Mütchen kühlen, der sich ohnehin nie entscheiden konnte, ob die Deutschen oder die Russen die Hauptfeinde des polnischen Volkes seien, dem er selbst entstammte. Für mich war der entscheidende Punkt des Briefes der einseitige Nachdruck, den er auf die Sicherstellung der Stationierung westlicher Mittelstreckenwaffen legte; demgegenüber fehlte jede Betonung der vom Bündnis beschlossenen Begrenzungsverhandlungen mit der Sowjetunion, für die nach dem Doppelbeschluß noch dreieinhalb Jahre zur Verfügung standen. Die Sowjets hatten bisher solche Verhandlungen abgelehnt; jetzt kam es meinen Mitarbeitern und mir so vor, als sei Brzezinski damit im Grunde durchaus zufrieden und als lege Carter nur Wert darauf, in der amerikanischen Öffentlichkeit Härte gegen Moskau zu demonstrieren, ohne an einem Erfolg meiner Mission in Moskau tatsächlich interessiert zu sein.

Vier Tage später beantwortete ich Carters Brief sehr knapp und ohne mich auf die Sachthemen einzulassen; ich schlug ein Ge-

254

spräch in Venedig vor, das fünf Tage später, am 21. Juni, auch stattfand. Vor dieser Begegnung erschien in den »Stuttgarter Nachrichten« ein Interview Henry Kissingers, in dem er über mich sagte: »Ich habe zu Schmidt als Menschen und als politischem Führer sehr großes Vertrauen.« Ich gebe zu, das um so lieber gelesen zu haben, als gleichzeitig die Oppositionsführer Dr. Kohl und Dr. Zimmermann sich im Bundestag uneingeschränkt auf die Seite Carters schlugen.

Für den amerikanischen Präsidenten verschlechterte sich die Atmosphäre des bevorstehenden Treffens im Kreise der Sieben dadurch, daß er inzwischen die Nahost-Erklärung der neun Regierungschefs der Europäischen Gemeinschaft vom 13. Juni – die zufällig auch in Venedig beschlossen worden war – einen »Schlag gegen Camp David« genannt hatte. Cyrus Vance dagegen, der mittlerweile wieder Privatmann war, warnte in Harvard seine Landsleute vor dem Glauben, sie allein könnten die Welt in ihre Bahnen lenken. Er fügte hinzu: »Wir Amerikaner können uns nicht erlauben, daß wir zu Gefangenen unserer Emotionen werden.«

Die Stadt Venedig zeigte ihre ganze Pracht bei strahlendem Wetter. Die internationalen Konferenzen finden dort stets auf der Insel San Giorgio Maggiore statt. Das ehemalige Benediktinerkloster, eher ein Palazzo, ist zu einem Konferenzzentrum ausgebaut worden. Schon bei der Anfahrt mit dem Motorboot quer durch den Canale Grande hat man einen mitreißenden Blick auf die Kirche des Klosters; auf dem Rückweg hat man die Hauptinsel mit dem Dogenpalast und dem Campanile von San Marco sowie die Front der Palazzi entlang des Ufers vor sich. Man müßte eine Seele aus Holz haben, um nicht jedesmal erneut von der Schönheit dieses Weltwunders überwältigt zu sein. Auch diesmal geriet ich auf dem Wege zum Gespräch mit Jimmy Carter in eine beinah euphorische Stimmung.

Aber auch politisch fühlte ich mich gut. Ich wußte, die anderen europäischen Regierungschefs – Valéry Giscard d'Estaing an der Spitze – würden mich unterstützen. Vor allem aber hatte ich verstanden, daß Carter aus innenpolitischen Gründen inzwischen weit mehr auf mein Wohlverhalten angewiesen war als ich auf das seine; denn sein Prestige zu Hause und in der Welt war angeschlagen, das meine nicht. Mir lag nicht daran, Carter herauszufordern; vielmehr wollte ich den Streit beilegen. Ich wollte freie Hand für Moskau haben und auch für den Rest des Jahres 1980 sicher sein, vom Weißen Haus nicht weiterhin in unbilliger Weise behindert zu werden. Ich wollte auf der Konsequenz und Zuverlässigkeit meiner Linie beharren. Am wichtigsten war mir, auf amerikanisch-sowjetischen Verhandlungen über eine Begrenzung der eurostrategischen Mittelstreckenwaffen zu bestehen. Mit diesen Gedanken fuhr ich an jenem schönen Vorabend der Mittsommernacht, begleitet von Außenminister Genscher und meinem außenpolitischen Mitarbeiter Botschafter Berndt von Staden, zum amerikanischen Präsidenten, der von seinem neuen Außenminister Edmund Muskie und seinem Sicherheitsberater Brzezinski begleitet wurde.

Vermutlich hatte keiner der Anwesenden eine Vorstellung davon, daß ich mir nach der Demütigung vom 12. Juni eine ungewöhnliche Härte vorgenommen hatte. Das Gespräch begann mit dem Thema Afghanistan; Carter stellte eine Reihe von Fragen und erkundigte sich nach meiner Unterrichtung durch Giscard d'Estaing über dessen kürzliches Treffen mit Breschnew in Warschau (natürlich hatte Giscard auch den amerikanischen Präsidenten direkt unterrichtet). Im Laufe dieses Gesprächs über die westliche Haltung zur Sowjetunion ging ich auf den Brief Carters vom 12. Juni ein und wies die darin aufgestellten Behauptungen vehement und sehr ausführlich zurück: »Dieser Brief ist inzwischen leider ein wichtiger Gegenstand des Bundestagswahlkampfes geworden; Tatsache ist, daß er schon am Tage der Absendung in Washington an die Presse gegeben wurde. Dieser Vorgang kommt einer Beleidigung nahe ...«

Carter: »Dem kann ich nicht beipflichten.«

Schmidt: »Es gibt bisher keinerlei Entscheidung, zu der wir Deutschen uns verpflichtet haben und die wir dann nicht ausgeführt hätten. Es besteht also kein Anlaß für Sie anzunehmen, daß wir unsere Zusagen künftig nicht einhalten und ...«

Carter: »Das nehmen wir auch nicht an!«

Schmidt: »Sie haben sich in Ihrem Brief auf irreführende Presseberichte bezogen, obwohl Sie doch den tatsächlichen Text meiner Rede schon in Händen hatten. Weder Verteidigungsminister Brown, der mich kürzlich besucht hat, noch Ihr Botschafter Stoessel haben zu dieser Rede Fragen gestellt; auch unserem Botschafter in Washington sind keine Fragen gestellt worden. Ich könnte es durchaus verstehen, wenn einmal Zweifel an einem Text auftreten, dann kann man aber nachfragen. Das ist nicht geschehen. Der indiskrete Umgang mit Ihrem ungerechtfertigten Brief hat erhebliches Aufsehen verursacht. Demgegenüber habe ich mich sehr zurückgehalten. Wenn ich meinerseits genauso indiskret vorgehen würde, so hätte das gewiß erhebliche Rückwirkungen in Ihrem Lande.

Ich darf Sie daran erinnern, daß ich Ihnen im März mitgeteilt habe, ich würde einer deutschen Teilnahme an den Olympischen Spielen entgegenwirken. Ich habe mich daran gehalten und unter großen innenpolitischen Kosten Ihre Empfehlung durchgesetzt; jetzt aber bin ich damit in Westeuropa nahezu isoliert. Ebenso stehe ich in Westeuropa hinsichtlich des INF-Problems nahezu allein, weil ich mich an unsere Zusage halte. Vielleicht darf ich Sie in diesem Zusammenhang auch an die Entstehungsgeschichte des Cruise-Missiles-Protokolls zu SALT II und an die Entstehungsgeschichte des INF-Beschlusses von Guadeloupe und Brüssel erinnern. Als ich Sie zum ersten Mal auf dieses Problem aufmerksam machte, hat man mir bedeutet, ich möge schweigen, weil dies nicht Deutschland, sondern die USA angehe. Erst später, im Herbst 1977, bin ich an die Öffentlichkeit gegangen; das hat Sie dann zur Entscheidung von Guadeloupe und schließlich uns alle zum NATO-Beschluß gebracht. Ich bin mit diesem Beschluß politisch verheiratet, ich werde ihn nicht aufgeben und auch meine Meinung nicht ändern.«

An dieser Stelle erinnerte ich Carter auch an die Affäre mit den Neutronenwaffen (ERW); auch in diesem Falle hätte ich meine Meinung nicht geändert, und er hätte darauf bauen können. Statt dessen habe er selber seine Meinung geändert, auf die ich gebaut hätte. »Wir haben unser Wort immer gehalten; wegen des INF-Beschlusses habe ich im letzten Dezember auf dem Parteitag der SPD sogar meine politische Existenz aufs Spiel gesetzt. Wenn danach irgend jemand denkt, daß ich mein Wort nicht halte, so fühle ich mich dadurch beleidigt.«

Carter: »Ich habe solchen Verdacht nicht.«

Schmidt: »Daß Ihr Brief das Gefühl deutsch-amerikanischer Verbundenheit beeinträchtigt hat, ist eine bedauerliche Tatsache ... Vielleicht darf ich Sie daran erinnern, daß Sie mich gedrängt haben, die deutsche Volkswirtschaft zusätzlich um ein Prozent unseres Bruttosozialprodukts zu reflationieren. Ich habe damals darauf hingewiesen, daß dies zu einem deutschen Zahlungsbilanzdefizit führen könne; das ist jetzt tatsächlich auch eingetreten. Aber da ich Ihnen mein Wort gegeben hatte, habe ich es auch gehalten. Es kann keinem vernünftigen Zweck dienen, einen Alliierten, der seine Zusagen einhält, zu beleidigen.

Ich spreche hier sehr offen, noch dazu in einer fremden Sprache. Vielleicht klänge es in meiner eigenen Sprache weniger hart. Aber es hat in beiden Sprachen keinen Sinn, sich hinter dem Busch zu verstecken ... Wir brauchen derartige Warnungen nicht. Ich hoffe, wir werden gemeinsam verhindern können, daß aus diesem Brief ein Keil zwischen Amerikanern und Deutschen wird. Ein solcher Keil würde übrigens keinem von uns beiden im Wahlkampf helfen.

Ich habe jahrzehntelang Diskussionen zwischen den USA und meinem Land erlebt; zum Beispiel um den Radford-Plan, zum

Beispiel um die MLF, die Präsident Johnson später fallenließ, zum Beispiel um McNamaras neue Militärstrategie, mit der er dann recht behalten hat. Ich habe alle diese Dispute durchlebt; ich weiß, sie sind normal. Aber bei INF hat es seit den Beschlüssen des Bündnisses in der Sache keine Meinungsunterschiede zwischen uns gegeben. Wir haben uns damals auf zwei Punkte geeinigt: Diese Waffen sollen auf europäischem Boden stationiert und die Vorbereitungen zur Stationierung sollen unverzüglich aufgenommen werden, so daß die Stationierung Ende 1983 beginnen könne. Gleichzeitig haben wir uns darauf geeinigt, daß Sie mit der Sowjetunion über die beiderseitige Begrenzung der INF verhandeln; wir waren uns einig, daß die Zahl der im Westen zu stationierenden Waffen vom Verhandlungsergebnis abhängen müsse. Im Idealfall ist also ein Null-Ergebnis denkbar, in dem keine Stationierung erforderlich wird. Über all dies waren wir einig. Ich werde mich daran halten.

Nun steht ja fest, daß Sie *vor* dem Herbst 1983 gar nicht stationieren können. Daraufhin habe ich angeregt, daß in Kenntnis dieser Tatsache beide Seiten für die nächsten drei Jahre von der Stationierung weiterer INF Abstand nehmen sollten. Tatsächlich müßte dabei lediglich die Sowjetunion ihren Stationierungsprozeß stoppen, das heißt, man würde von ihr einen einseitigen Verzicht fordern, denn sie stationiert ja die ganze Zeit und zwar stetig, während auf westlicher Seite bis zum Beginn der Stationierung noch dreieinhalb Jahre vergehen werden. Ich bin enttäuscht, daß dies in Washington mißverstanden werden konnte. Worte wie ›Moratorium‹ oder ›Einfrieren‹ habe ich meinerseits niemals gebraucht.

Heute aber kommen mir selbst Zweifel, ob die amerikanische Seite wirklich mit den Sowjets verhandeln will! Vielleicht fürchten Sie, der Kongreß werde während der Verhandlungen keine Mittel für Entwicklung und Produktion bewilligen. Aber es wäre ja nicht das erste Mal, daß Sie produzieren, um schließlich doch nicht zu stationieren. Der B-1-Bomber ist dafür ein Beispiel ... «

Carter setzte sich zur Wehr: »In meiner Administration glaubt niemand, daß Deutschland mit der Ausführung des Beschlusses nicht vorangehen werde. Aber als Sie im April Ihre Rede gehalten haben, hat es weltweites Aufsehen gegeben, das seinen Ursprung in Deutschland hatte. Sie haben mich damals angerufen, um zu beraten, was zu tun sei; daraufhin hat man unter anderem Botschaften an Holland und Belgien geschickt. Aber dann haben Sie gesagt, Sie hielten an Ihrer damaligen Erklärung fest. Dies hat zum Beispiel Belgien zutiefst beunruhigt und auch in Italien Schwierigkeiten verursacht. Ich glaube nicht, daß Ihre Erklärung so gemeint war; aber ich glaube, sie ist nicht wohlberaten gewesen. Nach den Schwierigkeiten in Belgien und Italien habe ich Ihnen meinen Brief geschrieben, um die amerikanische Position klarzustellen. Wir wollen kein Einfrieren und kein Moratorium, denn das würde das Ungleichgewicht einfrieren. Es wäre sozusagen ein Imprimatur für den derzeitigen Umfang sowjetischer Stationierungen von SS 20. Die USA werden keinem Produktionsstopp zustimmen . . . Ich glaube Ihnen, daß es nicht Ihre Absicht ist, die Stationierung [von Pershing II] in Deutschland zu verzögern, deren Beginn für August 1983 vorgesehen ist. Aber hinsichtlich der Frage, ob Ihre Erklärung hätte abgegeben werden sollen, sind wir verschiedener Meinung. Die Erklärung hat in Holland, Belgien und Italien Verwirrung ausgelöst. Ich habe keine Zweifel an Ihrer Absicht, aber ich bedaure Ihre Erklärung und bedaure, daß wir deswegen in solche Auseinandersetzungen geraten sind. Im übrigen ist die amerikanische Haltung nicht von Sorgen wegen des Verteidigungshaushaltes und der Bewilligung von Geldern für die Produktion bestimmt. Der Kongreß will für die Verteidigung sogar mehr Geld ausgeben, als in meinem eigenen Haushaltsentwurf vorgesehen ist.«

Carter kam sodann auf Afghanistan zurück, auf seine verschiedenen Embargomaßnahmen gegen die Sowjetunion und auf die amerikanische Nichtteilnahme an den Olympischen Spielen. »Manche Verbündete haben uns dabei mehr, andere weniger unterstützt. Wir beide haben keine Meinungsverschiedenheiten in der Sache, aber mit Ihrem Vorgehen stimme ich nicht überein.«

Wenn wir in der Sache übereinstimmten, warf ich ein, dann könne ich seinen Brief wirklich nicht verstehen.

»Ich habe den Brief auf Grund irreführender Presseberichte geschrieben«, räumte Carter ein. »Aber mir liegt daran, klarzustellen, die USA sind zu keiner Zusage bereit, daß sie nicht stationieren werden. Denn das wäre, wie gesagt, ein Imprimatur für die sowjetischen Stationierungen, und wie stünden wir da, wenn nach Ablauf der drei Jahre die Sowjets vorschlagen, man solle fortfahren zu verhandeln? Das würde uns in eine sehr schwierige Situation bringen . . .«

»Warum haben Sie aber dann dem Cruise-Missiles-Protokoll bei SALT II zugestimmt?« Das Protokoll sei Teil eines größeren Pakets gewesen, rechtfertigte sich Carter; isoliert und für sich genommen hätte es dem eigenen Vorteil nicht gedient.

»Sie werden sich erinnern«, beharrte ich, »daß ich von diesem Protokoll abgeraten habe. Ich hatte die INF-Gefährdung schon gesehen, als die USA im Zuge der Kuba-Raketenkrise ihre Mittelstreckenraketen in Italien und der Türkei abgebaut haben; 1969 habe ich mich dazu in einem Buch über die Fragen des militärischen Gleichgewichts geäußert.

Ich will bei dieser Gelegenheit auf eines hinweisen: Deutschland ist ein kleines Land; auf einem Territorium, das nur so groß ist wie Ihr Staat Oregon, leben sechzig Millionen Menschen. Zugleich gibt es auf diesem Territorium über 5.000 amerikanische nukleare Sprengköpfe; natürlich stellen sie für die Sowjetunion 5.000 Ziele dar. Nun bin ich bereit, notfalls einige weitere hundert Waffen auf diesem dichtbesiedelten Territorium zu stationieren. Sie mit Ihrem riesigen Territorium sind sehr viel besser dran.«

Das Gespräch wandte sich dann der finanziellen Hilfe und der Umschuldungsaktion zugunsten der Türkei zu, ebenso der Umschuldung zugunsten Pakistans. Carter sprach über die enormen Kosten, welche den USA aus ihrer militärischen Präsenz im Indischen Ozean und im Fernen Osten entstünden; jetzt verhandele man über Stützpunkte im Nahen Osten.

Ich machte darauf aufmerksam, daß die Regierungen im Nahen Osten eine Sicherheit haben müßten, nicht in eine Umwälzung zu geraten; aus diesem Grunde hätten wir Europäer uns mit Außenminister Vance geeinigt, daß die neun EG-Staaten eine Initiative zur Erweiterung der Sicherheitsratsresolution 242 ergreifen würden. Doch nun habe Präsident Carter im Fernsehen erklärt, gegen eine solche Resolution im Sicherheitsrat werde er sein Veto einlegen.»Ähnlich«, fuhr ich fort,»war es vor einigen Monaten hinsichtlich der Olympischen Spiele. Sowohl Mr. Brzezinski als auch Mr. Christopher haben uns wenige Tage vor meiner Regierungserklärung gesagt, eine amerikanische Entscheidung zur Nichtteilnahme an den Olympischen Spielen stehe nicht bevor. Dementsprechend habe ich damals in meiner Regierungserklärung diese Frage nicht erwähnt. Aber am Sonntag darauf haben Sie dann mitteilen lassen, daß Sie sich doch zur Nichtteilnahme entschlossen haben.«

An dieser Stelle schaltete sich Brzezinski ein:»Sie haben gegenüber Senator Biden kritische Bemerkungen über die amerikanische Politik im allgemeinen und Persönlichkeiten der amerikanischen Regierung im besonderen gemacht!«

Schmidt:»Wenn es nötig ist, kann auch ich ein guter Kämpfer sein.«

Brzezinski:»Wir können das auch erwidern.«

Carter beendete diesen Wortwechsel:»Ich habe Sie nie kritisiert. Ich glaube, man wird sich jetzt gegenseitig besser verstehen.«

Ich betonte noch einmal, es wäre gut, wenn die Sowjetunion erklärte, keine zusätzlichen SS 20 mehr stationieren zu wollen. Carter wiederholte, er könne diese Meinung nicht teilen, denn man könne lediglich den Bau der Stellungen verifizieren. Ich hielt dagegen, natürlich müsse eine sowjetische Zusage verifizierbar sein. An dieser Stelle schaltete sich auch Außenminister Muskie in das Gespräch ein; bei einem Moratorium würden die Sowjets verlangen, daß sich das auch auf die Fertigung erstrekken müsse. Dann aber würde ein Moratorium den Westen mehr benachteiligen als die Sowjetunion.

Schmidt: »Die sowjetischen INF sind nicht gegen die USA gerichtet, sondern auf Europa, auf den Mittleren Osten und auf China. Sollte wirklich keiner der Betroffenen das Recht haben, den Sowjets zu sagen: Hört auf mit der weiteren Stationierung der SS 20? Ich muß an dieser Stelle meine Frage wiederholen: ›Haben die USA wirklich die Absicht zu verhandeln?‹«

Carter erläuterte daraufhin das amerikanische Verhandlungsangebot an die Sowjetunion. Eine Rücknahme des NATO-Doppelbeschlusses käme aber nicht in Frage. Ich unterstrich, daß auch wir eine Rücknahme ablehnten. Ich hätte den Eindruck, daß die Sowjets von ihrer Forderung, eine Rücknahme des NATO-Beschlusses sei Voraussetzung für die Aufnahme von Verhandlungen, möglicherweise abgebracht werden könnten. Wir müßten den Sowjets dieses Abrücken von ihrer eigenen Vorbedingung erleichtern. Auf meine Frage, ob die Sowjetunion vor der Ratifikation von SALT II über SALT III verhandeln würde, erwiderte Carter, das solle ich doch während meines Moskaubesuches herauszufinden suchen. Damit kam das Gespräch auf meinen Moskaubesuch. Ich erläuterte meine Absichten und schloß mit einer Punktation:

»Wir werden bekräftigen:
1. Die Sowjets haben keine Chance, zwischen uns Deutsche und unsere Alliierten einen Keil zu treiben.
2. Die Sowjets müssen verstehen, daß die Bundesrepublik Deutschland an ihrem Prinzip festhält, wonach in Europa und in der Welt ein Gleichgewicht notwendig ist und zwar als Vorbedingung für jede Zusammenarbeit mit der Sowjetunion. Ich ziehe übrigens den Begriff Zusammenarbeit dem Begriff Entspannung vor.
3. Die Sowjets sollen verstehen, daß wir deshalb am INF-Beschluß des Bündnisses festhalten, und
4. sie sollen verstehen, daß wir mit nicht geringerer Entschiedenheit als irgend jemand sonst daran festhalten, die Invasion Afghanistans nicht akzeptieren zu können.
5. Sie sollen auch verstehen, daß wir mit der gleichen Entschiedenheit, mit der wir an der Atlantischen Allianz und an der EG festhalten, auch zur Schlußakte von Helsinki stehen, die von vierunddreißig Staaten unterschrieben worden ist, und ebenso zu unseren Verträgen mit der Sowjetunion, mit Polen

und mit der DDR. Diese Verträge schließen die wirtschaftliche Zusammenarbeit mit der Sowjetunion ein, im Rahmen sowohl des COCOM als auch des OECD-Konsensus.«
Ich schloß damit, daß am Ende meiner Moskauer Gespräche beide Seiten feststellen würden, es sei notwendig gewesen, miteinander zu sprechen und einander zuzuhören: Darin bestehe schließlich die Kunst der Diplomatie.»Die Sowjets wünschen von uns eine Erklärung zu Sachfragen, aber ihr Entwurf ist für uns nicht akzeptabel. Wir bereiten vorsorglich eine Presseerklärung vor, welche sich auf die Darstellung des Besuches [in Moskau] beschränkt.«
Das Gespräch wandte sich dann der von Carter und mir gewünschten Kredithilfe für Polen zu, das in einer ersten Zahlungsbilanzkrise war. Schließlich kamen wir noch einmal auf Afghanistan und die Palästinafrage zurück. Am Ende zog ich eine Bilanz hinsichtlich der entscheidenden Punkte unseres Gesprächs. Ich hätte den Eindruck, daß wir in der Sache einig seien. »Wollen Sie dies nicht der Presse gegenüber festhalten? Sie könnten auch hinzufügen, daß Sie sich überzeugt haben, daß man deutscherseits vom INF-Beschluß nicht abweichen will. Und warum nicht eine positive Äußerung zu der Moskauer Reise von Genscher und mir?«
Carter nickte und zog seinerseits eine Art Bilanz zu Afghanistan. Das Land müsse vollständig geräumt werden, eine Anerkennung des Karmal-Regimes komme nicht in Frage.
Die Auseinandersetzung mit Jimmy Carter war mir viel wichtiger als der sachliche Inhalt des am nächsten Tag beginnenden Weltwirtschaftsgipfels. Zu Beginn jenes Sitzungsteils, der weltpolitischen Fragen gewidmet war, forderte mich Francesco Cossiga auf, einen Lageüberblick zu geben. Ich machte eine Tour d'horizon, die vom Nahostkonflikt über die Besetzung Afghanistans und die Lage im Iran bis zur Krise der Ost-West-Beziehungen reichte. Natürlich sprach ich auch über unsere eigenen Absichten in Moskau. Ich fand rundum Zustimmung; auch Jimmy Carter, den ich geschont hatte, konnte sich nicht ausschließen.
Am nächsten Tag unterzog sich Brzezinski der gewiß nicht angenehmen Aufgabe, in Hintergrundgesprächen mit der Presse für ein normales Klima zu sorgen. Die»Frankfurter Allgemeine«, die normalerweise der CDU/CSU zuneigt, hatte er ausdrücklich hinzugebeten; sie hat dann am 25. Juni sechsspaltig darüber berichtet. Brzezinski stellte die politische Erklärung der sieben Regierungschefs zu Afghanistan so dar, als fasse sie alles zusammen, was Carter seit dem Januar gesagt hatte (was nicht stimmte, zum Beispiel kam das Wort»Bestrafung«nicht vor). Auf die Frage, ob man sich die Dissonanzen der letzten Wochen

nicht dadurch hätte ersparen können, daß man schon früher eine Abstimmung auf oberster Ebene vorgenommen hätte, gab er eine offenherzige Antwort, die seine eigene Regierung ziemlich bloßstellte: Das sei schon deswegen nicht möglich gewesen, weil man sich an der Spitze der Administration nicht einig gewesen sei; erst jetzt sei der Konsens zwischen Präsident, Außenminister und Sicherheitsberater hergestellt worden. Zu den Meinungsverschiedenheiten mit mir befragt, antwortete Brzezinski, der Brief des Präsidenten habe »auf falschen Presseberichten« beruht. Aber das sei ja jetzt alles erledigt: »Mit Bundeskanzler Schmidt ist alles klar.« Dieser Satz lieferte denn auch die Überschrift in der FAZ.

Sonst war das Presseecho in der Welt durchaus gemischt. »La Repubblica« schrieb: »Carter überzeugt Europa nicht«; der »Corriere della Sera« fügte hinzu, Carter habe sich zu der Auffassung durchringen müssen, es sei gut, die Kanäle nach Osten offenzuhalten; deshalb beurteile er die Moskaureise Schmidts jetzt als opportun. Die »New York Times« sah das ähnlich: »Plötzlich wird der Besuch Helmut Schmidts Ende dieses Monats, den das Weiße Haus bisher mit Argwohn betrachtete und als Zeichen westlicher Schwäche auslegte, von den amerikanischen Politikern als günstige Gelegenheit angesehen, die sowjetischen Absichten herauszufinden.« »Le Figaro« traf den Kern: »Eine bescheidene Bilanz ... doch, um gerecht zu sein, alles lief besser als erwartet.« Die sowjetischen und osteuropäischen Medien verbreiteten nur Propagandathesen. Insgesamt traten in der Bewertung weltweit die ökonomischen Fragen hinter den weltpolitischen Problemen zurück; deren Behandlung fand ein überwiegend positives Echo, gemessen an den sehr gedämpften Erwartungen.

Meine eigene Bilanz war zwiespältig. Positiv war: die Entente mit Valéry Giscard hatte sich abermals bewährt, die Europäer erschienen einig, Carter und Brzezinski hatten zurückgesteckt. Für unsere in wenigen Tagen bevorstehenden Gespräche mit Breschnew und Gromyko hatten wir nun eine klare Grundlage. Auf der negativen Seite stand, daß der amerikanische Präsident meinem Eindruck nach gegenwärtig nicht daran dachte, den zweiten Teil des Doppelbeschlusses aktiv in die Hand zu nehmen und die INF-Verhandlungen zur Begrenzung der auf sowjetischer Seite schon vorhandenen und sich rasch vermehrenden eurostrategischen SS-20-Raketen tatsächlich zu beginnen. Carter dachte ganz offenkundig nur daran, aus Wahlkampfgründen den Russen gegenüber Härte an den Tag zu legen. Aber diese Härte war nur vorgetäuscht. Er täuschte dabei auch sich selbst; denn er war nicht bereit, in Sachen Afghanistan tatsächlich wirksamen Druck auf die Sowjetunion auszuüben.

Einer meiner Mitarbeiter hat damals gesagt: »Wir wollen hinsichtlich der eurostrategischen nuklearen Waffen das Gleichgewicht durch Abrüstung wiederherstellen; die USA dagegen wollen das gleiche Ziel durch Aufrüstung erreichen.« Mir schien, daß die amerikanische Haltung sich darauf versteifte. Aber ich glaubte, bis Ende 1983 sei noch viel Zeit, um Einfluß zu nehmen. Wenn Rudolf Augstein damals im »Spiegel« verzweifelt schrieb: »Wir tun, was die Amerikaner sagen; die DDR tut, was die Sowjets befehlen. Aber wenigstens dürfen *wir* noch motzen«, so teilte ich solche Resignation zu keinem Augenblick. Ich wußte, daß die Außenpolitik in amerikanischen Wahlkämpfen immer zu innenpolitischer Propaganda und zu gegenseitigen Vorwürfen herhalten muß, und zwar noch wesentlich schlimmer als bei uns in Europa. Aber der amerikanische Wahlkampf würde Anfang November zu Ende gehen.

Als ich am 3. Juli 1980, inzwischen von Moskau zurückgekehrt, die überschwenglichen Lobeshymnen Jimmy Carters über meine Verhandlungen im Kreml las, war ich fürs erste beruhigt: bis zum Präsidentschaftswahltag im November konnte er schwerlich abermals seine Meinung ändern.

Ich habe Carter als Präsident nur noch einmal gesehen, am 20. November im Weißen Haus, nachdem Ronald Reagan die Wahl gewonnen hatte; ich benutzte die Gelegenheit, auch den »President elect« in Washington zu treffen. Der Abschiedsbesuch bei Carter verlief angenehm. Seine südstaatliche Gastfreundschaft und seine persönliche Freundlichkeit bestimmten die Atmosphäre.

Innere Gründe außenpolitischer Diskontinuität

Nach seinem Amtsantritt hatte Präsident Carter den Verbündeten Amerikas klargemacht, vieles von dem, was sie in loyaler Zusammenarbeit mit der voraufgegangenen Ford-Administration in der internationalen Politik unterstützt hätten, sei leider falsch gewesen; er würde jetzt auf vielen Feldern eine völlig neue Politik einschlagen und erwarte unsere Kooperation. Als ihm vier Jahre später Präsident Reagan im Amt folgte, wiederholte sich dieses Drama, wenn auch mit umgekehrtem Vorzeichen. Im Sinne herkömmlicher europäischer Begriffe hätte man die internationale Politik der Ära Nixon-Ford-Kissinger eine Politik der

Mitte nennen können; Carter leitete eine Wende um 90 Grad nach links ein und Reagan anschließend eine solche um 180 Grad nach rechts.

Die Ursachen beider Kurswechsel waren vielfältiger Natur, aber sie waren fast ausschließlich in der amerikanischen Innenpolitik begründet, in deren Strukturen und Strukturumbrüchen, im Machtkampf der Parteien, in Stimmungen und Strömungen der Öffentlichkeit wie auch innerhalb der politischen Klasse. Natürlich spielten die Denkgewohnheiten und die Vorurteile der beiden neuen Präsidenten eine wichtige Rolle, die beide mit geringer internationaler Erfahrung nach Washington gekommen waren. Beide brachten sie ihre eigenen Leute mit ins Weiße Haus (darunter einige wenige Frauen), die ihnen in ihrer Zeit als Gouverneur und dann bei ihrem jahrelangen Wahlkampf zur Seite gestanden hatten. Diese Helfer und Berater waren innen- und parteipolitisch durchaus erfahren; in außenpolitischen Fragen hatten die meisten jedoch keinerlei Kenntnisse. Das galt zum Beispiel für Hamilton Jordan oder Jody Powell in Carters Mannschaft genauso wie für Edward Meese oder »Judge« William Clark zu Zeiten Reagans.

Auch frühere Präsidenten hatten ihre persönlichen Vertrauten in das Weiße Haus mitgebracht und ihnen höchst einflußreiche Posten übertragen. Aber bis in die erste Hälfte der siebziger Jahre hatten im Bereich der internationalen Politik immer zwei Gruppen welterfahrener Köpfe ein ausreichendes Gegengewicht gebildet. Zum einen sorgte eine größere Zahl von exzellenten Berufsdiplomaten und Berufsoffizieren in hohen Stellungen für Kontinuität; zum anderen gab es ein großes Reservoir von urteilsfähigen, außenpolitisch engagierten Privatpersonen, die schon früheren Administrationen gedient hatten.

Dieses Reservoir, früher häufig das »Establishment« genannt, hatte sein Forum und zugleich sein Zentrum im Council on Foreign Relations in New York. Seine Mitglieder waren Rechtsanwälte, Bankiers, auch einige Industrielle und Professoren. Der Council gab (und gibt immer noch) durch Hamilton Fish Armstrong und später durch William Bundy die ausgezeichnete Zeitschrift »Foreign Affairs« heraus, die wesentlich zum Forumcharakter des Council beiträgt. Der Council on Foreign Relations zog mit Erfolg sorgsam ausgewählte jüngere Leute in seine Diskussionen und bereitete sie zunächst auf bescheidene Aufgaben vor; im weiteren Verlauf ihrer Karriere übernahmen sie oft Spitzenaufgaben im State Department, im Pentagon, im Weißen Haus oder an anderen Schaltstellen der internationalen Politik – von der Handels- bis zur Abrüstungspolitik.

Zumeist handelte es sich um Männer, die den lobenswerten

Drang verspürten, einige Jahre ihres Lebens dem öffentlichen Dienst zu widmen, und die sich dies finanziell leisten konnten. In der Zwischenzeit gingen sie ihren Berufen nach, hielten sich über alle Entwicklungen auf dem neuesten Stand und waren fast immer bereit, ihrer jeweiligen Regierung oder ihrem jeweiligen Präsidenten auch ehrenamtlich zu dienen, sei es als private Ratgeber, sei es als Mitglieder von Kommissionen, wie die amerikanischen Regierungen sie von Zeit zu Zeit bilden. John McCloy war nach dem Zweiten Weltkrieg für lange Zeit Chairman dieses Kreises und gewissermaßen sein Prototyp; später spielten David Rockefeller und Cyrus Vance im Council eine bedeutende Rolle.

Dieses Establishment hat eine große Zahl ausgezeichneter Leute hervorgebracht, die ihrem Lande – aber auch der Welt – zum Teil unschätzbare Dienste geleistet haben. Sie waren in der Mehrheit Republikaner, aber es gab auch viele Demokraten darunter; entscheidend war: es mußten »linke« Republikaner oder »rechte« Demokraten sein, auf jeden Fall aber international verantwortlich denkende Männer der Mitte. Eben deshalb wahrten sie über dem Wechsel der Präsidenten die Kontinuität der internationalen Politik der USA – jedenfalls bis zur inneren Entzweiung im Laufe des Vietnamkrieges.

Wenn man als deutscher Politiker nach New York kam und in den Council eingeladen wurde, empfand man dies nicht nur als eine Ehre, sondern man konnte sich hier auch ohne große Mühe ziemlich rasch orientieren, wie die amerikanische Regierung über die Lage im Nahen Osten dachte, über ihre Beziehungen zur Sowjetunion oder über Berlin, was ihre Absichten waren oder was wahrscheinlich demnächst ihre Absichten sein würden.

Natürlich konnte man innerhalb dieses Establishments auch verschiedene Strömungen verspüren, selbst Kontroversen. Aber man hatte es mit Leuten zu tun, welche die Länder oder die Probleme, über die sie sprachen, wirklich kannten; sie hatten ausreichend Geld, Zeit und Gelegenheit zum Reisen gehabt; sie sprachen oder verstanden mindestens eine Fremdsprache. Sie waren weltläufig, und es war ein Gewinn, sich mit ihnen zu unterhalten. Robert Roosa, George Ball, später Peter Petersen oder Felix Rohatyn waren einige der Gesprächspartner aus dem Council, die ich in guter Erinnerung habe.

Die außenpolitische Elite, die sich auf ziemlich geräuschlose, aber wirksame Weise selbst ergänzte, war also weitgehend eine Sache der Ostküste. Natürlich gehörten einige Spitzenleute aus Harvard und dem M.I.T. in Cambridge (Massachusetts) dazu, ebenso aus den Ivy-League-Universitäten Yale, Princeton und Columbia. Ich erinnere mich aus den sechziger Jahren gern an die Professoren Robert Bowie, William Kaufman, Klaus Knorr,

Marshall Shulman, Henry Kissinger, Zbigniew Brzezinski und viele andere. Zu diesem klubartigen, durchaus losen Geflecht von Personen mit hoher Kompetenz und unprätentiösem Auftreten gehörten auch, freilich ohne direkte gesellschaftliche Bindung, einige herausragende Gewerkschaftsführer, etwa die aufeinander folgenden Vorsitzenden der Dachorganisation AFL–CIO (American Federation of Labor – Congress of Industrial Organizations) George Meany und Lane Kirkland.

Wer als Europäer in den fünfziger oder sechziger Jahren über das aktuelle außenpolitische Denken der USA Auskunft brauchte, dem genügten wenige Tage und ein paar Gespräche mit Angehörigen dieses Kreises. Man brauchte dazu nicht jedes Jahr nach Amerika zu reisen, sofern man zwischendurch an einigen der privaten internationalen Konferenzen teilnahm; mit Dankbarkeit erinnere ich mich an die alljährlichen sogenannten Bilderberg-Konferenzen, die Bernhard, Prinz der Niederlande, organisierte und leitete, oder an die alljährlichen Tagungen des Londoner Institute for Strategic Studies unter Alistair Buchan. An solchen internationalen Konferenzen, zwei oder drei Tage dauernd, waren auch immer einige der außenpolitisch tätigen Senatoren beteiligt, Jacob Javits oder Charles Mathias, Henry (»Scoop«) Jackson oder Charles (»Chuck«) Percy. Unterhaltungen mit Dean Acheson, George Kennan oder Paul Nitze, die sich bei solchen Gelegenheiten ergaben, waren Fundgruben der Information und der Erkenntnis.

Wenn man außerdem noch ein Gespräch mit dem Gouverneur von New York, Nelson Rockefeller, hatte oder mit einem der innenpolitisch führenden Senatoren in Washington, so konnte man seine Eindrücke vom außenpolitischen Umriß der USA ohne große Anstrengungen auch in deren innenpolitisches Spannungsfeld einordnen. Auf diese Weise war Amerika für die europäischen Politiker ziemlich transparent. Man war nicht überrascht, wenn einige der Gesprächspartner ein paar Jahre später als Minister oder stellvertretender Minister oder als Ministerialdirektor in Washington in Erscheinung traten; man durfte dann davon ausgehen, daß sie im wesentlichen die gleichen Auffassungen vertraten, welche man früher von ihnen gehört hatte. Amerika war beständig. Kein genereller Kurswechsel um 90 oder gar um 180 Grad war zu befürchten, wenn eine neue Administration ins Amt kam.

Diese Stetigkeit und Berechenbarkeit der internationalen Politik der USA nahm während des Vietnamkrieges deutlich ab. Der Krieg und die Fragen nach dem Sinn der Opfer, welche er forderte, sowie nach der Aussicht auf politischen Erfolg polarisierten die amerikanische politische Klasse. Bei vielen ging ein

Teil der Gelassenheit (und auch der guten Klubmanieren) verloren; andere gerieten in tiefe Zweifel über die internationale Rolle ihres Vaterlandes, wozu die Opposition der eigenen Töchter und Söhne beitrug. Die charakteristische, die Außen- und Sicherheitspolitik der USA kennzeichnende Bedeutung des alten Ostküstenestablishments hat im Laufe der sechziger Jahre ihren Zenit überschritten.

Die Carter-Administration, noch mehr die Reagan-Administration, ersetzte die bis dahin dominierenden außenpolitischen Einflüsse der Ostküste, die vornehmlich über den Atlantik nach Europa blickte, durch Einflüsse des Südens und der Westküste des riesigen Landes; von dort blickt man eher nach Mexiko, auf die Karibik und nach Westen über den Pazifik. Zugleich verlagerte sich im Laufe der siebziger Jahre das Schwergewicht der wirtschaftlichen Dynamik, des volkswirtschaftlichen Wachstums, aber auch des Wachstums der Bevölkerung spürbar nach Florida, Texas, Kalifornien und in andere Staaten, weg von der Ostküste und vom Mittleren Westen, in dem über lange Generationen das industrielle Wachstum der USA zu Hause gewesen war. Die neu aufblühenden Regionen waren von größerer Vitalität, aber auch von größerer außenpolitischer Naivität; ein gewisses Maß an Mißachtung sowohl Washingtons als auch des alten Establishments war nicht zu übersehen.

Neue Schlagworte und neue Leitvorstellungen tauchten auf. Während Jimmy Carter von der Vorstellung eines globalen wirtschaftlichen Dreiecks USA-Europa-Japan beeinflußt war, die von der sogenannten Trilateral Commission unter David Rockefeller ausging, trat Ende der siebziger Jahre das neue Schlagwort vom Pazifischen Becken hinzu. In den Augen vieler Kalifornier hat das wirtschaftliche Wachstum der Welt in dieser Region sein neues dynamisches Zentrum gefunden. Damit sich die Hoffnung, die wirtschaftliche Leistungsfähigkeit Japans, Koreas, Taiwans, Hongkongs und Singapurs unter amerikanischer technologischer und möglichst auch unternehmerischer Führung auszubauen und zur neuen Grundlage, mindestens aber zu einem zusätzlichen Eckstein globaler Außenpolitik und Strategie machen zu können. Demgegenüber tritt in dieser Vorstellungswelt die Rolle Europas in den Hintergrund.

Sicherlich sind bei diesen Vorstellungen auch Illusionen über die Völker Asiens und deren Interessen im Spiel. Im Durchschnitt sind die Kenntnisse der Amerikaner über die Japaner, über japanische Geschichte, Kultur und Mentalität deutlich noch geringer als ihre Kenntnisse über Europa. Dies gilt in noch höherem Maße für China und seine fünftausendjährige Geschichte und Kultur; aber es gilt zum Beispiel auch für den islamischen

Großstaat Indonesien mit seinen über 160 Millionen Menschen und seinen mehr als 13.000 Inseln.

Amerika weiß nur wenig von den innerasiatischen Konflikten, zum Beispiel von den Ressentiments der Chinesen, Koreaner und Filipinos gegen die Japaner als Folge des japanischen Imperialismus von 1930 bis 1945 oder zum Beispiel von den unterschwelligen Ängsten vor einer möglichen neuen Einflußnahme des chinesischen Kommunismus. Es hat geringe Vorstellungen von dem Neid der südostasiatischen Massen auf den wirtschaftlichen Erfolg und den Wohlstand der sechzehn Millionen Auslandschinesen, die in Malaysia, Thailand, Indonesien und auf den Philippinen wohnen. Während das alte Ostküstenestablishment nicht nur mit England eine gemeinsame Sprache hatte, sondern darüber hinaus auch erhebliche französische, selbst deutsche und italienische Sprachkenntnisse besaß, spricht kaum ein einziger amerikanischer Politiker Chinesisch oder Japanisch oder Indonesisch. Das Verständnis für die asiatischen Völker ist unterentwickelt. Amerika wird erfahren müssen, daß angesichts der großen Verschiedenheiten der kulturellen Traditionen und der sozialen Strukturen die Lenkbarkeit der Staaten Südost- und Ostasiens im Sinne amerikanischer Interessen und Zielsetzungen sehr begrenzt bleiben wird.

Aber solche Erfahrungen liegen noch in der Zukunft. Einstweilen sind der enorme wirtschaftliche Aufschwung Japans wie auch der neu industrialisierten Staaten Ost- und Südostasiens und die wirtschaftspolitische Öffnung Chinas durch Deng Xiaoping verführerische Entwicklungen. Die Blickwendung vieler Amerikaner in Richtung auf die Gegenküsten jenseits des Pazifik ist eine Tatsache. Die Europäer tun gut daran, sich darauf einzurichten, weil sie ihren Einfluß auf das weltpolitische Denken und Verhalten der USA behalten müssen. Deshalb habe ich seit 1976 die Minister des Bundeskabinetts und meine Mitarbeiter immer wieder aufgefordert, bei Amerikabesuchen nicht nur nach Washington und New York zu gehen, sondern ebenso in den Westen und in den Süden des Landes. Ich selbst habe mich – auch als Bundeskanzler und trotz aller Terminnot – ebenfalls danach gerichtet.

Bei einem dieser Besuche in Kalifornien im Juli 1979 lud mich George Shultz ein, während des traditionellen alljährlichen Sommerlagers sein Gast im Bohemian Grove zu sein. Dieses Wochenende brachte mir eine der erstaunlichsten Erfahrungen, die ich je in den USA gemacht habe. Später bin ich noch ein zweites Mal im Bohemian Grove gewesen, und meine Eindrücke haben sich noch vertieft.

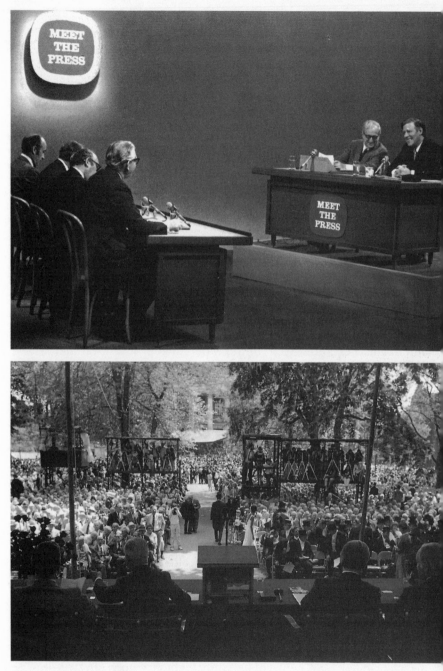

Viermal Amerika: Talkshows, oft von exzellent informierten, urteilsfähigen Journalisten moderiert, bestimmen längst schon die politische öffentliche Meinung des Landes. Tradition an der Ostküste – »Commencement speech« in Harvard (Aufnahme aus dem Jahr 1979, als Helmut Schmidt, rechts vom Rednerpult, die Ehrendoktorwürde erhielt).

Kranzniederlegung am Grabmal des Unbekannten Soldaten auf dem Nationalfriedhof in Arlington. – Helmut Schmidt als Gast im Bohemian Grove, Juli 1982; rechts neben Schmidt Alexander Haig, Gerald Ford (rechts über Haig), George Shultz und Henry Kissinger; in derselben Reihe sitzend, ganz links, Lee Kuan Yew.

Die Landschaft, in der sich das »encampment« vollzieht, ist von ungewöhnlicher Schönheit. Es handelt sich um ein wenige hundert Meter breites und mehrere Kilometer langes Tal, das an beiden Hängen und auf der Talsohle von ehrwürdigen, teils tausendjährigen Sequoien bewachsen ist. Zwischen den locker gruppierten Wipfeln kann man zwar den Himmel ausmachen, nicht aber den Horizont. Es herrscht große Ruhe, von keinem Auto gestört; nur von Zeit zu Zeit dringt von irgendwoher Musik. Einige Pfade durchziehen das Tal, ebenso ein Bach, der das Wasser aus einem kleinen See in den Russian River am Fuß des Tales leitet (der Name des Flusses erinnert an die Zeit, als Alaska zu Rußland gehörte und russische Jäger und Siedler nach Süden fast bis in die Mitte Kaliforniens vorgestoßen sind). Von früheren Besuchen in Kalifornien kannte ich die Sequoia-Bestände der Muir Woods nördlich der Golden Gate Bridge; sie hatten mich immer fasziniert. Das Bohemian Grove ist demgegenüber ein kleiner Bezirk; aber allein die Schönheit der Natur lohnt die lange Autofahrt.

Interessanter noch ist die Zusammenkunft der Männer (Frauen sind nicht zugelassen) in diesem Böhmischen Wäldchen; es hat seinen Namen übrigens von dem exklusiven Bohemian Club in San Francisco, dessen Mitgliedschaft man nur nach langer Wartezeit erwerben kann. Man lebt im Grove nicht in einem großen gemeinsamen Lager; die etwa zweitausend Männer, die gemeinsam jenes Wochenende dort verbrachten, wohnten vielmehr in fünf oder sechs Dutzend kleiner, weitgehend von Bäumen und Büschen verdeckter Camps, die verstreut an den Hängen liegen. Einige Camps bestehen aus Blockhäusern, andere aus Holzhütten, wieder andere waren Zeltlager; es gibt elektrisches Licht und fließendes Wasser. Die Mahlzeiten sind einfach und deftig, aber gut zubereitet. Fast alle tragen bunte, zum Teil himmelschreiend karierte Hemden und Hosen – so wie sich Amerikaner anziehen, wenn sie in die grüne Natur gehen. Die Bewohner der Camps besuchen sich gegenseitig, sei es der musikalischen Darbietungen wegen (einige spielen sehr guten Dixieland, andere klassisches Quartett), sei es aus Gründen der Geselligkeit oder für einen kleinen Schwatz. Überall herrscht eine ungezwungene und fröhliche Atmosphäre.

Im Juli 1979 gab es auch zwei oder drei gemeinsame Veranstaltungen am Ufer des Sees und in kleinen Freilichttheatern, die in den bewaldeten Hang hineingebettet sind. Am Ufer des Sees findet der »Lakeside speech« statt, eine Rede meist politischen oder wirtschaftlichen Inhalts, gehalten von einem der prominenten Mitglieder oder einem der Gäste (auch mir wurde einmal diese Ehre zuteil), der von einem anderen Lagerteilnehmer eingeführt wird. Die Zuhörer sitzen auf dem Gras, mit dem Blick auf das Wasser; viele von ihnen sind auf dem jeweiligen Felde durchaus sachkundig und keineswegs unkritisch. Aber die ganze Veranstaltung vollzieht sich zwanglos, mit einem Anflug von Knabenromantik und mit dem Flair eines Westerns im Fernsehen. Einige Camps veranstalten Kurzvorträge mit anschließender Diskussion. Ich erinnere einen Nachmittag in einem Nachbarcamp, bei dem gleich drei der damaligen »presidential hopefuls« anwesend waren, nämlich George Bush, Alexander Haig und Ronald Reagan. Ich weiß nicht mehr, ob sie ihre Absicht, als Präsidentschaftskandidat aufgestellt zu werden, damals schon bekanntgegeben hatten; in der außenpolitischen Diskussion, die durch den Singapurer Premierminister Lee Kuan Yew, durch Henry Kissinger und mich eingeleitet wurde, verhielten sie sich jedenfalls vorsichtig zurückhaltend.

Dieses Wochenende ermöglichte einen illustrativen Einblick in die Westküstenelite. Die anwesenden Politiker waren meist Gäste eines der Klubmitglieder; diese aber waren Künstler (ich lernte dort Isaak Stern kennen), Schriftsteller (zum Beispiel Herman Wouk), Ärzte, Rechtsanwälte, Bankiers wie Peter Peterson und Industrielle wie David Packard, den ich zehn Jahre zuvor als stellvertretenden Verteidigungsminister unter Melvin Laird kennengelernt hatte und der jetzt Mitinhaber der Weltfirma Hewlett-Packard war, oder die beiden Steve Bechtel, Senior und Junior, die mit meinem Gastgeber George Shultz eine andere Weltfirma in San Francisco leiteten. Gewiß kamen manche der Teilnehmer auch aus dem Osten, dem Mittelwesten und dem Süden; aber insgesamt konnte ich mir keinen größeren Kontrast zu der ein wenig kühlen und stilvollen Neuenglandatmosphäre im Council on Foreign Relations oder im River Club zu New York vorstellen. Hier im Grove war man eher hemdsärmelig, direkt, aufgeräumt, unbeschwert – aber bei alledem nicht oberflächlich. Dies war zweifellos auch Establishment, aber von einem sehr andersartigen Temperament. Der Unterschied war weitaus größer als derjenige zwischen Oberbayern und den norddeutschen Hafenstädten.

Auf eine andere Weise sucht Gerald Ford alljährlich durch ein gemeinsames Wochenende in einem Hotel in Vail (Colorado) inmitten der Rocky Mountains führende Personen aus den verschiedenen Teilen der amerikanischen Gesellschaft einander näherzubringen. Unter der Ägide des konservativen American Enterprise Institute versammeln sich etwa zwei Dutzend Vorstandsvorsitzende (chief executive officers) und selbständige Inhaber größerer Firmen und Banken; dazu kommen etwa ebenso viele ausländische Kollegen, aber auch ausländische Staatsmänner, amerikanische Kabinettsmitglieder, herausragende Ökonomen, Senatoren und Kongreßabgeordnete sowie Fachleute aus verschiedenen amerikanischen »think tanks«. In Arbeitsgruppen und im Plenum wird zu sorgfältig vorbereiteten Sachthemen hart gearbeitet, nachher die Geselligkeit aber nicht vergessen. Hier werden nicht nur der Westen, der Süden und der Osten der USA zusammengeführt, sondern außerdem die verschiedenen politisch interessierten Gruppen der amerikanischen Gesellschaft. Derartige Veranstaltungen sind nicht nur nützlich, sondern angesichts der zunehmenden Zersplitterung der politischen Klasse auch notwendig, wenn ein breiter politischer und außenpolitischer Konsens in den USA wiederhergestellt werden soll.

Neben dem Niedergang des alten Ostküstenestablishments und seiner weitgehenden Verdrängung durch den Süden und den Westen hat auch eine andere Entwicklung zur Auflösung der einheitlichen politischen Klasse beigetragen, nämlich die Herausbildung einer Klasse von intellektuellen Berufspolitikern, die sich selbst keiner Wahl stellen, sondern den gewählten Politikern (und den Kandidaten) als sachverständige Berater und ausführende Organe ihre Dienste anbieten und manchmal sogar aufdrängen. Sie haben ihren Rückhalt in verschiedenen Instituten, in denen sie arbeiten, solange sie keine Regierungsämter ausüben.

Solche »think tanks« gibt es in den USA seit langem; uns Europäern ist zum Beispiel der Name der Rand Corporation auf dem Felde militärischer Analysen längst ein Begriff; ihr entstammten bereits früh sehr luzide Köpfe wie zum Beispiel Albert Wohlstätter, der in den sechziger Jahren durch einen Aufsatz in »Foreign Affairs« (»The Delicate Balance of Terror«) als einer der ersten das Bewußtsein weckte für die Empfindlichkeit des Gleichgewichtes nuklearstrategischer Abschreckung. Im Laufe der letzten zwei Jahrzehnte sind viele mehr oder minder vergleichbare Institutionen hinzugekommen. Im Gegensatz zu den alten haben viele der neuen Institute eine ausgeprägte parteipolitische Neigung. Das American Enterprise Institute ist weitgehend republikanisch, die Brookings Institution dagegen überwiegend liberal und demokratisch orientiert, ebenso das Carnegie Endowment for International Peace. Dagegen stehen, spätestens seit der Carter-Periode, das konservative Georgetown Center for Strategy and International Studies und die sowohl an finanziellen Dotationen wie an Bedeutung rasch gewinnenden Einrichtungen, die sich dem rechten Flügel der Republikaner zugeordnet haben: zum Beispiel das Hoover-Institut in Stanford (Kalifornien) oder die Heritage Foundation in Washington.

Während der vier Carter-Jahre war das ziemlich weit rechts stehende Committee on the Present Danger ein überaus produktives Sammelbecken derjenigen, welche die Cartersche Gesamtstrategie mit Besorgnis verfolgten. Eugene Rostow und Paul Nitze waren dabei die treibenden Kräfte; beide entstammten noch dem alten Establishment, und beide übernahmen in der Reagan-Administration wichtige Ämter auf dem Felde der Abrüstungspolitik. Nitze hatte in den vierziger Jahren gemeinsam mit Dean Acheson und George Kennan zu den gesamtstrategisch weitblikkenden, verantwortungsbewußten Denkern der USA gehört; sie hatten gemeinsam den Marshallplan konzipiert. Der Dienst an den Interessen des eigenen Landes hatte für sie deutlichen Vorrang vor ihrer Parteizugehörigkeit.

Ich kannte Nitze seit den fünfziger Jahren und habe bis zum heutigen Tag großes Vertrauen in seine Urteilskraft und persönliche Integrität. Als er von Reagan zum Chef jener Delegation gemacht wurde, die in Genf mit den Sowjets über die Begrenzung der eurostrategischen Mittelstreckenwaffen (INF) zu verhandeln hatte, war ich beruhigt. Ich konnte nicht voraussehen, daß ihm (und auch Rostow als Chef der Abrüstungsbehörde) in dem jungen Richard Perle ein ungemein begabter Gegenspieler erwachsen würde, der mit taktischem Geschick und intellektueller Brillanz den Fortschritt der Verhandlungen behinderte und unterlief.

Dieser Assistant Secretary (nach unseren Kategorien am ehesten noch einem politischen Ministerialdirektor vergleichbar, der nicht aus der Beamtenschaft aufgestiegen ist) kam aus einer anderen Pflanzschule der neuen Berufspolitiker. Perle gehörte nicht zu einem der großen »think tanks«, sondern war eine der entscheidenden Figuren im Stab des konservativen Senators Henry (»Scoop«) Jackson gewesen. Die persönlichen Stäbe der Senatoren umfassen heutzutage bis zu einhundert Personen, die vom Staat bezahlt werden. In ihnen sammeln sich unter anderem viele jüngere, kommende Berufspolitiker, die auf ihre Chance warten. Die Atmosphäre in diesen Stäben ist von sachlicher Kompetenz, aber auch von intellektueller Rivalität gekennzeichnet, ebenso durch starke parteipolitische Polarisierung. Auch diese Stäbe dienen als Sprungbrett für Posten in der amerikanischen Bundesregierung; der politische Ehrgeiz der jungen Männer verführt sie in manchen Fällen zur Geringschätzung der Erfahrung und der Urteilskraft von lebenslangen Berufssoldaten und Berufsdiplomaten. Mit Hilfe ihrer Mentoren im Senat und im Abgeordnetenhaus drängen sie solche bewährten Persönlichkeiten vielfach in untergeordnete Positionen ab; wenn es ihnen aber gelungen ist, eine der begehrten Positionen in der Exekutive zu erhalten, so ziehen sie andere aus dem gleichen Milieu nach, die in ihren Augen kongenial sind.

Die noch immer zunehmende Verdrängung von Berufsbeamten aus fast allen führenden Stellungen ist einer der wichtigsten Gründe für den beklagenswerten Mangel an Stetigkeit in der amerikanischen Außenpolitik; die immer weitergehende Anpassung des Führungspersonals an die im wesentlichen durch das Fernsehen beeinflußte aktuelle öffentliche Meinung ist genauso verderblich. Heutzutage ernennt ein Präsident bei Amtsantritt Hunderte von neuen Ministerialdirektoren und Botschaftern; die Gesamtzahl der aus ihren Ämtern und Aufgaben ausscheidenden Personen geht in die Tausende, und fast alle Positionen werden mit Parteigängern oder Sympathisanten des neuen Präsidenten oder seiner Partei besetzt. Natürlich werden auch die Sekretärinnen ausgewechselt, und die scheidenden Präsidenten nehmen fast alle Akten mit. Bis der Prozeß der Einarbeitung des neuen Präsidenten überstanden ist, vergeht fast ein ganzes Jahr.

Im Gegensatz dazu werden in der Bundesrepublik bei einem Kanzlerwechsel die Botschafter in aller Regel nicht ausgetauscht, Ministerialdirektoren nur in wenigen Fällen; die Neubesetzung mit Personen von außerhalb des Berufsbeamtentums bildet die seltene Ausnahme. Auch meine persönlichen Referenten in meinen Ämtern als Minister und Bundeskanzler waren Berufsbeamte. Noch wichtiger war der Umstand, daß ich während der achteinhalb Kanzlerjahre nacheinander vier außen- und sicherheitspolitische Berater hatte, die alle hervorragende Karrierediplomaten waren (drei von ihnen wurden später Staatssekretäre in anderen Häusern, das heißt, sie erreichten die Spitze des Berufsbeamtentums). Zwar können nach dem Gesetz auch Ministerialdirektoren und Generäle jederzeit in den Ruhestand geschickt werden, aber dies geschieht in Bonn nur selten aus politischen Gründen. Im Falle eines Regierungswechsels konzentriert sich bei uns der Wechsel der Personen vielmehr auf die Minister und auf die beamteten und die parlamentarischen Staatssekretäre. Die Praxis in England ist ähnlich, aber noch restriktiver.

Die Vorteile liegen auf der Hand: Wenn ein neuer Premierminister oder Kanzler ins Amt kommt, findet er erstklassige Fachleute vor; sie kennen die Entstehungsgeschichte und alle Facetten der komplizierten Probleme, die der neue Mann lösen will. Er muß sich mit ihren Vorstellungen auseinandersetzen; wenn er aber eine Entscheidung getroffen hat, so kann er sich auf die loyale Ausführung durch seine Beamten verlassen. Auf diese Weise wird nicht nur in London und in Bonn, sondern in den meisten europäischen Hauptstädten auch über Regierungswechsel hinweg eine sehr weitgehende Stetigkeit der auswärtigen Politik gewahrt. Diese Kontinuität gibt den anderen Regierungen das wichtige Gefühl der Berechenbarkeit und der Zuverlässigkeit. Ergänzt wird diese Komponente personeller Kontinuität im allgemeinen durch einen beträchtlichen außenpolitischen Instinkt der Ministerpräsidenten, Kanzler oder Staatspräsidenten. Fast alle sind sie durch ihren politischen Lebensweg auf das Tragen nationaler Verantwortung vorbereitet; dank jahrelanger Beschäftigung mit der Außen- und Sicherheitspolitik ihres Staates wissen sie, daß abrupte Kurswechsel nur in den wenigsten Fällen erfolgreich sein können. Weder Pompidou noch Giscard d'Estaing haben die Gesamtstrategie oder die Nuklearstrategie de Gaulles durch neue Konzepte ersetzt. Edward Heath hat die Entscheidung seines Vorgängers Harold Wilson, keine Streitkräfte mehr »east of Suez« zu unterhalten, nicht rückgängig gemacht; als auf Heath abermals Wilson folgte, hat dieser keinen Wiederaustritt des Vereinigten Königreiches aus der Europäischen Gemeinschaft betrieben. Helmut Kohl hat sich bemüht, die Ostpolitik seines Vorgängers fortzusetzen – trotz scharfer Kritik, die er zuvor in der Opposition daran geübt hatte.

Washington dagegen wird durch einen großen Einfallsreichtum der jeweils neuen Leute gekennzeichnet; fast jeder Präsident verkündet seine eigene außenpolitische oder gesamtstrategische »Doktrin«. Diese Diskontinuität muß bei den Verbündeten und auch bei den Gegenspielern zu Unsicherheit, Vorsicht und sogar Mißtrauen führen. Das unaufhörliche Austauschen des personellen Reservoirs, aus dem die operativ tätigen Personen des Weißen Hauses, des State Department, des Pentagon, der Abrüstungsbehörde und auch die Botschafter rekrutiert werden, addierte sich seit 1976 mit dem Mangel an internationaler Erfahrung der Präsidenten. Der Karrierediplomat gilt in Washington wenig; deshalb und auch wegen der ziemlich geringen Besoldung verlassen viele erstklassige Leute den auswärtigen Dienst relativ früh; viele werden vom Eintritt in den Dienst überhaupt abgeschreckt. Statt dessen spielen die Wahlkampfbeiträge von Privatpersonen bei deren Ernennung zum Botschafter eine erhebliche Rolle. Dennoch hat Amerika noch immer ausgezeichnete Karrierediplomaten (ich erinnere mich zum Beispiel dankbar an Walter Stoessel als Botschafter in Bonn) und hervorragende Außenseiter als Botschafter hervorgebracht (etwa Arthur Burns, der später Botschafter in Bonn war).

Bei genauerer Betrachtung fällt auf, daß eigentlich nur die Streitkräfte als in sich geschlossener Apparat von den regelmäßigen personalpolitischen Katarakten vergleichsweise unbeeinflußt bleiben. Die Armee kann ihre besten Leute in relativer Ruhe durch vielfältige Verwendung fördern und ziemlich früh in einflußreiche Spitzenstellungen bringen. Diese Männer haben sich dadurch oft ein über das Militärische hinausgehendes gesamtstrategisches Urteil verschafft, das den Europäern in der Gestalt guter Oberbefehlshaber in Europa (der Posten des SACEUR – Supreme Allied Commander Europe – geht traditionell an die Amerikaner) zugute gekommen ist. So hatten die Generale Lemnitzer, Goodpaster und Rogers als SACEUR oft größeres Verständnis für die Interessen und Notwendigkeiten ihrer europäischen Verbündeten als das Pentagon. Der Luftwaffengeneral Lauris Norstad war als SACEUR in den späten fünfziger und frühen sechziger Jahren de facto zugleich ein wirksamer Botschafter Europas in Washington und ein ausgezeichneter Botschafter der amerikanischen Nation in Europa. In der zweiten Hälfte der siebziger Jahre spielte Alexander Haig als SACEUR eine ähnlich herausragende Rolle; als Außenminister unter Reagan agierte er dann nicht ganz so umsichtig wie zuvor in Brüssel und noch früher während der Präsidentschaftskrise des Jahres 1974 in Washington.

Die Rolle der herausragenden amerikanischen Militärs wird freilich durch die ausgeprägte Rivalität zwischen Heer, Marine und Luftwaffe (plus Marinecorps) beeinträchtigt. Als es unter Reagan und dessen Verteidigungsminister Weinberger zu enormen Steigerungen der Verteidigungsausgaben kam, denen die Vorstellung einer vorangegangenen Vernachlässigung durch Carter zugrunde lag, gewann ich den Eindruck, daß die Aufschlüsselung der zusätzlichen Haushaltsmittel auf die Teilstreitkräfte nicht etwa strategischen Abwägungen, sondern vielmehr einem billigen Proporzschlüssel entsprang; aus ähnlichen Proporzgründen mußte die eurostrategische Pershing II eine Waffe des Heeres, nicht eine der Luftwaffe sein. Gesamtstrategisch denkende Generale wie David Jones oder Maxwell Taylor konnten ihre analytischen Fähigkeiten erst als Chairman der vier Stabschefs der Teilstreitkräfte (Chairman of the Joint Chiefs) oder als Oberkommandierender Europa, erst nach Berufung in das Weiße Haus oder aber erst nach ihrem Ausscheiden aus dem aktiven Dienst verwerten.

Wenn ich im Gespräch mit amerikanischen Freunden bisweilen den Mangel an Stetigkeit der Außenpolitik ihres Landes beklagt habe, so kam das Gespräch zwangsläufig auch auf die tatsächliche Überforderung jedes Präsidenten und auf die unterschiedliche Reaktion der Präsidenten darauf. Nach europäischen Maßstäben übt der amerikanische Präsident die zwei bedeutendsten Staatsämter zugleich aus: Er ist sowohl Staatsoberhaupt von beinahe kaiserlichem Status als auch Regierungschef. Schon protokollarisch erfordert das erste Amt großen Zeitaufwand; der

Präsident kann die in europäischen Staaten übliche Zeit für Besuche ausländischer Staatsoberhäupter praktisch kaum aufbringen. Staatsoberhäupter wie die Könige von England, Spanien, Holland, Belgien, Norwegen, Schweden und Dänemark oder die Staats- oder Bundespräsidenten in Frankreich, in der Bundesrepublik, in Italien und Österreich haben in Europa die ungeschriebene, aber immens wichtige Aufgabe der geistigen Integration aller Teile der Gesellschaft und der sichtbaren Tradierung der Grundwerte ihres Staates und ihrer Gesellschaft. In jüngster Zeit haben Juan Carlos, Sandro Pertini oder Richard von Weizsäcker diese Aufgabe in bewundernswerter Weise und zur allgemeinen Zufriedenheit gelöst. Dem amerikanischen Präsidenten dagegen ist diese Funktion durch die systembedingte Tatsache häufiger Kontroversen mit den Mehrheiten von Senat und Abgeordneten erschwert, zumal er de facto die Rolle des Führers seiner Partei hat. Zu Hilfe kommt ihm allerdings die liebenswerte Tradition des amerikanischen Volkes, sich in auswärtigen Krisen zunächst einmal hinter den Präsidenten und dessen Krisenmanagement zu stellen (»to rally behind the president«); dies hat beispielsweise Carter im Falle von Camp David erlebt und erneut anläßlich der Geiselnahme in Teheran, Reagan konnte sich bei seinem Bombenangriff auf Tripolis darauf stützen.

Das eigentliche Amt des Präsidenten, nämlich Chef der Regierung zu sein (in den USA »administration« oder »executive branch« genannt), leidet gleichfalls unter der Überforderung. Es gibt kaum je die in Europa üblichen wöchentlichen, der gemeinsamen Diskussion und gemeinsamen Beschlußfassung vorbehaltenen Kabinettssitzungen; häufig dient eine Kabinettssitzung in Washington nur der Akklamation für das Fernsehen. In den meisten Fällen ist die Handlungsfreiheit eines amerikanischen »secretary« deutlich kleiner als die eines westeuropäischen Ministers. Der Präsident sieht seine Minister – mit Ausnahme der wichtigsten – kaum je zum Vortrag; vielmehr wird er über ihre Absichten und ihre Tätigkeit durch die Mitglieder seines eigenen Stabes informiert. Sein Stab gibt Weisungen an die Minister aus, was zu unklar abgegrenzten ministeriellen Verantwortlichkeiten führt und die Stabsarbeiter im Weißen Haus dazu verleitet, die Qualität der Minister öffentlich danach zu beurteilen, wie weit sie gute Mitspieler (»team-player«) sind, das heißt: wie gut sie sich von den Stabsangehörigen des Weißen Hauses leiten lassen.

Die entscheidenden Angehörigen des Stabes, überwiegend in Wahlkämpfen geschult, legen in erster Linie innenpolitische und Public-Relations-Maßstäbe an; als William Clark Sicherheitsberater Reagans wurde, hatte er von der Außen- wie von der Sicherheitspolitik seines Landes nur ungewisse Ahnungen. Er hat weder im Juli/August 1982 im Falle des Waldspaziergangs und seiner Ablehnung durch Reagan noch 1983 im Falle der Verkündung von SDI und der Erklärung, dieses System werde alle Nuklearwaffen obsolet machen, für eine vorherige, allseitige Durchleuchtung der komplexen Materie sorgen können, weil er die Probleme gar nicht erkannt hatte. In beiden Fällen begriff man im Weißen Haus überhaupt nicht, daß hier auch die Interessen der Verbündeten tangiert waren.

Wenn schon der Präsident selber in solchen Situationen keine Neigung zu einer vertiefenden außenpolitischen Analyse verspürt, so könnte es theoretisch immer noch eine Eingreifreserve in der Person des Vizepräsidenten geben. Aber trotz der häufigen Ankündigung von Präsidenten, sie beabsichtigten, von ihrem Vizepräsidenten operativen Gebrauch zu machen, trotz der dreimaligen Erfahrung mit den Amtsantritten von Truman, Johnson und Ford, die unvermittelt aus der Stellung des Vizepräsidenten ins Präsidentenamt aufgestiegen sind, wird der Vizepräsident durch den Stab des Weißen Hauses in aller Regel auf Eis gelegt. Als Nelson Rockefeller Vizepräsident war, hat er mir sarkastisch erklärt, seine Zuständigkeit beschränke sich auf die Repräsentation der USA bei Erdbeben und Begräbnissen.

Theoretisch denkbar wäre noch, daß wenigstens der Stabschef im Weißen Haus den zusammenfassenden weltpolitischen Überblick sicherstellt; dies hat zum Beispiel McGeorge Bundy als Stabschef unter Kennedy geleistet. Aber gerade in den kritischen Zeiten nach 1976 und nach 1980, in denen eine solche Rolle dringend erwünscht gewesen wäre, verfügten die Stabschefs nicht über diese Qualifikation. Weder James Baker noch Donald Regan sorgten dafür, daß Präsident Reagan die ewigen Querelen zwischen dem außenpolitisch und qualitativ denkenden Außenminister Shultz und dem militärisch-quantitativ denkenden Verteidigungsminister Weinberger durch eigene klare Entscheidungen beendete.

Seit langem haben sich die europäischen Verbündeten der USA daran gewöhnt, die außenpolitischen Ankündigungen in den Wahlkampfprogrammen der Präsidentschaftskandidaten nicht sonderlich ernst zu nehmen. Sie haben sich aber auch daran gewöhnen müssen, nur selten im Vorwege zu wissen, was der gewählte Präsident tatsächlich tun wird. Sie sind sich nicht sicher, ob ihre Gespräche mit den Außenministern, den Verteidigungsministern, den Sicherheitsberatern, den Handelsdelegierten oder den persönlichen Beauftragten eines Präsidenten wirklich vollen Aufschluß über Amerikas Politik geben. Sie sind sich unsicher, wie lange ein Urteil gelten wird. Sie beobachten den zunehmenden Populismus der aktuellen amerikanischen Außenpolitik und die zunehmende Einwirkung von Senatoren, Abgeordneten und deren Mitarbeiterstäben mit Unbehagen. Den Regierungen der Bündnispartner erscheint Washington heute erheblich weniger berechenbar als in der Zeit von Eisenhower bis Ford. Eine größere Vorsicht, sich zu exponieren, ist die Konsequenz. Man fürchtet den nächsten Kurswechsel; denn man weiß nicht, wann er eintritt und in welche Richtung er führen wird.

Wechselnde Gesamtstrategien

Seit dem Ende des Weltkriegs hat es bisher vier Phasen, das heißt, dreimal einen Wechsel der amerikanischen Gesamtstrategie gegenüber der Sowjetunion gegeben – und damit auch hinsichtlich Europas. Zwei dieser Kursänderungen waren durch äußere Ereignisse und durch weltpolitische Entwicklungen verursacht; sie waren gut begründet und tragfähig. Der dritte Kurswechsel gab die gesamte bisherige Strategie auf, ohne daß in der gegenwärtigen vierten Phase eine neu definierte oder definierbare Gesamtstrategie an ihre Stelle getreten ist; zumindest läßt sich eine solche bis heute nicht erkennen.

Natürlich blieben in allen vier Phasen der amerikanischen Gesamtstrategie einige wichtige Komponenten erhalten. Keine amerikanische Führung hätte es jemals hingenommen, sich in militärischer und machtpolitischer Hinsicht von der Sowjetunion überflügeln zu lassen. Immer war man sich in Washington der Notwendigkeit bewußt, den sowjetrussischen Expansionsdrang zu begrenzen und einzudämmen (»containment«); immer bestand auch die Absicht, die Sowjetunion aus Gebieten, in denen sie sich illegitimerweise etabliert hatte, wieder zu verdrängen. Die wechselnden Führungen der USA waren sich zu jeder Zeit darüber im klaren, daß sie für diese Ziele einer Reihe von Verbündeten bedurften, besonders in Europa. Der in der amerikanischen Geschichte einflußreiche Hang zum Isolationismus, der heute noch immer latent ist, kam nie zum Durchbruch. Nicht ununterbrochen, aber doch sehr häufig kam es in allen vier Phasen der amerikanischen Gesamtstrategie zu Versuchen, wenigstens zu einer partiellen, begrenzten Zusammenarbeit mit der Sowjetunion zu gelangen. Diese Komponenten der Stetigkeit wurden in den vier Phasen jedoch verschieden akzentuiert; andere, weniger beständige Komponenten traten jeweils hinzu. Überdies wurden die einzelnen Komponenten auch in jeweils neue Gesamtvorstellungen eingefügt, die man dann, mit neuen Schlagworten versehen, der eigenen Nation, den Verbündeten, den sowjetischen Gegenspielern und dem Rest der Welt mit einem beträchtlichen Aufwand an Rhetorik vortrug.

Wenn man von den Schlagworten absieht, so sind die vier Phasen wie folgt zu kennzeichnen: erstens, die kurze Phase des vergeblichen Versuchs zur Zusammenarbeit mit der Sowjetunion; zweitens, die lange Ära des Kalten Krieges, des Rüstungswettlaufs und des vergeblichen Versuchs zum »roll-back«; drittens, die Zeit des akzeptierten Gleichgewichts zwischen den beiden Supermächten durch die beiderseits verbürgte Fähigkeit zur nuklearstrategischen Vernichtung der jeweils anderen, begleitet von partieller Zusammenarbeit zwischen beiden; viertens, die erneute Phase des Kalten Krieges und des Rüstungswettkampfes.

Die erste amerikanische Gesamtstrategie war noch vor Ende des Weltkrieges konzipiert worden. Sie wuchs aus der Zusammenarbeit der Kriegsverbündeten der Anti-Hitler-Koalition. Gemeinsam hatte man in Teheran, Jalta und später in Potsdam die Welt der Nachkriegszeit zu ordnen versucht, gemeinsam in San Francisco die Vereinten Nationen gegründet. Aus der während dieser Zusammenarbeit gewonnenen Einstellung zur Sowjetunion entstanden der nicht ganz uneigennützige Baruchplan und der Marshallplan; es waren Angebote an die Sowjetunion – und an alle europäischen Staaten, die unter den Kriegsfolgen gelitten hatten –, friedliche Bedingungen herzustellen und sich auf den wirtschaftlichen Wiederaufbau zu konzentrieren. Stalin lehnte jedoch den von den USA angebotenen Verzicht auf nukleare Waffen ab und forcierte statt dessen die Entwicklung sowjetischer Nuklearwaffen, um den amerikanischen Entwicklungsvorsprung einzuholen; ebenso wies er die amerikanische Wirtschaftshilfe zurück. Auch die übrigen osteuropäischen Staaten verzichteten auf eine Beteiligung am Marshallplan. Gestützt auf die Anwesenheit sowjetischer Truppen konzentrierte sich Moskau auf die Konsolidierung kommunistischer Regime im östlichen Teil Europas. Es lag in der Logik seiner Gesamtstrategie, die sowjetischen Streitkräfte bei weitem nicht in dem Maße zu demobilisieren, wie dies die USA taten; vielmehr wollte Moskau ein erhebliches Maß militärischer Rüstung aufrechterhalten.

Stalins Versuch, 1947 auch in Griechenland ein Satellitenregime zu etablieren, vor allem aber seine Blockade Berlins im Juni 1948 haben dann definitiv zu dem ersten grundlegenden Wechsel der amerikanischen Gesamtstrategie und damit zu deren zweiter Phase geführt. Truman antwortete mit der Luftbrücke für West-Berlin, vor allem aber mit der Gründung des Nordatlantikpaktes. Gleichzeitig begann der Prozeß der Vereinigung der drei von den Westmächten okkupierten Besatzungszonen Deutschlands zur Bundesrepublik Deutschland. Stalin antwortete mit der praktischen Eliminierung aller nichtkommunistischen Parteien in Osteuropa und mit der Etablierung der kommunistisch beherrschten Deutschen Demokratischen Republik. Wenige Jahre später wurden beide deutschen Staaten in die Bündnissysteme der sich gegenüberstehenden Weltmächte integriert; sie wurden damit zur jeweils vordersten Bastion der Weltmächte in Europa. Schon Ende der vierziger Jahre war der Kalte Krieg in vollem Gange.

Diese Epoche war durch den Rüstungswettlauf zwischen Ost und West und durch den Kampf um Einflußsphären auch in anderen Erdteilen charakterisiert. Der Versuch, Korea zu einer fernöstlichen Bastion des kommunistischen Bündnissystems zu machen, löste 1950 den Koreakrieg aus und war Hintergrund der Bemühungen von John Foster Dulles, durch weltweite amerikanische Bündnisse die Sowjetunion einzukreisen und zurückzudrängen. Mit gewissem Recht faßte Washington damals die Sowjetunion und die Volksrepublik China als eine Machtgruppierung auf, die eine einheitlich strategische Zielsetzung hatte; zu dem Bruch zwischen Beijing und Moskau kam es erst Ende der fünfziger Jahre. Die logische Antwort war das Konzept einer konfrontativen Strategie gegenüber der Sowjetunion, also eine weltumfassende antisowjetische Gesamtstrategie der USA.

Die Ursachen für diesen grundlegenden Kurswechsel der amerikanischen Gesamtstrategie lagen im sowjetischen Verhalten, das sich auch nach Stalins Tod im Jahre 1953 weder unter Malenkow noch unter Chruschtschow änderte. Die gewaltsame Niederschlagung der Freiheitsbewegungen im Juni 1953 in der DDR und im Oktober 1956 in Budapest empörte das Rechtsempfinden Amerikas (wie fast der ganzen Welt) und beleidigte seine humanistischen Grundwerte; zugleich aber enthüllte die brutale Anwendung von Macht die faktische Unmöglichkeit, ohne das Risiko eines großen Krieges zugunsten der Unterdrückten wirksam einzugreifen. Zu Lande waren die Streitkräfte der USA eindeutig unterlegen, ihre Überlegenheit zur See und in der Luft hatte aber schon in Korea nicht zu einem Siege gereicht. Es blieb einstweilen noch die Überlegenheit auf dem Felde der nuklearen Waffen als letzte Zuflucht für den Fall einer drohenden Niederlage auf dem europäischen Festland.

Aus dieser Lage entstand die amerikanische Militärstrategie

der Abschreckung der Sowjets durch Androhung »massiver Vergeltung« mit Hilfe nuklearer Waffen, ein Konzept, das vom nordatlantischen Bündnis sehr bald übernommen wurde. Für den Fall eines sowjetischen Angriffs drohte der Westen Moskau mit nuklearer Zerstörung. Einige Amerikaner, wie 1956 der damalige Chairman of the Joint Chiefs, Admiral Arthur W. Radford, gingen so weit, auf konventionelle Landstreitkräfte mehr oder weniger verzichten und sie lediglich als Auslösemechanismus (»tripwire«) für den Einsatz der nuklearen Zerstörung des Gegners aufrechterhalten zu wollen. Andere, wie 1957 der kurz zuvor in den Ruhestand getretene ehemalige Chef des Stabes des Heeres, General Maxwell Taylor, stellten dagegen die Frage: Was geschieht, wenn wir die Nuklearwaffen nicht verwenden können oder wollen? Taylor forderte logischerweise ausreichende konventionelle Kampfkraft.

Tatsächlich ging in der zweiten Hälfte der fünfziger Jahre die nuklearstrategische Überlegenheit der USA allmählich zu Ende. Während der Suezkrise 1956 drohte Chruschtschow den Franzosen und Engländern mit der geringen Zahl nuklearbestückter Raketen, über welche er damals verfügte; Washington gab Paris und London den dringenden Rat, die Suez-Operation abzubrechen. Die Berlinkrise von 1959 bis zum Mauerbau im August 1961 quer durch Berlin gab der besorgten Frage Taylors recht. In der kubanischen Raketenkrise im Oktober 1962 schreckte Chruschtschow vor der Gefahr einer nuklearen Auseinandersetzung mit den USA zwar zurück. Aber gleichzeitig begriff die Kennedy-Administration, daß man sich schnell dem Zustand eines qualitativen nuklearstrategischen Gleichgewichts näherte: Wer als erster nuklear gegen den anderen vorging, würde trotzdem sterben – wenn auch erst als zweiter.

Diese Einsicht in die sich entfaltende Zweitschlagsfähigkeit der Sowjetunion erzwang den Übergang nicht nur zu einer neuen militärischen Konzeption, sondern darüber hinaus zu einer neuen Gesamtstrategie der USA und des Westens. Von jetzt an kam es darauf an, daß beide Weltmächte in gleicher Weise begriffen, daß ihre beiderseitige Fähigkeit, sich gegenseitig zu vernichten, zu freiwilliger, möglichst sogar zu einer vereinbarten gemeinsamen Beschränkung ihrer gesamtstrategischen Zielsetzungen und Handlungen führen müsse. Aus dieser Einsicht entwickelte sich schrittweise die dritte Phase der amerikanisch-westlichen Gesamtstrategie gegenüber der Sowjetunion. Gemeinhin, wenn auch unzureichend, wird sie mit dem Schlagwort Entspannung (»détente«) bezeichnet. Große Spannungen blieben zwar bestehen, und der Rüstungswettkampf ging weiter. Aber zum ersten Male kam es in Ansätzen zu vereinbarter Rüstungsbegrenzung und ab Ende der sechziger Jahre zu Erfolgen.

Die USA hatten zunächst Schwierigkeiten, ihren europäischen Verbündeten die Notwendigkeit plausibel zu machen, die scheinbar bequeme Strategie der massiven nuklearen Vergeltung aufzugeben und sie durch eine Strategie der»flexiblen Antwort« zu ersetzen. McNamara brauchte fünf Jahre, bis er endlich 1967 seine europäischen Verteidigungsministerkollegen überzeugt hatte, daß man in Zukunft nicht mehr in jedem Falle sogleich zum großen nuklearen Knüppel greifen dürfe. Im gleichen Jahr zog das Atlantische Bündnis die Konsequenz durch den Harmel-Beschluß: Sicherheit vor der sowjetischen Bedrohung sowohl durch eigene Verteidigungsanstrengung als auch durch beiderseitige Rüstungsbegrenzung. Mit anderen Worten: man war wie niemals seit 1948 zur Zusammenarbeit mit Moskau bereit. Natürlich war diese Politik durch den Bruch zwischen Beijing und Moskau erleichtert worden, der Anfang der sechziger Jahre eine weltpolitische Bedeutung erlangt hatte.

Auch in dieser dritten Phase der Gesamtstrategie waren weder die USA noch die anderen Westmächte bereit, eine sowjetische Expansion hinzunehmen oder den Sowjets ein militärisches Übergewicht zuzugestehen. Gleichwohl brachten Washington, London und Bonn eine ganze Serie von Verträgen mit Moskau zustande, die das Gleichgewicht stabilisierten. Zumindest am Viermächteabkommen über Berlin hatte auch Paris mitgewirkt. Dieser Prozeß wurde weder durch die westliche Empörung über die gewaltsame Zerschlagung des Prager Frühlings im Jahre 1968 noch durch das traurige Ergebnis der amerikanischen Intervention in Vietnam ernsthaft gefährdet. Auch die Sowjetunion nahm den bis tief in die siebziger Jahre andauernden Vietnamkrieg nicht zum Vorwand, sich Verhandlungen und Verträgen zu verweigern; auch sie hatte verstanden, daß ihre eigenen Sicherheitsinteressen eine begrenzte Kooperation mit dem Westen geboten.

Diese dritte Phase wurde zur bisher fruchtbarsten und friedlichsten Periode in der Koexistenz der beiden Weltmächte. SALT I und ABM-Vertrag waren Durchbrüche, die noch ein Jahrzehnt vorher unmöglich erschienen wären. Das gleiche galt für das Geflecht von Verträgen, das aus der deutschen Ostpolitik erwuchs. Der äußere Höhepunkt war die Konferenz über Sicherheit und Zusammenarbeit in Europa (KSZE), die 1975 in Helsinki stattfand. Helsinki demonstrierte aber auch den Zuwachs an Handlungsfreiheit, den die europäischen Staaten inzwischen gewonnen hatten; schließlich waren ja die Grundprinzipien sowohl der Harmel-Doktrin als auch der KSZE von den Europäern entwickelt worden, die begannen, ihre eigenen Interessen zu verfolgen. Natürlich war der Handlungsspielraum der Staaten im Osten Europas verhältnismäßig gering, aber er war doch größer als vorher oder nachher. Die Regierungen auf beiden Seiten Europas hatten – fast ohne Ausnahme – ein großes eigenes Interesse an der Aufrechterhaltung und Fortentwicklung dieser Periode partieller Zusammenarbeit und der ihr zugrundeliegenden gesamtstrategischen Konzeption.

Dennoch brach diese Politik im Laufe der späten siebziger Jahre schrittweise auseinander; schon vor dem Amtsantritt Reagans schien sie an ihr Ende gekommen zu sein. Das lag zum Teil am beunruhigenden Verhalten der Sowjetunion, zum Teil aber auch an den schwankenden Stimmungen und wechselnden Zielsetzungen in den USA. Was die Sowjetunion anlangt, so schien es zu einem schwerwiegenden Mißverständnis des Kremls gekommen zu sein. Nachdem man sich mit dem Westen und besonders mit den USA über den Nichtverbreitungsvertrag für nukleare Waffen (Non-Proliferation Treaty, NPT), über das Viermächteabkommen bezüglich Berlins, über den ABM-Vertrag und SALT I wie schließlich über die Helsinki-Schlußakte geeinigt hatte, glaubte das Politbüro, nunmehr könne sich die Sowjetunion in jenen Bereichen, welche von den Verträgen nicht abgedeckt waren, politische und militärische Vorteile verschaffen.

Moskau scheint nicht vorausgesehen zu haben, daß Washington und der Westen insgesamt die neuerliche Ausdehnung sowjetischer Machtpositionen nicht ohne Gegenmaßnahmen hinnehmen würden. So kam es zu dem gewaltigen Ausbau der sowjetischen Hochseeflotte, zum Ausbau der eurostrategischen SS-20-Raketen, zur Unterstützung Vietnams bei der Eroberung von Kambodscha, zum Einmarsch in Afghanistan und zur Expansion des sowjetischen militärischen Einflusses in arabischen, afrikanischen und zentralamerikanischen Staaten. Die Sowjets schienen in der Annahme zu handeln, sie besäßen Carte blanche für jedwede Operation, die nicht ausdrücklich durch zweiseitige Verträge verboten war. Zudem erweckte der Kreml den Anschein einer Verletzung des ABM-Vertrages, nämlich durch Errichtung eines riesigen Radarzentrums in Krasnodarsk, welches zur Antiraketenverteidigung des ganzen Landes geeignet zu sein scheint (statt nur einer einzigen Zielregion, wie im ABM-Vertrag zugestanden).

Dies alles löste in den USA einen Prozeß tiefgreifender Enttäuschung und Erbitterung aus. Auch Carter, seine Mitarbeiter und Anhänger waren enttäuscht. Man schien tatsächlich geglaubt zu haben, die Entspannung in Europa und die Abmachung zwischen Washington und Moskau seien sozusagen eine ungeschriebene Garantie für zukünftiges sowjetisches Wohlverhalten. Die Konservativen in den USA gaben Carter und seinem Idealismus die Schuld. Die reaktionäre Rechte ging wesentlich weiter; sie hatte »détente« schon längst zu einem Schimpfwort gemacht, auch unter günstigeren Umständen hätte sie SALT II nicht ratifiziert. Jetzt zögerte man nicht, mit ebenso großer Bitterkeit wie Selbstgerechtigkeit zu behaupten, dieses Ergebnis habe man immer vorausgesagt, Carter habe die USA in eine Situation der Schwäche geführt. Carter hatte tatsächlich über keine eigene Gesamtstrategie verfügt. Auf dem Felde der Rüstungsbegrenzung hatte er sich höhere Ziele gesetzt als seine Vorgänger in der Nixon-Ford-Kissinger-Ära, aber er hatte weniger erreicht als seine Vorgänger. Er hatte den inneren Zusammenhalt des Bündnisses geschwächt, ohne dies zu wollen oder auch nur zu bemerken. In seinem letzten Amtsjahr paßte er sich – eine tatsächliche »Wende«! – vollständig dem inzwischen stark gestiegenen innenpolitischen Druck an und verkündete zumindest verbal eine Politik der »Stärke« gegenüber der Sowjetunion. Als er Anfang 1980 die Amtsgeschäfte an Reagan übergab, hatten die USA keine Konzeption gegenüber der Sowjetunion mehr. Aber auch die neue Mannschaft brachte, außer einer kräftigen Aufstockung des Verteidigungshaushaltes, keinen Entwurf für eine neue Strategie mit ins Amt. Auch in den Jahren seither hat sie keine in sich schlüssige Gesamtstrategie entwickelt.

Seit 1980 bestimmt nun wieder der Wettkampf unbeschränkter Rüstungsanstrengungen die Szene. Reagans Ankündigung im März 1983, durch bisher nicht entwickelte SDI-Systeme alle nuklearen Bedrohungen der USA hinfällig zu machen, war schon in technologischer Hinsicht bodenlos. Politisch kam sie einer bevorstehenden Aufkündigung des ABM-Vertrages gleich; lediglich das Datum blieb ungewiß. Moskau stand vor der Notwendigkeit, entweder ähnliche Abwehrsysteme zu entwickeln oder die Zahl, das Gewicht und die Sprengköpfe ihrer Angriffsraketen zu verbessern und zu vermehren, um die zukünftigen amerikanischen SDI-Systeme zu unterlaufen oder zu »saturieren«, also quantitativ zu überwältigen. Reagans während seines zweiten Präsidentschaftswahlkampfes im Herbst 1984 gemachtes Angebot, das SDI-System nach seiner Entwicklung auch der Sowjetunion zur Verfügung zu stellen, ist vermutlich nur von sehr wenigen ernst genommen worden; und der Präsident selbst hat offenbar bald verstanden, daß dieser auf das Fernsehpublikum zielende Vorschlag schon deswegen absurd war, weil die Sowjets sich nie darauf hätten verlassen können, daß er von Reagans Nachfolgern eingelöst werden würde.

Fernsehdemokratie à la Reagan

Das Medium Fernsehen verführt dazu, den vermuteten oder durch Meinungsumfrage ermittelten Wünschen und Instinkten des breitesten Publikums nach dem Munde zu reden, möglichst in einfachen, griffigen, plakativen Formeln. Ronald Reagan ist darin ein Meister. Er ist als Populist wesentlich erfolgreicher, als es Carter war – und dieser stellte als Populist bereits Ford und Nixon in den Schatten. In Michail Gorbatschow hat die Sowjetunion erstmals einen Führer, der mit dem Fernsehen ebenfalls virtuos umgeht; er ist durchaus befähigt, sowohl sein sowjetisches als auch das westliche Fernsehpublikum zu beeindrucken. Reagan hingegen zielt fast ausschließlich auf die amerikanische Wählerschaft und vernachlässigt dabei die Tatsache, daß allzu einfache Gedankenführung und eine allzu schlichte Sprache in Europa weit weniger gut ankommen als in Amerika.

Reagans Verzicht auf Pomp und künstliche Würde kommt ihm bei seiner Wirkung in den USA zugute. Auch im persönlichen Umgang ist er ungekünstelt, freundlich, bescheiden und tolerant; seine Sprache ist unkompliziert. Mit einem Wort: als Gesprächspartner ist Ronald Reagan angenehm, wenngleich nicht sonderlich anregend. Diesen Eindruck hatte ich schon im Herbst 1978, als Reagan – damals in Vorbereitung seiner Präsidentschaftskandidatur – mich im Bundeskanzleramt besuchte.

In zwei wichtigen Punkten stimmten Reagan und ich damals überein. Der erste betraf die Notwendigkeit der Inflationsbekämpfung; die USA hatten damals – nicht nur als Folge der ersten Ölpreisexplosion von 1973/74, sondern auch als Erbe der inflatorischen Finanzierung des Vietnamkrieges – eine Inflationsrate von etwa neun Prozent, die unsrige lag knapp über zwei Prozent. Der zweite Punkt betraf Carters Behandlung der eurostrategischen Mittelstreckenwaffen bei SALT II; Reagan kritisierte Carter, weil dieser die Sicherheitsinteressen der Europäer nicht genügend berücksichtige und die SALT-II-Verhandlungen mit den Sowjets ausschließlich bilateral behandelte. Natürlich rannte er damit bei mir offene Türen ein.

Allerdings waren wir 1978 bezüglich SALT II in der Hauptsache nicht einer Meinung gewesen, denn Reagan lehnte SALT II in der sich damals abzeichnenden Form ab. Ich dagegen hoffte auf einen Abschluß und meinte, die Versäumnisse bei SALT II müßten später bei SALT III bereinigt werden; ein Mißerfolg von SALT II aber würde weltweit die Unfähigkeit der beiden Supermächte dokumentieren, ihre Verpflichtungen aus dem Nichtverbreitungsvertrag zum Abbau ihres nuklearen Waffenpotentials zu erfüllen. Dadurch würden die globalen Unsicherheiten vergrößert werden. Gut zwei Jahre später, nach Reagans Amtsantritt, zeigte sich, daß er Carters SALT-II-Abkommen aus denselben Gründen tatsächlich honorierte, obwohl das Abkommen nicht ratifiziert worden war.

Vor seinem Amtsantritt hatte ich Reagan noch zwei weitere Male getroffen, zuletzt anläßlich meines Abschiedsbesuchs bei Carter Ende November 1980. Reagan war schon gewählt, aber noch nicht im Amt. Er bewohnte vorübergehend das kleine Jackson House, wenige Schritte und nur eine Straßenecke entfernt vom offiziellen Gästehaus Blair House, in dem ich wohnte. Das Gespräch – wie auch weitere Gespräche mit seinen damaligen Beratern William Casey, Arthur Burns, Alan Greenspan, Richard Allen, Caspar Weinberger sowie mit dem neuen Mehrheitsführer Senator Howard Baker – drehte sich erneut auch um ökonomische Fragen. Die noch in der Formierung begriffene neue Mannschaft wollte Steuersenkungen, eine Senkung der Inflationsrate und ein höheres Verteidigungsbudget miteinander verbinden. Mir erschien dieses Konzept reichlich optimistisch (wenige Monate später erklärte mir der neue Verteidigungsminister Weinberger, sein Verteidigungshaushalt werde im nächsten Haushaltsjahr real um sechzehn Prozent steigen, in den folgenden Jahren um real sechs bis sieben Prozent!).

Aber ich hielt mit meiner Kritik zurück und konzentrierte das Gespräch mit dem »President elect« auf die Notwendigkeit einer Rüstungsbegrenzung. Ich war überzeugt, daß der Wirklichkeitssinn des Politbüros sich durch Reagans harte antisowjetische Wahlkampfpolemik nicht von Verhandlungen mit dem neuen Präsidenten würde abschrecken lassen. Eher schon war mir ungewiß, ob Reagan verhandeln wollte. Er zerstreute jedoch Genschers und meine Besorgnis durch die sehr impulsive, offenbar aus seinem politischen Instinkt kommende Selbstverständlichkeit, mit der er über die bevorstehenden Verhandlungen zur Rüstungsbegrenzung sprach; er werde sie mit entschiedenem Nachdruck und großer Ausdauer und Zielstrebigkeit führen. Wir werden verhandeln und verhandeln und verhandeln, sagte er an einer Stelle. Genscher und ich flogen beruhigt und befriedigt nach Bonn zurück.

Auch als ich knapp ein halbes Jahr später, nämlich Ende Mai 1981, meinen ersten offiziellen Besuch beim Präsidenten machte, tauchten keine Zweifel an seinem Willen zu Rüstungskontrollverhandlungen mit Moskau auf; dabei war mir besonders wichtig, daß Reagan sich am 22. Mai in einer gemeinsamen Erklärung dazu bekannte,»... beide Elemente des NATO-Beschlusses vom Dezember 1979 [des sogenannten NATO-Doppelbeschlusses] durchzuführen und ihnen gleiches Gewicht zu geben«. Beruhigend war, daß Außenminister Alexander Haig mit der Sowjetunion bereits erste Gespräche über die bevorstehenden Verhandlungen zur Begrenzung nuklearer Mittelstreckenwaffen aufgenommen hatte und daß Präsident Reagan mir zusicherte, die eigentlichen Verhandlungen würden noch vor Jahresende 1981 beginnen.

Diese Zusicherungen waren für mich außen- wie innenpolitisch von großer Bedeutung. Mein Vertrauen auf Reagans Verhandlungswillen schien gerechtfertigt, und zwar nicht nur gegenüber Breschnew, sondern auch was die wachsenden Zweifel in meiner eigenen Partei anlangte. Daß Reagans ganz neue Regierungsmannschaft vom Amtsantritt an etwa ein Jahr brauchen würde, um in konkrete Verhandlungen einzutreten, hielt ich für normal. Schließlich hatte mich vier Jahre zuvor die überstürzte Behendigkeit irritiert, mit der ein unzureichend vorbereiteter Präsident versucht hatte, ohne Rücksicht auf die Verhandlungen seines Vorgängers die Sowjetunion auf ein völlig neues Konzept festzulegen, mit dem er dann auch schnell gescheitert war.

Obwohl ich erst im Herbst 1980 nach einem überzeugenden abermaligen Wahlsieg der sozial-liberalen Koalition zum dritten Mal zum Bundeskanzler gewählt worden war, knisterte es bedenklich in dieser Koalition. In beiden Koalitionsparteien formierte sich die Opposition gegen den Doppelbeschluß. Zugleich ergaben sich aus den durch den zweiten Ölpreisschock der Jahre 1979/1980 ausgelösten wirtschaftlichen Krisenerscheinungen immer wieder Meinungsverschiedenheiten über die zweckmäßige Wirtschaftspolitik von Bundesregierung und Bundesbank. Die Führer der großen Gewerkschaften und selbst die DGB-Spitze mit Heinz Oskar Vetter und Aloys Pfeiffer, die bis dahin zu meinen zuverlässigen Stützen gehört hatten, wurden angesichts der steigenden Arbeitslosigkeit nervös. Sie wußten genau wie ich, daß mit nationalen Mitteln gegen die Wirkungen weltweit exorbitanter Ölpreise und Hochzinsen in Wahrheit nichts Wesentliches auszurichten war. Zwar hatten wir Deutschen noch immer die niedrigsten Inflationsraten und zugleich die niedrigsten Arbeitslosigkeitsraten in der Europäischen Gemeinschaft; aber die Gewerkschaftsführer standen unter dem Druck ihrer Mitglieder und Funktionäre.

Schlimmer noch war die wachsende Tendenz einiger Redner des linken Flügels der Sozialdemokratie einschließlich des Kreises um den Vorsitzenden Willy Brandt, welche den Verdacht nahelegte, die USA und die Sowjetunion sollten mit zweierlei Maß gemessen und die Bundesrepublik am Beispiel des Doppelbeschlusses als bloßer Brückenkopf amerikanischer Interessen-

Nach einem überzeugen-
den abermaligen Wahl-
sieg der sozial-liberalen
Koalition wurde Helmut
Schmidt im Herbst 1980
zum dritten Mal zum
Bundeskanzler gewählt.
Die Wirtschaftspolitik
und der Doppelbeschluß
standen im Mittelpunkt
seiner Regierungserklä-
rung am 24. November.
Die in beiden Koalitions-
parteien sich for-
mierenden Widerstände
gegen den Doppelbe-
schluß und die Tatsache,
daß Außenminister Gen-
scher seit dem Sommer
1981 öffentlich von der
Notwendigkeit einer
»Wende« sprach, zwan-
gen Schmidt im Frühjahr
1982, die parlamenta-
rische Vertrauensfrage zu
stellen. Am 1. Oktober
1982 schließlich zerbrach
die Koalition – nicht
zuletzt am Kalkül der
FDP, mit einer gewissen
Regelmäßigkeit den Part-
ner zu wechseln.

wahrung in Europa dargestellt werden. Auf dem linken Flügel der SPD wollte man den Doppelbeschluß am liebsten ersatzlos gestrichen sehen; die Sowjetunion erschien in einigen Reden beinahe als weniger gefährlich als die USA unter Reagans Führung. Die neue äußerste Linke der bundesrepublikanischen Politik, nämlich die Partei der Grünen, ging ihrer ökologisch-anarchisch-pazifistischen Grundhaltung entsprechend noch sehr viel weiter; und einige Linke innerhalb meiner eigenen Partei begannen zu versuchen, den Grünen opportunistisch den Rang abzulaufen.

Für mich war klar, daß die Durchführung des Doppelbeschlusses in seinen *beiden* Elementen im strategischen Sicherheitsinteresse Deutschlands und Westeuropas den Vorrang haben mußte vor dem Bestand meiner Regierung. Es waren deshalb innerparteiliche Gründe, die mich im Mai 1981, wenige Tage vor einer Reise nach Washington, veranlaßten, diese Überzeugung sowohl vor einer nordrhein-westfälischen als auch vor einer bayerischen Delegiertenkonferenz meiner Partei öffentlich klarzustellen. Das Presseecho auf beide Reden war dramatisch. Die rechtsstehenden deutschen Medien sprachen von »schriller Begleitmusik« zur Reise und vom »Rücken zur Wand«. Die eher liberalen und die linken Blätter reagierten säuerlich: »Kann Amerika sich auf Deutschland noch verlassen?« Oder: »Wenn die Regierung über den Herbst kommt ...«

In Washington jedoch setzte man auf den deutschen Bundeskanzler, zumal wenige Tage zuvor François Mitterrand an die Stelle Valéry Giscard d'Estaings getreten war und man in Washington von der Politik des neuen französischen Präsidenten nur eine sehr unklare und – wegen dessen Absicht zur Koalition mit den französischen Kommunisten – ziemlich falsche, negative Vorstellung besaß. »Washington Post« und »New York Times« hatten verlangt, »Schmidt auf halbem Wege entgegenzukommen«, und geurteilt: »Schmidt braucht Freunde«. Joseph Kraft hatte am 21. Mai geschrieben: »Der jetzt zu Besuch kommende Bundeskanzler ist wahrscheinlich der beste Freund, den Amerika in der Welt hat ... Seine innenpolitischen Schwierigkeiten resultieren in hohem Maße aus seinem Willen, als Freund der USA fest zu bleiben.« Und James Reston hatte tags zuvor festgestellt: »Er ist Washingtons stärkster Verbündeter in Europa ... Aus vielerlei Gründen ist er in Washington willkommen.«

Reagan und Haig waren vermutlich zu ähnlichen Ergebnissen gelangt. Jedenfalls wurde der Besuch, wenn auch nicht in der wichtigen Frage der ökonomischen Steuerung der Welt, insgesamt ein Erfolg für beide Seiten. In langen Gesprächen haben wir alle Felder der internationalen Politik erörtert und entdeckten keine Meinungsdifferenzen von Belang. Reagan nahm meine Einladung nach Bonn an (sein Besuch fand ein Jahr später, im Juni 1982, statt), und im Zusammenhang mit meinem Besuch wurde die Ernennung meines alten Freundes Arthur Burns zum Botschafter in Bonn bekanntgegeben. Wichtiger noch als all dies war: Reagan und ich verstanden uns persönlich gut. Gewiß hatte seine Vorbereitung durch Alexander Haig dabei eine wichtige Rolle gespielt, der Deutschland und auch mich aus seiner SACEUR-Zeit gut kannte. Ich habe nicht übertrieben, als ich am Schluß des Besuches über den neuen Präsidenten sagte: »Ich mag diesen Mann.«

Mir hatte nicht nur sein männlicher Charme gefallen. Vor allem hatte mir imponiert, wie er psychisch und körperlich die Folgen des Revolverattentats überstanden hatte, das knapp zwei Monate zuvor auf ihn verübt und bei dem er schwer und schmerzhaft verletzt worden war. Ich begriff vielleicht eher instinktiv als rational, weshalb dieser Mann in seinem Volke so beliebt war: Er ist gelassen; er spricht erst nach einer kleinen Pause des Überlegens; er benutzt zwar sehr einfache Bilder und Worte, aber die Sorge, daß er seine Meinung über Nacht ändern könnte, verspürt man nicht. Reagan ist stolz, er ist auch stolz auf sein Land; er sieht nahezu alle Probleme als Amerikaner und *nur* als Amerikaner. Immerhin, er hat auch die Fähigkeit, einem Europäer zuzuhören.

Auch meiner Schilderung des neuen französischen Präsidenten hörte Reagan interessiert zu. Ich hatte Mitterrand vor dessen Amtsantritt verschiedentlich getroffen, Reagan kannte ihn noch nicht. Ich gab mir Mühe, meinem amerikanischen Gastgeber zu erläutern, warum wir beide davon ausgehen dürften, daß der Wechsel von Giscard zu Mitterrand nicht zu einem grundlegenden Wechsel der französischen Außen- und Sicherheitspolitik führen werde. Ich berichtete Reagan von meiner Absicht, auf dem Rückflug einen Abstecher nach Paris zu machen, um den neuen Staatspräsidenten unmittelbar über unsere Washingtoner Gespräche zu informieren. Reagan begrüßte diese Absicht und trug mir Empfehlungen an Mitterrand auf.

Am Schluß unserer drei Unterhaltungen am 21. und 22. Mai 1981 war ich erleichtert und glaubte, es nach vier Jahren der Unsicherheit nun wieder mit einem stetigen und deshalb kalkulierbaren amerikanischen Präsidenten zu tun zu haben. Reagan hatte die feste Absicht zu intensiver Konsultation mit seinen Verbündeten und zur Vermeidung von Überraschungen. Daß seine Administration diesen Vorsatz später nur zum Teil eingehalten hat, daß wir zum Beispiel von Nitzes und Kwizinskis »Waldspaziergang« im Juli 1982 und der dabei erörterten Kompromißformel über die eurostrategischen Nuklearwaffen erst nach deren Ablehnung und auch erst durch Indiskretionen der Presse erfuhren, hat meine Erwartungen später enttäuscht; aber das konnte ich im Mai 1981 noch nicht wissen. Daß Reagan aus innenpolitischen, das heißt agrarpolitischen Gründen Carters Getreideembargo gegen die Sowjetunion aufhob, kam für mich nicht überraschend.

Das internationale positive Echo der Medien auf unser Treffen im Mai 1981 war gleichfalls keine Überraschung. Staatssekretär Kurt Becker faßte seinen Bericht über das deutsche Medienecho einige Tage später in der Feststellung zusammen, das Treffen sei überall freundlich kommentiert worden und auch das persönliche Verhältnis zwischen Präsident und Bundeskanzler werde allgemein als positiv gewertet. Die amerikanischen Medien waren derselben Meinung. Die Zeitungen der westeuropäischen Staaten kommentierten in der gleichen Tonart, aber sie fügten zwei Gesichtspunkte hinzu: In der Frage der amerikanischen Hochzinspolitik sei Reagan Europa nicht entgegengekommen; zum anderen hoben sie die Bestätigung der engen Entente zwischen Frankreich und Deutschland hervor – mit Recht, wie ich dachte und auch heute noch denke.

Meine eigene positive Bewertung Reagans wurde wenige Wochen später durch den Verlauf des siebten Weltwirtschaftsgipfels in Montebello bei Ottawa bestärkt. Sowohl Reagan als auch Mitterrand nahmen zum ersten Mal an einer solchen Konferenz teil; beide fügten sich gut in die inzwischen fast schon traditionell zwanglose Atmosphäre dieses Treffens. Der kluge, nachdenkliche, aber nach außen fast immer heitere kanadische Premierminister Pierre Trudeau war ein raffinierter Gastgeber; er hatte das Treffen in ein großes, im Blockhausstil gebautes Hotel in fast unberührter Landschaft einberufen, in dem wir uns einfach wohl fühlen mußten – vor allem aber Reagan. In einer der Pausen kutschierte ich ihn auf einem Elektro-Golfkarren durch den Park, andere Teilnehmer trieben ähnlichen Unfug; es wurde viel gelacht. Trudeau kannte ich seit Jahren und habe bis heute meine Zuneigung zu ihm bewahrt. Als Vorsitzender der Konferenz sorgte er in Montebello für eine zügige, zugleich gelassene Verhandlungsführung.

Reagans Beiträge fielen meiner Erinnerung nach eigentlich nur durch die Betonung des handelspolitischen Aspektes der weltwirtschaftlichen Lage auf. Er ist ein Freihändler aus Überzeugung und hat auch später, in den Jahren der durch seine eigenen Haushaltsdefizite verursachten enormen Handelsdefizite der USA, dem starken protektionistischen Druck weitgehend widerstanden, den der Kongreß, viele amerikanische Gewerkschaf-

Zum 6. Weltwirtschaftsgipfel 1980 hatte man sich in Venedig versammelt; ein Jahr später traf man sich in einem großen, im Blockhausstil gebauten Hotel in Montebello bei Ottawa, was vor allem auch dem neuen amerikanischen Präsidenten sehr zusagte.

Mit dem kanadischen
Premierminister Pierre
Trudeau in Ottawa
(17. Juli 1981).

ten und große Teile der amerikanischen Industrie auf ihn ausübten. Reagans freihändlerische Grundgesinnung war freilich von einer ausgeprägten Neigung zu handelspolitischen Sanktionen, Embargos et cetera begleitet, die er als Instrumente amerikanischer und insgesamt westlicher Außenpolitik verstand, nicht als Mittel der internationalen Wirtschafts- und Handelspolitik. Es war fast zwangsläufig, daß es ein Jahr später, während des von Mitterrand präsidierten Wirtschaftsgipfeltreffens in Versailles im Juni 1982, auf handelspolitischem Felde zu einem heftigen Disput mit seinem sozialistisch-colbertistischen französischen Kollegen kam. Außerhalb des handelspolitischen Feldes waren Reagans ökonomische Kenntnis und Urteilskraft gering.

Im Laufe unserer mehrfachen Begegnungen während des Jahres 1981 und besonders im Januar 1982 stachen mir drei charakteristische Eigenheiten Ronald Reagans immer stärker ins Auge: erstens, seine Neigung und Fähigkeit, komplizierte Zusammenhänge lediglich in vereinfachter Form aufzufassen und sie dann, nochmals vereinfacht, zu interpretieren und politischen Schlußfolgerungen zuzuführen; zweitens, sein unerschütterlicher Glaube an die Überlegenheit jener Faktoren und Fähigkeiten, welche im Laufe von zweihundert Jahren sein Land groß gemacht haben, nämlich Kapitalismus und freies Unternehmertum, Optimismus und moralischer Idealismus sowie die Neigung zur bloßen Stärke und sogar zur Selbstjustiz, wo Rechtsprechung nicht vorhanden ist; drittens, eine erstaunliche Fähigkeit, seine Landsleute genau so anzusprechen, wie sie auch untereinander reden.

Diese letzte Fähigkeit kam besonders im Fernsehen zur Geltung. Millionen und aber Millionen von Amerikanern konnten sich in Reagan wiedererkennen. Johnson und Nixon waren ihnen als nicht ganz durchschaubare Taktiker erschienen; Ford hatte nicht genügend Zeit, ein eigenes Image herzustellen; Carter wollte bekehren, dem amerikanischen Fernsehpublikum erschien er nicht als ein souveräner Mann, der über den Dingen stand. Bei Reagan dagegen hatten die Amerikaner das instinktive Empfinden: Das ist einer von uns, dem kann man vertrauen. Das Vertrauen in die Person des Präsidenten war typischerweise immer größer als die Zustimmung zu seiner Politik, sei es zu seiner Politik der Beschneidung der Sozialausgaben zugunsten des Verteidigungshaushaltes, zu seiner Politik gegenüber Nicaragua oder seiner Haushaltsdefizitpolitik.

Ich halte es für denkbar, daß die Amerikaner, der voraussehbaren düsteren Folgen seiner waghalsigen Budgetpolitik wegen, Ronald Reagan schon bald nach Ende seiner zweiten Amtsperiode als verantwortlichen Urheber drückender Inlands- wie Auslandsverschuldung scharf kritisieren werden (sofern sie zurückblicken sollten, was nicht unbedingt eine amerikanische Stärke ist). Dennoch darf man sich nicht darüber hinwegtäuschen, daß Reagan in den ersten sechs Jahren seiner Amtszeit sein Volk deutlicher repräsentierte als irgendeiner seiner Vorgänger seit Kennedy. Die Amerikaner fühlten sich durch ihn bestens vertreten.

Dies gilt sogar für manche seiner sehr differenziert denkenden und urteilenden Landsleute. Ich war sehr verblüfft, als ich schon 1979 George Shultz von Reagan als von einem »leader« sprechen hörte. Ich war noch mehr erstaunt, als mir Lauris Norstad, der Reagans Kandidatur keineswegs favorisiert hatte, im Herbst 1981 erklärte, er halte Reagan für den ersten wirklichen politischen »leader«; seit langem habe Amerika ein solcher Führer gefehlt. Im übrigen bedeute dies auch für den Westen insgesamt die große Chance, die Lage der Welt einmal mit neuen Augen zu betrachten. Fünf Jahre später hatte ich mit einem welterfahrenen amerikanischen Freund ein Gespräch über den Präsidenten; ich beklagte dessen simplistische Urteile auf dem Hintergrund von Schwarzweißgemälden der Welt. Mein Freund erwiderte: »Sie haben durchaus recht, aber Reagan hat den richtigen politischen Instinkt.«

Dieser Feststellung ist, was Reagans Fähigkeit betrifft, durch das Medium Fernsehen zu regieren und zu führen, nichts entgegenzusetzen. Schon Kennedy hatte sich des Fernsehens geschickt bedient; aber inzwischen gibt es in den USA bald ebenso viele Fernsehgeräte wie Einwohner, das Fernsehen ist ubiquitär und nahezu omnipotent. Reagan verstand es in meisterhafter Manier, seine Fernsehminuten ungewöhnlich wirksam zu nutzen. Freilich hat das gefährliche Kehrseiten. Zum einen wurde die durch Reagans Darstellungskunst zu erzielende Publikumswirkung für seinen Stab ausschlaggebend bei der Frage, ob eine bestimmte Politik verfolgt oder verworfen werden soll; sachliche und substantielle Bewertungskriterien traten dagegen zurück. Nicht ob eine Politik notwendig war, sondern ob sie beim Publikum »ankam«, wurde entscheidend. Zum anderen braucht, wer als Politiker etwas sagen muß, was dem Publikum oder einem wesentlichen Teil desselben unerwünscht oder unbequem erscheint, wer Thesen vertritt, die Kritik oder gar eine öffentliche Debatte provozieren, nicht nur Eloquenz, sondern auch Zeit. Aber im Fernsehen gibt es sehr viel weniger Zeit, als man sie für die Lektüre einer Zeitung braucht. Infolgedessen verzichtet Ronald Reagan auf unangenehme Wahrheiten.

Fernsehjournalisten stellen zu einem aktuellen Ereignis gern eine einzige, bestenfalls zwei oder drei Fragen, deren Beantwortung dann in den aktuellen Nachrichten- oder Magazinsendungen des gleichen Tages untergebracht wird. Wenn ich die Frage stellte, wie lang denn meine Antwort sein dürfe, gab es zwei typische Auskünfte: Entweder hieß es:»Eine Minute und dreißig Sekunden«, oder man meinte ironisch:»Halten Sie sich an das bewährte Motto – lange Fragen und kurze Antworten!« In solcher Lage gibt es oft mehrere Möglichkeiten: Man kann *ohne* Rücksicht auf positive Fernsehwirkung in wenigen Sätzen seine Meinung klar sagen, ohne sie freilich ausreichend begründen zu können; man kann *mit* Rücksicht auf das Fernsehpublikum einige Freundlichkeiten sagen, ohne den eigentlichen Gegenstand klar zu behandeln; man kann noch weiter gehen und dem Publikum nach dem Munde reden. Reagan scheint die mittlere Lösung am meisten zu liegen. Ich selbst habe in solcher Lage oft die sogenannten Kurzinterviews verwünscht. Je weiter man der Meinung des Publikums oder seiner Erwartung entgegenkommt, um so größer ist die Gefahr, auf Orientierung und Führung zu verzichten.

Das Agieren vor der Kamera ist jahrzehntelang Reagans Beruf gewesen. Als Filmschauspieler oder Fernsehsprecher spricht man aber Texte, die andere geschrieben haben – man lernt nicht, zu extemporieren oder zu improvisieren. Reagans Fernsehtexte sind – abgesehen von den wenigen live-gesendeten Fernsehduellen mit einem Gegenkandidaten – in der Regel sorgfältig vorbereitet; daß sie tatsächlich sogar abgelesen werden, bleibt dem Publikum verborgen. Als Reagan im Juni 1982 während seines offiziellen Besuches in Bonn eine Ansprache im Bundestag hielt, war ich außerordentlich beeindruckt nicht nur von Inhalt und Form seiner Rede, sondern auch von der Leichtigkeit, mit der er ohne Manuskript formulierte, wobei er mal die linke, mal die rechte Seite des Hauses, mal die Mitte anblickte, dabei Rhetorik und Gestik wirkungsvoll miteinander verbindend. Erst danach erfuhr ich, daß ihm sein sorgfältig redigierter Text in die drei Glasscheiben hineingespiegelt worden war, die ihn nach drei Seiten hin abschirmten und die ich fälschlicherweise für Sicherheitsglas zur Abwehr eines möglichen Attentats gehalten hatte; in Wirklichkeit waren es sogenannte Teleprompter gewesen. Mein verstorbener Freund Nahum Goldman hat mir einmal mit bissigem Humor gesagt:»Reagan? Nur ein Schauspieler! Aber ich muß einräumen, er spielt die Rolle eines schlechten Präsidenten ganz meisterhaft!«.

Ein schlechter Präsident war Ronald Reagan zunächst nicht, sicherlich nicht für seine amerikanischen Landsleute. Aber ebenso gewiß war und ist er ein herausragender Fernsehschauspieler. Er kann die Amerikaner, ihre Stimmungen, Gefühle und Affekte in genialer Weise ansprechen und mobilisieren. Dabei hat er – und das gilt auch für seine Ghostwriter und den größeren Teil seines Stabes insgesamt – ein gutes Gespür für die Stimmungslage seiner Nation, sowohl für die jeweils aktuelle Gemütsverfassung als auch für die in tieferen Schichten liegenden Ideale, Idole, Wunschträume, Legenden und Rituale Amerikas.

Die Abendnachrichten und Kommentare im Fernsehen zu verfolgen, war schon für Jimmy Carter und seinen Stab wichtiger als das tägliche Studium von »New York Times«, »Washington Post«, »Los Angeles Times« oder »Wall Street Journal«; denn erst die Beobachtung der täglichen Nachrichtensendungen gab Carter und gibt Reagan und ihren Stäben einen Eindruck von dem, was aktuell ist und was ihr Publikum gerade bewegt. Daraus bilden sie sich ihr Urteil darüber, was opportun und was inopportun ist – und daraus ergeben sich viele der politischen Äußerungen und Entscheidungen des nächsten Tages.

Auf ein Ereignis, das im Fernsehen keine Rolle gespielt hat, braucht der Präsident keineswegs zu reagieren. Wenn aber das Fernsehen der fernsehenden Nation ein Ereignis – und sei es in noch so einseitigen Ausschnitten der Wirklichkeit – eindringlich vorgeführt hat, so muß das Weiße Haus dazu Stellung nehmen, in vielen Fällen noch am gleichen Tage, das heißt rechtzeitig zu den abendlichen Nachrichten- und Magazinsendungen, die am nächsten Vormittag zum Teil wiederholt werden. Infolgedessen werden manche politischen Entscheidungen in großer Hast und deshalb fehlerhaft getroffen. Dies gilt mitunter auch für solche Entscheidungen, die den Zweck verfolgen, durch ein positives Schauspiel die Aufmerksamkeit von dem als negativ empfundenen Drama des Vortags abzulenken. Fernsehdramaturgie tritt vielfach an die Stelle von Staatskunst.

Aus solchen Situationen entstanden die übereilten Entscheidungen Carters für das Weizenembargo oder den Olympiaboykott nach dem sowjetischen Einmarsch in Afghanistan oder Reagans Absage eines Treffens zwischen den Außenministern der USA und der Sowjetunion nach dem Abschuß des koreanischen Verkehrsflugzeuges und sein Embargo gegen Polen, nach der Verhängung des »Kriegsrechtes« durch Jaruzelski. Die Invasion Grenadas verfolgte auch den Zweck, von den demütigenden Bildern der Sprengung amerikanischer Kasernen im Libanon abzulenken.

Die Wirksamkeit des Fernsehens beschleunigt und provoziert politische Entscheidungen, die eigentlich mit größerer Sorgfalt getroffen werden sollten; Reagans übereilte Fernsehankündigung von SDI mitten in einem öffentlichen Haushaltskonflikt ist dafür ein Beispiel. Das Fernsehen verlangt Aktion auch in solchen Fällen, in denen leise Diplomatie viel eher zum Erfolg führen könnte; ein Beispiel hierfür ist Carters miserabel vorbereiteter militärischer Rettungsversuch für die Geiseln in Teheran. Viele Europäer sind oft schockiert, wenn im Weißen Haus »aus der Hüfte geschossen« wird. Sie übersehen dabei, daß auch wir in Europa auf dem Wege von der parlamentarischen Demokratie zur Fernsehdemokratie unaufhaltsam fortschreiten; auch in Europa werden Ansprachen der Regierungschefs, ihre Pressekonferenzen und vor allem ihre Fernsehauftritte in immer bedenklicherer Weise von Textern, Regisseuren, Beleuchtern und Maskenbildnern inszeniert. Auch bei uns erzwingt das Fernsehen durch seine Berichte schon längst andere Tagesordnungen für die politische Führung, als sie in der Zeitungs- und Radiodemokratie üblich waren. Zwar sind unsere Regionalzeitungen in ihrer politischen Berichterstattung einstweilen noch den amerikanischen Regionalblättern haushoch überlegen, und der politische Teil der europäischen Lokalpresse wird durchaus auch gelesen. Aber auch in Europa ist das Bild einprägsamer als das Wort, und erst recht das sich bewegende, farbige Bild, das mit dem gesprochenen Wort vor unsere Augen tritt. Der politische Siegeszug der »Bild«-Zeitung in Deutschland oder des »Daily Mirror«, später der »Sun« in England, die zeitweilige Kioskherrschaft des Pariser »France-Soir« waren nur Vorspiel; auch in Europa ist der politische Siegeszug des Fernsehens nur eine Frage der Zeit, trotz allem hinhaltenden Widerstand.

In den USA ist der Triumph des Fernsehens als überragendes Instrument – und als Quelle! – der politischen Meinungsbildung schon vollendet. Reagan hat das als erster Präsident nicht nur verstanden, sondern auch voll genutzt. Seine Weltkenntnis war nicht größer als diejenige Carters, sein häufig wirklichkeitsferner Idealismus kaum geringer. Reagans Konservativismus tat seinem Lande nach den Carterjahren gut; Reagan war wesentlich stetiger als sein Vorgänger, bisweilen sogar störrisch. Auf die Interessen seiner Verbündeten in Europa, in Japan, Kanada oder Australien nahm er zwar nicht mehr Rücksicht als vor ihm Carter; aber die mit den USA verbündeten Regierungen waren erleichtert über seine höhere politische Kontinuität. Seine Qualität als Fernsehpräsident konnten (und durften!) sie jedoch nicht außer acht lassen. Der Mann wirkte durch seinen nach außen projizierten persönlichen Charakter, durch seine Einfachheit, seine klaren Grundüberzeugungen, an denen er festhielt, und durch seine offenbare Ehrlichkeit. Vor allem wirkte er durch seine Fähigkeit, das amerikanische Fernsehpublikum hinter sich zu versammeln und das Selbstvertrauen der Nation wiederherzustellen. Es bleibt abzuwarten, ob er den großen Vertrauensverlust überwinden kann, den er seit dem Herbst 1986 wegen der Waffenlieferungen an den Iran und nach Nicaragua durch eigene Naivität und Unaufrichtigkeit erlitten hat.

Wie sehr Reagan selbst von den Fernsehbildern beeinflußt war, die seine Landsleute abends auf dem Bildschirm zu sehen bekamen, spürte ich zum ersten Male ganz deutlich während eines Besuches im Januar 1982, und zwar anläßlich der Ausrufung des Kriegsrechtes in Polen. Meine Frau und ich hatten die deutsche Gewohnheit, zu Neujahr einen kurzen Winterurlaub im sonnigen Süden zu machen, auf Mallorca, in Ischia oder auf Gran Canaria. Dieses Mal waren wir auf der kleinen Golfinsel Sanibel in Florida gewesen; Reagan hatte davon gehört und mich gebeten, auf dem Rückflug in Washington vorbeizukommen, wo wir am 4. Januar eintrafen.

Vierzehn Tage vor Weihnachten hatte Jaruzelski das Kriegsrecht ausgerufen. Reagan selbst hatte am 18. November eine umfassende außen- und sicherheitspolitische Rede gehalten, am 25. November hatte ich Reagan in einem langen Ferngespräch und noch ausführlicher auf diplomatischem Wege über den Verlauf von Breschnews Besuch in Bonn unterrichtet, der an diesem Tage beendet worden war. Vom 11. bis 13. Dezember hatte ich Erich Honecker in der DDR getroffen. Es gab also vielerlei Gesprächsstoff; die Ereignisse in Polen bildeten für den amerikanischen Präsidenten jedoch bei weitem das wichtigste Thema. Das lag zum einen an dem beträchtlichen Anteil amerikanischer Staatsbürger polnischer Abstammung; vor allem aber hatte das Fernsehen mit seiner Berichterstattung aus Danzig und Warschau eine heftige Erregung der ganzen amerikanischen Nation ausgelöst.

Die ganze amerikanische Administration vom Präsidenten angefangen bis zur UNO-Botschafterin Jeane Kirkpatrick, viele Senatoren, auch viele Zeitungen hatten die Emotionen hochgetrieben. Reagan hatte eine Reihe von handelspolitischen Sanktionen gegen die Sowjetunion und ein Embargo gegen die Volksrepublik Polen verhängt und erwartete, daß sich die europäischen Verbündeten daran beteiligten. Aber diese Verbündeten hatte er zuvor nicht konsultiert und nur ganze sechs Stunden vorher informiert – genauso wie weiland Carter. Gleichzeitig hatte sein Außenminister jedoch deutlich gemacht, daß Reagan nicht daran dachte, den Meinungsaustausch mit Moskau oder die Genfer Rüstungsbegrenzungsverhandlungen abzubrechen oder auch nur zu unterbrechen. Auch hatte Reagan keineswegs im Sinn, etwa zu Lasten der amerikanischen Farmer der Sowjetunion die dringend benötigten amerikanischen Getreidelieferungen zu

Im Januar 1982 war die
Ausrufung des Kriegs-
rechtes in Polen das für
Reagan bei weitem wich-
tigste Thema (Abbildung
links). Ein gutes halbes
Jahr zuvor, bei seinem
ersten offiziellen Besuch
Reagans Ende Mai 1981
(unten), hatte Schmidt
noch fest an dessen Wil-
len zu Rüstungskontroll-
verhandlungen mit
Moskau geglaubt. Auf
Reagans Zusicherungen
war jedoch, wie sich bald
herausstellen sollte,
wenig Verlaß.

verweigern, die er ja im Frühjahr 1981 selbst wieder aufgenommen hatte. Reagans handelspolitische Reaktionen auf die Proklamation des Kriegsrechtes durch Jaruzelski, der als Handlanger Moskaus gesehen und dargestellt wurde, blieben von so beschränkter Reichweite, daß sie lediglich pseudopolitischen, symbolischen Charakter hatten. Gegenüber dem amerikanischen Fernsehpublikum stellte Washington seine Maßnahmen freilich als einen Schritt von strategischer Bedeutung dar; der Präsident sagte öffentlich, das ganze westliche Bündnis müsse Moskau eine »fühlbare Antwort« geben, und vom deutschen Bundeskanzler erwartete man, daß er den übrigen europäischen Verbündeten darin beispielhaft vorangehe.

Mir war zunächst unklar, ob die Aufgeregtheit in Washington nach einiger Zeit kühleren Überlegungen weichen und abklingen werde oder ob eine Eskalation ins Haus stand. Immerhin grenzte die Emotion Amerikas an Hysterie. So schrieb zum Beispiel das »Wall Street Journal« am 4. Januar 1982, dem Tage meiner Ankunft in Washington, jetzt sei die Zeit für mich gekommen, Position zu beziehen; und wörtlich: »Schmidts Stellung zu Moskau läßt eine demoralisierte Führerschaft erkennen, deren optimale Vorstellung von der Zukunft Westdeutschlands diejenige eines finnlandisierten Vasallen eines totalitären Reichs ist.« Und ein anderer wirrköpfiger Kommentator warnte: »Kein neues München!«

Weil weder die Politiker noch die Redakteure der Zeitungen und Fernsehketten in den USA europäische Zeitungen lesen, waren ihnen meine Bundestagsrede vom 18. Dezember und die Bundestagsentschließung vom gleichen Tage unbekannt geblieben. Der Bundestag hatte – in Übereinstimmung mit der Bundesregierung – zwei Wochen vor meinem Eintreffen in Washington nach der Debatte einstimmig eine Entschließung an die Adresse der polnischen Militärregierung Jaruzelski gerichtet, in der er »die Freilassung aller Inhaftierten« verlangte, ebenso die »Wiederherstellung der durch einen Reform-und Erneuerungskurs erreichten Freiheiten ... [und] Wiederaufnahme des Dialogs mit den reformwilligen patriotischen Kräften des polnischen Volkes«. Der Bundestag hatte die Verletzung der Helsinki-Schlußakte sowohl durch die polnische Militärregierung als auch durch die Sowjetunion angeprangert und deren »offene oder versteckte Gewaltandrohungen gegen die polnische Unabhängigkeit von außen« festgestellt. Der Bundestag hatte außerdem unsere staatliche Wirtschaftshilfe an Polen suspendiert, solange »die Unterdrückungsmaßnahmen des derzeitigen Regimes gegen das polnische Volk anhalten«. Zugleich hatten wir aber an die Bürger unseres Landes appelliert, individuelle moralische und materielle Hilfe für die Mitmenschen unseres Nachbarvolkes zu leisten (was in großem Umfang geschah). Ich selbst hatte im gleichen Sinn zum Bundestag gesprochen; eine Woche zuvor, noch als Gast auf dem Territorium der DDR, hatte ich öffentlich vor der Presse der DDR gegen die Einmischung von außen in die Angelegenheiten Polens Stellung genommen.

In sehr weitgehender Übereinstimmung mit der Entschließung des deutschen Bundestages hatten die zehn Außenminister der Europäischen Gemeinschaft am 4. Januar 1982 einen gemeinsamen Beschluß gefaßt; da inzwischen die USA ihre wirtschaftlichen Maßnahmen gegen die Sowjetunion angekündigt hatten, erklärten die zehn außerdem, daß sie eine »enge und positive« Konsultation mit den USA erwarteten. Sie warnten die Sowjetunion ausdrücklich vor einer militärischen Intervention durch den Warschauer Pakt. Die Entschließung der zehn war wesentlich dem führenden Einfluß von Außenminister Genscher zu verdanken.

Weder die Medien der USA noch das Weiße Haus hatten dies alles zur Kenntnis genommen. Wohl aber hatten einige Leute im Weißen Hause die amerikanischen Medien unter der Hand wissen lassen, man werde mit Schmidt hart und deutlich reden, auch über die »möglicherweise schwerwiegenden Konsequenzen für das westliche Bündnis, die sich ergeben könnten, sofern die Reaktion der Europäer weiterhin so schwach bleibt wie bisher«. Gleichzeitig fütterte man die Medien mit der Erwägung, man werde die Erdgasröhrenvereinbarung, über die gerade zwischen einem europäischen Konsortium und Moskau verhandelt wurde, von amerikanischer Seite zum Scheitern bringen. Der Höhepunkt dieser von unverantwortlichen Mitarbeitern Reagans ausgestreuten Drohungen war der Hinweis, man könne amerikanische Banken veranlassen, ihre Polen gewährten Anleihen zurückzuziehen, was in westeuropäischen Finanzkreisen Wellen auslösen werde.

Ich beschloß, in der Sache unnachgiebig zu bleiben. Für mich waren zwei Gesichtspunkte entscheidend, die in den USA offenbar niemand bereit gewesen war, öffentlich darzulegen. Die ganze Welt hatte ja den sowjetischen Einmarsch in Budapest 1956 und in Prag 1968 ebenso miterlebt wie die Invasion in Laos und Kambodscha und die Besetzung Afghanistans. Diese Vergewaltigungen anderer Völker durch die Sowjetunion oder ihre vietnamesischen Verbündeten hatten jedesmal weltweite Empörung ausgelöst – genauso wie der Bau der Mauer quer durch Berlin 1961. Ich hatte das alles miterlebt und war wie alle Welt schockiert gewesen. Aber ich hatte auch verstanden, daß die USA einerseits über keine einsetzbaren wirksamen Machtinstrumente verfügten, diese Vergewaltigungen rückgängig zu machen, und daß sie andererseits – mit Recht – das Risiko eines nuklearen Krieges für zu groß hielten, um es in Kauf zu nehmen. Im Falle Polens war mir klar, daß jede Eskalation durch den Westen bei den freiheitsliebenden Polen Hoffnungen wecken und sie verleiten konnte, im Vertrauen auf amerikanische oder westliche Hilfe ihr Leben und jedenfalls ihre persönliche Freiheit aufs Spiel zu setzen – daß aber nach einiger Zeit Washington zu der Erkenntnis gelangen würde, die ganze dramatische Anstrengung sei aussichtslos. Man würde die Sache im Sande verlaufen lassen und durch ein neues fernsehgerechtes Thema ersetzen. An einer solchen würdelosen Inszenierung, die schließlich zu Lasten der polnischen Freiheitsbewegung, zu Lasten der Menschen gehen mußte, wollte ich mich nicht beteiligen.

Ich hatte aber auch ein spezifisch deutsches Motiv, das sich aus der jüngsten deutschen Geschichte in der Ära Hitler zwangsläufig für mich ergab. Kein anderer Staat, kein anderes Volk hatte unter der militärischen Besetzung durch Deutsche schlimmer gelitten als Polen; die Vernichtungslager, in denen Menschen zu Millionen umgebracht wurden, hatten auf polnischem Gebiet gelegen, die meisten der ermordeten Juden waren polnische Juden gewesen. Nach Kriegsende hatte Stalin eine Verschiebung des polnischen Territoriums um mehrere hundert Kilometer nach Westen und die Vertreibung vieler Millionen Deutscher aus ihrer angestammten Heimat durchgesetzt. Bereits in den zwanziger Jahren hatte es die Weimarer Republik, die sich 1925 in Locarno durch einen zwischen Stresemann und Briand geschlossenen Vertrag mit Frankreich über die deutsche Westgrenze verständigte, abgelehnt, auch ein »Ost-Locarno« zu schaffen – weil sie sich hinsichtlich der damals neuen deutsch-polnischen Grenze nicht binden wollte. Hitler, Himmler und der sogenannte Generalgouverneur im besetzten Polen, Frank, hatten die damalige antipolnische Stimmung in Deutschland, die freilich in Polen unter umgekehrten Vorzeichen ihr Gegenstück gehabt hatte, ins unvorstellbar Grauenhafte gesteigert.

So war ich in all den Jahren und Jahrzehnten nach 1945 zutiefst bewegt von dem Wunsche nach einer Aussöhnung zwischen Polen und Deutschen; dies wird meine Haltung auch in Zukunft sein, und ich teile sie mit vielen anderen Deutschen. Die Aussöhnung war ein entscheidender Beweggrund für Willy Brandts – und später meine – Ostpolitik. Uns war völlig klar, daß wir die kommunistische Herrschaft, die unter sowjetischer Aufsicht in der Volksrepublik Polen etabliert worden war, als Tatsache in Rechnung stellen mußten. Wer als Deutscher mit Polen zu einer Verständigung kommen wollte, mußte mit der tatsächlichen Regierung in Warschau Verträge schließen – ob mit Gomulka, Gierek, Kania oder Jaruzelski. Jeder westdeutsche Versuch, zwischen das polnische Volk und seine Regierung Keile zu treiben, dem ersteren freundliche Worte zu sagen, der letzteren aber Hilfe zu verweigern, mußte nicht nur scheitern; er mußte den kommunistischen Propagandisten in Warschau auch Argumente gegen den angeblichen »deutschen Revanchismus« liefern. Unkluge Reden einiger weniger Funktionäre der westdeutschen Flüchtlingsverbände – darunter zweier Bundestagsabgeordneter der CDU – hatte die polnische Führung mit großem psychologischem Erfolg jahrelang gegen die Deutschen ausgespielt. Für Genscher und mich kam es deshalb überhaupt nicht in Betracht, die Bundesrepublik durch Washington in eine gegen Warschau gerichtete provozierende Rolle drängen zu lassen.

Es kam hinzu, daß Wirtschaftssanktionen den kleinen Mann in Polen deutlicher treffen als die Personen an der Spitze der Partei. Um der Masse der Bevölkerung angesichts der akuten Lebensmittelknappheit in Polen zu helfen, riefen wir unsere Landsleute daher zu privaten Paketsendungen auf. Beide Kirchen in der Bundesrepublik halfen dabei sehr wirkungsvoll, indem sie die Versendung an ihnen namentlich bekannte Pfarrer und Kirchengemeinden organisierten. Westdeutsche Bürger haben von Weihnachten 1981 an Millionen Lebensmittelpakete nach Polen geschickt; noch im Sommer 1982 waren es täglich mehrere zehntausend. Wir haben damit das amerikanische Handelsembargo gewiß nicht unterlaufen, wohl aber haben wir ungezählten polnischen Familien geholfen. Ich war sehr stolz darauf, daß so viele Deutsche sich durch chauvinistische Propaganda nicht davon abhalten ließen, ihren polnischen Nachbarn zu helfen.

In den amerikanischen Medien fand ich zwar wenig Verständnis für meine Haltung, die mit irgendwelchen Interessen deutscher Unternehmen oder mit unserer Beschäftigungslage – wie in den USA leichtfertig unterstellt wurde – wahrlich nichts zu tun hatte; aber ich hatte die Genugtuung, die Zustimmung vieler außenpolitisch erfahrener amerikanischer Freunde zu finden. George Kennan sagte öffentlich, er könne sich ein positives Ergebnis der amerikanischen Sanktionen schwerlich vorstellen. George Ball nannte Reagans Sanktionen »keine majestätischen Löwen, sondern eher zahnlose Pudel« und fügte – gleichfalls öffentlich – die Frage hinzu: »Wann werden wir je lernen, daß die Erhaltung der westlichen Einheit wichtiger ist als der wirkungslose Versuch, Moskau einzuschüchtern?«

Am 5. Januar 1982 hatte Botschafter Hermes eine Reihe alter Freunde und ihre Ehefrauen zum Abendessen mit mir in die

Washingtoner Botschaft geladen. Natürlich waren die gegenwärtige Lage Polens und die Haltung der Sowjetunion die Hauptthemen. Zwar gingen die Meinungen der Gäste auseinander, aber keiner kam auf den Gedanken, meine Regierung sei dabei, der Sowjetunion nach dem Munde zu reden.

John McCloy riet mir, den in Deutschland neuerdings zu hörenden antiamerikanischen und neutralistischen Äußerungen einiger Politiker entschieden entgegenzutreten; gleichzeitig bekräftigte er seine lange und unerschütterliche Verbundenheit mit Deutschland. Henry Kissinger ging in seiner Übereinstimmung mit der Reagan-Administration am weitesten. Er warnte vor einer Unterschätzung des amerikanischen Isolationismus, der sich bei starker Enttäuschung über Europa mit dem amerikanischen Antikommunismus verbinden könne. Er ließ dahingestellt, ob wirtschaftliche Maßnahmen gegen Warschau nützlich seien, und gab vor, ihm fehle der Sachverstand, um diese Frage zu beantworten. Gerald Ford antwortete, es gebe nur zwei wirkungsvolle ökonomische Hebel, nämlich ein Getreideembargo gegen die Sowjetunion oder ein Kreditembargo gegen Polen; beide Hebel könnten jedoch nur bei wirklich einheitlicher Beteiligung aller westlichen Staaten Wirkung erzielen – die amerikanische Administration selbst fasse diese Hebel aber gar nicht ins Auge. George Shultz fügte hinzu, sie seien in der Tat nur wirksam, wenn der Westen geschlossen daran beteiligt sei; dies sei aber geradezu wirklichkeitsfremd. Lane Kirkland fand die von der Reagan-Administration ergriffenen Maßnahmen, verglichen mit den öffentlichen Äußerungen, zu schwach. Senator Biden bemängelte die unzureichende Konsultation mit den Europäern; diese seien von den amerikanischen Sanktionen überrascht worden, und den Senat habe man über angebliche Beratungen mit den Europäern getäuscht (was wohl zutraf).

Ich selbst konnte mich an jenem Abend kurz fassen. Ich wies darauf hin, daß meine Rede am 18. Dezember im Bundestag, die Entschließung der Außenminister der Europäischen Gemeinschaft vom 4. Januar 1982 und die gemeinsamen Presseerklärungen, die Präsident Reagan und ich kurz vor Beginn dieses Abendessens abgegeben hatten, inhaltsgleich waren; das ausführlichere offizielle Kommuniqué wurde am nächsten Tage, dem 6. Januar, veröffentlicht. Ich wies mit ein wenig Genugtuung auf unsere Stetigkeit hin und bedauerte die irreführende Berichterstattung in den Medien Amerikas. Stetigkeit in der Außenpolitik gegenüber der Sowjetunion sei eine Voraussetzung der Zuverlässigkeit dieser Außenpolitik; sie sei notwendig, wenn man in Moskau verstanden werden wolle. In jenem Kreis erhob sich dagegen kein Widerspruch.

Insgesamt spürte ich an jenem Abend freundschaftliche Zuneigung. Daß Betty Ford und Obie Shultz aus dem Westen, Nancy Kissinger, der beinahe neunzigjährige John McCloy und David Rockefeller aus New York gekommen waren, dazu meine alten Freunde Melvin und Barbara Laird, Lane Kirkland und seine Frau wie auch Paul Nitze (damals INF-Chefunterhändler in Genf), verstand ich als große Gesten. Ich war glücklich darüber, daß nicht nur meine Frau in diese Freundschaft einbezogen war, sondern auch meine Tochter Susanne, welche aus beruflichen Gründen in London lebte und so in den letzten Jahren sehr wenig von den persönlichen Aspekten der internationalen Politik hatte miterleben können. Ich glaube nicht zu irren: die amerikanischen Teilnehmer dieses Abends sahen in mir einen Freund.

Tagsüber hatte meine Frau ein Gespräch mit amerikanischen Damen gehabt, bei dem das politische Thema zwangsläufig aufkam. Loki berichtete über ihre verschiedenen Besuche in Polen und über ihre privaten Gespräche mit polnischen Freunden und Bekannten; die Polen seien zehnmal Polen, zehnmal Katholiken und danach – wenn es hoch kommt – einmal Kommunisten. Loki traf mit solchen Äußerungen auf großes Erstaunen; auch als sie berichtete, daß sie den Kommunismus in verschiedenen Staaten Osteuropas in sehr unterschiedlicher Form erlebt habe. Offenbar besaßen die amerikanischen Gastgeberinnen nur recht schablonenhafte Vorstellungen von der tatsächlich sehr differenzierten Situation hinter dem Eisernen Vorhang.

Auch am Abend zuvor hatten wir einige alte Freunde zu Gast gehabt: Außenminister Alexander Haig, Notenbankchef Paul Volcker, Botschafter Arthur Burns, Senator Charles Mathias. Daneben waren auch Senator Robert Dole, die Minister für Handel und Finanzen, Baldridge und Regan, der Berater des Präsidenten Edwin Meese, der Kongreßabgeordnete James Jones, Murray Weidenbaum vom Council of Economic Advisers, Lewis Preston von der Morgan Guaranty Bank und andere anwesend – sozusagen die Creme der Administration und der Republikanischen Partei. Auch in diesem Kreise beklagte ich kurz, aber deutlich den Umstand, daß Washington sich durch die Aufregung der amerikanischen Medien über die deutsche Haltung täuschen lasse. Sonst hätte man wissen können, daß meiner Meinung nach das Kriegsrecht in Warschau nur verhängt worden sei, um sowjetischem Druck zuvorzukommen. Man hätte auch wissen können, daß ich – eine Woche *vor* Präsident Reagans Weihnachtsrede – die Aufhebung des Kriegsrechts, die Wiederherstellung des Dialogs mit der Solidarność und die Freilassung der Gefangenen verlangt hatte – wie später der Präsident. Wirtschaftliche Sanktionen – außer bei Getreide – würden die Sowjetunion kaum treffen, denn sie importieren nur gut zwei Prozent ihres Bruttosozialproduktes aus dem Westen. Kreditsanktionen gegen Polen, etwa eine Verweigerung der Umschuldung für 1982, seien in doppelter Hinsicht zweischneidig; sie träfen den kleinen Mann in Polen, aber auch das westliche Banksystem und bedürften deshalb einer sorgfältigen Untersuchung ihrer möglichen Auswirkungen. Überhaupt sei eine gemeinsame Analyse aller Handlungsmöglichkeiten dringend nötig; denn auch die USA – ebenso wie ich selbst – wüßten keine Antwort auf die Frage, wie der Westen auf eine mögliche weitere Verschärfung der unseligen Lage in Polen reagieren solle. Im übrigen sei Jaruzelski nach meinem Eindruck keine Marionette; er sei in erster Linie ein Pole, in zweiter Linie ein Militär und erst in dritter Linie ein Kommunist.

Alexander Haig als Außenminister war in diesem Kreise derjenige, der darauf antwortete. Ganz ohne Zweifel sei Jaruzelski in seinen Entscheidungen nicht frei, er handele unter Druck aus Moskau; die Sowjets hätten seit September die Einführung des Kriegsrechts verlangt. Haig sprach sich nicht gegen humanitäre Hilfe aus, vorausgesetzt,»daß sie wirklich bei den polnischen Menschen ankommt; man kann nicht zuschauen, wie sie verhungern«. Aber Kredite an den Staat wolle man nicht geben, solange die Regierung die Bevölkerung unterdrücke. Was die Konsultationen angehe, sagte er, so habe sein Vertreter Lawrence Eagleburger von seinen Gesprächen in Europa den Eindruck mitgebracht, die Europäer seien nicht bereit, an Sanktionen mitzuwirken (was stimmte); deshalb habe der Präsident geahnt, werde bei konkreten Konsultationen negative Antworten erhalten, und so habe er dann auf eigene Faust gehandelt.

Diese Erklärung kam mir sehr plausibel vor; um so weniger verständlich war mir die amerikanische Erwartung, die europäischen Regierungen würden sich nachträglich den einseitig verhängten Sanktionen anschließen. Das in der Sanktionsfrage für die USA erreichbare Maximum war eine Selbstverpflichtung der Europäer (und der anderen Verbündeten der USA, etwa auch Australiens), die amerikanischen Handelssanktionen gegen die Sowjetunion nicht durch vermehrte Lieferungen zu unterlaufen.

Haig sagte, die Kommentare der amerikanischen Massenmedien gegen die Haltung Bonns hätten auch ihn überrascht; sie seien nicht von seinem Ministerium stimuliert worden (was ich glaubte), auch nicht vom Weißen Haus (was ich nicht glaubte). Er bestätigte, daß meine Rede vom 18. Dezember inhaltlich fast identisch sei mit der späteren Rede Reagans. Es sei jetzt nötig, den Eindruck herzustellen, daß man handeln wolle (»sense of action«).

310

Als Außenminister unter Reagan agierte Alexander Haig nicht ganz so umsichtig wie zuvor als Oberster Befehlshaber der Alliierten Streitkräfte in Europa (oben, Aufnahme 1982). Schwierig jedoch gestaltete sich Schmidts Verhältnis zu dem amerikanischen Verteidigungsminister Caspar Weinberger (Aufnahme 1981).

Außer diesen beiden Abendrunden habe ich in jenen zweiein-halb Tagen Anfang Januar 1982 den Auswärtigen Ausschuß des Senats besucht, ein längeres Gespräch mit Verteidigungsmini-ster Weinberger geführt und schließlich auch ein größeres Zei-tungsinterview gegeben. Bundesminister Genscher und die Staatssekretäre Becker und von Staden waren ebenfalls tätig. Wir suchten das Unsrige zu tun, ein günstiges Umfeld für meine Ge-spräche mit Reagan zu schaffen. Die Administration sah ein, daß sie mit ihren Vorwürfen auf einseitige Darstellungen der ameri-kanischen Massenmedien hereingefallen war – allerdings waren diese Medien zweifellos von übereifrigen Angehörigen der Ad-ministration geimpft worden. Jedenfalls fielen die großen Sprechblasen alsbald geräuschlos in sich zusammen.

Am Tag darauf eröffnete der Präsident das Thema Polen mit der Bemerkung, es sei ihm bewußt, die amerikanischen Medien hätten mich ungerecht behandelt. Er selbst sei »jedenfalls sehr erfreut über alles, was Sie während Ihres Besuches zu diesem Thema gesagt haben«. Danach war es nicht schwierig, das ge-meinsame Kommuniqué zu verabschieden. Einige amerikani-sche Kommentatoren waren mit dem Kommuniqué zufrieden, zeigten sich aber erstaunt, daß der deutsche Bundeskanzler nachgegeben habe und »erstmalig zugegeben, daß die Sowjet-union für die Lage in Polen mitverantwortlich« sei. Sie wollten auch jetzt nicht zur Kenntnis nehmen, daß ich lange zuvor Breschnew einen ernsten Brief in dieser Sache geschrieben hat-te, übrigens als einziger der europäischen Regierungschefs. Brze-zinski (seit einem Jahr Privatmann) ging so weit, noch am 11. Ja-nuar in »US News and World Report« zu behaupten, »Schmidt handelt bereits wie ein Neutraler, obwohl er sich zur Einheit des Bündnisses bekennt«. Aber dies war eine eher groteske Ausnah-me. Im allgemeinen war das Echo in den USA gut.

Die »New York Times« hob am 7. Januar einen wichtigen Punkt hervor: das Ergebnis liege in dem stillschweigenden Einver-ständnis, trotz der polnischen Situation mit der Sowjetunion weiter zu verhandeln. Dies war in der Tat richtig. Allerdings: still-schweigend war dieses Einverständnis nur nach außen, in Wirk-lichkeit war es zwischen den beiden Regierungen ausdrücklich hergestellt worden. Mit dem Gesamtergebnis war ich durchaus zufrieden. Auch die deutschen Medien kommentierten die Er-gebnisse des Treffens überwiegend freundlich – bis auf die Sprin-ger-Presse und F.J. Strauß, der uns seit Tagen »Würdelosigkeit« vorgeworfen und Verbindungen der CSU zu Mitarbeitern im Weißen Haus zum Zwecke der Stimmungsmache gegen Bonn benutzt hatte. Am stärksten kam die Billigung der Bonner Posi-tion in britischen, italienischen, holländischen und skandinavischen Zeitungen zur Geltung; dabei fehlten auch nicht die zutreffenden Hinweise auf die Übereinstimmung im Urteil mit dem Vatikan (dem sich freilich in puncto Polen der Vorsitzende der Fuldaer Bischofskonferenz, Kardinal Höffner, damals noch nicht angeschlossen hatte).

Die französischen Medien folgten eher der etwas säuerlichen Reaktion François Mitterrands. Sein Außenminister hatte beim Treffen der zehn EG-Außenminister intern seine Kritik an Polens Regierungssystem als der eigentlichen Ursache der Fehlentwicklungen stark abgeschwächt, da er offensichtlich auf seine kommunistischen Regierungspartner Rücksicht nehmen mußte; die Regierung in Warschau durfte plötzlich nicht als »kommunistisches System« apostrophiert werden. Nach außen gebärdete man sich in Paris aber besonders entrüstet und gegenüber den USA als besonders bündnistreu. Gleichwohl beteiligte sich auch Frankreich nicht an den amerikanischen Sanktionen.

Schon fünf Monate später, während des achten Weltwirtschaftsgipfels in Versailles, kam es zur Umkehrung: Als Reagan darauf beharrte, handelspolitische Maßnahmen als außenpolitisches Instrument gegen die Sowjetunion einzusetzen, kam es coram publico zu einer langen und scharfen Kontroverse zwischen Reagan und Mitterrand. Reagans abermals einseitiger, nicht abgestimmter Versuch, die europäisch-sowjetische Erdgasröhrenvereinbarung durch ein die Souveränität der europäischen Staaten verletzendes Embargo zu unterminieren, das Teillieferungen in Europa tätiger amerikanischer Tochterfirmen verbieten sollte, brachte nun auch Mitterrand und die französische Presse auf jene Position, die wir in Bonn während der ganzen Zeit eingenommen hatten.

Ich habe hier die Kontroverse über die zweckmäßige »Antwort« des Westens auf die Unterdrückung der polnischen Freiheitsbewegung deshalb so ausführlich geschildert, weil sie auf charakteristische Weise den möglichen Konflikt zwischen Fernsehdemokratie und politischer Ratio beleuchtet. Zwar hat sich in diesem Falle die Vernunft durchgesetzt; alle amerikanischen Maßnahmen wurden später ziemlich sang- und klanglos beendet, ohne daß die Lage in Polen sich grundlegend geändert hätte. Aber solche Konflikte können und werden sich wiederholen. Selbst in diesem Falle der Konfliktbeilegung durch gleitflugartige Revision des emotionalen Standpunktes hat sich die Ratio keineswegs auch im Bewußtsein der Beteiligten durchgesetzt. Weder das Gros der amerikanischen Medien noch die Administration haben sich eingestanden, daß die in Jalta vorgenommene Teilung Mitteleuropas in zwei Einflußsphären (oder in eine westliche Einflußsphäre und einen östlichen Machtblock) nicht durch Fernsehansprachen, große Gesten und anschließende kleine Maßnahmen aufgehoben werden kann.

Deutschland hat die Teilung, unter der es seit vierzig Jahren leidet, als Auslöser und Verlierer des Zweiten Weltkrieges hinnehmen müssen; die Deutschen haben des Friedens wegen auch die ihnen oktroyierten neuen Grenzen zum Gegenstand von Gewaltverzichtsverträgen gemacht. Auf andere Weise leiden die Polen unter der Teilung Europas, die sie der sowjetischen Oberhoheit unterworfen hat; auch haben sie große Teile ihres Landes an die Sowjetunion abtreten müssen. Zur Zeit ist nicht abzusehen, wie dem moralisch und historisch gleich unhaltbaren Zustand der Teilung Europas abgeholfen werden kann. Jeder Versuch, den Freiheitswillen der Polen, Ungarn, Tschechen oder Deutschen als Hebel für eine gewaltsame Zurückdrängung des sowjetischen Machtbereiches zu nutzen, läuft das Risiko einer gewaltsamen Intervention Moskaus; am Ende drohten Bürgerkrieg und Krieg. Der Gedanke des »roll-back« hat sich 1953 in der DDR, 1956 in Ungarn und 1968 in der Tschechoslowakei als undurchführbar erwiesen, weil – Gott sei Dank! – kein amerikanischer Eventualvorsatz dahinterstand, notfalls einen Krieg mit der Sowjetunion zu wagen. Nichts spricht dafür, daß dies morgen anders sein wird.

Die meisten Völker Europas haben schlimmere Kriegserfahrungen hinter sich als die Bewohner Nordamerikas, welche seit Generationen keine fremden Truppen auf dem Boden einer zerstörten Heimat erlebt haben. Deshalb verlangen die Europäer nach Ausgleich, Verständigung, Gleichgewicht, nach Friedenssicherung durch vertraglich geregelte Rüstungsbegrenzung. Sie sind durchaus nicht bereit, sich militärisch überwältigen zu lassen. Selbst die Polen würden das geringe Maß ihrer Selbstbestimmung gegen einen westlichen Angriff mit nationalem Enthusiasmus verteidigen; ebenso würden die Bürger der Bundesrepublik ihr Land gegen einen Angriff aus dem Osten verteidigen. Aber sie alle – auch die Bürger der DDR – wollen weder durch die eine noch durch die andere Weltmacht in das Risiko eines Krieges oder auch nur in ernsthafte politische Konflikte mit ihren Nachbarn hineingetrieben oder -gezogen werden. Das ist nicht Feigheit oder »appeasement«, sondern diese Haltung entspringt der geschichtlichen Erfahrung, der politischen Vernunft – und dem sittlichen Empfinden.

Die Konsequenzen dieser Ratio sind bitter für die Völker Europas, besonders bitter für die, welche sich nach Freiheit und nach Demokratie sehnen. Die Sowjetrussen setzen sich, ihrer jahrhundertelangen Tradition gemäß, ohne große Skrupel über die Freiheitssehnsucht von Millionen Menschen in ihrem Machtbereich hinweg. Die Amerikaner können es sich nicht leisten, den Friedenswillen der Menschen im östlichen wie im westlichen Teil Mitteleuropas geringzuachten; das würde ihre eigene Empörung über die Unterdrückung des Menschen im östlichen Teil desavouieren. Aber das schreckliche, unlösbar tragische Dilemma, sich sittlich zum Eingreifen gedrängt zu wissen, politisch aber nichts Wesentliches tun zu können, muß ertragen werden. Es ist sehr schwierig, dies einem auf einfache Formeln und Lösungen eingestellten Fernsehpublikum klarzumachen.

James Reston hat 1986 in einem Vortrag über die Rolle der Massenmedien in der amerikanischen Außenpolitik gesagt, die Medien seien nicht nur Mitspieler; unglücklicherweise bestehe die Gefahr, daß sie selbst und ihr Betrieb an die Stelle von Diplomatie und Außenpolitik träten. Dies sei freilich keine Rolle, welche die Medien tatsächlich ausfüllen könnten. Besonders das Fernsehen beeinflusse in immer stärkerer Weise das Verhalten der Politiker und der Regierungen der USA. Reston konstatierte eine »Allianz« zwischen Regierung und Medien; dabei sei aber das Gewicht gefährlich, welches die Politiker auf ihre Fernsehauftritte legten: Sie irrten sich, »wenn sie glauben, tatsächlich das zu sein, was sie in Wahrheit für die Öffentlichkeit bloß darstellen«. Umgekehrt warnte Reston die Medien: »Weil wir Medienleute meistens nicht wirklich wissen, was die Regierung tut, sind die Versuchungen zur Manipulation der öffentlichen Meinung grenzenlos.« Das Auge der Kamera mache eben einen ungeheuren Eindruck auf die öffentliche Meinung und auf die Politiker. Restons Vortrag endete beruhigend: Die amerikanische Presse sei heute besser informiert, weniger parteiisch, aber verantwortungsbewußter als jemals zuvor. Zwar habe er Sorgen wegen des Einflusses des Fernsehens auf die Politik; aber er sei getröstet durch den Gedanken, daß von allem, was wir seit dem Zweiten Weltkrieg befürchtet hätten, das allermeiste niemals eingetreten sei.

Ich verstehe Restons Ironie. Ich selbst bin allerdings weniger skeptisch hinsichtlich des politischen Einflußes des Fernsehens als vielmehr hinsichtlich der freiwilligen Unterwerfung der Politiker unter die Fernsehdramaturgie.

Versuchung zur »économie dominante«

Wenngleich das Bewußtsein der Notwendigkeit gemeinsamer Strategie und gemeinsamen Handelns auch zu Zeiten Carters und Reagans auf beiden Seiten des Atlantik nicht verlorenging, so wurde diese Erkenntnis in der Praxis Washingtons doch immer mehr vernachlässigt. Die Lücke konnte nur teilweise und nur vorübergehend durch die enge Zusammenarbeit zwischen Frankreich und Deutschland gefüllt werden. Die Orientierung, die von dem Tandem Giscard d'Estaing/Schmidt in der zweiten Hälfte der siebziger Jahre innerhalb der Europäischen Gemeinschaft ausging, strahlte ein wenig auch auf den ganzen Westen zurück. Aber mit drei nahezu gleichzeitigen Personenwechseln, im Winter 1981 von Carter zu Reagan, im Frühjahr von Giscard zu Mitterrand sowie im Herbst 1982 von Schmidt zu Kohl, verfiel die Konstellation; sie ist bis heute nicht ersetzt worden.

Auch Reagan war nicht in der Lage, eine kraftvolle Führung des Westens herzustellen. Seine Popularität zu Hause täuschte ihn selbst wie auch die öffentliche Meinung seines Landes über die in Europa – und auch in Deutschland – empfundene Malaise, daß eine klare gemeinsame Gesamtstrategie des Westens tatsächlich nicht vorhanden war. Daß sie fehlte, zeigte sich vornehmlich auf zwei Feldern: zum einen gegenüber der Sowjetunion und zum anderen hinsichtlich der seit 1963 gefährdeten Funktionstüchtigkeit der Weltwirtschaft.

Die ökonomischen Streitigkeiten hatten schon innerhalb weniger Wochen nach Carters Amtsantritt 1977 begonnen. Der neue amerikanische Präsident empfahl uns eine inflatorische Geld- und Haushaltspolitik; zudem verlangte er kategorisch eine Reduzierung unserer privatwirtschaftlichen Exporte von Kernreaktoren, wobei er die Möglichkeit andeutete, daß man der Bundesrepublik, falls sie darauf nicht eingehe, kein angereichertes Uran für ihre eigenen Kernkraftwerke mehr liefern werde. Wir lehnten beide Forderungen ab. Im ersten Falle fügten wir die Warnung hinzu, die von Carter für seine eigene Volkswirtschaft beabsichtigte Ausweitung der Nachfrage würde nur zu einer schnelleren Inflation führen. Im zweiten Falle legten wir unsere eigenen beschäftigungspolitischen Interessen dar und beriefen uns auf das im Artikel 4 des Nichtverbreitungsvertrages verbriefte Recht zur friedlichen Nutzung der Kernenergie. Außerdem wiesen wir darauf hin, daß wir uns sorgfältig an alle auf diesem Felde gültigen internationalen Verträge hielten. Es dauerte längere Zeit, bis Carter schließlich einlenkte.

Hingegen blieb Carters Drängen, Deutschland und Japan sollten durch großzügige »Reflationierung« die Weltwirtschaft wieder in Gang bringen, ein ständiger Punkt seiner Mahnungen an uns. Wir kamen ihm in dieser Frage auf der von mir geleiteten Bonner Weltwirtschaftsgipfelkonferenz im Sommer 1978 schließlich ein Stück entgegen und handelten dafür die Zusage der Freigabe der inneramerikanischen Ölpreise ein, das heißt, bei steigenden Benzin- und Heizölpreisen in den USA mußte die amerikanische Gesamtnachfrage nach Energie auf den Märkten der Welt entsprechend nachlassen. Freilich erlebten wir später, daß Carter das Gegenteil tat, indem er mit öffentlichen Mitteln Öleinfuhren in die USA subventionierte und damit die Rotterdamer Spotpreise für die ganze Welt nach oben trieb; die zweite Ölpreisexplosion durch die OPEC kündigte sich an. Wir Deutschen waren übrigens mit richtigem Beispiel vorangegangen und hatten die Ölpreise voll auf die Verbraucher durchschlagen lassen; in der Folge erzielten wir eine wesentliche Öleinsparung durch Industrie und Konsumenten.

In der Bundesrepublik erfolgte die allgemeine Nachfrageausweitung nach dem Gipfel 1978 auf dem Wege von Steuersenkungen und Investitionsprogrammen, welche, auf das Jahr gerechnet, etwa ein Prozent unseres Sozialproduktes ausmachen sollten. Carter sagte mir Ende November 1978, seine Steuersenkungen vom Jahresanfang 1978 hätten gleichfalls etwa ein Prozent des Bruttosozialprodukts ausgemacht. Diesen Hinweis verband er aber mit der Feststellung, nunmehr (also *nach* den Kongreßwahlen Anfang November 1978) sei die Inflationsbekämpfung sein Hauptproblem; deshalb wolle er das Haushaltsdefizit für das am 1. Oktober 1979 beginnende Haushaltsjahr um die Hälfte verringern. Ich dachte an das plattdeutsche Sprichwort »Rin in de Kartüffeln, rut ut de Kartüffeln!« und wünschte ihm Erfolg; denn die amerikanische Inflation gefährdete die Stabilität vieler Staaten. Zehn Tage danach besuchte mich der amerikanische Präsidentschaftskandidat Ronald Reagan; er führte Carters Antiinflationsprogramm auf den Druck der Republikanischen Partei zurück.

Schon im Spätsommer 1979 stellte sich heraus, daß die Carter-Administration außerstande war, die grundlegenden Faktoren der Entwicklung der eigenen Volkswirtschaft in ähnlichem Ausmaß in den Griff zu bekommen, wie dies im kontinentalen Europa weitgehend erreicht war. Die Talfahrt des Dollarwechselkurses war jetzt im vollen Gange. Washington drängte uns, die deutsche Bundesbank möge in höherem Maße mit DM intervenieren, um Dollars aus dem Markt zu nehmen. Wir konnten dem Ersuchen aber nur in begrenztem Umfang folgen, weil wir das Inflationsrisiko im eigenen Lande ernst nahmen; jede zur Stützung des Dollar ausgegebene DM blähte die deutsche Geldmenge auf. Zum Ausgleich solcher DM-Aufblähung wäre eine deutsche Hochzinspolitik nötig geworden, diese wiederum hätte die Konjunktur insgesamt gedämpft und die Arbeitslosigkeit vermehrt. Ich war einverstanden mit einer vorsichtigen deutschen Kooperation, riet aber gleichzeitig zu amerikanischen Goldverkäufen, um den Dollarkurs zu stützen, und zu höheren Zinsen in den USA, wo der reale Zinsfuß damals bei Null lag.

Ende September 1979 traf ich, gemeinsam mit Finanzminister Matthöfer und Bundesbankpräsident Emminger, im Hamburger Übersee-Club mit dem an Stelle von Michael Blumenthal neuernannten amerikanischen Finanzminister William Miller, seinem Stellvertreter Anthony Solomon und dem Präsidenten des Federal Reserve Board, Paul Volcker, zusammen. Volcker und Solomon sind vorzügliche Fachleute; deshalb taten sie mir innerlich leid, als sie keine durchschlagende Antwort wußten auf meine nüchterne Feststellung, man könne letzten Endes mit Deviseninterventionen das politische Vertrauen der Marktteilnehmer in die wirtschaftliche Entwicklung der USA nicht wiederherstellen. Wie immer in solchen Fällen informierte ich umgehend Giscard d'Estaing und sagte ihm:»Die Amerikaner wollen abermals Währungskredite in DM von uns, um damit den Dollar zu stützen. Ich glaube, ich muß ein wenig nachgeben. Aber die Amerikaner müssen selbst etwas tun, in Sachen höherer Zinsen und all dem. Washington muß sein Haus selbst in Ordnung bringen, wenn es uns auffordert, Amerika zu helfen.« Giscard war ähnlicher Meinung und vertrat sie auch öffentlich. Tatsächlich war die Carter-Administration jedoch nicht in der Lage, ihr eigenes Haus wieder in Ordnung zu bringen. Im Gegenteil, die Inflation stieg schnell, ebenso die Arbeitslosigkeit; das angestrebte Wachstum aber war gering. Der Dollar, der zu Beginn der Carter-Administration bei 2,90 DM gestanden hatte, war im Januar 1980 nur noch 1,71 DM wert.

Auch die Reagan-Administration hat später nicht vermocht, die Haushalts- und Geldpolitik der USA auf verläßliche Grundlagen zu stellen. Allerdings gelang Reagan ein kolossaler Konjunkturaufschwung mit Hilfe einer ökonomischen Politik, die zunächst zwar»supply side economics« (Angebotspolitik) genannt wurde, sich in Wahrheit aber als eine Politik staatlicher Nachfrageausweitung durch schnell wachsende Haushaltsdefizite erwies, wie sie in dieser Größenordnung seit den dreißiger Jahren in der ganzen industriellen Welt nicht mehr vorgekommen war.

Während Carter seine haushaltspolitischen Versprechungen nicht erfüllen konnte, hat Reagan die seinen, die noch weiter gin-

Die sogenannten Welt-
wirtschaftsgipfel, 1975 in
Helsinki zwischen Ford,
Giscard d'Estaing,
Wilson und Schmidt erst-
mals verabredet, ermög-
lichen einen relativ
zwanglosen Meinungs-
austausch und haben
schon deshalb einen
hohen politischen Wert.
Aufnahmen vom Tokio-
Gipfel 1979; auf dem
unteren Bild rechts Bun-
desfinanzminister Matt-
höfer.

gen, durch seine tatsächliche Handhabung der ökonomischen Politik sogar in das krasse Gegenteil verkehrt. Carter wurde für seinen Fehlschlag noch während seiner vierjährigen Amtszeit innenpolitisch bestraft; dagegen mag es sein, daß der ökonomische Fehlschlag Reagans der amerikanischen Öffentlichkeit erst nach seiner zweiten Amtszeit bewußt wird. Carter war eben nicht mit Glück gesegnet.

Sowohl die Carter- als auch die Reagan-Administration handelten nach der bequemen Maxime, immer dann, wenn das amerikanische Publikum die unzureichenden Ergebnisse der eigenen ökonomischen Politik spürte, Japan und Deutschland (manchmal auch die gesamte Europäische Gemeinschaft) zu Sündenböcken zu stempeln. Die Aufforderung, als »Lokomotive« der Weltwirtschaft zu agieren, haben wir in Tokio und in Bonn viele Male gehört, wenngleich die Wortwahl sich bisweilen unterschied; ebensooft wurde Japan genötigt, seine Exporte in die USA durch administrative Eingriffe selbst zu beschränken.

Immer wenn die USA mit Enthusiasmus ein neues ökonomisches Experiment auf den Weg brachten, forderte ihre Administration die übrigen Industriestaaten der Welt auf, ihrem Beispiel zu folgen. So geschah es Anfang der siebziger Jahre bei der Preisgabe des Systems fester (aber anpaßbarer) Wechselkurse à la Bretton Woods, dann in der zweiten Hälfte der siebziger Jahre mit der Einführung des Carterschen Keynesianismus und abermals Anfang der achtziger Jahre mit Reagans »supply side economics« genanntem Keynesianismus. In allen diesen Fällen wurden wir zunächst aufgefordert, dem angeblich guten Beispiel der USA zu folgen. Aber jedesmal wurden wir einige Zeit später noch dringlicher aufgefordert, uns tatkräftig an der Reparatur der eingetretenen Fehlentwicklung der Weltwirtschaft zu beteiligen und dabei das Zugpferd abzugeben. Die Lokomotivtheorie ist inzwischen zu einer Seeschlange à la Loch Ness geworden; sie taucht immer wieder auf. Dem ersten optimistischen Appell zum Aufbruch folgte stets ein zweiter Appell zum Kurswechsel und zur Hilfestellung durch die anderen Industriestaaten, wobei deren eigene ökonomische Interessen übersehen wurden. Der dritte Akt bestand dann in einer dramatischen Zuspitzung der Interessenkonflikte; diese konnten im vierten und letzten Akt nicht wirklich gelöst werden, sie wurden mehr oder minder mit bloßen Absichtserklärungen überklebt.

Der amerikanische Enthusiasmus während des jeweils ersten Aktes riß jedesmal auch einige deutsche Wirtschaftsexperten mit. Im Falle der Wechselkursfreigabe waren es einige Ökonomieprofessoren, die gern das gleiche Boot bestiegen und mit Hilfe wissenschaftlicher Theoreme die Segel mit Wind zu füllen

Entwicklung des US-Dollarkurses

(Kassa-Mittelkurse in Mark)

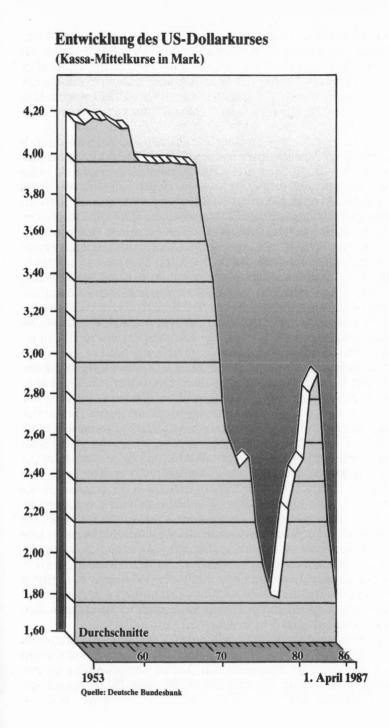

Durchschnitte

1953   1. April 1987

Quelle: Deutsche Bundesbank

trachteten. Erst als sie nach einigen Jahren merkten, daß der Wegfall der Wechselkurs- und Zahlungsbilanzdisziplin den Regierenden vieler Staaten gleichzeitig die Hände freigab für eine inflationäre Haushalts- und Geldpolitik, steckten sie zurück. Im Falle des von Carter bewußt herbeigeführten Deficit-spending zollten bei uns manche Gewerkschaftsführer und viele Köpfe der politischen Linken Beifall; man verlangte von der Bundesregierung, sie solle mit großen, über drastische Ausweitung des Haushaltsdefizits zu finanzierenden Investitions- und Beschäftigungsprogrammen dem Defizitbeispiel der USA folgen. Im Falle der Reaganschen »Angebotspolitik« waren es vor allem die deutsche Industrie, die politische Rechte und die FDP sowie das Bundeswirtschaftsministerium und sein Chef Graf Lambsdorff, die darauf drängten, dem amerikanischen Steuersenkungsbeispiel zu folgen. Erst spät erkannten sie, daß es sich bei »Reaganomics« im Kern um eine Neuauflage des alten inflatorischen Deficit-spending handelte, wenn auch in neuartiger und attraktiverer Gewandung; während sie 1981 von Steuersenkungen in Deutschland träumten, die denen Reagans vergleichbar sein sollten, fingen sie Anfang 1982 an, mit Nachdruck eine sozialpolitisch und innenpolitisch riskante Verringerung des relativ geringen deutschen Haushaltsdefizits zu verlangen.

Tatsächlich hat die Bundesrepublik seit Beginn der Strukturkrise im Bereich der monetären und güterwirtschaftlichen Funktionen der Weltwirtschaft versucht, einen Kurs des mittleren Weges zu steuern. Gemeinsam mit Japan gehört Deutschland (wie auch Holland und einige andere Staaten) zu den am stärksten vom Auf und Ab und von der chaotischen Unordnung der Weltwirtschaft betroffenen Ländern. Wir haben beide so gut wie kein eigenes Erdöl; die USA und England sind in hohem Grade Selbstversorger, Frankreich steht eine weit ausgebaute Kernenergie zur Verfügung. Japan und Deutschland sind aber nicht nur auf Energieeinfuhr angewiesen und haben deren Preisschwankungen zu ertragen, sondern sie sind überhaupt – auch wegen des Fehlens nennenswerter eigener Rohstoffvorkommen – mit ihrer ganzen Volkswirtschaft in hohem Maße in die Weltwirtschaft integriert. Verglichen mit den USA geht ein anderthalb bis doppelt so hoher Anteil des japanischen Sozialproduktes in den Export, im deutschen Falle ist der Exportanteil drei- bis viermal so groß wie in den USA.

Es war den Regierungen in Tokio wie in Bonn gleichermaßen klar, daß sie auf beide Ölpreisschocks, die innerhalb ihrer Volkswirtschaften eine drastische Kaufkraftabschöpfung bewirkten, zunächst mit einer binnenwirtschaftlichen Nachfrageausweitung und mit einer außenwirtschaftlichen Verschuldung (Japan nach 1973, Deutschland nach 1979) antworten mußten, um ihre Volkswirtschaften funktionstüchtig und den unvermeidlichen Beschäftigungsabfall in Grenzen zu halten. Beide Regierungen haben aber gleicherweise darauf geachtet, danach eine budgetäre Konsolidierung einzuleiten. Japan war dabei beschäftigungspolitisch erfolgreicher als Deutschland. Dafür waren vor allem zwei Gründe maßgebend: Zum einen waren die Japaner insgesamt viel genügsamer, sie verzichteten freiwillig auf den dringend benötigten Ausbau ihrer unzureichenden Sozialversicherung und auf angemessene Wohnbedingungen; ihre Gewerkschaften waren weithin einflußlos und blieben zudem in ihren Lohnforderungen sehr bescheiden; die aufeinanderfolgenden Rechtsregierungen der Liberal-Demokratischen Partei (LDP) hatten es weder nötig noch waren sie willens, auf die Gewerkschaften Rücksicht zu nehmen. Zum anderen war und ist die japanische Volkswirtschaft binnenwirtschaftlich im höchsten Maße eine staatlich beeinflußte Marktwirtschaft; wenn man Vergleiche mit den USA, mit England, Frankreich, Italien, Kanada oder Deutschland zieht, hat das Tokioter Ministerium für Außenhandel und Industrie (MITI) ganz ungewöhnliche Interventionsrechte, die von den Unternehmungen akzeptiert werden. Die japanische Regierung interveniert leise, aber höchst wirksam.

Freilich haben die japanischen Regierungen und das MITI die Sache übertrieben; sie haben aus merkantilistischer Gesinnung im Laufe der achtziger Jahre ungeheure Überschüsse ihrer Leistungsbilanz gegenüber dem Rest der Welt erwirtschaftet. Im Ergebnis verzichteten die Japaner auf einen durchaus möglichen Zuwachs an Lebensstandard zugunsten eines Zuwachses an ausländischen Schuldverschreibungen und an Investitionen im Ausland. Japan wurde im Laufe der achtziger Jahre zum größten Kapitalexporteur der Welt. Die ständig wiederholten amerikanischen Anklagen waren also vorhersehbar, wenngleich die amerikanische Regierung dazu wenig Anlaß hatte; denn sie hatte ihren Kapitalimportbedarf selbst verschuldet, und ihr Beitrag zur Fehllenkung der Handels- und Finanzströme der Welt war doppelt so groß wie in umgekehrter Richtung der japanische.

England war unter Callaghan zunächst vorsichtig der Carterschen Linie gefolgt; von 1979 an kam es unter Margaret Thatcher zu einem härteren budgetären Kurs, der mit einer »monetaristisch« begründeten Geldpolitik einherging. Ministerpräsidentin Thatcher ließ sich weder von Carters noch von Reagans Enthusiasmus täuschen; weder in der einen noch in der anderen Verkleidung dachte sie daran, in willentlich ausgelösten zusätzlichen Haushaltsdefiziten das Heil der britischen Volkswirtschaft zu suchen. Da aber gleichwohl ihre ökonomische Politik nicht sonderlich erfolgreich war, blieb sie von amerikanischen Belästigungen verschont. England konnte es sich deshalb immer leisten, Washington ein wenig nach dem Munde zu reden, ohne tatsächlich auf den jeweiligen Kurs des Weißen Hauses einzuschwenken.

Die Gründe für den relativ geringen Erfolg der Londoner Wirtschaftspolitik liegen in der vornehmen, aber recht undynamischen Mentalität des industriellen Managements und in den aus dem 19. Jahrhundert mitgeschleppten Klassenkampfattitüden sowohl der Gewerkschaften und ihrer Anhänger einschließlich der Labour-Partei als auch des industriellen Managements, der Oberklassen und der Konservativen Partei. Die Folge waren – und sind immer noch – eine vergleichsweise geringe industrielle Innovation und ein relativ geringer Produktivitätsfortschritt. Allerdings bildet die Bank- und Finanzwelt Londons, die sogenannte City, eine wichtige Ausnahme von der allgemeinen Regel. Insgesamt konnten wir weder vom britischen Beispiel viel lernen, noch konnten wir von London Hilfe gegen amerikanische Zumutungen erwarten. Anders war es immer dann, wenn Washington aus außenpolitischen Gründen handelspolitische Restriktionsmaßnahmen verlangte; in diesen Fällen lief das traditionelle englische Bekenntnis zum Freihandel parallel mit Bonner Interessen.

Frankreichs Tradition war nie freihändlerisch gesinnt, sondern seit Ludwig XIV. merkantilistisch orientiert. Dennoch verfolgten Giscard d'Estaing und ich ökonomisch meist die gleiche Linie, auch gegenüber den USA. Diese weitgehende ökonomische Übereinstimmung endete mit dem Amtsantritt Mitterrands. Er verband drei – verschiedenen historischen Wurzeln entstammende – Ideologien zu einem Gesamtkonzept, nämlich erstens, budgetären Keynesianismus; zweitens auf Verstaatlichung und zugleich auf Wohlfahrtsstaat hinauslaufenden Sozialismus; und drittens handelspolitischen Colbertismus. Das binnenwirtschaftliche Ergebnis der Mitterrandschen Politik war Inflationsbeschleunigung; ihre außenwirtschaftliche Konsequenz führte zu einem schnellen Verfall des Francwechselkurses. Die bald notwendig werdende Korrektur dieser Wirtschaftspolitik erhöhte die französische Arbeitslosigkeit. Um so empfindlicher reagierte Mitterrand auf handelspolitische Bevormundungsversuche durch Reagan.

Im Juni 1982 führte der Weltwirtschaftsgipfel in Versailles infolgedessen zu einem frontalen Zusammenstoß der beiden Präsidenten. Das wenige Tage nach Versailles von Reagan verhängte sogenannte Röhrenembargo (ein irreführendes Wort, denn tatsächlich handelte es sich nur um Zulieferung einiger Pumpen) verschärfte die Situation, bis es zu bösartigen Polemiken auf allen Seiten kam. Reagans »Kreuzzug gegen den Osthandel«, wie er von einigen europäischen Zeitungen genannt wurde, machte sich vor dem amerikanischen Fernsehpublikum gewiß gut, denn für Laien war das ein leicht verständliches Konzept. Für die Sowjetunion bedeutete es nur eine Politik der Nadelstiche; den europäischen Bündnispartnern hingegen erschien dieses Konzept als Versuch, ihre Souveränität zu untergraben und die USA zum wirtschaftspolitischen Kommandeur der westlichen Welt zu machen. In den französischen Medien wurde damals ein auf die USA gemünzter Begriff populär: »économie dominante«, das will sagen: die USA als beherrschende Volkswirtschaft. Ein amerikanischer Politologe sprach ähnlich von einer »imperious economy«.

Nicht nur in Frankreich begegnete diese Vorstellung heftigem Widerspruch; auch in der übrigen westlichen Welt, von Canberra und Tokio über Ottawa bis nach Europa gab es keine Regierung, die bereit war, eine ökonomische De-facto-Souveränität der USA hinzunehmen. Zwar war uns allen die kraftvolle Präsidentschaft Reagans durchaus glaubwürdiger als die vorangegangene Ära Carters. Aber gerade auf ökonomischem Felde konnte Reagan weder Glaubwürdigkeit noch Legitimation erwerben.

Schon ein Jahr zuvor, im Sommer 1981, als sich abzeichnete, daß Reagan zwar relativ leicht seine großen Steuersenkungen durchsetzen konnte, keineswegs aber die dafür notwendigen Kürzungen der Haushaltsausgaben, als er noch dazu seine Verteidigungsausgaben in unerhörter Weise steigerte, konnte jeder unbeteiligte Beobachter ohne Risiko eine Prognose steigender Staatsverschuldung, steigender Handelsbilanzdefizite und fallender Dollarwechselkurse abgeben (die beiden letzten Folgen traten erst mit ziemlicher Verspätung ein). Die Administration jedoch leugnete diese Zwangsläufigkeit. Man hatte dafür in einem gewissen Professor Laffer einen fabelhaften Eideshelfer gefunden; er bewies mit Hilfe einer von ihm erfundenen Kurve (»Laffer-curve«), daß Ausgabensenkung gar nicht nötig war, weil niedrigere Steuersätze angeblich zu höheren Einnahmen des Staates führen würden. Noch im Januar 1982 behauptete Finanzminister Donald Regan mir gegenüber, die von mir genannten Staatsdefizite in Größenordnungen von hundert Milliarden Dollar pro Jahr würden keineswegs eintreten; tatsächlich hat das amerikanische Staatsdefizit noch im selben Jahr hundert Milliarden Dollar weit überschritten, und in den nächsten Jahren stieg es schnell auf rund zweihundert Milliarden Dollar jährlich.

Die Budgetdefizite überforderten die amerikanische Ersparnisbildung und die Leistungsfähigkeit der amerikanischen Finanzmärkte bei weitem und lösten – bei nunmehr hohen Zinsen – einen unerhörten Kapitalimport aus. Daher sind heute und auf absehbare Zeit die USA der bei weitem größte internationale Schuldner (und zwar selbst unter Abzug aller amerikanischen Auslandsinvestitionen und -forderungen). Der recht lange anhaltende ökonomische Anfangserfolg und die durch Reagan bewirkte Wiedergeburt des typisch amerikanischen, optimistischen Selbstbewußtseins führten den Dollar zunächst auf Höhen, die er zuletzt 1970 gehabt hatte. Am 26. Februar 1985 stand der Dollar auf 3,47 DM. Aber Mitte 1987 war er – wie voraussehbar – auf 1,80 DM zurückgefallen. Die wichtigste Währung der Welt ist zur Wetterfahne geworden.

Soweit ich sehen konnte, hatte es in den USA einige wenige Warner gegeben; dazu gehörten der Chairman des Council of Economic Advisers, Martin Feldstein, Arthur Burns (der neben seinem Botschafteramt in Bonn zugleich zu den Wirtschaftsberatern des Präsidenten gehörte) und vor allem Paul Volcker. Volcker war der einzige, dessen Argumentation nicht nur auf die vorhersehbaren Folgen für die USA, sondern auch auf die Konsequenzen für die Weltwirtschaft hinwies. Aber diese Stimmen gingen genauso unter wie diejenigen der europäischen Kritiker. Vielmehr ließen sich Administration und Kongreß von einem Chor des Lobgesanges auf die neue ökonomische Politik täuschen. Der Chor umfaßte den Nobelpreisträger Milton Friedman und andere Professoren ebenso wie die für die Finanz- und Haushaltspolitik verantwortlichen Kabinettsmitglieder Minister Regan und Haushaltsdirektor Stockman; Senatoren und Kongreßabgeordnete trugen das Ihre zur Verbreitung dieser allgemeinen Euphorie bei. Bis tief in das Jahr 1984 hielt sie an; denn zu meiner und manch anderer Kritiker Verblüffung kam es im Laufe des Jahres 1982, ohne daß eine Finanzkrise eintrat, tatsächlich zur Überwindung der Wachstumsrezession und zu einem mehrere Jahre anhaltenden, großen Beschäftigungsboom der USA. Zwar stiegen Staatsverschuldung und reale Zinssätze wie erwartet, desgleichen die Defizite in der Leistungsbilanz gegenüber dem Rest der Welt. Aber die Welt war zunächst durchaus bereit, den USA in hohem Maße Ersparnisse, Kredite und Kapital zur Verfügung zu stellen.

Eine Reihe von Faktoren wirkten zugunsten der USA, nämlich verstärkte Kapitalflucht aus Mittel- und Südamerika und die weltweite Unsicherheit über die Zukunft des Friedens (israelischer Einmarsch in den Libanon, Krieg zwischen Iran und Irak, amerikanische Drohungen gegen Libyen 1981, der Falklandkrieg zwischen England und Argentinien 1982, vor allem ein verbal sich zuspitzender Kalter Krieg zwischen den USA und der Sowjetunion). Die steigende weltpolitische Ungewißheit ließ eine Kapitalanlage in den USA als sichere Zuflucht erscheinen. Dazu kamen die relativ hohen amerikanischen realen Zinsen; kurz vor dem Versailler Gipfel lag der reale Zins (der Zins nach Abzug der Inflationsrate) in den USA für langfristige Anleihen bei 5,6 Prozent, in Deutschland dagegen nur bei 3,3 Prozent. Der Zustrom fremder Gelder, die zwecks Anlage in den USA in Dollar umgetauscht werden mußten, führte zu einer erheblichen Dollarnachfrage und damit zu einem Anstieg des Dollarwechselkurses, und die Hoffnung auf weitere Kursgewinne zog abermals ausländische Ersparnisse an. Die USA konnten also zunächst scheinbar mühelos ihre schnell steigenden Leistungsbilanzdefizite finanzieren.

Vor allem aber entfaltete sich binnenwirtschaftlich der Keynessche Beschäftigungsmultiplikator, und die Arbeitslosigkeit sank deutlich. Zwar wurden die traditionellen Industrien im Osten und im mittleren Westen der USA von diesem Aufschwung nur schwach erfaßt; aber die neuen Technologien, weitgehend im Süden und vornehmlich im Westen angesiedelt, sowie eine erstaunliche Mobilität und lohnpolitische Zurückhaltung der amerikanischen Arbeitnehmer trugen ebenso zu dem anhaltenden Aufschwung bei wie das durch Reagan geschaffene neue Selbstbewußtsein und das Zukunftsvertrauen der amerikanischen Unternehmerschaft.

Die europäischen Kritiker und unter ihnen auch ich hatten zwar einen amerikanischen Nachfrageaufschwung erwartet, gleichzeitig aber hatten wir eine relativ enge Geldversorgungspolitik durch die amerikanische Zentralbank unter Paul Volcker unterstellt. Keiner von uns hatte vorausgesehen, daß das Ausland die Finanzierungslücke in so hohem Maße ausfüllen würde. Mitte der achtziger Jahre verbrauchte der amerikanische Bundeshaushalt etwa ein Zehntel der gesamten Ersparnisse der ganzen Welt! Angesichts dieser scheinbar überaus günstigen amerikanischen Wirtschaftsentwicklung stießen die europäischen Warnungen in Washington weithin auf Unverständnis.

Volckers harte Geldpolitik hatte die Inflationserwartungen merklich gedämpft; Präsident Reagan aber hielt die Inflationsreduzierung für einen Erfolg seiner Angebotspolitik. Er sagte mir nach einem Hinweis auf die hohen Zinsen in den USA: »Die Ursache dafür liegt bei den Banken in Wall Street; die wollen einfach nicht glauben, daß wir die Inflation besiegt haben.« Daß die amerikanischen Hochzinsen in anderen Teilen der Welt zur Unterlassung von wachstums- und beschäftigungspolitisch notwendigen Investitionen führten, leuchtete ihm genausowenig ein wie die Gefahr, daß die gewaltig anwachsende Zinslast der hoch an das Ausland – und vor allem an die USA – verschuldeten Staaten von Mexiko und Brasilien über Nigeria bis Polen bedeutende Schuldnerstaaten dazu zwingen könnte, die Zahlungsunfähigkeit zu erklären. Das Zinsproblem und seine Auswirkungen auf die Weltwirtschaft interessierte die Reagan-Administration bis Ende 1984 nicht sonderlich.

Meine Sorgen in den Jahren 1981 und 1982 wurden von Burns, Volcker und Kirkland zwar weitgehend geteilt, wobei Burns etwas optimistischer war; aber das Weiße Haus und das Finanzministerium ließen sich nicht beirren. Ihnen war bis Anfang 1985 auch der ansteigende Dollarwechselkurs gleichgültig, der die amerikanischen Waren für die ganze Welt empfindlich verteuerte und deshalb die amerikanische Industrie einen Teil ihrer Auslandsmärkte verlieren lassen mußte. Dieser Kursanstieg mußte aber in absehbarer Zeit des entstehenden Handelsdefizits wegen zusammenbrechen. Das Finanzministerium unter Regan verweigerte Volcker selbst geringfügige Währungsinterventionen, die zur Vermeidung kurzfristiger erratischer Wechselkursschwankungen und zur Gewährleistung ordentlicher Marktabläufe dringend erwünscht waren.

Erst im Laufe des Jahres 1985 wachte man auf, nachdem James Baker an die Stelle von Donald Regan getreten war; aber inzwischen hatte das Wachstum der amerikanischen Volkswirtschaft deutlich nachgelassen. Nun war es fast zu spät. Von Februar 1985 an ging der Dollarkurs schnell zurück; er lag im Frühjahr 1987 fast wieder auf dem gleichen Tiefpunkt, den er schon einmal unter Carter erreicht hatte. Eine rasche Gesundung der amerikanischen Handels- und Leistungsbilanz war nun nicht mehr zu erwarten. Deshalb tauchte 1985 und 1986 abermals die Seeschlange der Lokomotivtheorie auf; Reagan persönlich forderte im Sommer 1986 von allen Partnern der USA Steuersenkungen. Er selbst und der Kongreß waren gerade mit einem tiefgreifenden Umbau des amerikanischen Steuersystems befaßt, der allerdings den schweren Fehler hatte, daß er nach erklärter Absicht keinen einzigen Dollar zusätzlich in die defizitäre amerikanische Staatskasse fließen ließ.

Die Forderung Reagans richtete sich vor allem an Japan und Deutschland; zwar besaß er wegen der eigenen ökonomischen Politik der USA dazu keine politische Legitimation, aber jetzt, da die mühelosen Exportzuwächse in Richtung USA zu Ende gehen würden, lag es im eigenen Interesse Japans und Deutschlands (auch Hollands und anderer bisheriger Überschußländer), durch Lockerung sowohl ihrer Haushalts- als auch ihrer Geldpolitik für binnenwirtschaftliches Wachstum zu sorgen. Aber die Regierungen beider Länder, geschockt durch das schlechte budgetäre Beispiel der USA seit 1981, waren inzwischen von einer übertriebenen Sparideologie befallen. Sie hatten überdies noch immer kein Vertrauen in die Kontinuität der amerikanischen Wirtschaftspolitik, zumal sie auf den Märkten für Textilien, Agrarprodukte, Stahl, Röhren, Autos, Telekommunikation und so weiter den egoistischen Herrschaftswillen der »économie dominante« und den amerikanischen Eventualvorsatz zum Regelverstoß bitter erfahren hatten.

Seit dem Vietnamkrieg und der Preisgabe des Weltwährungssystems von Bretton Woods haben die USA die wirtschaftspolitische Führungsrolle in der Welt verloren. Sie waren nicht in der Lage, die Chance der alljährlichen Weltwirtschaftsgipfel (oder der alljährlichen IMF-Tagungen) zur Rückgewinnung der Führung zu nutzen, weil sie kein Konzept entwickeln konnten; so hatten die Weltwirtschaftsgipfel lediglich den recht begrenzten Erfolg, noch Schlimmeres verhütet zu haben. Aber auch die Europäische Gemeinschaft hat nicht vermocht, Führung auszuüben; sie verlor im Zuge ihrer Erweiterung von sechs auf zwölf Mitglieder schrittweise die Fähigkeit zu einer gemeinsamen ökonomischen Willensbildung.

Meine Versuche, 1981 und 1982 meinen amerikanischen Freunden ein Gefühl für die weltweiten Auswirkungen des amerikanischen ökonomischen Handelns zu geben, sie zur Einsicht in die destabilisierenden politischen Gefahren europäischer Massenarbeitslosigkeit zu bewegen und ihnen eine konzeptionelle und kooperative ökonomische Führung anzutragen, sind gleichfalls ohne Erfolg geblieben. Nachträglich und im Zusammenhang mit dem Verfall der westlichen Gesamtstrategie nach 1976 betrachtet, war dieses negative Ergebnis nahezu zwangsläufig. Henry Kissinger, inzwischen längst Privatmann, war unter den staatsmännischen Denkern in den USA der einzige, der die Notwendigkeit einer Führung der westlichen Welt auch auf dem Gebiet der Ökonomie erkannte. Wenn man George Shultz 1982 nicht zum Außenminister, sondern statt dessen zum »ökonomischen Zar« der USA gemacht hätte, so wäre dieses leistungsfähige, reiche und mächtige Land vielleicht in der Lage gewesen, an seine große Tradition in der ökonomischen Führung der Welt anzuknüpfen, die mit den Konzeptionen des IMF, der Weltbank, des Marshallplanes oder der handelspolitischen »Kennedy-Runde« im Rahmen des GATT begonnen hatte.

Aber Carter und Reagan handelten ohne große Rücksicht auf ihre Wirtschaftspartner und hatten allein die vermeintlichen wirtschaftlichen Interessen der USA im Auge. Vorübergehende wirtschaftliche Erfolge täuschten sie darüber hinweg, daß das riesige Aggregat der amerikanischen Volkswirtschaft und die überragende Dollarwährung gewaltige Auswirkungen auf die Weltwirtschaft haben. Ihr Vorherrschaftsanspruch war ihnen bewußt, aber die daraus folgende Verantwortung wurde nur im kurzfristigen Eigeninteresse und nur von Fall zu Fall wahrgenommen. Amerika hat noch nicht verstanden, daß rein nationale Wirtschaftsstrategien in der interdependenten Weltwirtschaft von heute ein Anachronismus sind. Wie in der außen- und sicherheitspolitischen Strategie die USA ohne die Kooperation mit ihren Partnern kaum in irgendeiner Ecke der Welt und jedenfalls nicht gegenüber der Sowjetunion erfolgreich sein können, so bedürfen sie auch zu ihrem wirtschaftlichen Wohlbefinden der Zusammenarbeit mit ihren Partnern.

Leider schrumpft die amerikanische Gesamtstrategie gegenwärtig immer mehr auf militärische Rüstungs- und Aufmarschstrategien zusammen. Wenn man in Washington von der Tatsache ausgehen würde, daß die sieben Teilnehmerstaaten der jährlichen Weltwirtschaftsgipfel zusammen weit mehr als die Hälfte des gesamten Sozialproduktes der Welt hervorbringen, so ließe sich eine Gesamtstrategie entwickeln, die auch eine gemeinsame Wirtschaftspolitik umfaßt – zum gemeinsamen Nutzen und zur Festigung des gegenseitigen Vertrauens zwischen den industriellen Demokratien, aber auch zur wirtschaftlichen Entwicklungshilfe und zur Sanierung solcher Elendsgebiete in der Dritten Welt, die sonst kommunistischer Ideologie und sowjetischem Einfluß anheimfallen könnten.

Hilfsbereit, großzügig – und rücksichtslos zugleich

Kurz vor dem Ende meiner Regierung las ich in der Sommerausgabe 1982 von »Foreign Affairs« einen Aufsatz Warren Christophers über das Zusammenspiel und die Spannungen in der auswärtigen Politik zwischen Kongreß und Präsident. Nach vier Jahren Dienst als stellvertretender Außenminister kam er zu einem Diktum, dem ich voll zustimme:»Wir haben bisher das Dilemma nicht lösen können, das in der Notwendigkeit liegt, das Gebot der Demokratie (imperative of democracy) mit der Forderung nach leadership in der Weltpolitik in Einklang zu bringen (reconcile).«Dieser Satz gilt nicht nur für das Verhältnis des amerikanischen Präsidenten, der eine weltweite Führungsrolle spielen will, zum Kongreß, er gilt ebenso für sein Verhältnis zum allgemeinen Medienpublikum.

Die Indiskretion der Inhaber von hohen Ämtern ist in den USA geradezu habituell; auf der anderen Seite steht die oft bedenkenlose Ausschlachtung aller zugänglichen Informationen durch die amerikanischen Medien. Beides macht es für die Administration schwer, komplizierte Situationen vertraulich zu analysieren, das eigene Ziel und mögliche Rückzugslinien vertraulich zu definieren und schließlich das angestrebte Ziel auf dem Wege vertraulicher Diplomatie zu verfolgen. Bonn ist gewiß eine geschwätzige Hauptstadt; aber im Vergleich dazu stellt die Geschwätzigkeit in Washington Rekorde auf. Das ist um so gefährlicher, als es inzwischen zu einer hochgradigen Abhängigkeit des Präsidenten von der durch die Massenmedien erzeugten Stimmung des Landes gekommen ist.

Die Abhängigkeit einer Regierung von der Stimmung des Medienpublikums charakterisiert alle Demokratien; sie ist ein Ausfluß der von demokratischen Verfassungen gewollten Volkssouveränität. Aber stimmungsdemokratische Politik sollte ihre Grenzen haben. Nicht zuletzt deshalb sehen unsere Verfassungen ja eine repräsentative Demokratie vor; sonst gäbe es permanente Volksentscheide. Ich erinnere mich an meine Beschämung, als die SPD-Opposition Mitte der sechziger Jahre einmal den Bundestag aus den Sommerferien holte, weil es dem Boulevardblatt »Bild« gelungen war, wegen einer relativ unerheblichen Postgebührenerhöhung durch die Regierung Erhard eine Massenhysterie zu erzeugen.

Ein anderes warnendes Beispiel war die Reaktion Carters auf die im Herbst 1979 von den Medien breit ausgewalzte Behauptung, die Sowjetunion habe eine zusätzliche »Kampfbrigade« in Kuba installiert. Wenngleich Kuba in der Tat seit langem – wie auch heute noch – beträchtliche militärische Hilfe von der Sowjetunion empfing, so konnte doch keine Rede von der Stationierung einer neuen Brigade sein. Natürlich besaßen die amerikanischen Geheimdienste und damit der Präsident vollen Überblick über die Lage. Aber die Stimmungsmache der Medien zwang Jimmy Carter zu aufwendigen politischen Aktivitäten.

Umgekehrt benutzen selbstbewußte Präsidenten das Fernsehen und sein Publikum, um ihre Politik plausibel, akzeptabel und wenn möglich populär zu machen; das gilt in den USA ebenso wie bei uns – und es gilt keineswegs nur für die Wahlkämpfe, die in den westlichen Industriegesellschaften inzwischen weitgehend zu Fernsehwettkämpfen geworden sind. Natürlich kann ein mit dem Medium Fernsehen souverän umgehender Staatsmann seinerseits Themen vorgeben und Stimmungen erzeugen. Reagan ist darin ein Meister. Aber es kann auf diesem Wege zu einer sich gegenseitig steigernden Wechselwirkung zwischen

Fernsehpublikum und Präsident kommen, die auf eine ganz und gar schädliche Simplifizierung der wirklichen Probleme hinausläuft. Je größer der fernsehpublizistische Erfolg Reagans war, desto unverblümter stellte er seine außen- und sicherheitspolitische Strategie auf die amerikanische Publikumswirkung ab. Sein Eingreifen in Libyen im Herbst 1981 und erneut im Frühjahr 1986, seine Maßnahmen gegen den Libanon, Nicaragua oder Grenada waren deutliche Beispiele dafür; ebenso aber der Verzicht auf eine entschiedene Stellungnahme zu der blutigen südafrikanischen Apartheidspolitik oder seine Abstinenz hinsichtlich Israels Einmarsch im Libanon. Reagan gab der ohnehin stark ausgeprägten amerikanischen Neigung zur Schwarzweißmalerei ohne Bedenken nach; er selbst ist in hohem Maße von solchem Freund-Feind-Denken geprägt. Dies fand und findet seinen stärksten Ausdruck in seiner Politik gegenüber der Sowjetunion.

Als Reagan die Sowjetunion öffentlich das Reich des Bösen (»evil empire«) nannte, sprach aus seinem Munde nicht nur der hochbegabte Populist, sondern auch seine ganz persönliche Sicht der Dinge. Der Erfolg beim amerikanischen Massenpublikum war groß – aber ebenso groß wurden die Sorgen anderer, daß solcher Sprache auch entsprechendes Handeln folgen könnte. Reagan und seine früheren Mitarbeiter Kirkpatrick, Regan, Clark nahmen – und nehmen, wie heute noch Weinberger – auf europäische Besorgnisse wenig Rücksicht, nicht so sehr aus deren Mißachtung als vielmehr aus Unkenntnis Europas. Was in Reagans Augen und in den Augen seines Publikums gut ist für Amerika, das muß zwangsläufig auch gut sein für Europa.

Diese Ansicht prägte seine Einstellung von seinem zweiten Amtsjahr an immer stärker; und immer unverhüllter wurde auch seine Erwartung, das zunächst unpräzis ins Auge gefaßte SDI-Projekt liege im gemeinsamen Interesse der westlichen Allianz und die Partner Washingtons würden den Plänen in dieser Richtung daher sogleich mit Begeisterung zustimmen. Dabei wurde in Washington völlig übersehen, daß vor der Verkündung des SDI-Programms die Verbündeten nicht einmal informiert, geschweige denn befragt worden waren. Auch nachträglich gab es hinsichtlich der Nutzung des Weltraums zur Kriegführung keine gemeinsame Analyse und Entscheidung der Allianz.

Ähnlich stand es mit der noch in meine Regierungszeit fallenden Entscheidung Reagans, die während der Genfer INF-Verhandlungen im Juli 1982 greifbar gewordene Chance eines Abkommens über die Begrenzung der nuklearen eurostrategischen Mittelstreckenwaffen zu verwerfen. Dabei war Washington in allen Phasen der Genfer Gespräche zu engen Konsultationen mit seinen europäischen Verbündeten verpflichtet; das war eine der

Bedingungen gewesen, welche die Europäer im Zuge des Doppelbeschlusses vom Dezember 1979 durchgesetzt hatten. Vor allem die Regierungen Italiens, Hollands, Belgiens und Deutschlands, also jener Länder, die sich für den Fall eines Scheiterns der INF-Verhandlungen verpflichtet hatten, von Dezember 1983 an amerikanische eurostrategische Waffen (nukleare Pershing II) und Marschflugkörper (Cruise Missiles) auf ihrem Territorium zu stationieren, hatten das dringendste Interesse an ständigen Konsultationen. Sie hatten erhebliche innenpolitische Auseinandersetzungen über den Fall der Stationierung durchzustehen, und für den Fall der tatsächlichen Nachrüstung standen ihnen noch wesentlich heftigere Proteste ins Haus. Im entscheidenden Moment mußten diese Regierungen deshalb in der Lage sein, ihren Parlamenten und ihrer Öffentlichkeit mit innerer Überzeugung erklären zu können, daß der Westen alles Zumutbare versucht habe, zu einer Verständigung zu kommen, daß man aber an der Intransigenz der Sowjetunion gescheitert sei. Wichtiger noch war ihr vitales Interesse an der sogenannten Null-Lösung, also an der Beseitigung der sowjetischen SS 20 und einem Verzicht auf deren amerikanisches Gegenstück, Pershing II und Cruise Missiles.

Diese Null-Lösung – Nitze nannte sie intern die Null-Null-Lösung, um ihre Gleichgewichtigkeit für beide Seiten zu betonen – hatten wir in Bonn konzipiert; ich hatte sie erstmals im Dezember 1979 und dann mehrfach öffentlich vorgetragen. Reagan hatte sie sich 1981 öffentlich zu eigen gemacht, wofür ich ihm dankbar war. Die Formel, die Nitze während eines Waldspazierganges mit Kwizinski in Genf entwickelte, wich von dieser optimalen Lösung ab; aber sie hätte eine wesentliche Verringerung der Gefährdung Europas mit sich gebracht, ohne die Gleichgewichtigkeit zu verletzen. Ich selbst hätte sie sofort akzeptiert, wenn ich sie gekannt hätte. Aber auch über den Waldspaziergang wurden weder die Bundesregierung noch die übrigen betroffenen Regierungen Europas unterrichtet oder gar befragt (ob dies auch für die Nuklearmacht England zutraf, die sich für den Fall des Scheiterns der Gespräche gleichfalls zur Stationierung von amerikanischen Cruise Missiles verpflichtet hatte, ist mir nicht bekannt). Statt dessen hörten wir aus Amerika entschiedene Kritik an den Friedensbewegungen, die sich vor allem in Deutschland, Holland und England, hoch emotionalisiert, gegen die Möglichkeit einer Stationierung amerikanischer Raketen und Marschflugkörper zur Wehr setzten. Wiederholt fragte man uns, ob wir denn weiterhin zum Doppelbeschluß stünden, und Washington konstatierte mit Besorgnis, daß meine eigene Partei nur noch höchst widerwillig daran festhielt.

Am 15. September 1982 sah ich mich auf Grund der immer weniger zu verkennenden Zweideutigkeit des Ministers Genscher und wegen öffentlicher Illoyalität des Ministers Lambsdorff gezwungen, die FDP-Minister zu entlassen. Diese waren ihrerseits in ihrem Wunsch nach Koalitionswechsel durch das Nachlassen des sicherheitspolitischen Zusammenhalts der Sozialdemokratie bestärkt worden. Damit war der Sturz der Regierung, der am 1. Oktober erfolgte, unvermeidlich geworden. Aber erst Wochen später erfuhr ich, nunmehr Abgeordneter der Opposition, von der Existenz der sogenannten Nitze-Formel, vom Waldspaziergang und von Washingtons und Moskaus Ablehnung.

Es lag auf der Hand, daß jetzt kaum noch die Wahrscheinlichkeit einer Einigung bestand und daß es bis zum Herbst 1983 nicht mehr zu einem Abkommen kommen würde. Aus der bisherigen Eventuallösung der Stationierung amerikanischer INF in Europa würde aller Voraussicht nach Wirklichkeit werden. Trotz dieser schweren Verletzung ihrer Konsultationspflicht durch die USA habe ich mich – gemeinsam mit einigen grundsatztreuen sozialdemokratischen Freunden – auch nach meinem Ausscheiden aus der Regierung öffentlich für die Stationierung eingesetzt, weil ich die Aufrechterhaltung des Gleichgewichtsprinzips für überragend wichtig hielt. Falls es doch noch – wie es gegenwärtig, im Frühjahr 1987, denkbar erscheint – zu einer beiderseitigen Null-Lösung für das INF-Problem kommen sollte, werden wir uns sehr gerechtfertigt fühlen.

Die amerikanischen Zeitungsmeldungen, aus denen die Verbündeten Washingtons im Herbst 1982 nachträglich über die Vorgänge in Genf aufgeklärt wurden, beruhten nicht auf einer offiziellen Unterrichtung der Presse durch die amerikanische Regierung, sondern auf Indiskretion. Möglicherweise hatte diese das Ziel, die Ablehnung der Nitzeschen Formel durch das Weiße Haus irreversibel zu machen; die ganze Episode sollte in den Augen der amerikanischen öffentlichen Meinung als unwichtig erscheinen, weshalb man gleichzeitig auch die sowjetische Ablehnung des Waldspazierganges durchsickern ließ. Später ging man sogar so weit, die Vermutung nahezulegen, die amerikanische Ablehnung sei erst auf Grund einer vorausgegangenen sowjetischen Ablehnung beschlossen worden. Der tatsächliche Hergang scheint jedoch anders gewesen zu sein. Der nationale Sicherheitsrat im Weißen Haus (NSC) hat sich in Wirklichkeit zweimal mit dem Waldspaziergang befaßt; erst bei der zweiten Sitzung brachte der in der ersten Sitzung abwesende Ministerialdirektor im Pentagon, Richard Perle, die Ablehnung zustande – und zwar ausschließlich aus nationalen militärstrategischen Interessen, wie er und sein Minister Weinberger sie sahen. Heute glaube ich,

334

daß sowohl Weinberger als auch Perle die Pershings II und die Cruise Missiles auf jeden Fall in Europa haben wollten. Davon abgesehen war die Stationierung für manche Leute in der Reagan-Administration inzwischen zu einer Prestigefrage geworden.

Nachdem die Chance des Waldspazierganges vertan worden war, ist es von beiden Seiten zu keinen weiteren ernsthaften Einigungsversuchen bei den Genfer INF-Verhandlungen gekommen; die Stationierung wurde deshalb – der zweiten Hälfte des Doppelbeschlusses entsprechend – Ende 1983 unausweichlich. Allerdings hoffte die sowjetische Führung, mittels einer mit erheblichem Aufwand und großem psychologischem Geschick betriebenen Propagandakampagne die westeuropäischen Friedensbewegungen mobilisieren zu können, um die Stationierung der amerikanischen Pershings II und Cruise Missiles doch noch zu verhindern. Damit scheiterte sie, und die gegen alle Erwartung des Kremls erfolgte Stationierung ist ohne Zweifel ein entscheidender Grund für die späteren Abrüstungsinitiativen Gorbatschows, vor allem für seinen Vorschlag Ende 1986 in Reykjavik. Nicht das SDI-Programm, das die Sowjets unter anderem Namen parallel zu den Amerikanern ja ebenfalls entwickeln, sondern die Tatsache, daß sowjetische Ziele erstmals von in Europa stationierten amerikanischen (»eurostrategischen«) Nuklearwaffen bedroht sind, hat Gorbatschow dazu gebracht, ernsthafte Initiativen zur Rüstungsbegrenzung auf den Tisch zu legen, wobei seine Hoffnungen auf ökonomisches Wachstum sicherlich eine ebenso wichtige Rolle spielten.

Washington neigt zum Unilateralismus – wer auch immer dort regiert. Solange Westeuropa sich nicht zu einem gemeinsamen gesamtstrategischen Entwurf durchringen und diesen geschlossen vertreten kann, wird es immer wieder mit amerikanischen Alleingängen konfrontiert werden. Wenn dann noch die Empörung der amerikanischen Medien hinzukommt, weil die europäischen Regierungen und Parlamente oder die öffentliche Meinung Europas nicht unverzüglich Zustimmung und Beifall bekunden, wird es in Westeuropa auch öfter Stimmungen von »Antiamerikanismus« geben – was die Amerikaner gar nicht verstehen können, weil sie nicht sehen, wie sehr sie selbst Mißtrauen provozieren.

Die amerikanische Politik gegenüber dem Rest der Welt ist geprägt von Idealismus, Romantik und dem Glauben an die eigene Kraft und Größe: Wenn der Rest der Welt den Idealen der Amerikaner und deren Methoden zu ihrer Verwirklichung nicht entspricht, um so schlimmer für den Rest der Welt! Angesichts dieser Einstellung kam es in der amerikanischen Geschichte immer wieder zu zwei entgegengesetzten Konsequenzen: Entweder entschloß sich Amerika, der Welt notfalls mit militärischem Aufwand eine bessere Ordnung zu geben, um Unordnung, Ungerechtigkeit oder Unterdrückung aus der Welt zu schaffen – oder Amerika entschied sich dafür, dem Rest der Welt den Rücken zu kehren und sich auf seinen unermeßlich großen und reichen Kontinent zu konzentrieren, mit anderen Worten: für Isolationismus und Monroedoktrin.

Während des 19. Jahrhunderts hat zumeist der isolationistische Grundtrend überwogen. Im Ersten Weltkrieg kam zum ersten Mal der missionarische Eifer zum Zuge; aber schon 1919 wurde Woodrow Wilsons altruistischer Idealismus gestoppt, und die USA verweigerten sich der Mitgliedschaft in dem von ihm mitbegründeten Völkerbund.

Die Verbrechen Hitlers, sein Griff nach der Weltherrschaft und schließlich der japanische Schlag von Pearl Harbor führten ein zweites Mal zu einer enormen Anstrengung der USA, die Welt in Ordnung zu bringen. Seit 1937 setzte Franklin D. Roosevelt alles daran, sein Land moralisch zu mobilisieren, um es notfalls für den Eintritt in den Krieg gegen Deutschland und Japan reif zu machen; aber die isolationistische Stimmung der Bevölkerung stand gegen jede Einmischung in den fernen Krieg auf einem fernen Kontinent. Schließlich nahmen Berlin und Tokio in größenwahnsinniger Verblendung dem amerikanischen Volke die Entscheidung ab.

Der Ausgang des Zweiten Weltkrieges aber hat die politische Struktur der Welt durchgreifend geändert. In weniger als drei Jahren wurde aus dem kriegsverbündeten Uncle Joe der gefährliche Gegner Stalin. Im Ergebnis ist die amerikanische Politik gegenüber der Sowjetunion während der letzten vierzig Jahre auf »containment« (Eindämmung) hinausgelaufen, ein Wort, das George Kennan kurz nach Ende des Krieges geprägt hatte. Den Amerikanern stellt sich die Struktur der Welt seit den späten vierziger Jahren als eine Konfrontation zweier Führungsmächte dar. Der dem amerikanischen Idealismus innewohnende Hang zu moralischer Schwarzweißmalerei verführt manche Amerikaner dazu, auch alle übrigen Nationen in zwei Kategorien einzuteilen: auf der einen Seite die Schlechten, die bereit sind, sich einer sowjetisch-russischen Führung zu unterwerfen; und andererseits die Guten, die zu Amerika halten. In beiden Fällen ist Amerika insgeheim von seiner eigenen Überlegenheit überzeugt; und mitunter äußert sich dieses nicht nur moralische, sondern auch materielle Superioritätsgefühl auch öffentlich und drastisch.

Die europäischen Völker, die seit Jahrhunderten auf kleinem Raum eng beieinander leben, haben die Folgen der Kriege, die sie jahrhundertelang gegeneinander geführt haben, nicht vergessen; sie wollen zwar eine entschlossene Verteidigung gegen die Übermacht der Sowjetunion, aber sie schrecken vor einer Außenpolitik zurück, die das Risiko eines neuen Krieges in Kauf zu nehmen scheint. Deshalb kommt es immer wieder zu Kontroversen zwischen den europäischen Verbündeten und der Bündnisvormacht USA.

Solange in Washington wie zu Zeiten Trumans, Eisenhowers, Kennedys und dann erneut in der Ära von Nixon und Ford das welterfahrene, sich dem alten Europa verbunden fühlende alte Ostküstenestablishment ein wesentlicher Gestaltungsfaktor der amerikanischen Außenpolitik war, so lange konnten derartige Meinungsverschiedenheiten immer wieder begrenzt und auch überbrückt werden. Einem Manne wie Henry Kissinger mußte niemand die Gleichgewichtsvorstellungen der Europäer nahelegen. Sein Problem lag vielmehr darin, seinem eigenen Volke verständlich zu machen, daß ein Gleichgewicht der Kräfte nicht unmoralisch und deshalb verächtlich, sondern vielmehr aus Gründen der Vernunft geboten war, wenn man den nuklearstrategischen Frieden zwischen den beiden Giganten wahren wollte. Andere Politiker wie Dulles, später Brzezinski oder Perle und Weinberger, vor allem aber Carter und Reagan selbst hatten dagegen Mühe, ihre missionarischen Impulse einigermaßen unter Kontrolle zu halten. Da Westeuropa nicht im entferntesten daran denkt, sich an einer Weltmission par force zu beteiligen, wird es vorhersehbarerweise auch in Zukunft immer wieder Konflikte und immer wieder auch amerikanische Verachtung für die vermeintlich knieweichen Europäer geben. In solchen Momenten liegt für Washington die Vernachlässigung seiner europäischen Verbündeten nur allzu nahe. Zur Arroganz der vermeintlich überlegenen Moral gesellt sich dann leicht die Arroganz der real überlegenen Macht.

Europa und seine Politiker täten gut daran, diese Veranlagungen Amerikas zu verstehen, damit sie in ihrer Antwort auf solche amerikanischen Verhaltensweisen *beide* denkbaren Extreme vermeiden lernen; denn weder dürfen die Staaten Westeuropas in die Rolle von abhängigen Schutzbefohlenen absinken, noch dürfen sie sich dem antiamerikanischen Wahn hingeben, die eigentliche Gefahr gehe nicht von der Sowjetunion, sondern vielmehr von den USA aus. Große Anstrengungen sind erforderlich, wenn wir Europäer auf das internationale Verhalten der USA ausreichenden Einfluß behalten wollen. In Europa bedarf es der stetigen innenpolitischen Erläuterung und Begründung des

Bündnisses mit den USA, das die Europäer in Wahrheit genauso nötig haben wie die Amerikaner. In den Vereinigten Staaten muß die Einsicht wachsen, daß auch die Regierungen der mit ihnen verbündeten Staaten in der Verfolgung ihrer Interessen von Zeit zu Zeit Erfolge benötigen, die sie zu Hause vorzeigen können. Eines stetigen Austauschs mit den Amerikanern und des ständigen Versuchs der Einflußnahme auf Washington bedarf es auch deshalb, damit wir Europäer vor einseitigen Überraschungen durch Washington sicher sein können.

Ein positives Beispiel für die Fähigkeit, sich in die Interessenlage des andern zu versetzen, erlebte ich bei Reagans Besuch in Bonn. Seine bereits erwähnte Rede vor dem Bundestag vom 9. Juni 1982 war ein politisches und psychologisches Meisterstück. Er erreichte, was keinem deutschen Bundeskanzler jemals gelungen ist: den stehenden, langanhaltenden Beifall sowohl der Linken als auch der Rechten für eine außen- und sicherheitspolitische Rede (nur zwei fraktionslose Irrgänger schlossen sich aus). Wenngleich es bis zu dieser Stunde im Bundestag erhebliche Skepsis gegenüber Reagan gegeben hatte – und keineswegs nur auf der Linken –, so gelang es ihm durch eine gut halbstündige Rede, den Bundestag zu überzeugen, dessen damals drei Fraktionen ihn wohl zwanzigmal durch gemeinsamen Beifall unterbrachen.

Wer immer diese geschickt auf deutsche Geschichte, deutsche Mentalität und deutsche Friedenssehnsucht eingehende Rede konzipiert und daran mitgearbeitet hat, er konnte befriedigt feststellen, wie zum ersten Mal seit Kennedys berühmter Berliner Rede neunzehn Jahre zuvor (»Ich bin ein Berliner«) ein amerikanischer Präsident die Zustimmung einer sehr großen Mehrheit aller Deutschen fand. Das Echo der Zeitungen bestätigte einhellig diesen Triumph; Hilde Purwin brachte ihn in der »Neuen Ruhr Zeitung« mit Recht auf die knappe Formel: »Reagan überzeugte.« Eine nach Hunderttausenden zählende Anti-Reagan-Demonstration, die gleichzeitig wenige Kilometer entfernt auf dem anderen Rheinufer stattfand, konnte daran nichts ändern.

Gewiß: der Alltag europäisch-amerikanischer Divergenzen trat sehr bald erneut zutage, ebenso der Dilettantismus in Reagans weltpolitischen Vorstellungen. Aber er hatte uns Deutsche eben doch die grundsätzliche Entschiedenheit der amerikanischen Nation neu erleben lassen, für die Freiheit und die Sicherheit der Bundesrepublik Deutschland und West-Berlins einzutreten. Er hatte – wie viele amerikanische Führer vor ihm und wie gewiß viele Amerikaner, die nach ihm kommen werden – ein weiteres Mal jene Großzügigkeit der amerikanischen Nation spüren lassen, die auch mich immer wieder fasziniert.

Die Amerikaner stammen zumeist von Vorfahren ab, die Europa verließen, weil sie hier in Unterdrückung oder in Armut gelebt hatten. Insofern hatte de Gaulle recht, als er die USA einmal eine »Tochter Europas« nannte. Der Entschluß zur Auswanderung war auch ein Akt der Selbstbefreiung von den bedrückenden europäischen Verhältnissen gewesen, er hatte großen Mut und großes Selbstvertrauen erfordert. Freiheitswille, Mut, Selbstvertrauen, Leistungswille und gegenseitige Hilfsbereitschaft, aber auch ein gewisser Hang zur Verachtung Europas und eine gelegentliche Neigung zur Selbstjustiz zwecks Selbstverteidigung sind auf Grund dieser überindividuellen Erfahrungen zu Elementen der politischen Kultur Amerikas geworden, die von einer idealistischen und zugleich optimistischen Grundhaltung geprägt ist.

Auf dem Felde der Außenpolitik hat dieser Idealismus die Europäer häufig als unrealistisch erschreckt; aber im Zusammenspiel mit der unvergleichlichen amerikanischen Hilfsbereitschaft hat er der Welt ungeheure Dienste geleistet. Das reichte von ihrem Beitrag zum Kampf gegen das Deutschland Hitlers über die private Hilfsaktion der Care-Pakete bis zur GARIOA-Hilfe und zum Marshallplan. Diese humanitären Hilfsaktionen kamen auch und gerade den eben erst besiegten Kriegsgegnern, nämlich den Deutschen und den Japanern, zugute. Kein anderes Volk der Welt hätte dies fertiggebracht! Wenn an ihre Hilfsbereitschaft appelliert wird, sind die Amerikaner die großzügigste Nation der Welt.

Nach der Rückkehr aus der Kriegsgefangenschaft bekam ich, abgerissen und auf zerrissenen Schuhen laufend, meine ersten brauchbaren Stiefel von amerikanischen Quäkern geschenkt; ich werde das nicht vergessen. Ich werde auch die Luftbrücke für Berlin nicht vergessen, nicht Leonard Bernsteins erste Konzerte in Deutschland kurz nach Kriegsende, nicht die Hilfsbereitschaft meiner Verwandten in Minnesota und nicht die Gastfreundschaft von ungezählten namenlosen Amerikanern im ganzen Lande.

Gewiß werden die Amerikaner immer auch ihren eigenen Interessen dienen – wie denn auch anders. Gleichwohl müssen sie unsere Zuneigung spüren; sie bedürfen gerade dann erkennbarer emotionaler Zuwendung, wenn wir Europäer unsere Interessen ihnen gegenüber mit Festigkeit vertreten. Aber diese Festigkeit ist nötig. Nur durch sie entsteht Respekt. Und nur im gegenseitigen Respekt können wir zwischen abweichenden Auffassungen und Interessen tragfähige Kompromisse finden.

Es ist wahr: Amerikas Außenpolitik ist genauso fehlbar wie die der europäischen Demokratien. Ebenso wahr ist: Amerikas Au-

ßenpolitik kann genauso rücksichtslos sein, wie es jahrhundertelang die Außenpolitik der europäischen Staaten gewesen ist.
Trotzdem bleiben meine Bewunderung für die Vitalität der
Amerikaner und meine Zuneigung unvermindert. Wenn ich jemals in ein fremdes Land gehen müßte, so ginge ich in die USA.
Aber dieser Fall wird nicht eintreten, weil die USA uns, den europäischen Demokratien, beistehen werden. Weil sie moralisch
zu den Pflichten stehen werden, die sie übernommen haben – so
wie es in jenem schönen Vers von Robert Frost heißt:

> The woods are lovely, dark and deep,
> But I have promises to keep,
> And miles to go before I sleep,
> And miles to go before I sleep.

Teil III

China –
die dritte Weltmacht

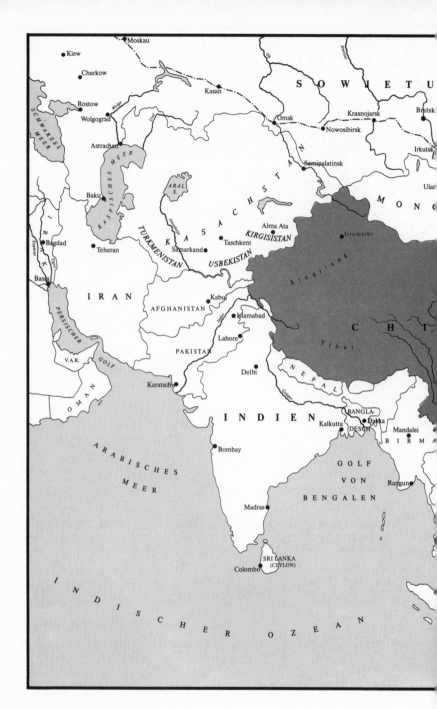

Im Oktober 1975 war ich als Bundeskanzler zu einem ersten offiziellen Besuch in der Volksrepublik China gewesen. Damals hatte mir Mao Zedong lapidar gesagt:»Ich weiß, wie sich die Sowjetunion entwickeln wird: Es wird Krieg geben.«Ich hatte widersprochen; zwar wollte ich die Möglichkeit eines dritten Weltkrieges nicht ausschließen, bei ausreichender Verteidigungsfähigkeit des Westens aber hielt ich ihn für unwahrscheinlich. Mao war jedoch bei seiner These von der Unvermeidlichkeit des Krieges geblieben, und der damalige stellvertretende Ministerpräsident Deng Xiaoping hatte ihm zugestimmt.

Vier Jahre später, im Oktober 1979, war Hua Guofeng, der Nachfolger Mao Zedongs und Zhou Enlais, nach Bonn gekommen und hatte der Prophezeiung etwas nuancierter hinzugefügt: »China bemüht sich darum, den nächsten Krieg so lange wie möglich hinauszuschieben.«

Fast ein Jahrzehnt nach meinem Besuch bei Mao, im September und Oktober 1984, war ich ein zweites Mal in China. Diesmal eröffnete Deng Xiaoping das Gespräch mit der Erinnerung an unsere Jahre zurückliegende Unterhaltung. Überraschenderweise sagte er plötzlich sehr freimütig:»Sie haben unserer Einschätzung der Lage damals widersprochen; Sie haben recht gehabt.«

Hatte ich wirklich recht gehabt? Gewiß hat die Geschichte dieses Jahrzehnts mir nach außen hin recht gegeben. Aber werde ich mit meiner damaligen These von der Vermeidbarkeit eines dritten Weltkrieges auch in Zukunft recht behalten? Was müssen wir tun – in Beijing, in Washington, in Moskau und in Europa – und was müssen wir unterlassen, um einen Weltkrieg zu verhindern? Welche Schlußfolgerungen müssen wir aus der Analyse der Weltlage ziehen, wenn wir den Frieden nicht nur erhalten, sondern stabilisieren wollen?

Dies sind Fragen, die immer wieder zwischen Europäern und Chinesen erörtert werden; anders als zur Zeit Maos sprechen die Chinesen darüber heutzutage weit pragmatischer und weniger dogmatisch. Es gab und gibt keine ungeklärten bilateralen Probleme zwischen Beijing und Bonn; vielmehr hat sich auf manchen Gebieten inzwischen eine erfolgreiche Kooperation entwickelt. Der politische Meinungsaustausch galt und gilt daher nie bilateralen Interessenkonflikten, vielmehr immer wieder der Frage: Was wird die Sowjetunion tun? Wie stark ist sie? Was glaubt Moskau sich leisten zu können? Sind die USA und ist Europa fähig, ein ausreichendes Gegengewicht darzustellen?

China hat – beunruhigt durch starke sowjetische Streitkräfte entlang der gemeinsamen Grenzen – ein ausgeprägtes Interesse an einem starken Europa, und das wird durchaus nicht verhehlt, vielmehr ganz offen ausgesprochen. Europa wiederum hat auf

Beijing, 28. Oktober 1975:
Deng und Schmidt beim
Abschreiten der militäri-
schen Ehrenformation
auf dem Flughafen; links
Botschafter Pauls. Es war
der erste offizielle
Besuch eines deutschen
Bundeskanzlers in der
Volksrepublik China.

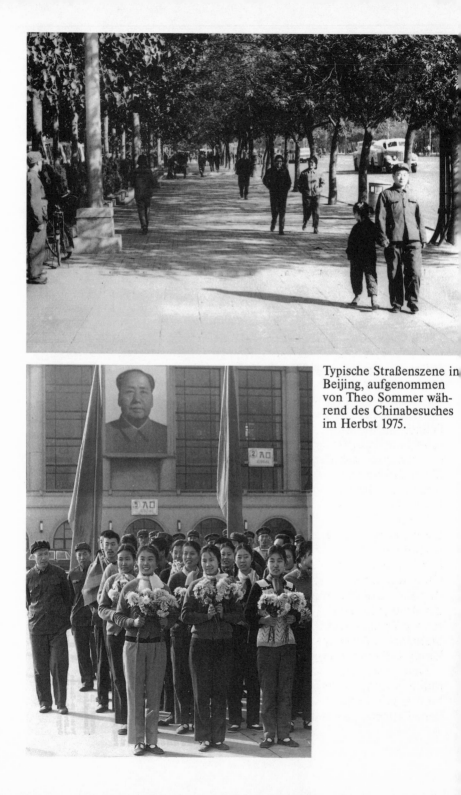

Typische Straßenszene in Beijing, aufgenommen von Theo Sommer während des Chinabesuches im Herbst 1975.

Grund der sowjetischen Bedrohung Europas Interesse am chinesischen Widerlager. Beijing seinerseits möchte durch den Westen, besonders durch die USA, aber auch durch Europa, von sowjetischem Druck entlastet werden. Der Westen weiß umgekehrt die Bindung sowjetischer Kräfte durch China zu schätzen. Nixon war der erste, der daraus strategische Konsequenzen zog und die zwanzigjährige amerikanische Feindseligkeit gegenüber der Volksrepublik China beendete.

Inzwischen erscheint der Aufstieg des zweiten kommunistischen Großreichs zur Weltmacht unaufhaltsam, auch wenn er sich nur sehr langsam vollzieht. Daraus kann sich ein Machtdreieck entwickeln, eine Konstellation von möglicherweise größerer Stabilität als das bipolare Weltsystem der letzten vier Jahrzehnte. Zu den wichtigsten Fragen in diesem Zusammenhang gehört: Wie wird sich Asien entwickeln? Wie insbesondere Südostasien, wie der Ferne Osten? Welche Rolle wird China in dieser Weltregion spielen? Welche Rolle kommt Japan zu? Welche Einflüsse gehen von Moskau und von Washington auf die asiatisch-pazifische Großregion aus?

Die Frage nach einem stabilen Machtdreieck steht im Schatten tiefer Unsicherheit hinsichtlich der wirklichen inneren und äußeren Lage Chinas. Die Amerikaner, die Europäer und die Russen haben eine gleich unzureichende Kenntnis Chinas und seiner inneren Entwicklungstendenzen. Wird China wirtschaftlich Erfolg haben? Werden endlich doch Stetigkeit und Verläßlichkeit an die Stelle immer neuer revolutionärer, voluntaristischer oder emotionaler Kampagnen treten? Diese Frage nach der inneren und nach der wirtschaftlichen Entwicklung Chinas war für mich ebenso wichtig wie für meine chinesischen Gesprächspartner die Frage nach der weiteren Entwicklung der Europäischen Gemeinschaft und nach der Einheit Europas.

Schon seit ich 1969 Verteidigungsminister geworden war, hatten mich diese Fragen stets beschäftigt. 1971 hatte ich bei Willy Brandt auf diplomatische Beziehungen zwischen Bonn und Beijing gedrängt; im Herbst 1972, lange bevor die USA diesen Schritt taten, wurden sie aufgenommen. Nach meiner Ernennung zum Bundeskanzler lud mich Zhou Enlai zum Besuch Chinas ein; als der Besuch im Herbst 1975 zustande kam, war Zhou aber schon schwer krank, und ich habe ihn nicht mehr sehen können. Seine Stelle als Gastgeber hat der stellvertretende Ministerpräsident Deng Xiaoping übernommen.

Deng Xiaoping erwartete mich auf dem Flughafen mit einer militärischen Ehrenformation und den obligaten Heerscharen bunt angezogener, fröhlich rufender Kinder, die schwarzrotgoldene Fähnchen schwangen. Die Mädchen trugen große papierne

Schleifen, Blüten, ganze Blumensträuße, andere hatten buntes Gesteck im Haar – die Überbleibsel alter chinesischer Traditionen.

Über Deng Xiaoping schrieb damals der »Kölner Stadtanzeiger«: »Man traut Deng zu, daß er einem unkonzentriert von der Sache abschweifenden Verhandlungspartner auch mal gehörig in die Parade fährt. Der Kanzler muß diesen unscheinbar wirkenden, mächtigen Siebziger eigentlich mögen.« Das stimmte. Ich mochte Deng Xiaoping von Anfang an.

Beijing bot zunächst einen unerwartet »unchinesischen« Eindruck. Eine große, enorm breite Straße von Ost nach West, die Tschangan, war offenbar erst in den Nachkriegsjahren durch das alte Peking gebrochen worden; sie teilt die Stadt in eine nördliche und eine südliche Hälfte. Im Zentrum der Stadt liegt die einstige »Verbotene Stadt«; dieser Komplex kaiserlicher Gärten, Hallen und Paläste liegt unmittelbar nördlich der Straße; gegenüber befindet sich der weite Tien-An-Men-Platz, der »Platz des himmlischen Friedens«, der nur locker von der »Großen Halle des Volkes« an seiner Westflanke und einem Museumsgebäude an der Ostflanke zusammengefaßt wird.

Die eher stalinistisch wirkenden gewaltigen Gebäude der Ministerien und anderer Verwaltungsinstanzen, die nur andeutungsweise traditionelle chinesische Stilelemente aufweisen, sind ebenso trostlos wie viele Nachkriegsbauten in anderen Hauptstädten kommunistischer Staaten. Aber die unvorstellbar große Zahl von Menschen auf der Straße, Hunderttausende von abends unbeleuchteten Fahrrädern im dichten Berufsverkehr, dazu die Weiden und Platanen an den Straßenrändern und die unzähligen Blumentöpfe auf den Balkons der Mietskasernen, dies alles machte das Bild lebendig und anheimelnd – trotz seiner Fremdheit. Fast alle trugen den ziemlich häßlichen blauen oder grauen Einheitsanzug, aber sie hatten nicht so verschlossene und abweisende Gesichter wie die Menschen in Moskau.

Nach wenigen Stunden bemerkten wir, daß es trotz des uniformen Anzugs doch erkennbare Rangunterschiede gab. So trug zum Beispiel Mao Zedong einen mittelgrauen Anzug aus einem feinen Wolle-Seide-Gemisch, und auch die höheren Funktionäre hatten Monturen aus besseren Stoffen, mitunter offenbar maßgeschneidert. Die Armeeuniformen trugen damals zwar keinerlei Rangabzeichen, aber der Offizierrang war an dem aus einer aufgenähten Brusttasche herausragenden Kugelschreiber erkennbar, der obligat zu sein schien. Die Einheitskleidung der Frauen auf den Straßen und in den Büros oder Fabriken stach davon ganz und gar ab. Fast ausnahmslos trugen die Frauen und

ABENDESSEN

DES BUNDESKANZLERS

DER BUNDESREPUBLIK DEUTSCHLAND

UND FRAU SCHMIDT

ZU EHREN SEINER EXZELLENZ

DES MINISTERPRÄSIDENTEN

DER VOLKSREPUBLIK CHINA

HERRN CHOU EN-LAI

UND FRAU TENG YING-CHAO

PEKING, 31. OKTOBER 1975

Zhou Enlai hatte Schmidt nach China eingeladen; als der Besuch zustande kam, war Zhou bereits schwer krank, so daß er den Gast nicht mehr persönlich empfangen konnte. Das Essen in der Deutschen Botschaft wurde zu Ehren Zhous gegeben.

Nach der Aufführung der »revolutionären« Beijing-Oper »Der Azaleenberg« stellten sich Helmut und Loki Schmidt für ein Gruppenphoto; fünfter von rechts Bundesminister Kurt Gscheidle.

Unten: Am Mittag stand ein Besuch der ehemals »Verbotenen Stadt« auf dem Programm.

Mädchen plumpe blaue Baumwollanzüge, dazu derbe Schuhe. Lippenstifte und Dauerwellen waren offenbar ebenso verpönt wie jede Form von Make-up. Für bessergestellte Frauen muß es aber durchaus Lippenstifte gegeben haben, denn meine Frau fand in ihrem Gästezimmer eine Kollektion von gut zwei Dutzend in allen denkbaren Farbtönen vor, dazu vielerlei Fläschchen mit Parfüm und Duftwässerchen, alles offenbar chinesischer Herkunft. Oder handelte es sich doch um Importe aus Hongkong?

In diesen Tagen sahen wir sicherlich Tausende von Frauen; alle trugen ihre Haare kurzgeschoren, nur die sehr jungen hatten sich gelegentlich einen Zopf geflochten. Beim Straßenbau und auf Baustellen verrichteten sie mit Hacke und Schaufel zum Teil schwerste Arbeiten. Als Transportmittel für Schutt, Sand, Zement und Steine dienten große Körbe aus Stroh- und Weidengeflecht, die auf der Schulter getragen wurden. Mir kam das Wort von den »blauen Ameisen« in den Sinn; in der Tat: bisweilen hatten wir den Eindruck von Ameisenstraßen.

Nachdem die offiziellen Gespräche abgeschlossen waren, hatten wir Gelegenheit, den Kaiserpalast genauer zu besichtigen: ein Ensemble aus vielen hallenartigen Gebäudekomplexen mit breiten Freitreppen, die von Fabeltieren flankiert werden. Die Mauern der großen Gebäude sind überwiegend in pompejanischem Rot gehalten; darüber breiten sich die geschwungenen, ausladenden Dächer aus sattgelben Ziegeln. Um intime Innenhöfe sind Hunderte von kleinen Häusern gruppiert; alles immer wieder aufgelockert durch Teiche, Brücken, Bäume und Gärten. Man zeigte uns zweitausend Jahre alte Tuschzeichnungen von der Hand chinesischer Kaiser, die aus klimatischen Gründen nur an wenigen Tagen im Herbst hervorgeholt werden dürfen. Die Blätter zeigen vielerlei Vögel, Finken, Goldfasane, vor allem aber blühende Pflaumen- und Kirschzweige, Teiche und Bäche; die kraftvoll abstrahierten Wellen und Ringe in den Gewässern erinnerten mich an deutsche Expressionisten. Die chinesische Bau- und Gartenkultur vergangener Jahrhunderte hinterläßt den Eindruck großen Gleichmaßes und heiterer Ausgewogenheit. Was für ein Glück, dachte ich, daß Madame Jiang Quing, die Frau Maos, in ihrem rasenden Zerstörungsdrang, dem schon so viele unschätzbare Denkmäler zum Opfer gefallen waren, den Kaiserpalast und das Tor des himmlischen Friedens bisher zumindest verschont hat.

Natürlich haben wir in jenen Tagen auch die Ming-Gräber und das gewaltige Bauwerk der chinesischen Mauer besucht. Die Fahrt ging durch eine karge herbstliche Landschaft. Der Aufstieg zur Mauer war anstrengend gewesen, aber der Spaziergang auf der Krone der Mauer lohnte die Mühe. Der Blick war unvergleichlich: Den Hügeln und Tälern folgend, windet sich das grandiose Bauwerk durch die Landschaft, bis es sich irgendwo im nebligen Dunst der kulissenartigen Berge zu verlieren scheint. Ich fühlte mich an die chinesischen Tuschzeichnungen erinnert, auf denen sich die Berge in ähnlicher Weise voreinanderschieben. Der Anblick der Mauer übertraf alle meine Erwartungen; er steigerte meine Ehrerbietung vor der vier- oder fünftausend Jahre alten chinesischen Kultur. Jahre später, als ich die Tausende von tönernen Kriegerfiguren in Xian besichtigte, und dann noch einmal in den buddhistischen Tempeln rund um den West-See von Hangzhou war ich in ähnlicher Weise überwältigt.

Die traditionsreiche Kultur des riesigen Reiches zeigte sich auch bei den offiziellen Essen. Man saß an runden Tischen, die in der Mitte Dekorationen aus Kunstblumen trugen, farbenprächtige Blüten und Blätter in allen Schattierungen. Die Speisen der zahlreichen Gänge des Festessens schienen weniger unter kulinarischen als unter ästhetischen Aspekten geordnet und serviert zu werden; überall kunstvoll geschnittene Ornamente, Schmetterlinge und Vögel aus Rettichen, roten Möhren und roter Bete. Ein Höhepunkt war eine riesige grüne Melone, die als Salatschüssel diente: Die Außenschale war mit eingeschnittenen komplizierten Mustern verziert, die das helle Fruchtfleisch zum Vorschein brachten. Auch ein Aquarium mit lebenden Goldfischen als Mittelpunkt des Tischschmuckes beeindruckte uns; schon ihrer langen schleierförmigen Flossen und Schwänze wegen waren die prächtigen Goldfische eine Sehenswürdigkeit. Aber ebenso ungewöhnlich war für uns das Schmatzen und Schlürfen, das in China nun einmal üblich ist.

Man aß von kleinen Tellern, die nach jedem Gang gewechselt wurden; lediglich die Stäbchen blieben während des Essens dieselben. Natürlich verschmähten wir die angebotenen Messer und Gabeln und aßen ebenfalls mit Stäbchen, was wir im Flugzeug schon ein wenig geübt hatten. Deng Xiaoping machte sich ein Vergnügen daraus, meine Fingerhaltung zu verbessern, wenn ich allzu ungeschickt war. Die heißen Tücher, die immer wieder gereicht wurden, waren eine große Annehmlichkeit. Nach dem Toast ging Deng um den Tisch herum, um mit jedem Gast anzustoßen – und zwar mit Mao-Tai:»Gambé!«Man muß sich an den Geruch dieses Hirseschnapses als Europäer erst gewöhnen. Einem unserer Sicherheitsbeamten lief eine im Koffer mitgeführte Flasche aus und verbreitete enorme Gerüche; der Arme wurde weidlich verspottet.

Während des Essens spielte ein chinesisches Orchester deutsche Melodien; an den»Brunnen vor dem Tore« kann ich mich

Während des Festessens in der Großen Halle des Volkes spielte ein chinesisches Orchester »Am Brunnen vor dem Tore« und andere deutsche Melodien.

施密特夫人

FRAU HANNELORE SCHMIDT

Tischkarten

赫尔穆特·施密特先生

HERR HELMUT SCHMIDT

Speisekarte

Blumenkorb mit Kaltplatten

Haifischflossen mit Krabbengelb

Hühnerbrühe und Wildgeflügel

Enten mit Lauch, gedämpft
und geschmort

Süßsaurer Mandarinfisch
in Eichhörnchenform

Gedämpfte Taubensuppe

Spezialimbisse von Kiangsu

Lotoskerne mit Lilienschuppen

花　篮　冷　菜
蟹　黄　鱼　翅
鸡　粥　野　味
京　葱　扒　鸭
松　鼠　桂　鱼
原　盅　鸽　子
江　苏　名　点
百　合　莲　子

Die Speisekarte des
Festessens. Deng war ein
aufmerksamer und char-
manter Gastgeber.

gut erinnern. Das Ende des Essens wurde über Lautsprecher angesagt; die chinesischen Gäste nahmen das übriggebliebene Konfekt für die Familie mit nach Hause. Natürlich gaben wir uns mit dem »Gegenessen« in der Deutschen Botschaft ebenfalls große Mühe; wir hatten Lübecker Marzipan und für die Tischdekoration deutsche Schnittblumen mitgebracht – diese hatten allerdings auf dem Fluge sehr gelitten und mußten in einer Badewanne unserer Botschaft aufgefrischt werden.

Maos Kulturrevolution war damals, im Jahre 1975, noch keineswegs überwunden; meine Sorge, der Fanatismus der radikalen Eiferer könnte die kostbare Hinterlassenschaft der Jahrtausende noch weiter zerstören, war groß. Wir hatten viel über die Absurditäten und über die Grausamkeiten der zurückliegenden Jahre gehört und gelesen. Ich hatte begriffen, daß Mao die Kulturrevolution der sechziger Jahre ins Leben gerufen hatte, um die Entstehung neuer Klassen zu verhindern, um die Herrschaft des Parteiapparates zu zerschlagen und um ihm, dem großen Vorsitzenden, wieder die volle Macht über Partei und Reich zurückzugeben. Aber abgesehen von einer Opernaufführung in der Großen Halle des Volkes, die ich in ihrer Mischung aus rhythmisch akzentuierter Musik, tänzerischer Akrobatik, grellem Bühnenbild und holzhammerartiger Agitation als kitschige Rhetorik empfand, kamen uns die Folgen der Kulturrevolution kaum zu Gesicht.

Unverkennbar war die ungeheure Prävalenz des Vorsitzenden Mao. Jeder meiner Gesprächspartner bezog sich auf das, was Mao mir kurz zuvor gesagt hatte; bei ihren Ausführungen – auch im Falle Deng Xiaopings – handelte es sich kaum ein einziges Mal um eigene gedankliche Beiträge, sondern lediglich um Erläuterungen, Ausfächerungen, um Vordergrund und Hintergrund zu Maos holzschnittartig-kompakter Gesprächsführung. Offenbar hatten sie alle unverzüglich eine Nachschrift des vorausgegangenen Gesprächs zwischen Mao und mir erhalten. Dies ist zwar in wohlorganisierten Regierungen fast überall auf der Welt ähnlich; aber mit der Ausnahme Schah Reza Pahlevis und Nicolae Ceauşescus habe ich eine derart bedingungslose Orientierung auf den Staatschef nirgendwo erlebt.

Dies mag mit den damaligen Auseinandersetzungen der Fraktionen und Gruppierungen in der Partei zusammengehangen haben. Der Tod Zhou Enlais war abzusehen, und auch der Tod von Mao selber lag erkennbar nicht mehr in weiter Ferne. Vielleicht maskierten sich die Gesprächspartner auf diese Weise, um ihre Gedanken für sich zu behalten und nicht nach einem für sie negativen Ausgang des bevorstehenden Machtkampfes belangt oder gar bestraft werden zu können. Deng allerdings wurde im

April 1976 noch von Mao selbst in die Wüste geschickt. Es war eben noch die Zeit der kleinen roten Fibel mit den Worten des großen Vorsitzenden.

Mao Zedong

Maos Haus lag in der Verbotenen Stadt, an deren äußerem Rand. Es war außen ebenso unscheinbar wie innen: kein Bild oder Rollbild an den Wänden, sehr geschäftsmäßige Möbel, Bürogerät, einige Sessel im Halbkreis – mit Schondecken auf Polstern und Armlehnen. Der erste Eindruck dieses vielgerühmten und vielgeschmähten Mannes, der uns hier stehend empfing und der zweifellos eine Gestalt der Weltgeschichte war und bleiben würde, war erschreckend. Das Kinn hing herunter, der Mund stand offen: ein verfallenes Gesicht. Mao konnte uns nicht entgegengehen; ein Mann nach einem schweren Schlaganfall, so schien es mir. Wir gruppierten uns zum »Familienphoto«: meine Frau, mein Kollege Kurt Gscheidle, Klaus Bölling, Marie Schlei, Deng Xiaoping sowie Maos und meine Mitarbeiter, darunter unser Botschafter Rolf Pauls.

Anschließend wurden die meisten Begleiter schnell wieder hinausgebeten. Das chinesische Fernsehen hatte die Begrüßung durch Mao aufgenommen. Als die Aufnahmen abends ausgestrahlt wurden, gewann ich den Eindruck: Hier soll ein Volk auf das bevorstehende Ende seines Führers vorbereitet werden. Der Empfang schien zunächst eine reine Höflichkeitsgeste zu sein, ein Gespräch konnte Mao anscheinend gar nicht mehr führen. Denn er krächzte und konnte nicht mehr gehörig artikulieren; eine der drei Frauen um ihn herum schien seine Begrüßungsworte zu erfinden, tat aber so, als würde sie ihn übersetzen.

Dennoch war dieser insgesamt trostlose Eindruck falsch. Als wir uns gesetzt hatten – Mao brauchte dazu Hilfe –, entwickelte sich sogleich ein lebhaftes Geplänkel. So unzweifelhaft er in physischer Hinsicht nur noch ein Wrack war, so unverkennbar waren seine geistige Präsenz und seine Lebhaftigkeit. Seine Beine seien ihm leider nicht mehr dienstbar, auch falle ihm das Sprechen schwer, sagte er beim Hinsetzen. Die drei Dolmetscherinnen (eine von ihnen Vizeministerin, eine andere Abteilungsleiterin Europa im Außenministerium) beratschlagten einige Sekunden, was er wohl habe sagen wollen, ehe sie übersetzten. Dies kam im Verlauf des Gesprächs sehr oft vor. Bisweilen frag-

Zweifellos eine Gestalt der Weltgeschichte: Auch wenn Mao Zedong in physischer Hinsicht nur noch ein Wrack war, so waren doch seine geistige Präsenz und seine Lebhaftigkeit unverkennbar. Auf einen Punkt kam Mao im Verlauf des mehrstündigen Gespräches immer wieder zurück: auf die Unvermeidlichkeit eines Krieges mit der Sowjetunion.

ten sie zurück, und Mao versuchte, seine Worte auf kleine bereitliegende Zettel zu schreiben, wenn sie ihn trotz aller Wiederholungen nicht verstanden hatten.

Offenbar war man rundum an diese Prozedur gewöhnt, denn all das fand in durchaus heiterer Stimmung statt, bisweilen begleitet vom Gelächter der Frauen; es gab keinerlei Geniertheit, auch keine Spur von höfischer Ehrerbietung. Die Technik der Übertragung seiner Gedanken zunächst in verständliches Chinesisch und danach ins Englische war jedoch sehr zeitaufwendig; offensichtlich kostete ihn das Artikulieren Kraft. Beides Grund dafür, daß er sich in einer ungewöhnlichen Weise auf kurze Sätze konzentrierte. Er sprach ohne Schnörkel, aber nicht ohne Humor.

Das Gespräch begann mit beiderseitigen Komplimenten. Mao über Deutschland:»Die Deutschen sind gut.«Dann genauer gezielt:»Die Westdeutschen sind gut.«Ich sprach über die Errungenschaften des chinesischen Volkes in den letzten fünfundzwanzig Jahren unter seiner Führung. Auch erwähnte ich Marie Schleis Vorliebe für Maos Gedichte.»Die Errungenschaften sind zu klein«, entgegnete Mao.»Ich kann übrigens keine Gedichte schreiben. Aber ich weiß, wie man Kriege führt und wie man sie gewinnt.«

So kamen wir schnell zu einem der Hauptthemen, die er sich offenbar vorgenommen hatte: Wir einigten uns auf einen Meinungsaustausch über die Strategie der Sowjetunion und auf die richtige Strategie Moskau gegenüber. Ich entschloß mich zu einer breiteren Darstellung, um eine Reaktion zu provozieren: »Nach meinem Eindruck muß man unterscheiden zwischen dem, was die Sowjetführung sagt, und dem, was sie tatsächlich unternimmt. In den tatsächlichen Handlungen der äußeren Politik ist seit dem Ende der Chruschtschow-Ära und seit dem Abbruch des Raketenabenteuers auf Kuba viel mehr Vorsicht zu erkennen als in den propagandistischen Äußerungen. Es ist allerdings nicht auszuschließen, daß die Sowjetunion aggressiv werden könnte, wenn man Situationen zuläßt, die zum Machtmißbrauch einladen. Wenn jemand in seiner Verteidigung schwach wird, könnten die Sowjets das ausnutzen. Solange wir ein hinreichendes Gleichgewicht der Macht ihnen gegenüber wahren, brauchen wir keine Furcht vor einer sowjetischen Abenteuerlust zu haben. Deshalb vermeiden die Staaten Westeuropas und auch die USA alles, was den Kreml zu Übergriffen einladen könnte. Wir haben die Warnungen der chinesischen Führer ernst genommen, aber wir fürchten die Möglichkeit eines sowjetischen Angriffs nicht. Unsere gemeinsame Verteidigung ist stark genug, einen tatsächlichen sowjetischen Angriff oder eine Pression durch

Drohungen zu einem beträchtlichen Risiko für Moskau zu machen.«Schön und gut, meinte Mao, aber die Lage werde sich ändern, in zehn oder zwanzig Jahren.»Hören Sie auf mich. Es wird Krieg mit der Sowjetunion geben. Ihre [das heißt die westliche] Abschreckungsstrategie ist bloß hypothetisch.«Ich widersprach:»Unsere Verteidigungsfähigkeit ist nicht hypothetisch. Unsere Abwehr ist sehr real und höchst wirksam. Aus dieser Sicherheit gewinnen wir unsere Handlungsfreiheit gegenüber der Sowjetunion; und darauf bauen wir die andere Hälfte unserer Strategie: nämlich zu guter Nachbarschaft und sogar zu einer Zusammenarbeit mit Moskau und seinen Verbündeten zu gelangen.«

Er wisse das, entgegnete Mao, aber es werde trotzdem Krieg geben.»Mir scheint, Sie sind ein Kantianer. Aber Idealismus ist nichts Gutes! Ich selbst bin ein Schüler von Marx, ich habe viel von ihm gelernt. Ich halte nichts von Idealismus, ich interessiere mich für Hegel, für Feuerbach und für Haeckel. In bezug auf unser Thema hat Clausewitz recht gehabt.«

Diese Bemerkungen waren Anlaß für eine philosophische Abschweifung von zehn Minuten. Auf Ernst Haeckel und seine grob materialistischen»Welträtsel«, die ich vierzig Jahre zuvor im Bücherschrank meines Vaters gefunden und gelesen hatte, wollte ich nicht näher eingehen. Zu Hegel bemerkte ich nur soviel, daß er für manche deutsche Mystifizierung des Staates eine erhebliche Mitverantwortung trage. Natürlich flocht ich mein Bekenntnis zu Kant ein. Dann brachte ich das Gespräch auf Clausewitz:»Clausewitz war ein Genie, einer der wenigen deutschen Offiziere mit politischer Begabung. Marx, Engels und Lenin haben seinen berühmten Satz so interpretiert, als sei Krieg weiter nichts Ungewöhnliches, sondern bloß die Fortsetzung der Politik mit anderen Mitteln. Ich hingegen ziehe es vor, Clausewitz' Satz als eine Lektion an die Militärs zu lesen, nämlich: Auch im Krieg gebührt der Primat der politischen Führung und nicht etwa – wie zum Beispiel Ludendorff gemeint hat – der militärischen. Daraus ziehe ich die Schlußfolgerung, daß Krieg nur eine von vielen alternativen Möglichkeiten ist, die der politischen Führung zur Verfügung stehen. Man darf niemals auf den Krieg als die einzige Möglichkeit starren.«

Mao spann den Gedanken weiter. Ein Verteidigungskrieg sei immer besser als ein Angriffskrieg, denn gewöhnlich erleide der Angreifer eine Niederlage. Wilhelm II. habe dies ebenso erfahren müssen wie Chiang Kaishek oder die Amerikaner nach ihrem Angriff auf Vietnam.»Sie haben 500 000 Mann nach Vietnam geschickt, davon sind 50 000 gefallen und 100 000 sind verwundet worden. Jetzt machen sie ein großes Geschrei darüber. Amerika hat zuviel Angst davor, Leute zu verlieren.«

»Wie denken Sie über die Entwicklung des Verhältnisses zwischen den USA, der Sowjetunion und der Volksrepublik China?« fragte ich. »Es wird Krieg geben«, antwortete Mao, der geradezu besessen von dieser Vorstellung schien. »Eine ewige friedliche Koexistenz ist undenkbar. Vor allem Europa ist zu weich. Es ist uneinig und hat außerdem tödliche Angst vor einem Krieg – vor allem die Dänen, die Holländer, die Belgier. Die Amerikaner sind im Grunde genauso. Vielleicht sind die Jugoslawen und die Deutschen etwas widerstandswilliger. Wenn Europa aber auch noch in den nächsten zehn Jahren unfähig bleibt, sich politisch, wirtschaftlich und militärisch zu vereinigen, dann wird es dafür zu zahlen haben. Die Europäer müssen lernen, sich auf sich selbst und nicht auf Amerika zu verlassen. Warum können die sechzig Millionen Westdeutschen nicht dasselbe erreichen wie die Nordvietnamesen?«

Ich ging auf diesen letzten Vergleich nicht ein, weil ich kein Gerücht darüber aufkommen lassen wollte, der große Vorsitzende und der deutsche Bundeskanzler hätten sich über die wahnwitzige Idee eines westdeutschen Angriffskrieges zum Zweck einer deutschen Wiedervereinigung unterhalten. Statt dessen sagte ich: »Unsere Armee gehört zu den am besten ausgebildeten und ausgerüsteten Streitkräften der Welt; das gilt auch für ihren Geist. Wir können uns im Falle der Not gut verteidigen. Was mich jedoch besonders interessiert, ist Ihr radikaler Meinungsumschwung. Was hat Ihr Urteil über die Sowjetunion so umgestoßen? Vor zwanzig Jahren haben Sie ganz anders gesprochen! Was für Erfahrungen haben Sie denn seitdem mit Moskau gemacht?«

»Es ist die Sowjetunion, die sich grundlegend verändert hat, nicht China. Die heutigen Männer im Kreml sind nicht mehr Männer wie Stalin. Wir haben es heute mit den Chruschtschows und Breschnews zu tun, und das sind alle Verräter an Lenins Sache.«

Aber er selbst habe doch die These von der ununterbrochenen Revolution vertreten, warf ich ein. Ob er es denn für gänzlich undenkbar halte, daß spätere Führungsgenerationen im Kreml zu Lenins Grundsätzen zurückfinden – etwa hinsichtlich der Behandlung anderer Staaten oder nationaler Minderheiten oder was den Primat der politischen Führung über die Bürokratie anlangt.

Mao, mich unvermutet noch einmal mit dem Feuer des alten Revolutionärs unterbrechend: »Nein, nein, nein! Alles das werden sie nicht tun!« Und auf die Frage, warum nicht: »Weil sie zuviel Macht besitzen, weil sie zu viele Nuklearwaffen besitzen.«

»Moskau«, so mein Einwand, »hat aber ebenso Furcht vor den

Nuklearwaffen der anderen.«Worauf Mao entgegnete:»Sowohl als auch! Vor allem aber haben sie vier Millionen Soldaten!«

Wann immer im Gespräch die Sowjetunion erwähnt wurde, wurde das schwere Trauma deutlich, welches der »Verrat« der Sowjetunion Ende der fünfziger Jahre für Mao bedeutete. Das Mißtrauen gegenüber der Sowjetführung war offensichtlich elementar, es war geradezu ein konstitutiver Faktor seines Weltbildes. Das Bild der übrigen Welt wurde nur aus dieser Perspektive gezeichnet. Mao wollte – wie er es auch anderen westlichen Besuchern gegenüber schon versucht hatte – den Westen mißtrauisch machen und ihn zu einer starken Rüstungsanstrengung bewegen. Zehn Jahre später hätten Präsident Reagan und sein simplistischer Minister Weinberger ihre Freude an Maos antisowjetischen Holzschnitten gehabt.

Damals sah ich meine Aufgabe darin, Mao klarzumachen, daß er den deutschen Friedenswillen nicht mit Schwäche, Anpassung oder gar Unterwerfung unter Moskau verwechseln dürfe. Die Bundesrepublik suche Entspannung nur auf der Grundlage ungeschmälerter Sicherheit. Wir strebten nicht nach einer Zusammenarbeit zahlreicher schwacher europäischer Staaten mit einer überlegenen Sowjetunion, sondern nach Kooperation eines einigen, verteidigungsfähigen und eben deshalb auch politisch starken Europa mit einer unvermeidlicherweise gleichfalls starken Sowjetunion.

Mao schien die Entschiedenheit dieser Erklärung ernst zu nehmen. Abgesehen von der Bemerkung über den Vietnamkrieg unterließ er herabsetzende Bemerkungen über die Vereinigten Staaten; aber er machte deutlich, daß er die USA nicht für fähig hielt, allen ihren strategischen Aufgaben und ihren Bündnisverpflichtungen nachzukommen. Bald wandte sich das Gespräch erneut Europa zu. Mao wiederholte sein Diktum, Europa sei zu sehr zerfallen und zu schlapp.

Ich gab zu bedenken:»Die zahlreichen Nationen und Staaten Europas sind zum Teil mehr als eintausend Jahre alt. Sie alle haben eine eigenständige Geschichte, ihre eigene Kultur und Sprache. Die zwölf westeuropäischen Staaten heute, nach Jahrhunderten oft gegensätzlicher Entwicklung, unter ein gemeinsames Dach zu bringen, ist eine ungeheure Aufgabe. Sie wird mehrere Generationen brauchen. Sollte die Einigung Europas freilich schneller kommen, als ich heute glaube, so wird Europa sehr stark erscheinen. Wird die Sowjetunion unter solchen Umständen ihren Druck auf Mittelasien oder sogar auf den Fernen Osten verlagern?«

Mao sehr lapidar:»Das ist denkbar. Deshalb müssen wir uns gegen ihre Ankunft wappnen.« Damit wendete sich das Gespräch wieder dem asiatischen Raum zu, und ich fragte nach der Rolle Japans. Was er, Mao, von der Abhängigkeit der japanischen Sicherheit von den USA halte. Mao antwortete, ohne zu zögern: »Japan allein kann nicht viel erreichen; es hat weder Öl noch Kohle, weder Eisen noch genügend Lebensmittel. Die Bevölkerungszahl allein ist kein zureichender Faktor. Tokio braucht das Bündnis mit den USA, es ist gezwungen, sich auf die USA zu verlassen.«

Dann fügte er hinzu: »Die USA haben ihre Schutzverpflichtungen zu weit ausgedehnt. Außer Japan gegenüber sind sie Beistandszusagen auch gegenüber Südkorea, Taiwan, den Philippinen, Indien, Australien, Neuseeland, indirekt auch gegenüber Thailand eingegangen; dazu kommt dann der Nahe Osten, schließlich Europa. Das kann nicht funktionieren. Die Amerikaner versuchen, mit zehn Fingern zehn Flöhe festzuhalten. Aber das kann niemand! Ihr Europäer müßt euch auf eure eigene Stärke verlassen; es ist eine zweitklassige Politik, auf die Hilfe anderer zu setzen!«

Am Ende des stundenlangen Gesprächs dankte ich Mao und sagte, während ich seine schlaffe Hand hielt, seine Gedanken seien für mich ein wertvoller Stein im Mosaik meiner Sicht der Weltlage. Dann fügte ich hinzu: »Viele westliche Staatsmänner waren vor mir bei Ihnen, andere werden folgen und Sie nach Ihrer Einschätzung der Weltlage fragen. Das legt Ihnen Verantwortung auf. Ihr Wort hat große Bedeutung.«

»Ach, wissen Sie«, entgegnete Mao nüchtern, »weder die Franzosen noch die Amerikaner wollen auf mich hören.« Ich zitierte das Wort vom steten Tropfen, der den Stein höhlt. »Ja – aber ich habe nicht mehr genug Wasser. Sie müssen Ihr Wasser dazu tun, um den Stein zu höhlen.« Der Satz war durchaus zweideutig gemeint, und die ganze Runde, Deutsche und Chinesen, lachte schallend.

Am Nachmittag wurde meine Frau von der Ehefrau des chinesischen Botschafters in Bonn gefragt, ob auch sie Mao gesehen habe. Meine Frau bejahte und berichtete von Maos Händedruck. Die Diplomatenfrau ergriff daraufhin impulsiv die Hand meiner Frau, die eben noch in Maos Hand gelegen hatte. In dieser Geste lag, so kam es meiner Frau vor, Freude, Bewunderung und Neid zugleich.

Deng Xiaoping hatte während der ganzen Unterhaltung zwischen Mao und mir geschwiegen; fast zwei Stunden lang saß er auf einem Sessel, ohne zu erkennen zu geben, was er von dem Gang des Gesprächs hielt. Aber am nächsten Tag kam er mehrmals auf Mao Zedongs Bemerkungen zurück. Deng und ich hatten schon vor meinem Besuch bei Mao ein ausführliches Gespräch geführt; zudem waren wir bei einem oder zwei Essen zusammengekommen. Dabei hatte Deng mich gebeten, meine Sicht der strategischen und der wirtschaftlichen Weltlage darzulegen; besonders interessierte ihn meine Einschätzung der europäischen Situation.

Schon während des ersten Gesprächs hatte mich Deng durch immer neue Zwischenfragen zu Ergänzungen und Exkursen genötigt, so daß ich wahrscheinlich anderthalb Stunden gesprochen habe. Deng hatte sich, so schien es mir, erst einmal ein Bild von mir machen wollen, bevor er sich selber äußerte. Ich hatte keine Bedenken gehabt, auf dieses Spiel einzugehen; um so ausführlicher würde Deng in der zweiten Gesprächsrunde antworten müssen. Im nachhinein verstand ich, daß er die Unterhaltung mit Mao hatte abwarten wollen. Als wir uns einige Tage später zu unserem zweiten Meinungsaustausch trafen, war es an ihm, das Wort zu führen. Tatsächlich sprach Deng dann genausolang, und diesmal war ich es, der die Zwischenfragen stellte.

Wenn sich Deng darauf beschränkte, die Worte Maos zu zitieren, war mir unklar, ob sie tatsächlich seine eigene Meinung ausdrückten oder ob er mit seiner Ansicht zurückhielt und sich sozusagen hinter Mao versteckte. Außer Deng waren der Außenminister und mehr als ein halbes Dutzend chinesischer Funktionäre anwesend, so daß er davon ausgehen mußte, jede Abweichung, und war sie noch so nuanciert, würde seinen Gegnern berichtet werden, also jener Gruppe, die später zur sogenannten Viererbande gezählt wurde.

Gleichwohl sprach Deng entschieden und kraftvoll. Dabei rauchte er, fast ohne Unterbrechung, eine Zigarette nach der anderen und machte von dem mehr als einen Meter entfernten Spucknapf artistischen Gebrauch; das ging geräuschvoll, anscheinend auch genußvoll vor sich. Die ständige Zigarette war keineswegs Ausdruck von Nervosität; offensichtlich war er ganz einfach nikotinsüchtig. Ich schätzte seinen Tagesverbrauch auf zumindest drei Päckchen. Ich kannte mich darin aus, denn ich rauchte selber genausoviel.

Mir ist es immer sympathisch gewesen, wenn Personen an der Spitze der Staaten ihre Selbstdisziplin nicht so weit trieben, daß keine menschlichen Schwächen mehr erkennbar blieben. Deng rauchte, als ich ihn ein Jahrzehnt später, 1984, in Beijing wieder traf, noch genauso viele Zigaretten wie damals. Er hatte sich überhaupt wenig verändert, nur daß er noch souveräner wirkte. Aber schon damals, 1975, war er eine imponierende Erscheinung, trotz seiner geringen Körpergröße.

Dengs Vortrag, anderthalb Stunden lang, war klar gegliedert. Zunächst erläuterte er Maos Bemerkung über die Unvermeidlichkeit eines neuen Krieges. Sie liege in der Entwicklung des »sozialimperialistischen Gesellschaftssystems« in der Sowjetunion. Das gewaltige Wachstum des militärischen und wirtschaftlichen Potentials habe Moskaus Begehrlichkeit geweckt; es habe zu einem Streben nach Welthegemonie geführt. Breschnews Außenpolitik sei in Wirklichkeit abenteuerlicher als diejenige Chruschtschows, zumal er über ein sehr viel größeres militärisches Potential verfüge als sein Vorgänger.

Als Deng zum Schluß gekommen war, erwiderte ich, er wie auch Mao brauchten uns solche Befürchtungen hinsichtlich der Sowjetunion nicht bewußt zu machen; die Deutschen vergäßen nicht, daß die Sowjetunion unser Land geteilt halte. Dennoch hätten wir keine Angst, angegriffen zu werden; die NATO stehe zur Verteidigung Europas bereit, und ihre Leistungsfähigkeit sei eindrucksvoll. Schließlich wisse die Sowjetunion, was auch Mao gestern festgestellt habe: Im Zweifel siegt am Ende selten der Angreifer, meist der Verteidiger.

Wir vermochten einander in der Beurteilung des sowjetischen Expansionswillens nicht zu überzeugen, und wir wollten das wohl auch nicht. Deng sagte, die Chinesen glaubten nicht an die Aufrechterhaltung eines Rüstungsgleichgewichts über ein, zwei oder drei Jahrzehnte. Schon durch das Teststoppabkommen 1963, durch SALT I 1972 und durch Wladiwostok 1974 – das Treffen Breschnews mit Ford zur weitgehenden Vorbereitung von SALT II – habe Moskau den amerikanischen Vorsprung aufgeholt; auf einigen Gebieten sei die Sowjetunion bereits überlegen. Vor wenigen Tagen hätten Mao und er zu Henry Kissinger – der damals Außenminister unter Ford war – dasselbe gesagt. Das Wettrüsten werde weitergehen, und es werde kein Gleichgewicht geben. Wie Mao gestern betont habe: Ob der Krieg in zehn Jahren oder in dreißig Jahren komme – die Ursache des Krieges werde immer die Sowjetunion sein.

Deng hielt sich ganz auf der Linie von Mao. Interessant war jedoch eine Passage über die Art der Kriegführung. Ein Krieg mit konventionellen Waffen sei viel wahrscheinlicher als der nukleare Schlagabtausch. Dies ergebe sich einerseits aus dem nuklearen Patt der beiden Supermächte, vor allem aber aus den Zielen des kommenden Krieges: Länder zu besetzen, Völker zu kontrollieren und Rohstoffe zu erlangen. Dies alles sei mit einer vorausgegangenen nuklearen Zerstörung nicht zu vereinbaren. Die konventionellen Streitkräfte der Bundesrepublik Deutschland seien deshalb besonders wichtig.

In Dengs Lagebeurteilung spielte offenbar die sowjetische Pazifikflotte eine große Rolle; sie sei schon dreimal so stark wie die 7. US-Flotte. Andererseits habe sich die politische Lage in Asien für die USA günstig entwickelt, seit sie aus Vietnam abgezogen seien. Japan stehe allerdings unverändert unter sowjetischem Druck. Sehr ausführlich erörterte Deng die sowjetische Bedrohung Chinas. Ein direkter sowjetischer Angriff auf China sei nicht zu befürchten, denn die Sowjets könnten ja allenfalls die großen Städte, nicht aber das riesige Land besetzen; den Fehler Hitlers werde kein Russe machen. Moskau erstrebe vielmehr eine politische Kontrolle über China. Schon 1958 hätte der Kreml mit dem Vorschlag eines vereinigten sowjetisch-chinesischen Flottenkommandos Chinas Küsten unter seine Kontrolle bringen wollen, denn das hätte auch bedeutet, sowjetische Stützpunkte auf chinesischem Boden einzurichten. Seitdem hätten sich, auch auf Grund der inzwischen aufgebrochenen ideologischen Auseinandersetzungen die Beziehungen zwischen Moskau und Beijing sehr verschlechtert.

Wenn man sich einmal theoretisch mögliche Operationsziele der Sowjets vorstelle, dann käme in erster Linie die Mandschurei in Frage, sodann ganz Nordostchina, eventuell Beijing selbst, vielleicht sogar das ganze Territorium bis zum Jangtse-Fluß. Im übrigen seien die sowjetischen Streitkräfte an der chinesischen Grenze natürlich nicht bloß gegen China einsetzbar, sondern auch gegen Japan und andere ostasiatische Staaten. Bedrohten sie etwa nicht auch die amerikanischen Stützpunkte in Ost- und Südostasien? Und die russischen Raketen bedrohten sogar die USA selbst.

Ohne sich zu erregen, ganz unpolemisch, eigentlich nur konstatierend stellte Deng fest:»Aber China fürchtet sich nicht vor der Sowjetunion. Unser Land ist vorbereitet. Und schließlich sind eine Million sowjetischer Soldaten entlang einer 7000 Kilometer langen Grenze nicht sehr viel; für einen Angriff auf China müßte die Sowjetunion mindestens zwei weitere Millionen aus dem Westen des Landes heranführen. Ein solcher Krieg würde sicher zwanzig Jahre und länger dauern. Wir haben keine Angst.« Als ich ihn fragte, ob er einen Nuklearschlag der Sowjetunion gegen China für denkbar halte, antwortete Deng ganz ruhig:»Das würde grundsätzlich nichts ändern! China würde auch das überleben.«Im weiteren Verlauf meiner Reise konnte ich jedoch spüren, daß mancher Chinese sich durchaus Sorgen über einen nuklear geführten Krieg machte.

Gegen Ende unseres Gesprächs kam Deng auf die USA zurück. Er redete noch einmal von der übergroßen Vielfalt ihrer Beistandsverpflichtungen. Dann ging er auf das Verhältnis Washingtons zu Europa ein. Ob wir sicher seien, daß die USA Europa wirklich verteidigen würden? Auch dann, wenn es »nur« um

Jugoslawien oder Skandinavien gehe? Es sei doch denkbar, daß die Amerikaner sich verhielten wie 1940 die Engländer bei Dünkirchen und ihre Verbündeten sich selbst überließen.

Deng erzählte, daß er das auch Kissinger vorgehalten habe; der habe dazu gesagt, wie sich die USA verhielten, hänge entscheidend von dem Verhalten der Europäer ab. Deng hatte das offenbar eingeleuchtet. Es müsse eine stabile Bündnispartnerschaft zwischen Europa und den USA geben; deshalb habe China keinerlei Einwände gegen die Anwesenheit amerikanischer Streitkräfte in Europa. Aber man habe Zweifel an der amerikanischen »Beschwichtigungspolitik«; das Beispiel der Helsinki-Konferenz sei sehr bedenklich. Jedenfalls müsse Westeuropa darauf vorbereitet sein, sich notfalls allein zu verteidigen. Und deshalb müsse Europa sich politisch vereinigen.

Ich sagte dazu einigermaßen kühl, die Einigung Europas habe Bonn schon zu einer Zeit gefordert und auch gefördert, als Beijing sie noch – gemeinsam mit Moskau – entschieden bekämpft habe. Was aber unsere Verteidigungsfähigkeit anlange, so leisteten wir Deutschen dazu einen militärischen Beitrag, der nicht nur von unseren Freunden hoch bewertet werde. Ich fügte hinzu, wahrscheinlich verstehe die chinesische Führung auf Grund ihrer jahrzehntelangen Erfahrungen mit der Sowjetunion von Moskau mehr als wir; es sei für sie aber auch wichtig, mehr von Europa zu wissen, und deshalb lüde ich ihn zum Gegenbesuch ein. Beijing solle allerdings auch mit den USA engere Kontakte unterhalten; Gerald Ford und Henry Kissinger seien starke und zuverlässige Männer, die durchaus auch Kritik vertrügen.

Plötzlich sagte Deng fast unvermittelt und sehr lapidar: »Wir unterstützen die Wiedervereinigung Deutschlands.« China sehe die deutsche Teilung aus der Erfahrung der geteilten Länder in der eigenen Hemisphäre; man wolle die Wiedervereinigung für Deutschland ebenso wie für Vietnam, Korea und China (womit Taiwan gemeint war). Alle diese Wiedervereinigungsprobleme könnten nicht in fünf oder zehn Jahren gelöst werden, vielleicht aber brauche es doch nicht ein Jahrhundert dazu. Diese Perspektive war in meinen Augen realistisch; und natürlich war mir Dengs erster Satz sympathisch. Ich habe ihm für das klare Wort herzlich gedankt.

Dengs Ausführungen zur weltwirtschaftlichen Lage blieben erstens sehr ideologisch und zweitens auffällig vage. Er beschränkte sich im wesentlichen auf die rhetorische Begründung der Notwendigkeit einer »neuen Weltwirtschaftsordnung«, wie sie damals in allen Entwicklungsländern an der Tagesordnung war. Auf ökonomischem Felde war Deng ein bloß zuhörender Gesprächspartner; was er selber sagte, ging über plakative Äußerungen nicht hinaus. Auch ein Jahrzehnt später, als China ganz im Zeichen der binnenwirtschaftlichen Reform und der außenwirtschaftlichen Öffnung stand, war seine Kenntnis der wirtschaftlichen Zusammenhänge offenbar noch immer recht allgemein und jedenfalls nicht zu vergleichen mit seiner Prägnanz in strategischen Fragen.

Wenn man vier große Essen mitrechnet, bei denen wir uns ebenfalls ausführlich unterhalten konnten, hatten Deng und ich über acht oder zehn Stunden einen sehr persönlichen Meinungsaustausch. Ich gewann den Eindruck, daß auch Deng diese Zeit sehr nützlich angewandt erschien.

Wenn ich meine damaligen Eindrücke zusammenfasse, so schien mir Maos weltpolitisches Bild noch immer auf Moskau fixiert zu sein, obwohl das Zerwürfnis schon fast zwei Jahrzehnte zurücklag. Die chinesische Führung hatte ganz offensichtlich erhebliche Besorgnisse im Blick auf die potentielle militärische Bedrohung aus dem Norden, aber sie verbarg sie hinter Stolz, Mißtrauen und Verachtung. Da ich andererseits die sowjetische Furcht vor den wachsenden Menschenmassen in China kannte – die Bevölkerung beider Reiche steht zueinander im Verhältnis von 1:4, wie mir Breschnew und Gromyko mehrfach besorgt auseinandergesetzt hatten –, so war und ist die Möglichkeit eines Krieges zwischen den beiden Riesenreichen in der Tat nicht völlig auszuschließen. Mir schien ein Krieg der Giganten dennoch sehr unwahrscheinlich. Aus den Gesprächen in Beijing hatte ich zugleich den Eindruck gewonnen, daß die chinesische Führung im Augenblick ganz andere Sorgen hatte; sie war im wesentlichen auf die Innenpolitik und nicht auf die Außenpolitik konzentriert. Dennoch vernachlässigte sie die große Strategie keineswegs.

Mao und Deng schienen mir zu der Auffassung gekommen zu sein, daß China allein, nur auf die eigene Kraft gestützt, nicht in der Lage sei, Moskaus Streben nach der Weltherrschaft, von dem sie wohl wirklich überzeugt waren, wirkungsvoll genug entgegenzutreten; deshalb setzte man in Beijing auf die USA und auf Europa. Ganz unverkennbar richtete sich die Kritik an den USA nicht darauf, daß die Amerikaner zu stark, sondern umgekehrt darauf, daß sie in den chinesischen Augen nicht mächtig genug waren.

Wenn aus China Parolen gegen den »Hegemonismus« der Supermächte laut wurden, so sollte das immer so klingen, als seien sowohl die Sowjetunion als auch die USA gemeint. Aber das war lediglich auf die Öffentlichkeit in China und in der Dritten Welt gemünzt; in Wahrheit hatte man ausschließlich die Sowjetunion im Auge. Beijings Interesse an Bonn beruhte anscheinend darauf, daß man Westeuropa als den entscheidenden Faktor ansah und innerhalb Europas der Bundesrepublik das größte wirtschaftliche und militärische Potential zusprach. Auch traute man Bonn wohl größeren politischen Einfluß auf Washington zu als Paris, Rom oder London. Daß man uns gern in eine stärkere Konfrontation mit Moskau hineinmanövriert hätte, war offenkundig; aber unseren chinesischen Gesprächspartnern war wohl klargeworden, daß wir uns auf dieses Spiel nicht einlassen würden. Die Sowjetunion war für Beijing eindeutig der Hauptgegner – aus historischen, geographischen, militärischen und ideologischen Gründen.

Die innere Situation Chinas dagegen blieb sehr unklar. Die Eindrücke dieser Tage in Beijing waren vielfältig und widersprachen einander. Die Monotonie, mit der »Maos Denken« nachgebetet wurde, war überwältigend. Diese plakative Akklamation des großen Führers provozierte geradezu die Frage: Warum ist das nötig? Was denken die Menschen selbst? Angesichts der Jahrtausende chinesischer Geschichte und Kultur, jener Blüte von Philosophie, Wissenschaft und Literatur schien es mir unvorstellbar, daß die Chinesen das alles aufgegeben haben sollten zugunsten einiger weniger Schwarzweißklischees, die formelhaft wiederholt wurden.

Mao selber hatte mich sehr beeindruckt. Als ich ihm gegenübersaß, mußte ich daran denken, daß er als Führer der Revolution für die Zukunft Chinas eine ähnlich geschichtsträchtige Bedeutung hatte wie Lenin für die Sowjetunion. Aber die russische Führungsschicht, mit der Lenin es zu tun gehabt hatte, war schmal gewesen. Vielleicht war die gebildete Schicht in China proportional auch nicht breiter gewesen, aber wegen der Größe des riesigen und volkreichen Staates war sie zahlenmäßig doch wohl sehr viel stärker. Und Konfuzius, Laotse und der Buddhismus leuchteten über China schon seit Jahrtausenden.

Natürlich war das kaiserliche China des 19. Jahrhunderts verrottet, heruntergewirtschaftet von den kolonialen Interventionsmächten; aber es schien mir gänzlich unwahrscheinlich, daß dieses Reich seine Geschichte, seine Traditionen über Bord werfen und für Maos großangelegten Versuch der Schaffung eines »neuen Menschen« eintauschen würde. War das nicht sonderbar unhistorisch? Mit ehrfürchtigem Respekt habe ich in China von jeher die einzige Weltkultur gesehen, die sich über Jahrtausende hinweg bis in die Gegenwart kontinuierlich entfaltet und bewahrt hat. Und dies sollte durch eine »Kulturrevolution« dem Wesen nach verändert werden?

Nicht nur die Oper in Beijing, auch die Propaganda-Oper in Urumtchi in der Provinz Xinjiang, früher Sinkiang geschrieben, schockierte mich. Mir mißfiel der Stil des Umgangs zwischen den Zehntausenden von Menschen in der Volkskommune »Roter Stern«. Mir mißfielen die Propagandalautsprecher, die den ganzen Tag auf Urumtchis Hauptstraßen die Menschen mit politischer Agitation berieselten. Mir mißfiel die aufgezwungene Uniformität der Kleidung, und mich schockierte die offensichtlich rücksichtslose Unterdrückung aller Individualität.

Was meine Mitreisenden Klaus Mehnert, C. F. von Weizsäcker und Max Frisch aus Privatgesprächen mit Intellektuellen im Umkreis der Universitäten berichteten, vermittelte mir einen gleichermaßen trostlosen Eindruck. Zu Millionen hatte man im Namen der Kulturrevolution Schüler, Studenten und Künstler zur Zwangsarbeit in die dörflichen Kommunen verschickt, hatte die Intellektuellen gedemütigt, entwürdigt und zu Selbstbezichtigungen gezwungen – Zehntausende waren zusammengeschlagen worden, Tausende waren umgekommen. Jedermann mußte immerfort Gesinnungen vortäuschen, die nicht die seinen waren; ein ganzes Volk war zum Lügen verdammt worden. Wer in die Stadt und an die Universität hatte zurückkehren dürfen, dessen beruflicher Werdegang hing – und hängt wohl noch heute – von seiner ideologischen Haltung ab, und über deren Wert befanden »die Massen«, in Wahrheit natürlich die sogenannten Revolutionsausschüsse. Angesichts dieses weitgehenden Verlusts der Menschlichkeit hätte ich im Reiche Maos und seiner Kulturrevolution um keinen Preis der Welt leben wollen, das spürte ich sehr deutlich. Ich empfand Sympathie für die Millionen und aber Millionen von Betroffenen.

Nur in einer einzigen Stadt kamen mir die Menschen, die Jungen wie die Alten, ein wenig fröhlicher vor; das war in Nanjing (Nanking), einer der vielen großen Städte Chinas, die irgendwann einmal Hauptstadt des Reiches gewesen waren. Ein wenig davon spürt man noch immer, auch bei einem flüchtigen Besuch. Die Menschen trugen vielfach nur Hemd und Hose, sahen also bunter aus als die Menschen andernorts. Einer von uns hat in Nanjing sogar ein engumschlungenes Liebespaar gesichtet, während wir überall sonst den Eindruck puritanischer Strenge hatten; jeder Flirt, jedes erkennbare Zeichen von Zärtlichkeit schien unterdrückt zu werden.

Nanjing, eine Platanenstadt, wirkte ganz und gar grün; die Menschen schienen das Leben gelassener und leichter anzugehen. Gewiß spielt auch das Klima eine Rolle. Es ist dort erheblich wärmer als in Beijing, und immer wieder fühlte ich mich an Neapel erinnert. In südlichen Gefilden fällt es der Staatsgewalt offenbar schwerer, formale Disziplin zu erzwingen; vielleicht liegt darin, so dachte ich, eine Hoffnung für den Süden.

In der Erinnerung bleibt vor allem das Bild des Yangtse-Flusses, an dessen Südufer die Stadt liegt. Die Ufer sind relativ flach, deshalb wirkt der enorme, zu Überschwemmungen neigende gelbgraue Strom noch breiter, als er tatsächlich ist, zwei Kilometer. Man war sehr stolz auf die große Brücke, welche die Sowjets 1960 nach dem Bruch mit China halbfertig zurückgelassen hatten und die dann – wie Hunderte anderer halbfertiger Projekte – von den Chinesen allein zu Ende gebaut worden war. Im Anschluß an eine kleine Dampferfahrt gab es auf der Brücke das für alle Gäste offenbar obligate Gruppenphoto; die kleinen Holztreppchen für diesen Zweck stehen immer bereit.

Der offizielle Besuch eines Regierungschefs läßt wenig Gelegenheit, Eindrücke über Land und Leute zu sammeln. So bekam ich 1975 außer Beijing und Nanjing nur noch eine Stadt zu sehen, nämlich Urumtchi in Xinjiang, dem chinesischen Teil Turkestans. Der stundenlange Flug über die endlosen, unbesiedelten Einöden, über die Ränder der Wüste Gobi und danach entlang der Ausläufer des Tien-Shan-Gebirges prägte in uns die Vorstellung eines fast unerschöpflich weiten Raumes mit einer Eindringlichkeit, die man nicht wieder vergißt. Irgendwo da unten war also die alte Seidenstraße verlaufen, mit Hunderten von Kilometern Leere zwischen den größeren Oasen und Stützpunkten. Bisweilen konnte ich die Eisenbahnlinie erkennen, die an die Stelle der Karawanenstraße getreten ist. Irgendwo da unten war auch der Buddhismus ostwärts gezogen und Jahrhunderte später dann Marco Polo. In dieser unendlichen Einöde hatten sich über die Jahrhunderte hinweg immer wieder Kämpfe zwischen Chinesen und Mongolen, Tibetern und zentralasiatischen Turkvölkern zugetragen. Irgendwo dort unten, in den Wüsten der inneren Mongolei, hatte vor siebenhundertfünfzig Jahren Dschingis Khan seinen Eroberungsfeldzug gegen China begonnen. In der inneren Mongolei und in Xinjiang besitzt China noch immer ungenutzte, gewaltige Kultivations- und Siedlungsmöglichkeiten, sofern genug Wasser gesammelt oder an die Oberfläche gebracht werden kann. Zwar hat Rußland unter den Zaren wie unter den Kommunisten die äußere Mongolei aus dem chinesischen Machtbereich herausgebrochen; aber an Xinjiang ebenso wie an Tibet und an der Mandschurei werden die Chinesen eisern festhalten.

Das Tien-Shan-Gebirge mit seinen bis zu 6000 und 7000 Metern hohen Gipfeln teilt Xinjiang in das südlich gelegene Tarimbecken und in die nördlich gelegene Dsungarei. Seine Schneefelder und Gletscher glänzten in der Sonne, als wir an ihnen entlangflogen. Die Gipfel im Norden und Nordwesten der Dsungarei konnten wir im Dunst der Ferne nur ahnen, aber wir wußten:

Die deutsche Delegation beim obligaten Photo vor der Großen Brücke über den Yangtse; links hinter Loki Schmidt Dr. Völpel, Schmidts »Leibarzt«, links daneben Staatsministerin Marie Schlei; ganz links Staatssekretär Klaus Bölling (erste Reihe) und Max Frisch (zweite Reihe). Unten: Ehrenformation junger Eisenbahnerinnen in Urumtchi.

Typische Bilder aus
Urumtchi, der Haupt-
stadt Xinjiangs; Aufnah-
men Theo Sommer.

Dahinter liegt der sowjetische Teil Turkestans und dahinter dann Kasachstan und Kirgisistan.

Der Empfang in Urumtchi, der Hauptstadt der Provinz Xinjiang, unterschied sich bereits äußerlich deutlich von dem Empfang in Beijing. Die Gesichter der Menschen wirkten zwar asiatisch, nicht aber chinesisch. Alles war viel bunter: Die Frauen trugen bunte Röcke, auch beim Straßenfegen mit kleinen Reisigbesen; die Kinder waren noch viel farbenfroher angezogen als in Beijing, und die meisten Männer trugen bestickte kleine Kappen. Zur Begrüßung waren weibliche Soldaten mit weißen Handschuhen angetreten und Tanzgruppen in hübschen Volkstrachten.

Die Uiguren sprachen schnell und temperamentvoll, unsere chinesischen Begleiter konnten sie kaum verstehen. Alle Spruchbänder waren zweisprachig: unten chinesische Schriftzeichen, oben, also sozusagen mit Vorrang, türkische Schrift, zumeist in lateinischen Buchstaben. Die Han-Chinesen waren offensichtlich eine Minderheit, die Uiguren überwogen bei weitem. Sie waren interessiert und neugierig, wahrscheinlich hatte es dort kaum je einen offiziellen westlichen Besuch gegeben. Voller Stolz erzählten sie, daß sie sich ohne große Schwierigkeiten mit den Türken in der weitentfernten Türkei verständigen könnten.

Im Museum gewannen wir den Eindruck einer über Jahrhunderte hinweg entstandenen Mischkultur: einerseits geprägt von der Nomadenkultur der Steppe und der Oasenkultur der Wüste, andererseits beeinflußt von den Reitervölkern der Hunnen und Mongolen, die aus der Mongolei kommend von hier aus nach Westen durchgebrochen waren.

Die Grenzen zur Sowjetunion seien nicht genau definiert, sagte mir der ständig lächelnde Führer, aber sie seien praktisch unpassierbar. Sie können nicht immer so unpassierbar gewesen sein, dachte ich, denn die Türken, Hunnen und Mongolen waren zum großen Teil ja weitergezogen – nach Indien, Persien, Kleinasien und nach Europa. Und Seide wie Porzellan waren über die heute sowjetischen Städte Taschkent und Samarkand bis nach Venedig gelangt. In umgekehrter Richtung hatte der Islam, aus dem mittleren Osten kommend, die Gebirgspässe überwunden.

Xinjiang ist heute sozusagen ein zentralasiatischer Außenposten Chinas, ähnlich wie Kasachstan und die übrigen islamischen Sowjetrepubliken, deren Gebiete die Russen erst im 19. Jahrhundert erobert haben, Außenposten der Sowjetunion bilden. Die Uiguren kehrten nicht nur den Stolz auf ihre Eigenart heraus, sie waren auch sehr offen: »Wir sind keine Chinesen, wir wollen das auch nicht sein.«–»Ich heirate bestimmt keinen Chinesen!« erklärte ein junges Mädchen meiner Frau sehr nachdrücklich.

Gleichwohl erschienen mir die uigurischen Bürger gegenüber ihrer Staatsführung nicht minder loyal als die chinesischen – aber wer will dies bei einem so kurzen Besuch wirklich beurteilen können? Der Aufenthalt in Urumtchi machte mir jedenfalls deutlich, wie groß Einfühlungsvermögen und Fingerspitzengefühl der Führung in Beijing sein und bleiben müssen, wenn das chinesische Großreich seine Minderheiten bei der Stange halten will. Mitunter zweifelte ich daran, daß die gewaltigen Aufgaben der Konsolidierung von der in Beijing zentralisierten Bürokratie gelöst werden können.

Die Uiguren stellen zwar innerhalb der Gruppe der fünf oder sechs Turkvölker, von denen Teile in der Volksrepublik China leben, das größte Kontingent; aber die ganze Gruppe umfaßt vielleicht nur zehn Millionen Menschen. Dazu kommen dann in anderen Provinzen die Tibeter, die Mongolen, die Mandschus und all die anderen nationalen Minderheiten.

Schätzungsweise besteht die Gesamtbevölkerung des Großreiches zu fast einem Zehntel aus zahllosen sprachlichen, ethnischen – und religiösen – Minderheiten. Die sogenannten autonomen Provinzen, Regionen, Kreise und Dörfer sind offenbar einem steten Prozeß der »Sinisierung« unterworfen, teils durch Einwanderung oder planmäßige Ansiedlung von Han-Chinesen, teils durch die forcierte Verbreitung der han-chinesischen Sprache, die im Englischen oft irreführend als Mandarin bezeichnet wird. In Urumtchi schienen uigurisch und han-chinesisch sprechende lokale Funktionäre für das Gespräch untereinander zum Teil Dolmetscher zu benötigen.

Der Besuch in Xinjiang bestärkte mich in meiner wachsenden Sympathie für China; andererseits wuchs meine Abneigung gegen die Kulturrevolution, deren absurde Auswirkungen wir auch in dieser fernen Provinz spüren konnten. Zhou Enlai lag im Sterben; Mao war offensichtlich zur Führung des Staates nicht mehr in der Lage. Wer wirklich die Zügel in der Hand hielt, blieb unklar. Deng Xiaoping schien der Mann, der die notwendigen Qualitäten in sich vereinte; aber seine ostentative, fast penetrante Anlehnung an Maos Worte ließ mich an seiner Handlungsfreiheit zweifeln.

Ein halbes Jahr nach meinem Besuch, im April 1976, wurde Deng Xiaoping ein weiteres Mal »gesäubert« und – diesmal angeblich von Mao selbst – in die Wüste geschickt. Von Bonn aus schien es, als hätten schließlich doch die Kulturrevolution und der haßerfüllte Eifer der Jiang Quing, der Frau Maos, über jede Vernunft gesiegt. Ich war von diesen Nachrichten betrübt – einerseits aus Sympathie für China und andererseits, weil ich Rückwirkungen der siegreichen Kulturrevolution auf den Westen fürchtete. Hatte ich doch im eigenen Lande erlebt, daß auch deutsche Studenten durch infektiöse ideologische Hysterie sich aus sittlichen Verankerungen herausreißen und zu zerstörerischem Voluntarismus verführen lassen.

Zwischenakt: Hua Guofeng

Im September 1976 starb Mao. Nach seinem Tod kam die Kulturrevolution rasch zu ihrem Ende. Maos Witwe Jiang Quing und die ihr ergebenen Führer der Kulturrevolution wurden verhaftet; im Juni 1978 wurde Deng Xiaoping als stellvertretender Parteivorsitzender und stellvertretender Ministerpräsident zurückgeholt. Die Spitzenämter hatte Hua Guofeng inne; er war im Zuge von Dengs Verbannung noch von Mao installiert worden.

Hua hat seine beiden Spitzenämter nicht lange halten können; 1981 wurde er gestürzt. Die Machtkämpfe innerhalb der KPCh – nicht nur in jenen Jahren, sondern von Anfang an und über mehr als ein halbes Jahrhundert – würden gewiß Stoff für einen aufregenden historischen Roman liefern. Ende der siebziger Jahre war man in der chinesischen Führung frei von dem Zwang, Maos Dicta sklavisch nachbeten zu müssen. Somit ergab sich damals auch ein differenzierteres Bild der chinesischen Außenpolitik. Es gilt in großen Teilen noch heute; deshalb möchte ich hier von einem ausführlichen Gespräch mit Hua Guofeng berichten, das wir über mehrere Tage im Oktober 1979 in Bonn führten.

Hua Guofeng, den ich bis dahin nicht kannte, wurde begleitet von seinem Außenminister Huang Hua, mit dem ich bereits zusammengekommen war und den ich seither häufig getroffen habe. Huang Hua ist ein erfahrener, kluger und zugleich angenehmer Diplomat; schon 1913 trat er als ganz junger Mann der Kommunistischen Partei bei. Er hatte in den dreißiger Jahren für Mao gedolmetscht, war in den fünfziger Jahren ein enger Mitarbeiter Zhou Enlais gewesen, hatte zahlreiche Botschafterposten bekleidet und war 1976 Außenminister geworden. Ich habe meine Unterhaltungen mit diesem sachlichen Manne sehr geschätzt. Heute ist er Vorsitzender des Ständigen Ausschusses des Parlaments.

1979 kam es freilich nicht so sehr auf ihn an als vielmehr auf seinen Chef an. Nach drei offiziellen Gesprächen, an denen unsere Außenminister teilgenommen hatten, fanden Hua Guofeng und ich so viel Interesse aneinander, daß wir uns im Anschluß an ein Essen spontan zu einem ganz privaten Meinungsaustausch zurückzogen. Bevor die chinesische Delegation in Bonn eingetroffen war, hatte ich mit Valéry Giscard d'Estaing telefoniert, um zu hören, welchen Eindruck Hua in Paris hinterlassen hatte; und was Giscard berichtete, hatte mich neugierig gestimmt. Schon in den offiziellen Delegationsgesprächen gab es zwei interessante Feststellungen: Nach der Zerschlagung der Viererbande gehöre die Theorie des Klassenkampfes der Vergangenheit an; China brauche auf lange Zeit Stabilität, um seinen inneren Ausbau voranzutreiben. Was die Außenpolitik betreffe, so habe man diese in zwei Begriffen zusammengefaßt, nämlich Bekämpfung des Hegemonialanspruchs und Sicherung des Weltfriedens; freilich könne man eine friedliche und stabile internationale Lage nicht durch Gebete erreichen, man müsse sie vielmehr aktiv anstreben. Die These von der Unvermeidbarkeit des Krieges war offenbar in der Versenkung verschwunden.

Im privaten Gespräch ging es ausschließlich über die Weltlage und über die Position der wichtigsten Länder. Hua Guofeng fragte nach der Lage in den USA, und ich legte ihm meine Sicht der amerikanischen politischen Verhältnisse dar: »Sowohl der Krieg in Vietnam als auch Watergate haben zu einer erheblichen Beeinträchtigung des Selbstverständnisses der Amerikaner geführt und darüber hinaus die innenpolitische Stabilität des Systems angenagt. Dies ist noch nicht ganz überwunden. Es fehlt noch die alte Homogenität der innen- und außenpolitischen Vorstellungen, die auch künftig notwendig sein wird. Das ist nicht nur ein Problem des Präsidenten Carter, sondern mehr noch eine allgemeine politische Bewußtseinskrise. Aber die amerikanische Nation hat eine hohe Vitalität. Mit ihrer Hilfe werden die USA in den achtziger Jahren zu ihrem vollen Gewicht zurückfinden. Andererseits hat die Sowjetunion die bisherige Führungsschwäche der USA erfolgreich ausgenutzt, in Angola, am Horn von Afrika, in Afghanistan und an vielen anderen Orten. In Ägypten, in Somalia und im Irak hat sie freilich erhebliche Rückschläge erlitten. Wie steht es aber«, fragte ich meinen Gast, »zwischen der Volksrepublik China und der Sowjetunion?«

»Wir wissen«, erwiderte Hua Guofeng, »daß es im Westen zwei entgegengesetzte Besorgnisse gibt. Zum einen fürchtet man, Beijing und Moskau könnten sich gegen Ende des Jahrhunderts verbünden und gemeinsam ein Übergewicht über den Westen erlangen. Zum anderen fürchten einige Westeuropäer, der Westen könnte in einen Krieg zwischen China und der Sowjetunion verwickelt werden. Wir halten einen Weltkrieg für unwahrscheinlich, auch wenn die internationale Lage noch labiler und gespannter werden sollte. Einige anglo-amerikanische und japanische Forschungsinstitute sagen zwar, ein dritter Weltkrieg könne Mitte der achtziger Jahre ausbrechen, weil dann die Sowjetunion den Höhepunkt ihrer Rüstungsüberlegenheit erreichen werde. Und natürlich wird es Krisenpunkte geben, in einigen arabischen Ländern, in Südostasien, in Teilen Afrikas, im karibischen Raum, am gefährlichsten im Nahen Osten. Aber China hat in den letzten Jahren seine Beziehungen zu den USA normalisiert. Zu Japan und zu Westeuropa bestehen gut entwickelte Beziehungen. Die Sowjetunion hat Angst vor einem Zweifrontenkrieg. Wenn China in den nächsten Jahren an Macht gewinnt, so wird Moskau nicht leichtfertig gegen Europa vorgehen. Für einen Krieg gegen China müßte Moskau seine Truppen an der Grenze von einer Million auf fünf bis sechs Millionen erhöhen; es müßte seine wichtigsten, bestausgerüsteten Truppen aus Europa abziehen. Das können die Sowjets nicht, wenn sie sich dort nicht absolut sicher fühlen. Für uns steht fest, daß die Sowjetunion einen Zweifrontenkrieg fürchten muß. Deshalb glauben wir nicht, daß sie in den achtziger Jahren einen Weltkrieg vom Zaun brechen wird.«

»Dennoch«, fuhr er fort, »werden die Sowjets jede Chance zu weiteren Expansionen nutzen. Das ist ihre klar erkennbare Strategie. Sie wollen ihren Druck auf Westeuropa verstärken und einen Keil zwischen die Europäer und die Amerikaner treiben. Ebenso ist uns klar, daß sie Europa strategisch umgehen und – vom Nahen Osten, von Afrika und von See her – einkreisen wollen.«

Ob es denn in der Führung der KP Chinas Einigkeit gebe darüber, daß die Sowjetunion sich einen Zweifrontenkrieg nicht leisten könne?

Ja, meinte Hua Guofeng, in dieser Frage sei man sich einig, auch wenn es vielleicht nicht die absolute Wahrheit sei. »Wenn Sie in Europa Ihre Verteidigungsanstrengungen intensivieren, wenn sich die westeuropäischen Staaten vereinigen und ihre Beziehungen mit den USA aufrechterhalten und wenn auf der anderen Seite wir Chinesen mit Japan und mit den USA verbunden bleiben, so muß die Sowjetunion das größte Interesse daran haben, einen Zweifrontenkrieg zu vermeiden. Außerdem macht man sich in Moskau große Sorgen um den osteuropäischen Hinterhof. Aus diesen Gründen sind wir der Ansicht, daß ein sowjetisch-chinesischer Weltkrieg in den achtziger Jahren nicht ausbrechen wird.«

Aus der bedächtigen, ernsten Art seines Vortrages sprach sehr viel Urteilskraft. Auch Huas Analysen des bewaffneten chinesisch-vietnamesischen Konfliktes und der gegenseitigen chinesisch-sowjetischen nuklearen Raketenbedrohung beeindruckten mich. Der chinesisch-vietnamesische Konflikt sei eine Folge des vietnamesischen Hegemonialstrebens gegenüber Kambodscha. Vietnam sei dort erst einmarschiert, nachdem der sowjetisch-vietnamesische Bündnisvertrag unterzeichnet war. Auch habe es zahlreiche Grenzverletzungen und Provokationen gegenüber der Volksrepublik China gegeben; China habe sich zur Wehr setzen müssen. Schließlich sei Chinas Kampf gegen jede Art von Hegemonie ernst gemeint: »Wenn der Kampf sich vor der chinesischen Haustür abspielt, dann kann China nicht tatenlos bleiben.«

Natürlich habe man in Beijing den Schritt gegen Vietnam vorher nach allen Richtungen hin überprüft und keineswegs überstürzt gehandelt. Wenn man jedoch nicht gehandelt hätte, wären Thailand und Malaysia die nächsten Opfer geworden; die ASEAN-Länder hätten dann keinen Widerstand mehr geleistet. Damit hätte die Sowjetunion den Zugriff auf die Malakka-Straße gewonnen und mithin die Kontrolle über die entscheidende Seeverbindung zwischen dem Pazifischen und dem Indischen Ozean. Das hätte dann Auswirkungen gehabt bis in den Persischen Golf, ins Rote Meer und ganz bestimmt auf die Ölversorgung der Welt.

»Wir haben also«, fuhr er fort, »nicht nur aus eigenem nationalen Interesse gehandelt. Aber natürlich haben wir im eigenen Interesse zunächst mögliche sowjetische Reaktionen sorgfältig kalkuliert. Wir kamen, wie schon gesagt, zu dem Ergebnis, daß die Sowjetunion für einen großen Krieg gegen China nicht vorbereitet war; ein großer Krieg war also unwahrscheinlich. Wir haben natürlich auch die Möglichkeit sowjetischer Teilangriffe auf Xinjiang oder auf Nordchina geprüft; wir kamen zu dem Ergebnis, daß in diesem Falle der Sowjetunion eine von ihr nicht zu kontrollierende Eskalation militärischer Aktionen drohe. Deshalb rechneten wir ebenfalls nicht mit der Wahrscheinlichkeit eines begrenzten Angriffs. Schließlich mußten wir aber auch mit der Möglichkeit sowjetischer Übergriffe und Aktionen an der chinesisch-sowjetischen Grenze rechnen; diese Möglichkeit haben wir nicht ausgeschlossen, sondern uns darauf vorbereitet, ehe wir gegen Vietnam handelten.«

China habe auch mit den USA und mit Japan darüber gesprochen; beide, besonders Carter, seien über die möglichen sowjetischen Reaktionen besorgt gewesen und hätten gewarnt. »Aber die tatsächliche Entwicklung hat unseren Erwartungen entsprochen. Zwar haben die Sowjets uns am ersten Tage gedroht und den Abzug unserer Truppen verlangt, und als wir nicht reagier-

Mit Hua Guofeng auf
Schloß Gymnich,
22. Oktober 1979. Ende
der siebziger Jahre galt
Hua Guofeng als der
mächtigste Mann
Chinas; 1981 wurde er
gestürzt.

ten, haben sie militärische Manöver veranstaltet und Flottenein-
heiten in die Südchinesische See entsandt. Aber das war alles. Sie
haben eine ernste Prüfung bestanden [sollte heißen: einer ernsten Versuchung widerstanden], weil sie Angst haben vor einem
Zweifrontenkrieg. Sie sind eine große Militärmacht; aber einen
Zweifrontenkrieg können sie nicht wagen.«

Ich übergehe hier unsere Unterhaltung über Afghanistan,
Iran, den Nahen Osten und die Ölversorgung, über die innere
Lage in Laos und Kambodscha, die Rolle der ASEAN-Staaten
und Japans sowie die Rolle der Dritten Welt und der Blockfreien.
Bei allen diesen Themen zeigte sich der chinesische Parteichef
und Ministerpräsident glänzend unterrichtet. Sein geostrategischer Überblick und die Fähigkeit zur Darstellung in vereinfach-
ten, aber keineswegs simplifizierten großen Linien war ungewöhnlich, seine Offenheit erfrischend. Im Vergleich zu Maos
apodiktischen Pauschalurteilen vier Jahre zuvor war dies besonders bemerkenswert.

Mir war klar, daß man Huas Vortrag auch als einen umfassend
angelegten Versuch deuten konnte, mich – und andere europäische Führer, die etwa Ähnliches von ihm zu hören bekamen –
für einen stärkeren westlichen Druck auf die Sowjetunion zu gewinnen; denn natürlich gilt auch in China, daß der Dritte sich
freut, wenn zwei sich streiten. Andererseits handelte es sich um
improvisierte nächtliche Unterhaltungen von ziemlicher Dauer,
die im fest vereinbarten Besuchsprogramm ursprünglich gar
nicht vorgesehen waren und auf die sich Hua Guofeng erst während des Abendessens hatte einstellen können. Wenn er mich
gleichwohl – aus einem psychologisch-taktischen Konzept heraus – zu beeinflussen suchte, so war er auf jeden Fall ein Mann
von ungewöhnlicher Kompetenz.

In den Mittelpunkt meiner Antwort stellte ich die personelle
Situation in Moskau und die daraus entspringende Unsicherheit
im Urteil des Westens. Ich sprach über die Lage in Europa, in der
EG und ihren Mitgliedsstaaten, über die Folgen der Teilung
Deutschlands, die deutsch-französische Allianz, die überragende Stellung Giscard d'Estaings, die militärischen Fähigkeiten der
NATO und der Bundeswehr. Und ich sprach natürlich auch über
die nuklearstrategische Situation, über SALT, über die neuen
sowjetischen eurostrategischen Raketen SS 20, über die dadurch entstehende zusätzliche politische Verwundbarkeit der
Bundesrepublik Deutschland und über den in acht Wochen bevorstehenden NATO-Doppelbeschluß.

Zu diesem letzten Punkt führte Hua Guofeng aus: »Gegen
uns hat die Sowjetunion sowohl interkontinental-strategische
Nuklearwaffen als auch Mittelstreckenwaffen in Stellung ge-

bracht. Wir können dagegen nicht viel sagen, denn angesichts der Reichweiten dieser Raketen stehen sie weit von unserer Grenze entfernt ... Unsere eigenen Nuklearwaffen sind denen der Sowjetunion oder der USA technisch weit unterlegen. Aber bei einem nuklearen Angriff auf China muß der Kreml damit rechnen, daß wir sowjetische Städte, auch Moskau, vernichten werden. Unsere Nuklearwaffen können durch einen sowjetischen ›first strike‹ keineswegs alle vernichtet werden; sie sind verdeckt, wie auch viele unserer Rüstungsfabriken, und von den sowjetischen Aufklärungssatelliten nicht auszumachen. Außerdem ist es unmöglich, unsere mobilen Systeme auf einen Schlag zu vernichten.«

Auf die von Hua in diesem Zusammenhang gegebenen technischen Erläuterungen möchte ich hier nicht eingehen. Er fuhr fort: »Als Breschnew in Amerika war, hat er Nixon gesagt, er würde gern mit ihm zusammen das nukleare Potential Chinas vernichten. Breschnew hat gefragt: ›Wie lange braucht China, um nuklear aufzurüsten?‹ Nixon hat geantwortet: ›Zwanzig Jahre.‹ Breschnew hat erwidert: ›Njet, njet – nicht zwanzig, sondern zehn Jahre!‹ Deshalb hat man 1969 in Moskau ernsthaft darüber nachgedacht, das chinesische Potential zu beseitigen. Aber Breschnew weiß, inzwischen sind zehn Jahre vergangen und inzwischen ist es dafür zu spät ... Die Sowjets können das Risiko eines nuklearen Krieges mit uns nicht mehr eingehen.«

Ich fragte nach den chinesisch-sowjetischen Verhandlungen. Hua Guofeng antwortete: »Es geht nicht um eine Verlängerung des chinesisch-sowjetischen Freundschafts- und Beistandsvertrags; der war seinerzeit gegen Japan gerichtet, und inzwischen haben wir mit Japan einen Freundschaftsvertrag geschlossen. Außerdem hat die Sowjetunion ihren Vertrag mit uns längst mit Füßen getreten, obgleich er bis zum April 1980 gilt. Aber über das Verfahren gibt es noch keine Einigung. Die Sowjetunion erstrebt ein Abkommen über Prinzipien oder einen Nichtangriffspakt. China dagegen will alle zwischen beiden Staaten offenen Fragen lösen und die Hindernisse der Normalisierung beseitigen. Dies scheint der Sowjetunion schwerzufallen. Es kann ein Verhandlungsmarathon werden; allein die Verhandlungen über die Grenzfragen dauern schon zehn Jahre.«

Und auf meine Zwischenfrage hin: »Es geht besonders um die Grenzlinien im Nordosten. Rußland hat uns insgesamt 1,6 Millionen Quadratkilometer Land weggenommen. Obwohl Lenin erklärt hat, sie wollten alle ungleichen Verträge aufheben und diese Territorien zurückgeben, hat China diese Frage gar nicht aufgeworfen. Derzeit geht es nur um einige kleine umstrittene Grenzgebiete; Zhou Enlai und Kossygin hatten darüber schon eine Einigung erzielt, aber nach Moskau zurückgekehrt, hat Kossygin seine Meinung geändert. Heute ist die Sowjetunion nicht bereit anzuerkennen, daß es überhaupt umstrittene Gebiete gibt.«

Ich fragte nach der Bedeutung der sowjetischen Truppen entlang der Grenze. Diese Truppenmassierung, so Hua Guofeng, sei ein unfreundlicher Akt. Insgesamt handle es sich um 45 Divisionen; auch in der mongolischen Volksrepublik stünden sowjetische Truppen – zu Chruschtschows Zeit habe es das nicht gegeben.»Es sind drei Typen von Divisionen: Der erste ist zu 70 bis 80 Prozent aufgefüllt, jeweils etwa 10 000 Mann; die anderen beiden Typen umfassen etwa 6000 bis 7000 beziehungsweise etwa 4000 Mann. Die sowjetischen Panzer und Flugzeuge sind besser als die unsrigen. Es könnte im Kriegsfall so sein, daß die Sowjetunion tief in unser Land eindringt und viele Menschen tötet. Aber China ist geographisch ganz anders gestaltet als Europa; wir haben genügend Raum und viele Menschen – und die Sowjetunion hat sehr lange Transportwege.«

Die Unterhaltung kam an diesem Punkt auf das Thema eines sowjetischen Zweifrontenkrieges zurück. Ich unterstrich abermals meine beiden strategischen Prinzipien gegenüber Moskau: sowohl Sicherheit, möglichst durch west-östliches Rüstungsgleichgewicht, als auch Entspannung durch Kooperation, auch Kooperation in der vertraglichen Rüstungsbegrenzung, und ich stellte fest:»Sie treffen in Paris, in London und in Rom gewiß auf eine ähnliche Haltung. Ich selbst habe auf Grund meiner eigenen Lebenserfahrung Angst vor einem Kriege. Aber ich habe keinen Minderwertigkeitskomplex gegenüber der Sowjetunion. Breschnew hat es von mir mehrere Male gehört: Wir Deutschen werden uns bemühen, zur Bewahrung des militärischen Gleichgewichtes beizutragen.«

»Ich glaube«, erwiderte daraufhin Hua Guofeng, »in einem Kriege würden die deutschen Streitkräfte die kampfstärksten sein. So sehen es meiner Meinung nach auch die Sowjets. Vor den Deutschen haben sie am meisten Angst. Deshalb werden sie sich mit allen Mitteln einer Wiederherstellung der Einheit Deutschlands widersetzen ... Wenn einige Leute heute schreiben, die Sowjetunion könnte unter der Voraussetzung der Neutralisierung Deutschlands einer Wiedervereinigung zustimmen, so halte ich das für unrealistisch ...«

»Deshalb«, fuhr er fort, »legen wir Wert auf eine langfristige Entwicklung unserer Beziehungen zur Bundesrepublik. Auch wenn sie stark sein wird, so wird sie doch nie China angreifen – und China wird nie hegemoniale Tendenzen verfolgen und die Bundesrepublik angreifen. Wir denken an eine weitgespannte

Perspektive. Wir möchten von Ihrer fortgeschrittenen Technologie lernen, dafür haben wir Ihnen Rohstoffe und spezifische Produkte zu bieten ...« Hua betonte, daß China volles Verständnis habe für die Normalisierung der Beziehungen zwischen der Bundesrepublik und der Sowjetunion, denn sein Land wünsche die Entspannung. Man könne jedoch nicht fordern, daß jeder die gleiche Sprache spreche.

Wir verabschiedeten uns weit nach Mitternacht. Es war ein Gespräch gewesen, in dem sich eine höhere Reife und Differenzierung des chinesischen strategischen Denkens offenbarte. Der Gast hatte sich mustergültig verhalten: offen und freimütig im internen Gespräch, zugleich taktvoll und einfühlsam im öffentlichen Auftreten. In Moskau und in Ost-Berlin argwöhnten damals einige Kreise, es bahne sich ein westdeutsch-chinesisches Zusammenspiel an, das gegen sie gerichtet sei. So wußte das »Neue Deutschland« unter der Überschrift »Spiel mit dem Feuer« von angeblichen Äußerungen Hua Guofengs zu berichten, denen zufolge »China die revanchistischen Ziele des deutschen Imperialismus gegenüber der DDR unterstützt«. Umgekehrt redete die CDU- und besonders die CSU-Opposition davon, die Bundesregierung vernachlässige China und Hua Guofeng; dabei vergaß die Opposition völlig, daß sie jahrzehntelang, entgegen unseren wiederholten Ermahnungen, die Realitäten anzuerkennen, für Taiwan und gegen Beijing optiert hatte.

Hua Guofeng vermied auch in der abschließenden gemeinsamen Pressekonferenz alle denkbaren Klippen. Diese Konferenz endete mit einem Satyrspiel: Rudi Dutschke, der hochbefähigte, damals aber schon durch die Folgen eines Revolverattentats beeinträchtigte Führer der Berliner Studentenrevolte von 1968, hatte sich eingeschlichen und sorgte für ein kurzes Spektakel. Hua Guofeng ertrug es mit Ruhe. Auch hier ging Gelassenheit von ihm aus. Er hat uns nachträglich zwei Pandabären als Gastgeschenk geschickt; wir gaben sie in den Berliner Zoo, wo sie bald zu Lieblingen des Berliner Publikums geworden sind.

Hua Guofeng wurde bald darauf – 1981 – abgelöst; zudem hörte man von einer schweren Erkrankung. Sein Photo verschwand aus den chinesischen Empfangsräumen. Er war wohl durch die Nähe zu Mao während der Kulturrevolution zu sehr belastet, außerdem war er hinsichtlich des neuen Reformkurses wohl zu konservativ. Mir hat er zum Verständnis der strategischen Situation Chinas und der daraus entspringenden chinesischen Zielsetzungen manches Wesentliche vermittelt.

Die strategische Lage Chinas

China und seine politischen Führungsschichten haben nach langer, zum Teil selbstgewählter Isolation auch heute noch ein ausgeprägtes Defizit an Kontakt zum Rest der Welt. Die Nachwirkungen von zwei Jahrtausenden sinozentrischer, introvertierter Denktradition spielen dabei eine wichtige Rolle; das »Mao-Zedong-Denken« war ja nur eine eigenartige Verbindung des alten Weltbildes mit sowohl marxistischem als auch nationalistisch-revolutionärem Gedankengut. Soweit Maos Denken außenpolitische oder strategische Dimensionen kannte, war es lange Zeit von Negationen aller Art geprägt: Antiimperialismus, Antikolonialismus, Antikapitalismus. Auf diese Weise kam man gleichsam von selbst zur Ablehnung jener globalen Arbeitsteilung, welche die heutige Weltwirtschaft kennzeichnet. China sollte sich, das war Maos Wunsch, als kommunistisches Land aus eigener Kraft entfalten. Der Bruch mit Moskau hat diese Orientierung auf die eigenen Kräfte noch verstärkt; das Ideal war die völlige Unabhängigkeit vom Ausland.

Die Kulturrevolution seit Mitte der sechziger Jahre bedeutete nicht nur eine politische Selbstisolation, sondern auch eine gefährliche Schwächung der Verteidigungsfähigkeit. China trieb sich selbst in eine doppelte Konfrontation: sowohl gegen die Sowjetunion als auch gegen die USA. Da China aber in Asien – mit der Ausnahme Nordkoreas – fast keinen Freund und keinen Verbündeten hat und sobald auch nicht haben wird, ist die strategische Lage des Riesenreiches besonders brisant. Dies wurde der Führung in Beijing allmählich bewußt. Auf Nixons Initiative kam es zu Kontakten mit den USA und schließlich, seit Nixons Besuch 1972, zur Détente und Annäherung an Washington. Die reale Sorge vor der benachbarten, expansiven Sowjetunion war für Beijing inzwischen weitaus gewichtiger als die bloß ideologische Ablehnung des amerikanischen Kapitalismus. Das Gefühl, von den USA bedroht zu sein, schwand dahin.

Heute – und wahrscheinlich auf absehbare Zeit, jedenfalls bis zum Ende dieses Jahrhunderts – erscheint der sowjetische Expansionismus den Chinesen das Hauptübel. Beijing sieht in dem sowjetischen Truppen- und Raketenaufgebot an seinen Grenzen eine militärische Bedrohung, der es sich gerade noch gewachsen fühlt; seine nuklearstrategischen Vorstellungen ähneln denen von Charles de Gaulle in den sechziger Jahren. Aber China fühlt sich darüber hinaus von der Sowjetunion in zunehmendem Maße eingekreist. Da stehen im Süden die kampferfahrenen Truppen Vietnams, das mit der Sowjetunion verbündet ist. Da sind die sowjetischen Flottenbasen in Wladiwostok und in dem vietnamesischen Cam Ranh Bay, möglicherweise demnächst auch in Kambodscha. Da kreuzt die starke sowjetische Unterwasser- und Hochseeflotte im Pazifik; da gibt es die wachsende sowjetische Präsenz im Indischen Ozean, in der Malakka-Straße, die die beiden Weltmeere verbindet, und gastweise immer wieder auch in Singapur. In diesem Lichte erscheint der sowjetische Vorstoß nach Afghanistan als ein Schritt, eines Tages in den Besitz eines Hafens am Indischen Ozean zu kommen. Abgesehen von der Bedrohung durch die auf allen asiatischen Meeren kreuzenden sowjetischen Flotten und die sowjetischen Raketenbasen muß China auch der sowjetischen Luftwaffe Rechnung tragen, die im Nordosten, Norden und Nordwesten, in Afghanistan – man vergißt bei uns leicht, daß Afghanistan und die chinesische Provinz Xinjiang eine gemeinsame Grenze haben – und im vietnamesischen Da Nang ihre Stützpunkte hat.

So empfindet man sich sowohl in politischer als auch in militärischer Hinsicht eingekreist; zugleich sieht man in Beijing – auch wenn man davon nicht spricht – ganz deutlich, daß der Weg der Kommunistischen Partei Chinas eine ideologische Herausforderung an den Führungsanspruch der russischen Kommunisten darstellt, denen man auch ökonomisch ein anderes Modell entgegengestellt hat, das für Moskaus Satelliten in mancher Hinsicht verführerisch ist. Die Konfrontation findet also praktisch auf mehreren Ebenen statt.

Beijing ist auf absehbare Zeit militärisch zu schwach, das Risiko eines Krieges mit der Sowjetunion einzugehen; es muß vielmehr hoffen, daß der Großteil der sowjetischen militärischen Kräfte anderweitig, das heißt vornehmlich an der Westgrenze der UdSSR, gebunden bleibt; deshalb drängt man die Europäer zum Zusammenschluß. Im äußersten Fall würde man sich so verhalten wie die Russen zur Zeit der Invasion durch Napoleon 1812 und durch Hitler 1941: zurückweichen in die Tiefe des Raumes und darauf bauen, daß die zahlenmäßige Überlegenheit am Ende den Ausschlag geben wird. Gegenwärtig umfaßt die Sowjetunion etwas weniger als sechs Prozent der Weltbevölkerung, die Volksrepublik China hingegen mehr als zwanzig Prozent! Doch sind solche Kriegsvisionen selbst für schreckgewohnte chinesische Revolutionäre ein Alptraum. Deshalb wird man sich – selbst wenn man die antisowjetische Propaganda im Gewande des Antihegemonismus fortführen sollte – in der realen Außenpolitik Moskau gegenüber immer des Risikos bewußt bleiben. Deshalb wird man auch den diplomatischen Draht zur Sowjetunion keineswegs abreißen lassen wollen – eher wird das Gegenteil der Fall sein.

China wird noch auf lange Zeit keine nennenswerte Seemacht sein. Schon deshalb muß Beijing Wert darauf legen, daß die USA im Pazifik und im Indischen Ozean mindestens das Gleichgewicht mit der Sowjetunion aufrechterhalten, deren Marinerüstung man in Beijing mit Sorge verfolgt. Das industriell so mächtige Japan bringt keine Entlastung, denn Beijing will Japan keine Aufrüstung zubilligen; die Erinnerungen an die japanischen Eroberungen seit 1930 und an die Rücksichtslosigkeit der japanischen Besatzungsmacht sind dafür noch viel zu lebendig.

Auch über die eigene Weltregion hinaus braucht China gegenüber der Sowjetunion einstweilen das global wirksame strategische Gewicht Amerikas – und nicht nur Amerikas, sondern auch Europas. Sollte die relative Sicherheit Chinas gegenüber einer durch andere potentielle Konfrontationen und Konflikte gebundenen Sowjetunion gewährleistet erscheinen, dann ist für spätere Zeiten eine erneute Entwicklung zumindest partieller Kooperation mit Moskau durchaus denkbar. China hat in den nie wirklich abgebrochenen Gesprächen mit dem Kreml die Forderung nach Revision der »ungleichen Verträge« seit längerem stillschweigend beiseite gelassen und sich statt dessen auf drei andere Voraussetzungen für eine Normalisierung der chinesisch-sowjetischen Beziehungen beschränkt.

Diese sogenannte »Beseitigung der drei Hindernisse« umfaßt erstens die Verringerung der sowjetischen Streitkräfte entlang der Grenze (und der SS 20 östlich vom Ural?), zweitens und vor allem eine Beendigung der sowjetisch unterstützten vietnamesischen Okkupation Kambodschas, schließlich die Beendigung der Invasion in Afghanistan. Im Scherz habe ich einmal zu dem mit diesen Gesprächen beauftragten chinesischen Vizeaußenminister Tsien Tsien gesagt: »Mir scheint, Ihre Planstelle ist auf Lebenszeit gesichert«, und er antwortete: »Ja, mindestens wohl für zwanzig Jahre.« Zur Zeit ist beides denkbar – sowohl eine Verringerung des chinesischen diplomatischen Druckes und folglich eine teilweise Reduzierung der drei Forderungen als auch das Gegenteil, nämlich eine erneute Forcierung der chinesischen Ansprüche hinsichtlich der »ungleichen Verträge«.

Es wird entscheidend darauf ankommen, wieweit die Moskauer Führung auf chinesische Interessen und Empfindlichkeiten Rücksicht nimmt oder, andersherum gesehen, in welchem Maße Moskau seine eigenen Ressentiments gegenüber der Volksrepublik China überwinden kann. Es ist nicht auszuschließen, daß es irgendwann einmal im chinesisch-sowjetischen Verhältnis zu einer gewissen Parallele zur deutschen Entspannungspolitik kommen kann – in beiden Fällen nämlich stehen die beiderseitigen Sicherheitsinteressen obenan.

Natürlich spielt ebenfalls eine Rolle, wieweit die amerikanische Führung auf chinesische Interessen und Empfindlichkeiten Rücksicht nimmt. Auf absehbare Zeit gibt es keinen großen strategischen Interessengegensatz zwischen China und Amerika. Aber seit 1972 ist die amerikanische Chinapolitik nicht immer kontinuierlich verlaufen, vor allem nicht in dem für China so sensitiven Punkt Taiwan; amerikanische Waffenlieferungen an Taiwan werden auf dem chinesischen Festland besonders kritisch vermerkt. Für Beijing ist und bleibt Taiwan eine innerchinesische Angelegenheit; Washington erkennt das auch mitunter, aber in Erinnerung an den einstigen Bundesgenossen Chiang Kaishek wird das Gebot der Zurückhaltung – zumal von der Rechten im Senat – des öfteren verletzt. Leicht ist Chinas Stolz verwundbar, und die USA sollten ihn als gewichtigen Faktor einkalkulieren.

Vom Taiwanproblem abgesehen stellt sich in chinesischen Augen die strategische Rolle der USA als vorläufig unverzichtbarer Eckpfeiler im globalen Machtgleichgewicht dar. In Beijing weiß man, daß China mit der Zeit militärisch eine Weltmacht sein wird; aber man weiß auch, daß bis dahin noch Jahre vergehen werden, und zunächst benötigt man die Zeit zu einem von Verteidigungsanstrengungen möglichst wenig beeinträchtigten Wirtschaftsaufbau. Dazu braucht man amerikanische und europäische technologische Unterstützung, noch mehr aber kontinuierliche wirtschaftliche Zusammenarbeit mit Japan. Das benachbarte rohstoffarme Japan mit seiner hohen technischen und industriellen Leistungsfähigkeit ist für China geradezu ein idealer Wirtschaftspartner innerhalb der ost- und südostasiatischen Region.

Im übrigen aber denkt man in Beijing nicht an Bündnisse innerhalb der Region; auch dies wird in der Formel von der»Ablehnung des Hegemonismus« untergebracht. Die Volksrepublik China versteht sich nicht als»Supermacht«, auch wenn sie sich durchaus schon als Weltmacht fühlt. Was mögliche Bündnispartner Chinas anlangt, liegt der Knüppel beim Hund: Auch wenn China Bündnisse suchen sollte, so würde es in der eigenen Region kaum einen willigen Partner finden. China hat wie Deutschland sehr viele Nachbarn; aber anders als die Bundesrepublik hat China unter seinen Nachbarn – Nordkorea beiseite gelassen – keine Freunde, nicht einmal solche, die, wenn schon nicht aus Neigung, so doch aus Vernunft zu einem Bündnis oder zu anderen Formen enger Verbindung bereit wären. Das liegt nicht nur an der überwältigenden Größe des Landes und seiner riesigen Bevölkerungszahl; die ASEAN-Staaten haben ihre Erfahrungen mit der überlegenen wirtschaftlichen Tüchtigkeit der sechzehn

Millionen Auslandschinesen gemacht, deshalb spielen auch Inferioritätskomplexe und Ressentiments eine Rolle. Vor allem aber lehnt man den Kommunismus Chinas ab und hat Angst vor der Infiltration der Ideologie, die in Korea wie in Vietnam am Ende zu blutigen Kriegen geführt hat. Schließlich spielt in vielen Staaten die kulturelle Tradition eine große Rolle. Ein asiatischer Politiker hat mir einmal über den chinesisch-vietnamesischen Grenzkrieg von 1979 gesagt: Gott sei Dank, das bringt uns weitere zwanzig Jahre ungestörten Frieden! Manche asiatischen Staaten sind sich heute nicht im klaren darüber, ob für sie die größere potentielle Gefahr von China oder von der Sowjetunion ausgeht.

Die einzige Ausnahme ist gegenwärtig Sihanouks kambodschanische Exilregierung; ihr Überleben hängt ab von der chinesischen Unterstützung gegen die vietnamesische Besetzung. Zwar stützt sich auch der andere kambodschanische Führer, Pol Pot, in seinem Kampf gegen die Vietnamesen auf China, aber mit ihm haben die Kambodschaner grauenhafte Erfahrungen gemacht. Nordkorea ist zwar ein Bündnispartner Chinas, muß aber auf Grund der Nähe der Sowjetunion sehr vorsichtig operieren. China tritt verbal für die Wiedervereinigung Koreas ein, sieht tatsächlich jedoch in der militärischen Präsenz der USA in Südkorea ein Sicherheitsmoment. Ein wiedervereinigtes Korea unter sowjetischem Einfluß bedeutete nicht nur für Japan, sondern auch für China eine Verschlechterung der eigenen strategischen Lage. Bezüglich Koreas ist China nach meinem Eindruck eine Status-quo-Macht; Veränderungen auf der koreanischen Halbinsel nach dem Tode Kim Il-Sungs, der als Mann Moskaus angesehen wird, könnten zu einem Wandel der chinesischen Einschätzung führen.

Die Feindschaft zwischen China und Vietnam reicht auf beiden Seiten sehr tief; sie hat nicht nur aktuelle politische Anlässe, sondern wohl auch geschichtliche Hintergründe, die während der kurzen Phase chinesischer Hilfe für Nordvietnam heruntergespielt wurden. Es ist eine ironische Pointe des Kommunismus in der östlichen Hemisphäre, daß China – der bei weitem volkreichste kommunistische Staat – unter seinen kommunistischen Nachbarn in Asien nur mit Nordkorea gute Beziehungen hat, nicht aber mit der Sowjetunion, nicht mit der Mongolei, weder mit dem kommunistischen Vietnam noch mit den kommunistischen Regierungen in Pnom Penh und in Vientiane. Im Gegenteil: Alles, was China belastet, geht von kommunistischen Staaten aus, während Beijings Beziehungen zu den »kapitalistischen« Staaten nahezu störungsfrei sind. Im ganzen ist jedoch die Lage in den Augen Beijings nicht schlecht. Die einzige gravierende Sorge gilt dem vietnamesischen Imperialismus, den

China niemals akzeptieren wird. Das dringlichste Verlangen bleibt die Wiedervereinigung Taiwans mit dem Mutterland; dabei ist man zu einem weiten Entgegenkommen nach dem Muster der Hongkong-Lösung bereit. Macao kann China jeden Tag bekommen. Die Rückführung dieser heute außerhalb der staatlichen Hoheit liegenden Landesteile muß – schon aus Gründen der Selbstachtung – Teil der strategischen Zielsetzung Chinas bleiben.

In jeder anderen Hinsicht stellt sich die gegenwärtige Situation für China als durchaus akzeptabel dar. China erkennt die Souveränität und die Autonomie der ASEAN-Staaten Malaysia, Thailand, Singapur, Indonesien und der Philippinen an, und es respektiert in der Tat deren Interessen. Prinzipiell und weltweit verfolgt China die Grundsätze der Neutralität und Blockfreiheit. Ich glaube nicht, daß dies – wie manche in Südostasien fürchten – bloß die Taktik des Fuchses ist, dem die Trauben zu hoch hängen. Seit der Bandung-Konferenz 1955 und den fünf Prinzipien der friedlichen Koexistenz, die damals zuerst von Zhou Enlai formuliert wurden, hat sich China zunehmend zum Sprecher der blockfreien Staaten und zum Anwalt der Interessen der Dritten Welt, also der Entwicklungsländer gemacht. Dies spielt heute eine wichtige Rolle im weltpolitischen Verständnis der Volksrepublik China; denn bei den Entwicklungsländern handelt es sich um eine große absolute Mehrheit der Staaten der Welt. Zwar sind die blockfreien Staaten so wenig eine homogene Gruppe wie die Entwicklungsländer insgesamt. Aber es ist einstweilen kein Grund zu sehen, warum China diese angenehme Rolle verschenken sollte.

China hat ein jährliches Pro-Kopf-Einkommen von nur etwas über dreihundert US-Dollar; es begreift sich nüchtern und völlig zurecht als Entwicklungsland und widersteht der Verlockung einer Führungsrolle, wie sie etwa Fidel Castros Kuba zeitweilig zu spielen versuchte. Beijing ist überzeugt, daß man dem Hegemoniestreben der Supermächte am erfolgreichsten unter den Staaten der Dritten Welt Widerpart bieten könne. Die Paradoxie der Lage will es freilich, daß Chinas wirtschaftliche Interessen viel stärker nach Zusammenarbeit mit den leistungsstarken Industriestaaten der westlichen Welt und mit Japan verlangen. Das ist der Grund, warum Chinas Unterstützung der Forderung nach einer »neuen Weltwirtschaftsordnung« blaß und nur verbal bleibt.

Lediglich was Indien anlangt, könnte es zu dem Versuch einer »Süd-Süd-Kooperation« kommen, die politisch konzipiert ist. Aber es ist ganz unwahrscheinlich, daß Neu-Delhi dies wünscht; schon die politische Nähe Indiens zur Sowjetunion wird das verhindern. Die Zusammenarbeit Indiens mit der Sowjetunion aber wird bestehen, solange der indisch-pakistanische Gegensatz andauert, also wohl über dieses Jahrhundert hinaus. Übrigens käme unter diesem letzten Aspekt eine chinesisch-sowjetische Annäherung einer Katastrophe für Neu-Delhi gleich.

Alles in allem gesehen wird für den Rest des Jahrhunderts das oberste strategische Ziel Chinas in einer möglichst ungestörten wirtschaftlichen Entfaltung liegen. Die Frage bleibt, ob es eine dafür ausreichende innenpolitische Kontinuität geben wird. Und erst dann, vielleicht aber schon im nächsten Jahrhundert, wird die eigentliche Frage auftauchen: Wird China der Versuchung widerstehen, wieder das »Reich der Mitte« zu werden, an dem sich alle anderen Völker und Staaten der Großregion zu orientieren haben?

Von der Revolution zur Reform

Nach den chinesischen Wirtschaftsreformbeschlüssen vom Oktober 1984 brachten westliche Zeitungen teils rechthaberische, teils euphorische Kommentare. Der »Economist« zum Beispiel, ein doch so kenntnisreiches wie urteilsfähiges Blatt, erschien im Dezember 1984 mit der Überschrift: »China stellt fest: Marx ist tot«; das Blatt sprach von einer »Gegenrevolution«. Es gab viele derartige Übertreibungen. Die letzte Phase der Vorbereitungen auf die Reformbeschlüsse habe ich an Ort und Stelle miterlebt, und ich habe dabei einen ganz anderen Eindruck gewonnen. Mir schien es, als werde nicht der Kommunismus aufgegeben, sondern lediglich der krampfhafte Versuch, ökonomische Utopien wortwörtlich in die Wirklichkeit umzusetzen. Nicht eine Gegenrevolution wurde eingeleitet, sondern der Versuch, nach einer erfolgreich beendeten Revolution in eine Phase pragmatischer ökonomischer Entwicklung einzutreten.

Daß Marx nicht versucht hat, Rezepte für eine kommunistische Wirtschaftspolitik zu geben, weiß jeder Diplomvolkswirt. Das weiß man auch in Beijing. Wenn man es dort heute en passant erwähnt, so heißt das nicht, daß man in Beijing Marx abschwört; wohl aber werden manche albernen wirtschaftspolitischen Instrumente und Elemente der Zentralverwaltungswirtschaft, deren Erfinder sich – weitgehend zu Unrecht – auf Marx beriefen, in die Mottenkiste gelegt. Marx, Engels, Lenin, Stalin: als revolutionäre Urväter prangen sie nach wie vor in riesigen Porträts auf dem Tien-an-Men-Platz. Sie werden in China als große Vorbilder ebenso ihren Rang behalten wie der eigene Revolutionsführer Mao Zedong, dessen Bild in der Mitte auf dem Tor des Himmlischen Friedens steht.

Freilich wird gegenwärtig die Frühzeit dieses Mannes, dem in erster Linie der Erfolg der Revolution zu verdanken ist, von seinen späteren Phasen mit großer Entschiedenheit abgesetzt. Die später erlebten katastrophalen Fehlschläge der Kampagnen der »hundert Blumen«, des »großen Sprungs nach vorn«, der »ununterbrochenen Revolution« und der »Kulturrevolution« sollen keine Wiederholung und keine Fortsetzung finden. Alle früheren Versuche – durch Deng Xiaoping, Liu Shao-tschi, Lin Biao und vor allem durch Zhou Enlai –, die von Mao und dessen fanatischen Anhängern verschuldeten chaotischen Zustände wieder in Ordnung zu bringen, waren gescheitert. Der Kampf innerhalb der KPCh war drei Jahrzehnte lang hin und her gegangen; viele hatten ihn mit ihrem Leben bezahlt oder waren in die Verbannung geschickt worden. Aber seit der Verhaftung von Frau Jiang Quing und ihrer »Viererbande«, seit der Rehabilitierung Deng Xiaopings, begann man, »die Wahrheit in den Tatsachen zu suchen« – so ein konfuzianischer Lieblingsausspruch Dengs – und nicht mehr in der Ideologie. 1978 erklärte das Zentralkomitee die Doktrin von der angeblichen »Schlüsselrolle des Klassenkampfes« für abwegig, weil es in China keine feindlichen Klassen mehr gebe. Hua Guofeng als Nachfolger Maos hatte lange am Prinzip des Klassenkampfes festgehalten.

Der Parteikongreß des Jahres 1981 markierte das Ende der revolutionären Phase Chinas. Die Revolution hat Jahrzehnte gedauert, auch wenn sie schon 1949 ihren endgültigen Sieg errungen hatte. Ich will einen deutlichen Vorbehalt machen: Zwar sieht es heute so aus, als sei die revolutionäre Phase 1981 endgültig und unwiderruflich zu Ende gegangen; aber man kann die geistigen, psychologischen und politischen Entwicklungen in den intellektuellen Eliten der Partei schwer vorhersagen; allzu viele haben allzulange lügen müssen. Sagen heute alle ihre eigene Wahrheit?

Deng Xiaoping tut dies gewiß. Er ist der große Motor, der China antreibt zu Realismus und Pragmatismus. Er hat sich darin in den letzten dreißig Jahren wahrscheinlich nur wenig geändert. Sein berühmtes Wort, daß es »gleichgültig ist, ob eine Katze schwarz oder weiß ist, Hauptsache, sie fängt Mäuse«, stammt schon aus den fünfziger Jahren. Die von ihm an die Spitze der Partei und an die Spitze der Regierung gebrachten Zhao Ziyang und Hu Yaobang sind Reformer wie er selbst. Ohne Zweifel stehen die gegenwärtigen Mehrheiten im Politbüro und im Zentralkomitee auf der Seite der Reform.

Zweifel an der Kontinuität bleiben dennoch bestehen. Zum Beispiel waren die Reformer erschreckt von dem großen, eine unvorhergesehene Dynamik annehmenden Widerhall, den die Kampagne »gegen die geistige Umweltverschmutzung« fand, die sie doch selbst in Gang gesetzt hatten und daraufhin schleunigst wieder abbrachen. Ebenso sind die zu Tausenden entmachteten »linken« Kader mit Sicherheit bisher nicht wirklich gewonnen; vielmehr harren sie ihrer Chancen auf Rehabilitierung und Wiederaufstieg. Hinzu kommt die Reformträgheit aller Bürokratie. Vor allem wird sich die Frage nach der Legitimität der Alleinherrschaft einer nachrevolutionären Partei stellen.

Je weiter die Dezentralisierung wirtschaftlicher Entscheidungen fortschreitet, je mehr die Eigenverantwortlichkeit der Industrie- und Handelsunternehmen gestärkt wird, um so größer muß zwangsläufig die Sorge derjenigen werden, die ihre Positionen ausschließlich der Partei verdanken, genauer gesagt: ihrer Anpassungsfähigkeit an die in der Partei jeweils vorherrschenden Richtungen. Opportunistisches Verhalten gegenüber der fortschreitenden Dezentralisierung aber bedeutet zugleich Hinnahme des Verlustes einst unbestrittener eigener Kompetenzen.

Die zweite Gefahr will mir noch ungleich größer vorkommen: Wenn die Zuordnung ökonomischer Entscheidungen an lokale und regionale Instanzen tatsächlich zu mehr Effizienz führen sollte, ist dann ein gleicher Vorteil nicht auch für politische und intellektuelle Entscheidungen zu erwarten? Muß man nicht geradezu davon ausgehen, daß ein Prozeß des Aufbegehrens gegen intellektuelle und politische Bevormundung in Gang kommt? Wenn auf dem ökonomischen Felde experimentiert werden darf, wieso dann nicht ebenso an den Schulen und Universitäten? Die Schaffung von Wettbewerb oder gar eines Marktes löst wahrscheinlich den Ruf nach größerer individueller Freiheit auch auf anderen Gebieten aus. Die Studentenunruhen des Jahres 1986 waren ein Signal für den Wunsch nach Pluralismus; er wird bei fortschreitender Wirtschaftsreform gewiß wiederkehren.

Allerdings: solange es den Menschenmassen Chinas von Jahr zu Jahr etwas besser geht, solange wird es schwer sein, die Bevölkerung oder auch nur größere Teile der Jugend gegen die reformerische Parteiführung in Marsch zu setzen. Und in der Tat geht es sehr vielen Chinesen, vor allem den Bauern, heute merklich besser als noch vor einigen Jahren. Die Fortschritte sind klein, aber sie werden deutlich empfunden und bewußt registriert. Auch in den Städten ist die Verbesserung der Lage nicht zu übersehen. Als ich 1984 abermals nach Beijing kam, hatte sich die Atmosphäre in der Hauptstadt wesentlich verändert: Sie war munterer, fröhlicher, bunter und insgesamt menschlicher geworden;

der Druck von oben lastete nicht mehr auf den Menschen. Überall in der Stadt wurde gebaut; die blaue oder graue Einheitskleidung war durch freundliche Kleider und Anzüge ersetzt worden. Viele Frauen trugen hochhackige Schuhe, hatten ein dezentes Make-up aufgelegt und sich zum Teil auch Dauerwellen machen lassen. Die Männer trugen bunte Hemden. Zum Abendessen unseres Botschafters Günther Schödel erschienen beide Geschlechter weitgehend in westlicher Kleidung. Übrigens lag in den Geschäften vielerlei Obst und Gemüse aus, und auf den Straßen gab es ein großes Blumenangebot. Der Kontrast zu 1975 war insgesamt beeindruckend: Wir fühlten uns erleichtert und freuten uns mit den Chinesen und für sie.

Die chinesische Führung hatte mich 1984 zu zwei Vorträgen über die weltpolitische und die weltwirtschaftliche Lage eingeladen. Die Vorträge und die anschließenden Diskussionen fanden unter Vorsitz Han Nianlongs im Internationalen Institut statt, dessen Präsident er ist. Es war beide Male ein kleines Auditorium: einige Dutzend Spitzenbeamte aus den Ministerien und Spitzenfunktionäre der Partei; dann einige Botschafter und einige hochrangige Redakteure chinesischer Zeitungen.

Für mich, wahrscheinlich auch für die Gastgeber, war die ökonomische Diskussion die bei weitem interessantere; schon weil sie unmittelbaren Bezug auf das hatte, was wir in der Realität – im Stahlwerk bei Beijing, im Hafen von Shanghai, in einer landwirtschaftlichen Genossenschaft und in den Fabriken in Hangzhou – und im Alltag der großen und kleinen Städte zu sehen bekamen. Die teilweise Befreiung der Landwirtschaft vom Zwang zentraler Planung hat nicht nur den Bauern mehr Einkommen, sondern auch den Städtern ein reichhaltigeres Angebot an Nahrungsmitteln gebracht.

Diese Veränderungen waren nicht zu übersehen, ob ich nun Industriebetriebe oder Arbeiterquartiere besuchte. In Beijing war ich in mehreren riesigen Mietskasernen gewesen. Die meisten Wohnungen waren für unsere Maßstäbe unvorstellbar überbelegt; offiziell gab es in Beijing wie in Shanghai zwar pro Person 4,5 qm Wohnfläche, aber wir hatten den Eindruck, als sei diese statistische Durchschnittsziffer in Wirklichkeit viel zu hoch angesetzt. Die durchschnittliche Wohnfläche in der landwirtschaftlichen Kommune in Hung Tschao bei Shanghai, die mit 2,8 qm angegeben wurde, schien mir realistischer zu sein. Auch dort haben wir mehrere Wohnungen von innen gesehen; es handelte sich überwiegend um Häuser, die abgesehen von den Fundamenten im Eigenbau hergestellt worden waren.

Der Unterschied zwischen Stadt und Land im Umkreis der Zwölfmillionenstadt Shanghai war frappant; es leuchtete sofort ein, daß junge Menschen aus der Stadt gern aufs Land heiraten. Die Wohnungseinrichtungen waren überall sehr bescheiden, aber es gab elektrisches Licht und Kanalisation. Es gab Radios, und überall sparte man auf das Fernsehgerät; wo dieses schon vorhanden war, trug es tagsüber eine gehäkelte Schondecke. Die Kindergärten werden im ganzen Lande offenbar außerordentlich gefördert. Die Zahl der Kindergärtnerinnen im Verhältnis zur Zahl der Kinder erschien sehr hoch. Natürlich sind Kindergärten besonders dort nötig, wo beide Elternteile arbeiten; denn auf Grund der Geburtenbeschränkung gibt es ja keine älteren Geschwister. Die propagierte Idealfamilie besteht aus fünf Personen: einem Kind, zwei Eltern und zwei Großeltern. Die Enge in den neuen Zweizimmerwohnungen der Städte ist also auch im Idealfall bedrückend.

In Beijing wohnten wir 1984 in demselben Gästehaus, in dem ich neun Jahre zuvor als Bundeskanzler gewohnt hatte. Mit anderen Gästehäusern liegt es in einem Park im Westen der Stadt, der ursprünglich für den Sommeraufenthalt eines Kaisers angelegt worden war. Die öffentlichen Parkanlagen in der Nähe boten am frühen Morgen ein eigenartiges Schauspiel. In großer Zahl zogen die Menschen vor Beginn der Arbeitszeit hinaus: Während die einen ihre Singvögel an die frische Luft trugen – Tausende transportierten ihren Vogelbauer auf dem Fahrrad ins Grüne –, übten sich andere im Schattenboxen oder machten Freiübungen und stießen dabei laute Urschreie aus. Die Ehefrau unseres Botschafters vermutete, dies sei ein Abreagieren von Aggressionen, die bei der Enge in den Wohnungen unvermeidlich entstünden. Uns leuchtete das ein: Die Wohnungsnot in den Städten muß seelische Folgen haben.

Allgemeines Flanieren auf den Straßen bestimmte das Bild nach Feierabend; ganz sicher waren sehr viel mehr Menschen auf den Straßen unterwegs als jemals zu den besten Zeiten auf dem Kurfürstendamm oder auf dem Broadway. Ich vermute, daß der entscheidende Grund für den allgemeinen Abendbummel ebenfalls in der Wohnungsenge liegt. Es fiel mir auf, daß das Straßenbild in den vier Großstädten, die wir damals besuchten – Xian, Shanghai, Hangzhou und Guangzhou (Kanton) –, wesentlich bunter war als in der Hauptstadt. Es gab fliegende Händler, die gebackene Hühner, Nüsse, Äpfel, Bier, Suppe und Schaschlik feilhielten. Die Menschen schlenderten hin und her, sie genossen das friedliche Leben und die Dämmerung des hereinbrechenden Abends: ein fröhliches Bild.

Nach Xian waren wir gereist, um die in den letzten Jahren ausgegrabenen Tonkrieger zu sehen, insgesamt vermutlich über 7000 Figuren, die, unter einem künstlichen Hügel verborgen, das

394

Grab des »ersten Kaisers von China« bewachen sollten. Man hat über den erst teilweise freigelegten Reitern und Fußsoldaten zum Schutz gegen die Witterung eine riesige Halle errichtet. Große Teile der weitläufigen Anlage aus dem dritten Jahrhundert vor Christus und der Grabhügel selbst harren noch der Öffnung, denn man geht langsam und mit wissenschaftlicher Sorgfalt vor. Ein Vergleich mit der Majestät der freilich völlig anders konzipierten Anlage der Hatschepsut gegenüber von Luxor drängte sich mir auf: beide Male würdevolle Hinterlassenschaft einer jahrtausendealten Kultur.

Auf dem Rückflug nach Beijing konnten wir uns aus niedriger Flughöhe ein Bild davon machen, wie dicht das fruchtbare Land in den Provinzen Shanxi, Hebei und im Bereich der Hauptstadt Beijing besiedelt ist. Die Häuserkomplexe der einzelnen Dörfer hatten jeweils nur geringe Abstände zu den Nachbardörfern. Auf der stundenlangen Eisenbahnfahrt von Shanghai nach Hangzhou sahen wir später, wie tatsächlich jeder Quadratmeter Boden landwirtschaftlich genutzt wird. China muß ein Fünftel der Weltbevölkerung ernähren, hat dafür aber nur sieben Prozent der landwirtschaftlich nutzbaren Fläche der Erde zur Verfügung. Auf Grund des Wachstums der Bevölkerung wie auch des Flächenbedarfs der Städte wegen verschlechtert sich die Relation von Anbaufläche zur Bevölkerung von Jahr zu Jahr.

Hier liegt der Grund für die rigorose Dämpfung der Geburtenzahlen. Europäer oder Amerikaner, Johannes Paul II. und Ronald Reagan an der Spitze, mögen die chinesischen Regulierungen der Geburtenrate als eine Beeinträchtigung der Freiheit des einzelnen oder als unchristlich verurteilen – aber was kann der Moralist anderes empfehlen, um der Explosion der Bevölkerung Herr zu werden?

Soweit ich sehe, ist China das einzige Entwicklungsland, das sich beständig und mit erheblichem Erfolg darum bemüht, ein unkontrolliertes Bevölkerungswachstum zu verhindern, das im nächsten Jahrhundert ja nicht nur China, sondern den Großteil der Menschheit bedroht. Lediglich Indien hat, zumindest zeitweise, Versuche in ähnlicher Richtung unternommen; aber die Methoden, die der erste Sohn Indira Gandhis anwendete und die bis zur Zwangssterilisierung gingen, waren weitaus radikaler als die Chinas. Chinas bisheriger Erfolg hat auch die Nahrungsmittelnot beendet – nicht viele Entwicklungsländer können dies von sich sagen. Ohne die chinesischen Methoden in allen Einzelheiten zu billigen, muß ich die chinesische Zielsetzung vernünftig nennen. 1950 wurde Chinas Bevölkerung auf 540 Millionen geschätzt; gegenwärtig sind es schon doppelt so viele Menschen. Für das Jahr 2000 hofft man, die Zahl von 1,2 Milliarden nicht zu überschreiten; einige westliche Fachleute meinen allerdings, trotz aller Familienplanung werde China an der Jahrhundertwende eher 1,5 Milliarden Menschen umfassen (über sechzig Prozent aller Chinesen sind heute jünger als dreißig Jahre).

Das muß ein Alpdruck sein – vor allem für die Ökonomen, aber auch für die Führung ganz allgemein: Wie kann man denn erfolgreich sowohl für die Ernährung als auch für die Arbeitsplätze dieser Massen sorgen? Deng Xiaoping sagte mir einmal dazu: »Wenn wir wenigstens – so wie heute – achtzig Prozent unserer Menschen in den Dörfern halten können, haben wir unser Problem vielleicht schon zu achtzig Prozent gelöst.«

Von der Agrarreform zur Industriereform

Die Erfolge der Agrarreform sind nicht nur für den Chinesen offensichtlich; betrachtet man den Anstieg der Produktionsziffern seit 1979, so sind sie für jeden objektiv urteilenden Ökonomen spektakulär. Dies ist im wesentlichen einer teilweisen Befreiung von der staatlichen Befehlswirtschaft und deren Ersetzung durch ein »Eigenverantwortungssystem« zu verdanken. Eine Genossenschaft, eine Gruppe von landwirtschaftlichen Haushalten oder auch einzelne landwirtschaftliche Haushalte haben heute, was Anbau und Verkauf der Produkte angeht, Entscheidungsfreiheiten, die vor kurzer Zeit noch undenkbar gewesen sind. Allerdings bestehen weiterhin Auflagen für die Mindestablieferung, und zwar zu zentral geregelten Ankaufspreisen.

Über die Erfüllung dieser Normen hinaus kann dann frei angebaut und frei verkauft werden. Dies gilt auch für die landwirtschaftlichen Kommunen, die heute keine staatlichen Körperschaften mehr sind, sondern nur noch Produktionsgenossenschaften, und für die staatlichen Farmen. Das einzelne Mitglied des Kollektivs besitzt außerdem einen kleinen Garten oder Akker, dessen Produkte es frei und zu Marktpreisen verkaufen kann; dieser freie Verkauf geht über die Kreis- oder Provinzgrenzen hinaus. Die Bauern dürfen heute auch Lehrlinge, also »Arbeitnehmer«, einstellen.

Alle diese Maßnahmen zusammen haben zu einer erheblichen Steigerung der landwirtschaftlichen Produktivität geführt, die von zunehmender Spezialisierung begleitet ist. Die landwirtschaftlichen Einkommen haben sich stetig erhöht, was einen weiteren nachhaltigen Anreiz zu neuer Leistungssteigerung bietet. China ist heute – wenige Jahre nach dem Beginn der Reform – in der Lage, sich ohne Einfuhren selber zu ernähren.

Es war logisch, bei der Reform der Wirtschaft mit dem Agrarsektor zu beginnen. Er ist zwar um vieles größer als alle anderen Branchen der Volkswirtschaft, aber zugleich viel unkomplizierter und weniger arbeitsteilig. Im wohltuenden Schatten des landwirtschaftlichen Erfolges begann man alsbald mit Modellversuchen auch in den städtischen Industrien; sie sollten die spätere allgemeine Reform der Wirtschaftspolitik vorbereiten. Eines dieser Modelle, das Eisen- und Stahlkombinat »Shoudu Gangtil Gongsi« am Rande Beijings, haben wir besucht.

Das Kombinat umfaßte zur Zeit unseres Besuchs 110 000 Menschen und besaß eigene Schulen, Klubs, soziale Einrichtungen, Sportstätten, Parks, Kinos und so weiter. In einem der Erholungsgärten für die Belegschaft sahen wir einen schönen künstlichen Wasserfall, der zugleich die Funktion hatte, die Temperatur des Kühlwassers zu senken. Das Kombinat produzierte pro Jahr drei Millionen Tonnen Roheisen und zwei Millionen Tonnen Rohstahl – was wirklich eine bescheidene Leistung ist. Gleichwohl war der junge Direktor stolz auf das Erreichte. Dieses Kombinat durfte einen bestimmten Prozentsatz seiner Endprodukte frei – auch in das Ausland – verkaufen, während für die übrige Produktion zentral festgelegte Ablieferungspflicht zu staatlich fixierten Preisen bestand. Das Kombinat durfte auf die Löhne bis zu zwanzig Prozent Leistungszulagen zahlen und Prämien auswerfen. Es durfte den überschüssigen, über das Soll hinausreichenden Gewinn nach eigenem Ermessen reinvestieren und konnte auf diese Weise seine eigene Produktion modernisieren. Der Generaldirektor des Kombinats war vom Zentralkomitee der Partei, sein Stellvertreter von der Stadt Beijing ernannt worden; sonst aber trieb das Kombinat seine eigene Personalpolitik. Allgemein hatte man in den einzelnen Betrieben eigene Verantwortungssysteme geschaffen – mit Pflichtenheften für jedermann –, und deren Erfüllung oder Nichterfüllung bildeten die Grundlage für Prämien wie auch für Lohn- und Gehaltsabzüge. Die Kontrolle lag offenbar bei der Leitung der Parteiorganisation innerhalb des Unternehmens.

Nach westlichen Maßstäben war das alles weiß Gott nichts Nachahmenswertes, aber im Vergleich zur ansonsten fast mechanischen Steuerung der Industrie durch die zentrale Bürokratie – nach sowjetischem Vorbild – genoß dieses Modellunternehmen eine Reihe von Vorteilen, die sich in alljährlich steigenden Gewinnziffern niederschlugen. Ich konnte das an anderen Fabriken in den Provinzen sehen, denen solche Vergünstigungen nicht zur Verfügung standen.

Bei der bereits erwähnten Wirtschaftsdiskussion im Internationalen Institut ließ ich mir erläutern, was die Auswertung dieser Modellerfahrungen ergebe und ob man beabsichtige, die Freiheiten auszudehnen. Die anwesenden Professoren, die Herren aus den Ministerien und die ökonomischen Berater des Zentralkomitees machten bei abstrakten institutionellen Fragen einen wesentlich sichereren Eindruck als bei Fragen nach der Bedeutung der immer noch vorhandenen ökonomischen Globalsteuerung. Was die institutionelle Seite anlangt, so sah man die Notwendigkeit, sowohl das Verhältnis zwischen Staat und Betrieb als auch die Beziehungen zwischen der Betriebsleitung, dem Direktor und der Arbeiterschaft neu zu ordnen. Doch auch bei diesen Fragen blieben die Antworten sehr vage.

Alles lief darauf hinaus, das Verhältnis zwischen Staat und Betrieb werde schrittweise modernisiert. Schon seit anderthalb Jahren werde nur ein Teil des Profits – nach der Auflage des jeweils zuständigen Ministeriums – direkt an den Staat transferiert, der andere Teil aber durch Steuern eingezogen. Ab 1985 solle der Transfer an den Staat ausschließlich über allgemeine Steuern erfolgen; dann werde auch der bisher an die Beschäftigten ausgeworfene Bonus, der »Profitanteil«, einer Einkommensbesteuerung unterliegen. Das Eigenkapital werde in Fonds oder Stiftungen überführt, die sozialen Zwecken oder technischen Fortschritten dienten.

In einer zweiten Stufe würden Management und staatliche Administration voneinander getrennt werden; allerdings bliebe es bei Jahres- und Fünfjahresplänen, jedoch lediglich zum Zwecke einer allgemeinen Orientierung. Nur bei einigen wenigen Gütern werde der Staat den Preis festsetzen, zum Beispiel bei Energie, Zement, Stahl. Viele Güter würden dagegen überhaupt nicht mehr im staatlichen Produktionskatalog erscheinen, ihr Preis werde ein reiner Marktpreis sein, dem Wettbewerb der Betriebe ausgesetzt, und möglicherweise auch stark schwanken.

Ich fragte des näheren nach der Globalsteuerung. Ja, natürlich müsse der Staat den Wechselkurs des Yüan festsetzen, hieß es, im übrigen aber werde das globale Gleichgewicht durch einen ausgeglichenen Staatshaushalt und durch ausgeglichene Zahlungsbilanzen hergestellt werden; von Geldpolitik in unserem Sinne war nicht die Rede. So fragte ich unumwunden danach und wies auf die Tatsache hin, daß der Staatshaushalt Chinas zur Zeit ja keineswegs ausgeglichen sei. Werde das Defizit nun aus der privaten Sparrate finanziert oder von der Notenbank? Ohne Umschweife sagte man, nein, durch Kredite der Volksbank, auf der Basis privater Einlagen. Dies kam mir nicht plausibel vor; ich hakte deshalb nach und fragte, wie hoch denn die Sparrate sei. Eine Auskunft darüber schien jedoch nicht möglich zu sein. In Wirklichkeit gab es längst eine beträchtliche Inflation.

Ein paar Tage später ging es im Gespräch mit Ministerpräsident Zhao Ziyang natürlich um die gleichen Fragen, denn er ist der entscheidende Mann für die Verwirklichung der Wirtschaftsreform. Ich besuchte ihn in einer prächtigen kaiserlichen Empfangshalle, dem »Zentrum der Macht«, wie er – nur halb im Scherz – sie nannte. Es war der 26. September, an dem wir über seine bevorstehenden »Reformen der ökonomischen Struktur« sprachen; am 20. Oktober wurden sie vom Zentralkomitee akzeptiert.

Ich beglückwünschte Zhao Ziyang zu dem enormen Fortschritt, den China ganz unverkennbar in den letzten neun Jahren gemacht hatte. Zhao Ziyang sprach von der »großen historischen Wende« des Jahre 1979. Als ich einige Monate später den formellen Beschluß des Zentralkomitees studierte, sah ich, daß in seinem Kopf alles Wesentliche bereits festgestanden hatte.

Mir hat er die Situation folgendermaßen beschrieben: »Die historische Wende begann mit einer Öffnung nach außen. Früher hatten wir das Vertrauen in die eigene Kraft zu sehr betont. Jetzt haben wir den Zustand der Abkapselung beendet. Zum anderen haben wir uns die Steigerung der Produktivität der Wirtschaft und die Anhebung des Lebensstandards zur Hauptaufgabe gemacht. Solange kein äußerer Angriff auf die Volksrepublik China stattfindet, so lange wird es dabei bleiben. Die Wirtschaftsstrukturreform hat 1979 mit der Landwirtschaft begonnen, und dort war sie erfolgreich. Jetzt werden wir sie auf die städtische Wirtschaft übertragen. Was wir wollen, ist ein Sozialismus mit chinesischen Besonderheiten. Die Betriebe müssen größeren Spielraum bekommen. Selbstverständlich gehen wir vom Wertgesetz aus und wenden es an. Wir hoffen nicht nur auf Erfolg, wir sind uns seiner sicher.«

Es werde schwierig sein, wandte ich ein, nach so vielen Jahren der totalen Lenkung die Unternehmensleitungen an größere Selbständigkeit und die Partei- und Staatsbürokratie an größere Abstinenz zu gewöhnen.

Zhao stimmte zu: »Das sind ja gerade die Probleme, die die Reform lösen muß. Sie wird den Betrieben durch größere Entscheidungsbefugnisse einen weiteren Spielraum und dadurch mehr Vitalität geben ... Entweder sind die Unternehmensleiter dazu fähig und waren bisher nur in ihrer Dynamik durch die alte Struktur gehemmt; dann können sie sich jetzt entfalten und bewähren. Oder aber sie zeigen sich unfähig zur Selbständigkeit; dann müssen sie gehen.« Doch was geschieht dann? »Es gibt in den Betrieben genügend fähige und ehrgeizige Personen, dann müssen wir eben sie auf die leitenden Posten berufen. Das Bedürfnis nach fähigen Betriebsführern wird sich in jedem

Betrieb bemerkbar machen. Denn wenn die Leitung versagt, geht es den Arbeitern schlecht. Die Arbeiter selber werden also dafür sorgen, daß fähige Leute an die Spitze kommen. Wir bemühen uns, neue Führungskräfte und Manager heranzubilden, die nicht nur Empfänger von Direktiven sind; wir haben darin schon erhebliche Erfolge erreicht. Seien Sie sicher, der Fortschritt wird weitergehen.«

Ich fragte, ob und wieweit die staatlichen Organe von der Reform ergriffen würden.»Im nächsten Monat werden wir auch die Reform der Partei- und Staatsbürokratie anpacken. Die staatliche Verwaltung wird in Zukunft nicht mehr in dem bisherigen Maße in die Wirtschaft eingreifen. Und, besonders wichtig, in den Betrieben werden die Parteiorgane nicht mehr wie bisher das höchste Gremium bilden. Die Verantwortung wird demnächst bei den Betriebsleitungen selber liegen, während die Parteiorgane der Betriebe zwar noch gewisse Kontrollfunktionen haben, aber nur für die ideologische Lenkung und die Parteiarbeit zuständig sind. Es wird nicht so bleiben, daß der Fabrikdirektor seine Verantwortung lediglich unter der Führung der Parteiorganisation wahrnehmen kann. Natürlich wird diese Reform viele Probleme aufwerfen, aber die Probleme werden lösbar sein.«

»Lassen Sie mich auf das eben erwähnte Wertgesetz zurückkommen«, warf ich ein.»Ich rede einmal etwas einfacher vom Marktpreis. In dem Maße, in dem der Preismechanismus der Märkte an Wirksamkeit zunimmt, werden indirekte Steuerungselemente zusehends wichtiger. Das gilt für die staatliche Budgetpolitik, für die Geld- und Kreditversorgungspolitik, es gilt für die Steuerung der Handelsbilanz und der Zahlungsbilanz insgesamt. Das läuft auf die Frage hinaus: Wie stellen Sie sich die Globalsteuerung der chinesischen Wirtschaft vor?

Mir ist zum Beispiel aufgefallen, daß Ihre Statistiken die Ansammlung erheblicher Devisenreserven bei ständigen Handelsüberschüssen ausweisen. Vermutlich hängt das damit zusammen, daß Ihre Zentralbank gleichzeitig auch private außenwirtschaftliche Bankgeschäfte betreibt und deshalb einen Hang zum Gewinn entfaltet hat.«

Das mit der Zentralbank stimme, bestätigte Zhao, gerade deswegen habe man beschlossen, beide Funktionen auf zwei verschiedene Banken zu verteilen.»Geld- und Kreditmenge müssen natürlich durch die Zentralbank gesteuert werden, alle Kreditgeschäfte dagegen sollen den Geschäftsbanken, den Industrie- und Handelsbanken überlassen bleiben. Wir werden gezwungen sein, die Devisenreserven zu schonen. Deshalb müssen wir die bisherige Zunahme der Importe verhindern. Es wird vor allem Importe geben, die zur technischen Modernisierung unserer Betriebe nützlich sind.«

Auch der erste Teil meiner Analyse sei richtig.»Die Reform des Preissystems wird zum Schlüssel der Strukturreform unserer Wirtschaft und damit des Erfolges der Reform werden. Anders gesagt: Das neue Preissystem wird zum wichtigsten Merkmal. Früher war der Plan beherrschend. Für die Betriebe kam es nur darauf an, den Plan zu erfüllen. Jetzt wird als Regulativ der Gewinn eingeführt; aber der Gewinn hängt von den erzielten Preisen ab. Als ersten Schritt werden wir die Preise für nicht lebensnotwendige Güter freigeben und sie ausschließlich dem Ausgleich von Angebot und Nachfrage überlassen. Natürlich werden die erzielten Gewinne nicht unbedingt mit unseren makroökonomischen Zielsetzungen übereinstimmen.«

In diesem Zusammenhang fragte Zhao nach tendenziellen Einflüssen der Weltwirtschaft, worauf ich antwortete:»Ihre binnenwirtschaftlichen Reformabsichten leuchten mir ein; Sie haben wohl im wesentlichen eine Erhöhung der Produktivität im Auge. Man muß Ihren bisherigen Steuerungsmethoden auch bescheinigen, daß es mit ihrer Hilfe gelungen ist, zu verhindern, was allgemein erwartet worden war, nämlich daß China in die Auswirkungen der Weltwirtschaftsrezession hineingerät. In dem Maße aber, in dem Sie Ihr Land öffnen und sowohl Importe wie Exporte steigern, werden Sie natürlich anfälliger für das Auf und Ab der Weltkonjunkturen, für Fehlentwicklungen auf den finanziellen und güterwirtschaftlichen Märkten der Welt.«

Dann kamen wir auf die Ölpreisexplosionen zu sprechen, auf die lateinamerikanische Schuldenkrise, die Hochzinsen und so weiter. Wir diskutierten diese Aspekte ausführlich, und Zhao zeigte sich erstaunlich gut informiert. Zum Schluß kam er noch einmal auf die Gefahr zurück, daß China in wachsende Abhängigkeit von der Weltwirtschaft geraten könne:»Sehen Sie, auch in der Sowjetunion stagniert die Wirtschaft. Aber ich frage mich doch, ob dieser Umstand wirklich auf die Rezession der Weltwirtschaft zurückgeht oder ob nicht vielmehr die Hauptgründe in den übermäßig hohen Rüstungsausgaben und der Starrheit des sowjetischen Planungssystems zu suchen sind. Schließlich ist ja das Außenhandelsvolumen der Sowjetunion nicht sehr groß, und die sowjetischen Preise sind vom Weltmarkt vollständig abgekoppelt.

Für China jedenfalls gilt: Wir wollen unser Land öffnen, aber wir wollen dabei die Fehler so vieler anderer Entwicklungsländer vermeiden. Viele Entwicklungsländer haben große Auslandskredite zur Entfaltung ihrer verarbeitenden Industrie aufgenommen in der Hoffnung, sie durch den Export von deren Produkten zurückzahlen zu können. Jetzt haben sie ihre Schwierigkeiten, weil der Weltmarkt ihre Produkte nicht abnimmt. Auch wir wollen Kredite, um unsere Ressourcen zu erschließen, aber wir werden in der Kreditaufnahme maßvoll sein. Wir werden sehr darauf achten, daß Güterimport und -export in der Balance bleiben.« Es war ein langes und zumindest für mich ein sehr informatives Gespräch. Wenn ich meine am gleichen Abend niedergeschriebenen Notizen heute lese, denke ich, es könnte vielleicht so aussehen, als habe Zhao Ziyang nur fundamentale Einsichten vorgetragen, die sich von selbst verstehen. Doch dagegen stehen zwei Argumente: Zum einen war angesichts der ausschließlich zwangswirtschaftlichen Lebenserfahrung dieses Mannes sein marktwirtschaftlicher Instinkt stupend; seine offenbar doch nur innerhalb Chinas erworbenen Einsichten in weltwirtschaftliche Zusammenhänge verblüfften mich geradezu. Zum anderen habe ich – außer Valéry Giscard d'Estaing und Raymond Barre – in meiner ganzen Zeit als Minister oder als Kanzler nie einen Regierungschef getroffen, der über die Situation seiner eigenen Volkswirtschaft ein derart sicheres, detailliert begründetes und plausibles Urteil hatte.

Vier Tage später war ich ein zweites Mal mit Zhao zusammen, diesmal als Ehrengast anläßlich des Festmahls in der Großen Halle des Volkes zur Feier des 35. Jahrestages der Gründung der Volksrepublik China. Als wir nach den offiziellen Reden und Trinksprüchen zu einem privaten Gespräch kamen, begann er abermals von der bevorstehenden ökonomischen Reform zu reden. »Wir werden unsere Anstrengungen auf die Entwicklung unserer Produktivkräfte konzentrieren, und Sie werden sehen, daß es uns gelingt, das materielle und kulturelle Wohlergehen des Volkes stetig zu verbessern. Wir werden diese Entschlossenheit niemals aufgeben, es sei denn im Falle einer großangelegten feindlichen Invasion. Seien Sie sicher, China wird sich niemals ausländischem Druck unterwerfen.«

Mir hat dieser Mann imponiert und zugleich gefallen. Beim Abschied nannte er mich einen alten Freund Chinas, und ich freute mich, ihm sagen zu können: »Die deutsche Politik Ihrem Lande gegenüber wird unter meinem Amtsnachfolger unverändert bleiben.« Abends tauschten meine Frau, meine Begleiter – darunter Theo Sommer, Chefredakteur der »Zeit«, und Gyula Trebitsch – und ich unsere Eindrücke aus. Uns allen kam es so vor, als sei das Ziel der neuen Führungsmannschaft, vom Jahre 1980 bis zum Jahre 2000 die landwirtschaftliche wie die industrielle Produktion zu vervierfachen, durchaus erreichbar – selbst wenn die Strukturreform der Industrie wesentlich größere Schwierigkeiten bereiten sollte; dafür sprachen allein die seit 1979 schon erreichten Wachstumsraten. Sofern die Reform voll zum Zuge kommt, könnte das Ziel sogar übertroffen werden.

Aber das alles ist eine ungeheure Aufgabe. Die Reform, die sich China vorgenommen hat, übertrifft in ihrer Kompliziertheit bei weitem die staatsmännische Großtat Ludwig Erhards, als dieser sich 1948 angesichts eines beginnenden Güterangebots durch den Marshallplan und angesichts der Beschränkung monetärer Nachfrage durch die DM-Währungsreform für den Durchbruch von der Zwangswirtschaft zur Marktwirtschaft entschloß und dies erstaunlicherweise, zum Teil gegen Widerstände in seiner eigenen Partei, auch tatsächlich durchsetzte und verwirklichte. In Deutschland gab es damals ja Millionen von Unternehmern, Handwerksmeistern, Bauern, Arbeitern, Politikern und Journalisten, die ihre Erfahrungen mit einem hochintegrierten marktwirtschaftlichen System gemacht hatten und die daher wußten, wie man darin zum eigenen und zum allgemeinen Vorteil agieren kann.

Im heutigen China gibt es nicht sehr viele Menschen mit derartiger Erfahrung; jene Chinesen, die längere Zeit im Ausland gelebt haben, sind eine Ausnahme. Selbst bei den treibenden Führungspersonen der Reform ist mir zweifelhaft, ob sie die Gründe und Hintergründe für den enormen wirtschaftlichen Erfolg der beiden von Chinesen betriebenen Stadtstaaten Singapur und Hongkong voll erfassen. Was Intelligenz und Fleiß angeht, darf man Zhao Ziyang mit Lee Kuan Yew, dem ungemein erfolgreichen Regenten Singapurs, sehr wohl vergleichen; aber was Lee und seine Leute an weltweiter Erfahrung gesammelt und mit Hilfe eigener Erfindungsgabe verarbeitet haben, muß Zhao durch Imagination ersetzen.

Dabei trifft Zhao auf objektive und subjektive Schwierigkeiten. Zum einen gibt es ein enormes wirtschaftliches Gefälle innerhalb des Staatsgebietes. An der Spitze stehen der industrielle Nordosten mit dem großen Hafen Dalien (früher bei uns Dairen genannt, noch früher Port Arthur) und der Norden mit den beiden Riesenstädten Beijing und Tianjin (Tientsin); danach folgt das Yangtsedelta mit Shanghai. Auch am Realeinkommen gemessen, sind dies relative Wohlstandsgebiete. Am Ende der Skala stehen Xinjiang und Tibet; dazwischen leben in den durchaus rückständigen Regionen im Nordwesten und im Südwesten mehrere hundert Millionen Menschen. Es gibt nur sehr unzureichende Transportsysteme; der große Seehafen Shanghai dient zwar in erster Linie als binnenwirtschaftliche Drehscheibe, doch kann er nur die Küsten und den schiffbaren Teil des Gelben Flusses bedienen.

Es gibt bisher noch kein allgemeines Sozialversicherungssystem; die »eiserne Reisschüssel«, mit der die Betriebe ihre alten Menschen versorgen, belastet die betriebliche Kostenrechnung. Sie soll deshalb abgeschafft werden. Bei Lebensmitteln und Mieten gibt es ungeheure Subventionen; sie allein machen ein Drittel des Staatshaushalts aus. Die Endverbraucherpreise liegen weit unter den Gestehungskosten und den Ablieferungspreisen. Auch ein wirtschaftlich vernünftiges System der Unternehmensbesteuerung fehlt bisher.

Zusätzlich zu diesen Hürden wird die Reform selber unvermeidlich neue Probleme entstehen lassen – zum Beispiel eine weitere Ausfächerung und Steigerung der Einkommensunterschiede, und dies keineswegs bloß in den vierzehn neuen »besonderen wirtschaftlichen Entwicklungszonen«, die in Küstenstädten für ausländische Investitionen geöffnet werden. Die Lage wird auch dadurch komplizierter werden, daß China in den nächsten Jahren wegen der einst hohen Geburtenüberschüsse und wegen steigender Tendenz zu regional konzentrierter Arbeitslosigkeit unaufhörlich neue Arbeitsplätze schaffen muß.

Wie wird man die Umorientierung der Bürokratie von bisheriger Befehlsplanung zur künftigen Orientierungsplanung bewältigen? In welchem Zeitraum kann man die ökonomische Umerziehung der politischen Spitze, ihre Orientierung am magischen Viereck der Volkswirtschaft erwarten, also an Preisstabilität, hoher Beschäftigung, Wachstum und am außenwirtschaftlichen Gleichgewicht? Die allgemeine Preisstabilität wird zunächst am schwierigsten zu bewahren sein; zugleich ist sie der empfindlichste Punkt des Prozesses. Schon heute ist die Preisinflation vermutlich erheblich höher als durchschnittlich zwei Prozent pro Jahr, wie sie offiziell ausgewiesen wird. Der ZK-Beschluß über die Wirtschaftsstrukturreform enthält charakteristischerweise einen preispolitischen Appell an die Unternehmensleitungen, der mich an die späten »Seelen-Massagen« Ludwig Erhards erinnert.

Neben alledem werden subjektive Widerstände geweckt werden. Es erscheint mir undenkbar, daß es in der Parteihierarchie keine starken stalinistisch oder maoistisch geprägten Gruppierungen mehr geben soll – auch wenn man berücksichtigt, daß die Mehrheit der heutigen Mitglieder erst nach Beginn der Kulturrevolution in die Partei eingetreten ist. Überbleibsel und Reste alter Lehrmeinungen finden sich mit Sicherheit auch in der Armee, denn die Armee war aus ihrer revolutionären Entstehungsgeschichte heraus zwangsläufig stark politisiert. Heute rangiert die Verteidigung unter den »vier Modernisierungen« erst an letzter Stelle; Priorität haben Landwirtschaft, Industrie und Wissenschaft. Wird die Armee die »Modernisierung« hinnehmen, wenn es soweit ist? Wird die Parteibürokratie in den Provinzen, in den Städten und Betrieben ihren Machtverlust ertragen? Werden die

Betriebs- oder Unternehmensleiter lernen, mit dem ihnen eingeräumten Handlungsspielraum zweckmäßig umzugehen? Werden sie den Willen entfalten, sich durchzusetzen? Dies alles muß ich offenlassen. Wenn man das wenige bedenkt, was man als Europäer von der chinesischen Geschichte weiß, so hat man den Eindruck, als sei China seit dem schändlichen Opiumkrieg vor anderthalb Jahrhunderten nicht fähig gewesen, sich durch Entfaltung seiner eigenen Kräfte gegen Invasoren zu wehren. Der Akzent scheint in China nicht auf Entwicklung oder Reform gelegen zu haben, sondern auf Revolte – zum Beispiel im Boxeraufstand 1900 – und auf Revolution – zum Beispiel durch Sun Yatsen 1911 und dann wieder und endgültig durch Mao Zedong. Die beharrenden Kräfte wichen dem Reformverlangen nicht, sie mußten vielmehr zerschlagen werden.

Was Deng Xiaoping und Zhao Ziyang heute unternehmen, ist aber Reform. Sie will Innovation und Effizienz *innerhalb* des Kommunismus. Es ist ein grobes Mißverständnis, sie als ein Verlangen nach Überwindung des Kommunismus zu deuten. Es erscheint mir als schwärmerische Eselei, wenn gutmeinende westliche Politiker und Kommentatoren auf eine Entwicklung in Richtung westlicher Freiheitsvorstellungen bauen. Die Eigentumsfrage wird prinzipiell keineswegs aufgeworfen, und schon gar nicht soll die oberste Herrschaft der Partei aufgegeben werden. Nichts haben die Reformer weniger im Sinn als pluralistische Demokratie, allgemeine Meinungsfreiheit oder politische Freiheit der Person.

Allerdings soll es keine Parteidespotie mehr geben, man will nach den Wirren der letzten Jahrzehnte endlich Recht und Gesetzlichkeit. Wenn die Reform für die Massen später so etwas wie Wohlstand chinesischen Zuschnitts bringen sollte, so kann es in ihrem Gefolge immerhin zu größerer Öffnung auch im Geistigen kommen. Vielleicht wird man sich dann des kulturellen Zusammenhangs der Jahrtausende chinesischer Geschichte wieder voll bewußt. Der eigenen nationalen und geschichtlichen Wurzeln sich bewußt sein zu wollen, entspricht einem menschlichen Bedürfnis. Sogar Stalin hat schließlich diese Notwendigkeit verstanden und hat ihr entsprochen, um den Verteidigungswillen gegen Hitler zu stärken.

In China aber steht einstweilen noch die Entwicklung der Wirtschaft des Landes im Vordergrund. Und der Erfolg der Reform hängt entscheidend von Deng Xiaoping ab.

Deng Xiaoping

Bei allen privaten Gesprächen, auch und gerade außerhalb der Hauptstadt, wurde uns 1984 fast beklemmend greifbar, auf wen jedermann seine Hoffnung auf eine Besserung der Lebensumstände setzte: in erster Linie auf Deng, in zweiter Linie auf Deng und in dritter Linie wiederum auf Deng. Er selbst treibt keinen Personenkult, er verachtet ihn wahrscheinlich; aber er benötigt ihn auch nicht für seine Politik, denn er ist über die Maßen populär. Alle Erwartungen fixieren sich auf ihn.

Deng empfing mich in der Großen Halle des Volkes, am gleichen Ort wie neun Jahre zuvor. Er war kurz vorher, am 28. August, achtzig Jahre alt geworden, aber er machte einen physisch und psychisch ausgezeichneten, geradezu vitalen Eindruck. Er war schlagfertig, humorvoll, in jeder Phase des Gesprächs kompetent und präsent. Fast die ganze Zeit saßen wir – gemeinsam mit einem kleinen Kreise chinesischer und deutscher Gäste, die an anderen Tischen Platz genommen hatten – zu zweit bei einem ausgedehnten Mittagsmahl. Nur Dengs ausgezeichnete Englisch-Dolmetscherin saß neben uns; sie mußte für Deng sehr laut sprechen, was mir gut zustatten kam.

Nach den einleitenden Begrüßungsformeln bedankte ich mich für die Einladung nach China, die er selber veranlaßt hatte, und machte ihm ein Kompliment zu seinem runden Geburtstag und seiner offensichtlich blendenden Gesundheit. Deng erinnerte an unser Gespräch vor neun Jahren; dann kam er auf seinen Geburtstag zurück: »Ach, wissen Sie, was das Alter angeht: Überalterung war immer ein Problem der chinesischen Führung, übrigens auch der sowjetischen. Aber in zehn bis zwanzig Jahren wird China über jüngere Führungskräfte verfügen, und wir sehen sehr genau, daß wir für die Modernisierung Chinas jüngere und dynamischere Führer benötigen. Es sind sehr komplizierte Probleme zu lösen.

Sie erinnern sich also noch an unser Gespräch im Jahre 1975. Kurz darauf wurde ich niedergemacht.« – »Sie sind aber wiedergekommen«, entgegnete ich, »zum Glück für Sie und vor allem für China. Wie viele Male sind Sie eigentlich gestürzt worden?« Deng schmunzelnd: »Damals war es das dritte Mal! Aber es wird wohl das letzte Mal gewesen sein.«

Dann wurde er ernsthaft und kam schnell zur Sache. »Unsere Außenpolitik sollte noch entschiedener die Unabhängigkeit von den Supermächten zum Ziel haben. Das gilt auch für Ihr Land. Es ist natürlich nichts dagegen einzuwenden, daß Westeuropa ein Teil des Nordatlantischen Bündnisses ist, aber Sie dürfen eine

Neun Jahre nach seinem ersten Chinabesuch, im September 1984, reiste Helmut Schmidt – nunmehr als Privatmann – zum zweitenmal in die Volksrepublik. Im Gespräch mit Ministerpräsident Zhao Ziyang ging es vor allem um die Wirtschaftsreformen (oben). Besonders herzlich war das Wiedersehen mit dem achtzigjährigen Deng.

unabhängige Strategie für Deutschland nicht aus den Augen verlieren. De Gaulle hatte das begriffen. Die Beziehungen Europas zu den USA sollten auf der Grundlage vollkommener Gleichheit beruhen.«

In diesem Punkte jedenfalls hatte Deng seine Meinung im letzten Jahrzehnt nicht geändert. Ich gab zu, die weltwirtschaftlichen Umbrüche seit 1974 hätten die europäischen Mächte so tief getroffen, daß der Integrationsprozeß der Europäer darunter gelitten habe und infolgedessen auch die Selbständigkeit gegenüber den USA.

Deng lenkte das Gespräch auf die Sowjetunion. »China sucht seine Beziehungen zur Sowjetunion zu verbessern, aber dafür müssen erst einmal Hindernisse aus dem Weg geräumt werden. Die Sowjetunion hat einen Kurs eingeschlagen, der Chinas Sicherheit bedroht. Wie steht es mit der europäischen Lage?«

»Auch bei uns«, erwiderte ich, »haben sich die Beziehungen zur Sowjetunion seit 1976 verschlechtert. Das hat zum Teil mit den auf Europa gerichteten SS-20-Raketen zu tun. Aber auch die Invasion Afghanistans hat Europa schockiert. Es gibt weitere Gründe. Auch wir hoffen auf eine Verbesserung der Beziehungen zu Moskau, und wir drängen auf Rüstungsbegrenzung.«

Deng: »Ich vermute, die Sowjetunion wird immer neue Schwierigkeiten machen, was den Abzug ihrer Raketen anlangt. Aber die Amerikaner sind auch nicht sehr vernünftig. Sie handeln anders, als sie reden.

Die Sowjetunion ist wie China ein sozialistisches Land. Wieso kam es dann zum Bruch zwischen uns? Weil die Sowjetunion ständig versucht hat, sich in die chinesischen Angelegenheiten einzumischen, weil Moskau alles unternahm, China zu kontrollieren. Die Russen wollten den Großen Bruder spielen. Als wir uns dagegen wehrten, hat der Kreml einfach Verträge zerrissen, die beide Länder geschlossen hatten. Schließlich hat sich die Sowjetunion ganz offen gegen China gestellt. Überall hat sie die Staaten Südostasiens gegen uns aufzuwiegeln gesucht.«

Ich fragte nach der Rolle, welche die Sowjetunion in Vietnam gespielt hatte. »Wissen Sie«, erwiderte Deng, »für Moskau ist Vietnam ein nicht zu versenkender Flugzeugträger. Die Sowjetunion verfolgt dort die gleiche Strategie, wie es die USA mit Taiwan tun. – Man nennt die Sowjetunion noch immer ein ›sozialistisches Land‹. Aber die sowjetische Politik hat mit sozialistischer Politik und mit marxistischen Grundsätzen wenig zu tun.«

»Mir kommt es so vor, als folge die sowjetische Außenpolitik, was ihre politischen Ziele und ihre geographischen Stoßrichtungen anlangt, weniger sozialistischen Idealen als vielmehr historisch gewachsenen russischen Traditionen der Expansion.«

408

»Das ist wohl so«, meinte Deng, »deshalb glaube ich noch nicht, daß ein Personenwechsel an der Spitze zu Veränderungen in den Grundlinien der sowjetischen Außenpolitik führen wird. Sehen Sie, China hat Vietnam in dessen Unabhängigkeitskriegen erst gegen Japan, dann gegen Frankreich und schließlich gegen die USA ständig unterstützt. Wir haben dem vietnamesischen Volk Güter im Werte von mehr als zwanzig Milliarden Dollar – zu damaligen Preisen – geliefert, und das zu einer Zeit, in der wir selber jeden Dollar brauchten. Aber ein paar Jahre später hat sich Vietnam, von der Sowjetunion beeinflußt, gegen China gestellt. Man hat Hunderttausende von Chinesen aus Vietnam vertrieben. Dann hat es immer neue Aggressionen an der Grenze zu China gegeben.

Schließlich kam es zur Besetzung Kambodschas, nachdem Pol Pot dort große Fehler begangen hatte. Diese vietnamesische Invasion hat eine großvietnamesische Föderation zum Ziel. China will keine vietnamesische Hegemonie in dieser Region. 1979 haben wir daher den Vietnamesen eine Lektion erteilen müssen. Damit wir richtig verstanden werden, haben wir diese Lehre noch ein paarmal in kleinerem Maßstab wiederholt. Falls Vietnam den Rückzug aus Kambodscha weiterhin ablehnt, behalten wir uns das Recht vor, Vietnam erneut eine Lektion zu erteilen. Bei alledem genießt Vietnam die volle sowjetische Unterstützung; deshalb ist die vietnamesische Besetzung Kambodschas eines der drei hauptsächlichen Hindernisse der Normalisierung unserer Beziehungen zur Sowjetunion. Unsere Beziehungen zu Vietnam können sich am Tage nach dem vietnamesischen Rückzug normalisieren.«

Dann kam Deng auf Laos zu sprechen; aber immer wieder kehrte er zu Kambodscha zurück. Ganz offensichtlich war dies ein besonders heikler Punkt für Beijing. Ich wußte von Prinz Sihanouk, wie sehr seine Rolle von China abhängt, und fragte Deng danach. Die Antwort: »Wir haben Prinz Sihanouk geraten, nach einer Befreiung Kambodschas von Vietnam nicht zum Sozialismus zurückzukehren. Er möge ein friedliches blockfreies Land aufbauen. Wir hätten auch nichts dagegen, wenn sich Kambodscha ASEAN anschließen will.«

Nachdem das Gespräch auf Japan übergegangen war, sagte ich: »Auch Japan ist in Ihrem Sinne ein nicht zu versenkender Flugzeugträger. Und gerade weil die Japaner wissen, daß sie sich gegen die Sowjetunion nicht selber verteidigen können, kann sich ihre Abhängigkeit von den USA eher noch steigern. Dies wiederum muß die Sowjets irritieren. Mir kommt es so vor, als stünden die Japaner vor einem langfristigen Dilemma. Einerseits wollen sie ihre politische Abhängigkeit von Amerika verringern, andererseits aber wollen sie diesen Prozeß nicht zu weit treiben, damit durch eigene Rüstung nicht die anderen asiatischen Staaten beunruhigt werden.«

China verfüge über gute Beziehungen zu Japan, meinte Deng; wenn es überhaupt Probleme gebe, so deshalb, weil in Japan einige Leute wirtschaftliche Stärke in politische und militärische Macht verwandeln wollten.»China ist darüber nicht allzusehr beunruhigt, aber Sie haben recht, andere Länder macht das besorgt.«

Ich hielt dagegen:»Ich war häufig in Japan, aber von einem neuen Militarismus habe ich nichts bemerkt. Wenn Sie im Grunde für mehr Unabhängigkeit Japans von den USA sind, so wäre es nur konsequent, Japan eine etwas größere Selbständigkeit in seiner Verteidigung zuzugestehen.«

Deng widersprach temperamentvoll und heftig:»Nein, nein! Wenn Japan ein größerer politischer Faktor in der Welt werden will, so ist das in Ordnung, es ist ja bereits ein bedeutender wirtschaftlicher Faktor. Aber wenn Japan auch auf militärischem Gebiet nach größerer Bedeutung suchen sollte, so kann das nur Besorgnis auslösen, überall in Asien. Kurz gesagt: Für Japan ist es besser, etwas bescheidener zu sein.« Bei all seiner Nüchternheit und der durchaus realistischen Einschätzung der weltpolitischen Lage war offenbar auch für Deng die Erfahrung der japanischen Besetzung Chinas ein Trauma. Schließlich fragte ich Deng nach der Haltung Chinas zu den USA.

»Die Außenpolitik der USA hat ähnliche Schwächen wie diejenige der Sowjetunion. Ihr tatsächliches Handeln entspricht oft nicht dem, was ihr Mund sagt. Partnerschaft ohne Gleichheit, wie kann das funktionieren? Zwischen China und den USA gibt es die Meinungsverschiedenheiten über Taiwan. Reagan hat einmal gesagt, Taiwan sei eine potentielle Krise. Im Shanghai-Protokoll hatte Washington anerkannt, daß Taiwan ein Teil Chinas ist. Aber die amerikanische Politik ist nach wie vor schwankend. Der Kongreß hat Beschlüsse gefaßt, die in ganz andere Richtung gehen als das Shanghai-Protokoll. Tatsächlich legen sie immer noch zwei Chinas zugrunde, wobei sie Taiwan als Teil ihrer eigenen Interessensphäre ansehen. Außerdem sieht Washington in Taiwan eine eigene Basis; man hält an der Politik der ›vier Flugzeugträger‹ fest.« Gemeint waren Taiwan, Israel, Mittelamerika und Südafrika.

»Könnte nicht eines Tages«, fragte ich,»die Art und Weise, in der jetzt das Hongkong-Problem gelöst wird, auch für das Taiwan-Problem ein Beispiel sein?« Dazu Deng sehr knapp:»Das hoffe ich auch.«

Nach einer guten Stunde brachte ich das Gespräch auf die chinesische Armee und auf Dengs Rolle an ihrer Spitze. Er war damals zugleich Vorsitzender der Militärkommission des ZK der Partei und der Zentralen Militärkommission des Staates. Obgleich er nicht das höchste Parteiamt innehatte und nicht der Regierung angehörte, war er de facto der Oberbefehlshaber über vier Millionen Soldaten. Zur Zeit unseres Gespräches stand eine große Militärparade aus Anlaß des 35. Jahrestages der Staatsgründung bevor.

Mit der Armee, meinte Deng, habe man keine Probleme; allerdings gebe es viele überalterte militärische Führer.»Aber Sie sehen ja, die Armee braucht einen noch älteren Veteranen wie mich als Oberbefehlshaber.«In ein paar Jahren wolle er aber von dieser Aufgabe befreit werden. Es sei nicht gut, wenn militärische Spitzenposten von Siebzigjährigen besetzt sind und der Oberbefehlshaber sogar achtzig ist. Die Regimentskommandeure sollten eigentlich nicht älter als dreißig, die Divisionskommandeure nicht älter als vierzig sein.

Das kam mir sehr jung vor; ich könne mir fünfzigjährige Divisionäre gut vorstellen, warf ich ein.»Nein, auf keinen Fall«, widersprach Deng.»Über den Divisionskommandeuren gibt es doch noch weitere Ränge, und deren Inhaber werden dann zu alt. Schon die Chefs der Armeegruppen sollten nicht älter sein als fünfzig. Aber natürlich ist das nur langsam zu erreichen.«

Ich fragte nach der politischen Haltung der Generalität.»Die Armee will keine neue Kulturrevolution ... Wir wollen die Armee modernisieren. Aber einstweilen wollen wir nicht zuviel Geld dafür abzweigen. Erst einmal kommt die Wirtschaftsreform, danach werden wir uns der Armee zuwenden. Auch unsere Nuklearbewaffnung ist zur Zeit eigentlich nur symbolischer Natur, jedenfalls ist sie nicht groß. Wir sehen ja, wie eng das wirtschaftliche Versagen der Sowjetunion mit ihren weit überhöhten Militärausgaben zusammenhängt.«

Wenngleich mir der angebliche Symbolcharakter der chinesischen nuklearen Streitkräfte eine Untertreibung zu sein schien, so war doch die Bemerkung über die ökonomische Beeinträchtigung der Sowjetunion durch ihre Rüstung ganz zutreffend. Sie gab Gelegenheit, auf die bevorstehenden chinesischen Wirtschaftsreformbeschlüsse überzuleiten. Ich berichtete Deng von meinem Gespräch mit Zhao Ziyang; er habe mir einen sehr eindrucksvollen Vortrag über die bevorstehende Wirtschaftsreform gehalten. Wo er eigentlich seine bemerkenswerten ökonomischen Kenntnisse her habe? Er sei besser informiert als viele westliche Staatsmänner.

»Zhao hat sich alles, was er weiß, bei seiner Arbeit angeeignet, auf Grund der Erfahrungen, die er in der Praxis gemacht hat.

Schon als Sechzehnjähriger hat er sich der Revolution ange-schlossen, und dann hat er lange in der Provinz gearbeitet. Als ich 1975, weil Mao und Zhou beide schwer krank waren, praktisch allein für Partei und Staat verantwortlich war, gehörte Zhao zu meinen Mitarbeitern. Danach ist er während einer Krisensitua-tion für drei Jahre in die Provinz Sezuan gegangen; er hat dort die Hungersnot überwunden – und zwar durch eine reformierte Agrarpolitik.«

Ich meinte, ein solcher Weg sei aber doch nur im Ausnahmefall möglich. Wie wolle China denn prinzipiell seine jüngeren Wirt-schaftsmanager heranbilden? Deng sagte, natürlich müsse man jetzt auf Schulen und Universitäten bauen. Wichtig sei aber, daß man die fähigen jungen Leute ins Ausland schicke; mehr als zehntausend junge Leute studierten bereits in den USA, etwa tausend in Deutschland. Aber auch die Unternehmen selbst bil-deten junge Manager aus. Ich warf ein, ich hätte während meiner Rundreise Direktoren getroffen, die mir überraschend jung er-schienen seien, viel jünger als in Europa.

Deng bestätigte die Beobachtung und fügte hinzu: »Wir hät-ten noch viel mehr jüngere Leute in Spitzenpositionen bringen sollen! Man muß die begabten jungen Leute aus dem ganzen Land herausfiltern. Damals, auf der dritten Sitzung des ZK Ende 1978, haben wir mit einer Reihe von mutigen Beschlüssen das Problem der ländlichen Wirtschaft gelöst. Die neue Agrarpolitik wird jetzt seit sechs Jahren angewendet, und Sie sehen ja die Re-sultate. Mit der neuen, offenen Wirtschaftspolitik machen wir jetzt einen Versuch, diese Erfahrungen vom Land auf die Städte zu übertragen. Aber natürlich sind die Probleme der städtischen Wirtschaft von wesentlich komplexerer Natur . . .

Natürlich muß China auch weiterhin seine Anstrengungen im wesentlichen auf seine ländlichen Gebiete konzentrieren. Denn dort leben vier Fünftel unserer Menschen. Wir müssen versu-chen, sie davon abzuhalten, in die Städte abzuwandern. Zwar hat man während der Kulturrevolution viele junge Leute aus den Städten auf das Land geschickt, aber dort gab es ja gar keine Ar-beitsplätze für sie, und so sind sie zurückgekehrt.

Übernähmen wir das kapitalistische System, so ließe sich das Problem der Arbeitslosigkeit nicht lösen. Die Arbeitslosenkrise in Europa ist doch nur der Ausfluß des kapitalistischen Systems. China wächst jedes Jahr um sieben oder acht Millionen Men-schen, die einen Arbeitsplatz brauchen. Die Arbeitslosigkeit ist Chinas zentrales Problem. Deshalb haben wir neue Betriebe und damit neue Arbeitsplätze geschaffen, aber eben dazu mußte die Struktur unserer Wirtschaft flexibler gemacht werden. Deshalb haben wir auch die Unternehmen ständig zur Öffnung neuer

Produktionsbereiche ermuntert, auch Unternehmungen im genossenschaftlichen oder privaten Besitz ...«

Ich dachte an das magische Viereck der Wirtschaftspolitik, über das ich ausführlich mit Zhao gesprochen hatte. So stellte ich dieselbe Frage nach der Inflationsgefahr im allgemeinen und der derzeitigen Inflationsrate im besonderen.

Dengs Antwort war sehr optimistisch gefärbt: »Ich glaube nicht, daß es in China Inflation gibt. Aber der anstehende Beschluß über die Reform des Preissystems sowie der Löhne und Gehälter kann uns natürlich einige Inflationsprobleme bescheren.« Ich wies darauf hin, daß die chinesische Führung in nächster Zeit eine ganze Reihe noch schwierigerer Fragen vor sich haben werde: »Hoffentlich haben Sie dann wieder eine glückliche Hand! Ich gratuliere Ihnen zu Ihrer Entschlossenheit und zu dem Mut, mit dem Sie die Reform der Wirtschaft angepackt haben.«

»Ich weiß ganz gut, daß ich nur über geringe wirtschaftliche Kenntnisse verfüge«, erwiderte Deng. »Ich habe nur den ganz allgemeinen Vorschlag gemacht, eine flexiblere Politik einzuschlagen. Die Verwirklichung dieses Rats ist die Aufgabe anderer, die aber für die Reform meine volle Unterstützung haben. Ich bin von der Notwendigkeit einer Reform überzeugt. Und die bisherigen Erfolge bei der Verwirklichung der neuen Politik geben mir recht. Vor allem beweisen sie, daß die Verantwortlichen es auch ohne mich schaffen. Ich denke, in drei Jahren werden sich Veränderungen auch in den Städten bemerkbar machen. Natürlich gibt es auch Menschen, die über all das beunruhigt sind, denen die ganze Richtung nicht paßt. China wird drei Jahre brauchen, um ihre Sorgen zu zerstreuen ...«

Am Ende kam Deng auf die bevorstehende Militärparade zu sprechen; es sei die erste Militärparade seit sehr langer Zeit. Es werde den Soldaten gefallen, aus Anlaß des Staatsgründungstages einmal auch öffentlich die Leistungsfähigkeit der chinesischen Armee vorführen zu können. Ein paar Tage später sah ich, wie sich die Generale gegenseitig beglückwünschten, nachdem ihre Parade vorzüglich abgelaufen war; von der Ehrentribüne aus konnten wir beobachten, wie sie sich an der Seite – unsichtbar für das Publikum – umarmten.

Ich hatte in meinem Leben allerhand Militärparaden erlebt, große wie kleine, pompöse wie auch sachliche. Als junger Soldat in der Wehrmacht wie auch drei Jahrzehnte später als Verteidigungsminister habe ich gelernt, mich von einer Parade nicht sonderlich beeindrucken zu lassen. Aber das Schauspiel auf dem Tien-an-Men-Platz und entlang der Tschangan-Straße war wirklich überwältigend. Wer im Fernsehen die Eröffnungsfeier der

Olympischen Spiele in Los Angeles gesehen hat, der kann sich eine Vorstellung machen, wenn er die Zahl der Akteure im Stadion von Los Angeles mit 100 multipliziert: große und kleine bunte Fahnen in allen Regenbogenfarben, viele große Fesselballons in pompejanischem Rot und Zehntausende kleiner Luftballons rund um den Platz, dazu eine halbe Million buntgekleideter Menschen, die in großen Kreisen zur Musik tanzten. Vom Militär war eigentlich nichts zu sehen außer einer großen Militärkapelle. Dann Stille. Deng Xiaoping, flankiert von Zhao Ziyang und Hu Yaobang, ist auf dem Balkon des Tores des Himmlischen Friedens erschienen. Er tritt ans Mikrophon. Seine Rede bringt alle seine politischen Ziele auf prägnante Formeln. Deng spricht nur sieben oder acht Minuten; die uns gleichzeitig übergebene englische Übersetzung ist ganze 63 Zeilen lang. Das Ziel der nationalen Wiedervereinigung kommt schon im allerersten Satz vor, es wird in den drei Schlußsätzen wiederholt und ausgefächert; dies Ziel sei »tief verwurzelt in den Herzen aller Abkömmlinge des Gelben Kaisers«. Diese selbstbewußte nationale Formel hatte auch Zhao Ziyang am Vortage schon gebraucht; sie knüpft an eine legendäre Figur der chinesischen Vorgeschichte an, einen Kaiser, der Jahrtausende vor Christus gelebt haben soll. Dann wird Mao Zedong als Staatsgründer gefeiert. Er kommt noch ein zweites Mal vor, im Zusammenhang mit der »Wiederherstellung« seines Denkens nach Ausschaltung der »perversen Handlungen der gegenrevolutionären Viererbande«. Deng definiert Maos Denken als »Suchen der Wahrheit aus den Tatsachen«. Andere Namen kommen nicht vor. Aber Deng gegenüber, in der Mitte des Platzes, steht ein großes Porträt von Sun Yatsen; auch das ein Zeichen des nationalgeschichtlichen Selbstbewußtseins. Bemerkenswert die abschließende Aufforderung, die Bildung, das Wissen und die Rolle der Intellektuellen anzuerkennen. Alles in allem eine selbstbewußte und entschiedene Rede, von Deng kraftvoll vorgetragen.

Anschließend nimmt Deng, in einem Wagen stehend, dessen Dach geöffnet oder ausgeschnitten ist, die Meldung des Kommandierenden Generals entgegen. Danach fährt er die Front der in der Tschangan aufmarschierten Bataillone ab; er grüßt jedesmal durch Zuruf und empfängt donnernde Antworten. Als er auf das Tor des Himmlischen Friedens zurückgekehrt ist, beginnt die Parade, die kein Militär in der ganzen Welt exakter hätte vorführen können.

Gezeigt werden an diesem 1. Oktober 1984 in Beijing nach den Panzern und der Panzerartillerie vor allem Raketen: Luftverteidigungsraketen; eine wohl noch im Erprobungsstadium befindliche U-Boot-gestützte strategische Nuklearrakete (CSS-NX 4);

414

Große Militärparade aus
Anlaß des 35. Jahrestages
der Staatsgründung; nach

Ablauf der Parade
umarmten sich die
Generale und beglück-

wünschten sich gegen-
seitig zur gelungenen
Vorführung.

eine ältere, schon Anfang der siebziger Jahre eingeführte Mittel-
streckenrakete von etwa zweitausend Kilometer Reichweite
(CSS-2); eine etwas neuere Rakete von etwa sechstausend Kilometer Reichweite (CSS-3) sowie am Schluß das neueste Unge-
tüm einer Interkontinentalrakete (CSS-4) von etwa zehntausend Kilometer Reichweite. Die beiden transsibirischen Bahn-
strecken der Sowjets – die zweite wird gerade erst fertiggestellt –
sind 2300 km von Beijing entfernt, Moskau 9500 km, San Francisco 10 000 km. Die anwesenden Militärattachés der Staaten der
Welt sehen mit eigenen Augen, was sie aus ihren geheimen Unterlagen schon kennen; die übrigen Diplomaten aus vielen Ländern sind offensichtlich beeindruckt – und dies ist zweifellos die
Absicht des Oberbefehlshabers. Unmittelbar nach dem militärischen Teil beginnt eine lange, hinreißend bunte und lockere Parade der verschiedensten Abordnungen aus allen Bereichen des
Landes.

Ich gestehe, daß auch mich das Schauspiel dieser Selbstdar-
stellung Chinas beeindruckte. Deng Xiaoping ist auf dem Höhepunkt seiner Laufbahn. Wahrscheinlich empfindet er Befriedigung weniger über diese Tatsache als vielmehr darüber, daß er
schließlich doch, nach sechzig Jahren immer neuer Kämpfe, der
Sache eines einigen, kommunistischen Chinas dienen kann, und
zwar in großem Stil und an der Spitze. Außenpolitisch ist der
Ausgleich mit Japan erreicht; Hongkong ist im Prozeß der Wiedervereinigung begriffen; die Beziehungen zu den USA sind
normalisiert, Reagan hat in Beijing Besuch gemacht, Deng und
Zhao in Washington. Innenpolitisch hat Deng dem chinesischen
Kommunismus zur Rationalität verholfen und ihn damit auf den
Weg zur wirtschaftlichen Entwicklung gebracht. Kein Zweifel:
China soll nach Dengs Willen auch in Zukunft eine kommunistische Gesellschaft bleiben, keine liberale, nicht eine demokratische westlichen Zuschnitts, sondern eine autoritäre Gesellschaft
in einem autoritären Staat.

Ob dieser Reformkurs stabil und stetig verlaufen wird, hängt
meiner Meinung nach vornehmlich von drei Faktoren ab, nämlich:

1. Wie lange werden Deng Xiaoping und Zhao Ziyang leben,
   und wie lange werden sie so kraftvoll das Land führen können?
2. Wie lange wird es dauern, bis greifbare, für die Massen erleb-
   bare Erfolge die Reform und damit die Reformführer in den
   Augen der Bevölkerung und der Partei legitimieren?
3. Wird der Friede sowohl mit der Sowjetunion als auch innerhalb der Region gewahrt bleiben können – oder, mit anderen
   Worten, aber im direkten Zusammenhang: Wird Chinas Poli-

416

tik der globalen Balance zwischen den auf Ostasien und auf den Pazifik wirkenden globalen Kräften erfolgreich sein?

Zur ersten Frage ist keine Prognose möglich. Wohl aber scheint mir, daß die Übernahme des Oberbefehls durch Deng eine Konsequenz aus der Besorgnis war, weder Zhao Ziyang noch – damals – Hu Yaobang oder ein anderer besäßen der Armee gegenüber ausreichende Autorität. Zhao und Hu wurde damals zumindest ein unverkennbarer Unterschied ihrer politischen Temperamente nachgesagt. Sollte Deng zu schnell ausscheiden, so könnte die Regelung der Nachfolge – wie in anderen kommunistischen Staaten auch – eine Periode der Unsicherheit auslösen. Der Reformkurs mag, vor allem im ökonomischen Bereich, Fehl- und Rückschläge erleiden, auch Kompromisse und Korrekturen unumgänglich werden lassen; aber Dengs Pragmatismus – zusammen mit seiner Autorität – ist derzeit die beste Gewähr für eine erfolgreiche Bewältigung der schwierigen Zeit des Wandels. Da Zhao Ziyang als führender Kopf der ökonomischen Reformpolitik für bisherige chinesische Maßstäbe noch relativ jung ist (er ist 1918 geboren), bleiben ihm vermutlich noch viele Jahre, um jetzt gesammelte Erfahrungen nützlich zu verwerten. Aber es geht bei der ökonomischen Reform – schon der Zahl der beteiligten Menschen nach – um das größte Experiment aller bisherigen Wirtschaftsgeschichte. Mir kommt es unwahrscheinlich vor, daß größere, nachhaltige Erfolge schnell eintreten werden. Die destabilisierenden Gefahren sowohl der Arbeitslosigkeit als auch der Inflation könnten schon nach wenigen Jahren zu provozierenden Krisen und Rückschritten führen. Der Erfolg der Reform wird frühestens nach einem vollen Jahrzehnt erkennbar werden. Sofern bis dahin eine spürbare Verbesserung im realen Lebensstandard des Milliardenvolkes durchschlägt, kann auch ein Anfangserfolg ausreichen, um einen Rückfall in den alten emotionalen Voluntarismus zu verhindern.

Die dritte Voraussetzung einer anhaltenden Stabilität Chinas, nämlich Ruhe nach außen, hängt nicht nur vom eigenen strategischen Verhalten ab, sondern ebensosehr vom Verhalten der anderen Staaten des Großraums, vor allem aber von der Sowjetunion. Möglicherweise ist die Haltung des Westens entscheidend, sowohl die der USA als auch Europas.

Je erfolgreicher der Reformkurs Chinas verlaufen wird, um so stärker kann die Herausforderung für Moskau werden, denn ein erfolgreiches chinesisches Beispiel könnte Schule machen in den Klientenstaaten der Sowjetunion und anderswo, zumal in den diktatorisch regierten Ländern der dritten Welt. Falls aber einer der sowjetischen Satelliten ökonomisch wesentlich erfolgreicher sein sollte als Moskau, so sind – nach den bisherigen Erfahrungen – harte Reaktionen eher wahrscheinlich als ein Nachgeben, das einem Teilverzicht auf Herrschaftsansprüche gleichkäme. Wie beweglich auch immer die Generation Gorbatschows sein mag, eine Verstümmelung der sowjetischen Herrschaftssphäre wird sie nicht hinnehmen. Harte Reaktionen sind auch China gegenüber denkbar, falls neuerliche, von Gorbatschow vorgetragene Versuche zur Einigung mit den chinesischen Führern erfolglos verlaufen sollten.

Angesichts der einstweilen sehr schwungvoll, nahezu unbefangen wirkenden Gesamtstrategie Gorbatschows kann eine großangelegte Entspannungspolitik gegenüber China keineswegs ausgeschlossen werden. Bereits in der kurzen Ära Andropow waren dazu in Moskau Erwägungen angestellt worden – punktuell und sehr zaghaft auch schon unter Breschnew. Diese den Sowjets mögliche Option ist bisher allerdings ohne wesentlichen Effekt auf die tatsächliche Außenpolitik Moskaus geblieben. Vielmehr haben die sowjetischen Führer unwillentlich fast alle Staaten im Osten und Südosten Asiens in eine ablehnende Haltung gegenüber der UdSSR hineinmanövriert.

Nachbarn, aber keine Freunde

Die Großregion von Singapur oder Manila bis Urumtchi und Beijing oder Wladiwostok ist politisch gekennzeichnet durch eine weitgehende Isolation großer und wichtiger Nationen: Weder China noch die Sowjetunion, weder Japan noch Vietnam, weder Nord- noch Südkorea haben wirkliche Freunde in der Region; und die militärisch und wirtschaftlich hier präsenten USA genießen zwar Respekt, nicht aber Freundschaft.

Nicht nur Geographie und Geschichte stehen der gegenseitigen Verständigung im Wege; auch die kulturelle Vielfalt kommt erschwerend hinzu. Chinesen und Japaner haben zwar weitgehend gleiche Schriftzeichen, die Sprache des anderen aber verstehen sie nicht. Russen und Koreaner haben ihre eigenen Alphabete, die sonst keiner lesen kann. Djakarta bemüht sich, in seinem über fast fünfzig Längengrade ausgedehnten Reich der 13 000 Inseln eine einheitliche indonesische Sprache einzuführen; der Koran freilich – Indonesien ist das größte islamische Land der Welt – muß arabisch studiert werden. Die Filipinos sind

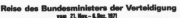

Reise des Bundesministers der Verteidigung
vom 21. Nov.– 6. Dez. 1971

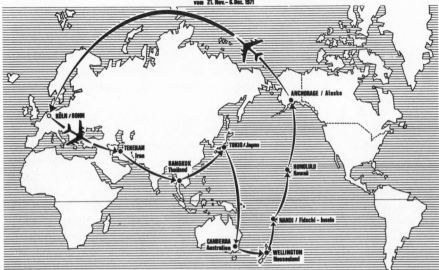

Nov.Dez. 1971	(Zeitangabe = Ortszeit) von:	nach:	R e i s e w e g	Flug km	Flug Std.
So. 21.	Köln 1230	Teheran 2050	Belgien, Luxemburg, Frankreich, Italien, Griechenland, Türkei, Iran	4417	6
So. 21.	Teheran 2250	Bangkok 0900 Mo.	Pakistan, Indien, Ost-Pakistan, Birma, Thailand	5700	7
			Aufenthalt in Bangkok bis Mittwoch, 24.11.		
Do. 25.	Bangkok 0900	Tokio 1850	West-Malaysia, Philippinen, West-Japan, Zentral-Japan	6510	8
			Aufenthalt in Tokio bis Sonntag, 28.11.		
Mo. 29.	Tokio 0900	Canberra 1920	Überseeweg bis Australien	8025	9
			Aufenthalt in Canberra bis Dienstag, 30.11.		
Mi. 01.	Canberra 0900	Wellington 1400	Überseeweg bis Neuseeland	2350	3
			Aufenthalt in Wellington bis 3.12.		
Sa. 04.	Wellington 0900	Nandi 1215	Überseeweg bis Nandi/Fidschi-Inseln	2580	3
So. 05.	Nandi 0900	Honolulu 1710	Hawaii-Küste, Honolulu	5200	6
Mo. 06.	Honolulu 1700	Anchorage 2220	Vereinigte Staaten	4440	5
	Anchorage 0030	Köln/Bonn 2040	Grönland, Island, Norwegen, Dänemark, Helgoland	7450	9
				46672	56

Ende 1971 reiste Helmut Schmidt, damals Bundesverteidigungsminister, in die pazifische Region: eine der vielen Reisen zur Vervollständigung des Bildes von der Welt.

»Briefing« im Flugzeug: Ministerialdirektor Ruhfus trägt vor; rechts neben Schmidt Staatssekretär Bölling, Frau Wischnewski, ganz rechts Hans Jürgen Wischnewski; links neben Loki Schmidt Edzard Reuter (auf dem Flug von Tokio nach Singapur, 18. Oktober 1978).

Katholiken, in ihrem Parlament in Manila wird englisch gesprochen. Diese Region ist im Vergleich zu Nordamerika oder Iberoamerika, auch im Vergleich zu Europa, ein ungeheuer differenziertes Mosaik. Fast ganz Nordamerika spricht eine einzige Sprache und hängt fast ausschließlich dem Christentum an; Iberoamerika spricht zwei eng miteinander verwandte Sprachen und ist durchgehend vom Christentum geprägt; Europa kennt zwar viele Sprachen, ist aber durch fast zwei Jahrtausende gemeinsamer kultureller Entfaltung und durch die gemeinsame christliche Religion weitgehend homogen. Dagegen stehen sich in Asien vom Hinduismus bis zum Buddhismus, von Konfuzius und Jesus von Nazareth bis zu Mohammed, vom Shintoismus bis zum chinesischen oder russischen Kommunismus große Religionen, bedeutende Philosophien und Weltanschauungen gegenüber; völlig verschiedene Sprachen und Kulturen sind einander benachbart.

Es ist diese Vielfalt eigenständiger Entwicklungen, welche nicht nur uns Europäern, sondern mehr noch den Amerikanern das politische Verständnis jener Region so schwierig macht, die man leichtfertig unter dem einheitlichen Begriff »pazifisches Becken« zusammenfaßt. In Wirklichkeit bleibt die Gemeinsamkeit des pazifischen Beckens dem geographischen Blick desjenigen vorbehalten, der diese Region vom Rande her betrachtet, sei es von Los Angeles, von Canberra, von Beijing oder von Tokio aus. Dagegen spielt der lose Zusammenschluß der ASEAN-Gruppe (Association of South-East Asian Nations mit den fünf Staaten Philippinen, Indonesien, Singapur, Malaysia, Thailand) nur eine untergeordnete Rolle.

Reisen nach Neu-Delhi, Singapur, Kuala Lumpur, Beijing, Seoul, Tokio, Bangkok, Canberra oder Djakarta haben mir ein wenig von der Vielfalt jener Region vermittelt. Viele Gespräche mit Lee Kuan Yew, dem chinesischen Ministerpräsidenten von Singapur, und vor allem zahlreiche Besuche in Japan haben mein Verständnis von der Weltmachtrolle Chinas sehr gefördert. Neben diesem großen Nachbarn wird Japan auch in den nächsten Jahrzehnten vermutlich auf seine Rolle als überragende wirtschaftliche Macht beschränkt bleiben. Allerdings ist die außenpolitische Entwicklung Japans nicht leicht abzuschätzen; sie könnte auch Überraschungen hervorbringen.

Auf Japan trifft heute das Wort zu, das in den sechziger Jahren für die Bundesrepublik Deutschland geprägt wurde: ökonomisch ein Riese, politisch ein Zwerg. Für die weltpolitisch eher unbedeutende Rolle Japans gibt es mehrere Ursachen, deren Wirkungen sich addieren. Da ist zunächst die in über tausend Jahren entstandene insulare Mentalität, während der zweihun-

dertfünfzigjährigen Herrschaft der Tokugawa-Shogune isolatio-
nistisch überhöht und nach der Öffnung Japans unter dem Kaiser Meiji seit 1868 nicht wesentlich abgeschwächt. Dazu gehört
der für Japan glücklich verlaufene russisch-japanische Krieg
1905: Er gab dem rücksichtslosen japanischen Imperialismus
Auftrieb, der alsbald Korea und die Mandschurei erfaßte; For-
mosa (Taiwan) war schon im vorigen Jahrhundert erobert worden. Was diese Raubzüge für die Nachbarstaaten bis heute bedeuten, ist in Japan nie aufgearbeitet oder verstanden worden.
Schon vor Ausbruch des Zweiten Weltkrieges hatte Japan mit
Brutalität große Teile Chinas unterworfen; nach 1941 dann über-
fallartig die Philippinen, das heutige Indonesien, Burma, das
heutige Malaysia und Singapur, und so weiter. Mit geschichtlichen Maßstäben und am früheren Imperialismus der europäischen Kolonialmächte, der USA oder Rußlands gemessen,
währte der japanische Imperialismus zwar nur eine kurze Zeit,
aber er ist relativ jungen Datums und hat bis heute bei den unter-
jochten Völkern ein tiefes Ressentiment hinterlassen.

Nur die der amerikanischen Nation eigentümliche Großzügigkeit hat das antijapanische Ressentiment weitgehend überwunden (aus wirtschaftlichen Gründen kehrt es heute freilich zurück); die Supermacht-Position der USA im Raum des Pazifik
hat diesen psychologischen Prozeß natürlich erleichtert. Auch
China, die bei weitem größte Macht Asiens und deshalb von In-
senioritätskomplexen Japan gegenüber nicht belastet, hat die
Feindschaft gegen die Japaner überwunden, zumindest nach außen hin. Der wiederholte, stetige Versuch Moskaus, zwischen
Beijing und Tokio Feindschaft zu säen, hat die langsame Annäherung zwischen beiden nicht verhindern können; sie liegt im
ökonomischen Interesse Chinas, für Japan ist sie psychologisch
unerläßlich. Im Herbst 1972 wurden diplomatische Beziehungen
zwischen beiden Ländern aufgenommen (was den Bruch zwischen Japan und Taiwan bedeutete). Dennoch ist das chinesische
Mißtrauen latent erhalten geblieben; Nakasone hat es in den
achtziger Jahren anläßlich einiger nationalistischer japanischer
Äußerungen erleben müssen, welche in China als Symptome der
alten japanischen Arroganz interpretiert wurden.

Der Argwohn der Filipinos ist sehr viel größer. Und im Falle
der Koreaner, gleichgültig, ob sie im Norden oder im Süden der
zweigeteilten Halbinsel leben, kann nicht mehr von Argwohn,
sondern muß von Feindschaft gegenüber Japan und von ver-
ständlichem Haß die Rede sein. Die Thais halten natürlich Vietnam für die größte Gefahr – angesichts des aggressiven vietnamesischen Imperialismus in Laos und Kambodscha, unmittelbar
an der thailändischen Grenze. Ansonsten aber haben fast alle

Völker der Region in gleicher Weise Furcht sowohl vor Japan als auch vor China. Dabei werden die sechzehn Millionen Auslandschinesen, aber auch die kommunistischen Parteien und Organisationen im eigenen Land als fünfte Kolonne Beijings aufgefaßt, während gleichzeitig die Erinnerung an die japanische Besetzung und die hohe wirtschaftliche Überlegenheit Japans eine Annäherung an Tokio verhindern.

Die Japaner haben zudem – anders als die Deutschen – seit 1945 wenig dazu beigetragen, daß die Nachbarn ihre Ressentiments abbauen und durch ein auf zunehmende Kooperation gegründetes Vertrauen ersetzen konnten. Für viele Japaner, vor allem für die wesentlich in der konservativen LDP (Liberal-Demokratischen Partei) vereinte politische Rechte, ist die Bilanz des Zweiten Weltkrieges mit der Zerstörung Hiroshimas und Nagasakis ausgeglichen und abgeschlossen – ein folgenschwerer Irrtum.

Die beschränkte Rolle Japans

In den sechziger Jahren begannen die Anstrengungen der Regierung in Tokio, die politischen und psychologischen Klüfte zwischen Japan und seinen Nachbarn zu überbrücken, welche seit dem japanischen Imperialismus besonders tief waren – bisher mit nur geringem Erfolg. Dies liegt vor allem daran, daß es den Japanern offenbar an Schuldbewußtsein fehlt. Soweit ich sehe, hat sich Takeo Fukuda – zunächst Außen- und Finanzminister unter Sato, Tanaka und Miko, sodann Ende 1976 bis Ende 1978 Premierminister – am stärksten um das Bild eines von allen Nachbarn als friedlich empfundenen Japan verdient gemacht. Auch sein bedeutendster Nachfolger, Yasuhiro Nakasone, der nach kurzen Zwischenspielen Ohiras 1979/80 und Suzukis 1980/ 82 im September 1982 Premierminister wurde, hat sich um eine Normalisierung des Verhältnisses zu den anderen Staaten Ost- und Südostasiens bemüht. Da Nakasone aber zugleich einer betont nationalen Selbsteinschätzung seines Volkes und seines Staates Rechnung trägt, gelang ihm diese Normalisierung weniger gut als Fukuda – obschon inzwischen ein weiteres Jahrzehnt seit Kriegsende vergangen ist.

Fukuda und Nakasone gehören beide der seit über dreißig Jahren regierenden LDP an. Sie stehen außenpolitisch jeweils am äußeren Rand des Spektrums ihrer Partei, die – ähnlich wie die Democrazia Cristiana in Italien – in mehrere »Fraktionen« gespalten ist; Fukuda gab die Führung seiner Fraktion Ende 1986 im Alter von 81 Jahren ab. Beiden bin ich im Laufe der letzten zwei Jahrzehnte häufig begegnet; mit Fukuda verbindet mich eine enge Freundschaft. Die Begegnungen und Erfahrungen mit diesen beiden Staatslenkern scheinen mir besonders geeignet, die geringe Flexibilität der japanischen Gesamtstrategie zu verdeutlichen. Sie bleibt in sehr charakteristischer Weise in Zwänge eingebunden, die einstweilen wenig Spielraum lassen und gegen Ende des Jahrhunderts Japan möglicherweise in die gefährliche Versuchung führen können, auszubrechen. Auf den folgenden Seiten soll also vornehmlich von Fukuda und Nakasone die Rede sein, obschon ich auch die Premierminister Sato, Miko, Ohira und Suzuki und deren jeweils wichtigste Minister kennengelernt habe.

Kaiser Hirohito bin ich dreimal begegnet. In seiner Person – wie im Kaiserhaus insgesamt – sehen die Japaner die Kontinuität der japanischen Geschichte verkörpert. Als ich ihm das erste Mal gegenüberstand, hatte ich freilich keine Vorstellung von seiner nationalen Bedeutung; heute – nach zehn oder zwölf Besuchen in Japan – ist in diesem Punkte mein Eindruck immer noch sehr undeutlich. Natürlich waren mir die wichtigsten Daten seines Lebenslaufes geläufig. Hirohito ist 1901 geboren, er ist seit 1926 Kaiser. Ich wußte, daß in der hohen Zeit des Imperialismus – mit Beginn der dreißiger Jahre – das Militär die Macht weitgehend an sich gezogen hatte; dennoch setzte ich voraus, daß der Tenno beteiligt gewesen war am Entschluß zum Überfall auf Pearl Harbor und damit zum Eintritt Japans in den Zweiten Weltkrieg und zur Eroberung riesiger Gebiete Asiens und Polynesiens. Erst sehr viel später erfuhr ich, daß er den Militärs seine Mißbilligung nicht verhehlt hatte, die Entscheidung aber nicht verhindern konnte. Bekannt war mir, daß er 1945 persönlich die Kapitulation seines Reiches entschieden und verkündet hatte; daß er von General McArthur sowie vom Internationalen Gerichtshof unbehelligt gelassen worden war und daß er schließlich 1947 die demokratische Verfassung proklamierte. Über alle diese unerhört wechselvollen Ereignisse hinweg hat er an der Spitze seines Staates gestanden. Gleichwohl stellt er für die meisten Japaner noch immer eine Instanz höchster Autorität dar, auch wenn sie ihn fast niemals zu sehen bekommen, da er vom öffentlichen Leben vollständig isoliert ist.

Als ich dem kleinen, höchst bescheiden auftretenden alten Herrn persönlich begegnete, erschien er mir wie eine Inkarnation von Ruhe und Weisheit; die brutalen politischen Entscheidungen, an denen er im Laufe seines Lebens teilhatte, blieben mir rätselhaft angesichts seiner leisen Würde.

Oktober 1978: Besuch bei
Takeo Fukuda (oben)
und Empfang durch Kai-
ser Hirohito.

Entsprachen die vergoldeten Chrysanthemen, das Wappen des Kaiserhauses, noch der historischen Wahrheit? Sie waren überall zu sehen: auf den Einladungskarten des Tenno und auf den silbernen Vasen, welche man bei Begegnungen mit ihm als Gastgeschenk erhielt; ich stellte die Vasen im Kanzler-Bungalow in gläserne Vitrinen auf. Wäre nicht doch das Schwert ein ehrlicheres Symbol gewesen? Ich dachte an den Titel des berühmten Buches »The Chrysanthemum and the Sword« der Amerikanerin Ruth Benedict. Oder war der mit diesen beiden Symbolen ausgedrückte Dualismus im Charakter des japanischen Volkes inzwischen überlagert worden? Die Verwestlichung und ein überwältigend erfolgreicher Kapitalismus legen es jedenfalls nahe, das moderne Japan eher in seinen weltumspannenden Industrieunternehmungen oder in der Vielfalt von Fernsehkanälen und Mikrochips verkörpert zu sehen.

Der Kaiserpalast inmitten eines Parks im Zentrum der riesenhaften Hauptstadt, die von endlosen, über Stelzen oder durch Tunnels geführten Stadtautobahnen durchzogen wird, auf denen Millionen von Autos unterwegs sind, gleicht einer unberührten kleinen Insel in einem aufgewühlten Meer. Der Palast verbindet herkömmliche japanische Dächer und Fassaden mit zeitgenössischer, raffiniert einfacher Innenarchitektur. Er ist eines der schönsten Gebäude des zwanzigsten Jahrhunderts, das Tradition und Moderne in überzeugender Weise zur Synthese geführt hat. Hat auch die japanische Nation insgesamt zu solcher Synthese gefunden? Ich glaube das nicht.

In Kyoto besuchten meine Frau und ich den Felsgarten Rioan. Es war ergreifend zu sehen, wie nicht nur ältere und alte, sondern auch junge Japaner in regungsloser Betrachtung der kunstvollen Anlage versunken schienen. Es handelt sich um einen kleinen Garten ohne Bäume, ringsum von hölzernen Galerien eingefaßt wie ein Stilleben von einem Rahmen; fünfzehn Felsen und Zigtausende kleiner Kiesel, sorgfältig geharkt, strahlen seit fünf Jahrhunderten eine große Ruhe aus. Wir hatten mehrere Erlebnisse dieser Art. So beobachteten wir eine große Anzahl Menschen, die am Seeufer gegenüber dem Goldenen Pavillon geduldig auf das Anzünden eines Holzstoßes warteten; der Rauch sollte durch eine streng geformte alte Kiefer zum Himmel aufsteigen. Wir sahen, wie sie mit heiterer Gelassenheit in einem Moosgarten bunte Ahornblätter auflasen und über deren Form und Farbe meditierten. Welch unglaublicher Gegensatz zu dem arbeitswütigen Betrieb in den Fabrikhallen!

Japan hat seinen Weg für die nächsten Jahrzehnte und für das einundzwanzigste Jahrhundert noch nicht bestimmt. Es ist sich – zwar aus ganz anderen Gründen als die Bundesrepublik

426

Deutschland, ihr darin aber vergleichbar – seiner Zukunft keineswegs gewiß. Während Japan sich in der zweiten Hälfte des 19. Jahrhunderts unter dem Meiji-Tenno in Wissenschaft, Medizin, Industrie und Verfassung stark an deutsche Vorbilder angelehnt hatte, dominieren heute amerikanische Vorbilder – aber in beiden Fällen ging die Anpassung nicht in die Tiefe. Die Japaner sind wohl das begabteste Volk, insofern es um die Übernahme von kulturellen, wissenschaftlichen und technischen Errungenschaften anderer Völker und um deren praktische Anwendung geht. Ihnen eignet eine große Bereitwilligkeit, wissenschaftlich, technisch, wirtschaftlich und sozialorganisatorisch vom Westen zu lernen, sich anzupassen und westliche Methoden und Technologien zu verfeinern und zu übertreffen.

Auf ähnliche Weise haben sie in der Vorzeit ihre Schriftzeichen, ihre Tuschmalerei, ihre Gartenbaukunst, vor allem auch den Buddhismus aus China und Korea übernommen und sich in Abwandlung der Originale zu eigen gemacht. Ohne die fünftausend Jahre kultureller Entfaltung Chinas ist die japanische Kultur nicht denkbar. Von daher stammt wohl auch der Minderwertigkeitskomplex gegenüber den Chinesen, der am Ende freilich zum Versuch der Versöhnung mit dem Nachbarvolk beigetragen hat. Diese Politik kann – in sehr begrenztem Sinne – als japanische Parallele zur deutschen Ostpolitik gesehen werden, nur um einige wenige Jahre zeitversetzt. Zugleich aber gibt es in Japan einen weitverbreiteten, meist sorgfältig kaschierten Überlegenheitsdünkel gegenüber fast allen anderen Nachbarvölkern. Der Anpassungswille Japans scheint sich auf die als überlegen geltenden Völker und Kulturen Chinas, der USA und – abgeschwächt – Europas zu beschränken.

Die von McArthur oktroyierte demokratisch-parlamentarische Verfassung und der damit gleichzeitig auferlegte Verzicht auf militärische Streitkräfte haben den Japanern keine großen Schwierigkeiten bereitet; beide Akte sind jedoch alsbald in charakteristischer Weise herkömmlichen japanischen Gesellschaftsformen und japanischen Bedürfnissen angepaßt worden. Die parlamentarische Praxis hat die überkommene Oligarchie der Konservativen und das Konsensusprinzip zwischen mächtigen Gruppen und Cliquen nicht aufgehoben; und statt des von der Verfassung verbotenen Militärs gibt es »Selbstverteidigungskräfte«, die ganz selbstverständlich Heeres-, Luftwaffen- und Marineverbände umfassen.

Die Abtrennung der sogenannten »nördlichen Inseln« – das heißt, geographisch gesprochen, der südlichen Inseln der Kurilen – durch die Sowjets ist mit der Teilung Deutschlands absolut nicht zu vergleichen; denn diese Inseln hatten nur wenige tausend japanische Einwohner. Dagegen waren die Kriegszerstörungen in Japan und die ökonomischen Wiederaufbauprobleme denjenigen Deutschlands in vielem ähnlich; sie sind mit Hilfe einer ungeheuer disziplinierten Arbeitsanstrengung in gleicher Weise gemeistert worden. Der Aufstieg zur zweitgrößten Volkswirtschaft der Welt hat die Nachbarn, aber auch die Europäer und die Amerikaner zunächst erstaunt, später erschreckt. In Washington sagte mir einmal ein amerikanischer Außenminister, die Japaner trachteten nach einem neuen Pearl Harbor, diesmal allerdings lediglich mit ökonomischen Mitteln. Dies war eine ziemlich übertriebene Interpretation, aber sie kennzeichnet die neue Feindschaft, die sich in den achtziger Jahren in den USA angesichts der extrem unausgewogenen Handelsbilanz mit Japan entwickelt. Die Amerikaner und die EG betrachten Japan heute als handelspolitischen Konkurrenten und sogar als Gegner, der mit angeblich unfairen Mitteln die Konkurrenz aus dem Feld schlägt und der deshalb zu »freiwilligen Selbstbeschränkungen« gezwungen werden muß – letzteres zu Unrecht.

Seit meiner volkswirtschaftlichen Diplomarbeit über Japans Währungsreform gleich nach dem Kriege und seit meinem ersten Besuch 1961 habe ich immer eine ganz andere Sicht Japans gehabt: Ich sah Japan als ein Land, das ähnlich wie Deutschland von einem größenwahnsinnigen Imperialismus zu energischer Aggression und zu entsetzlicher Drangsalierung seiner Nachbarn verführt und dafür mit totaler Niederlage und fast totaler Zerstörung bestraft worden war. Sodann als ein Land, das nach einem Intervall dumpfer Erschütterung mit abermals enormer Energie an den Wiederaufbau seiner Städte und seiner Wirtschaft gegangen war. Ein Land, das nach Kriegsende politisch weitgehend fremdbestimmt wurde, das aber dank seiner Arbeitsleistung – auch hierin Deutschland ähnlich – den Weg zu einer neuen Identität zu finden schien. Schließlich sah ich ein Volk von ganz anderer kultureller Tradition – völlig fremd auf den ersten Blick, aber zugleich ungemein anziehend: seine Schreine und Pagoden, seine Gärten und Tori, seine Farbholzschnitte, seine schönen Künste insgesamt. 1961 gehörten meine Freunde Carlo Schmid, Karl Wienand und ich der gleichen Reisegesellschaft an; wir waren alle drei beeindruckt von diesen Schönheiten, und Carlo war hingerissen – besonders von den Frauen.

Seither sind zwar einige Parallelen mit Deutschland noch deutlicher hervorgetreten – aber auch grundlegende Verschiedenheiten im nationalen Schicksal. Die großen internationalen Erfolge von Hitachi oder Toyota, Fujitsu oder Sony auf der einen, diejenigen von Mercedes, Bayer oder Siemens auf der anderen Seite mögen dies veranschaulichen. Insgesamt unterscheiden sich die technologischen und wirtschaftlichen Erfolge Japans und der Bundesrepublik nicht wesentlich voneinander – entgegen deutschen Vor- und Fehlurteilen. Freilich sind japanische Unternehmensleitungen auf Grund ihres Konsens-Führungsprinzips im Schnitt gegenwärtig etwas tüchtiger als die Deutschen. Zwar gibt es wichtige Chairmen und Presidents in jeder japanischen Unternehmung; aber die Entscheidungen werden durch kollegiale Diskussion in den Ebenen darunter erarbeitet und vorgeformt. Ähnlich in den Ministerien. Die Verantwortlichen ordnen nicht per Ukas an, brauchen also anschließend ihre Mitarbeiter auch nicht zu »motivieren«, denn diese wissen selbst, was sie wollen. Dieses Verfahren kostet zwar mehr Zeit als die Führungstechnik der Amerikaner oder der Deutschen, aber es ist sehr wirksam und trägt entscheidend zur personalen Homogenität der Unternehmen oder der ministeriellen Bürokratien bei.

Die Lohn- und Lohnnebenkosten sind in Japan übrigens wegen des bisher nur unzureichend ausgebauten sozialen Sicherungssystems deutlich niedriger als bei uns. Grundlagenforschung und Basisinnovation sind noch nicht sehr verbreitet. Insgesamt ist der japanische Export immer noch etwas niedriger als der deutsche – obgleich Japans Bevölkerung doppelt so groß ist wie diejenige der Bundesrepublik.

Japan hat heute die am stärksten egalitär geprägte Gesellschaft aller großen Industrienationen. Der Unterschied im Lebensstandard zwischen Reich und Arm ist vergleichsweise gering; eine Unternehmervilla mit eigenem Park ist eine große Ausnahme. Nicht die Anhäufung von Privatvermögen, sondern der Erfolg der Firma, der Lebensstandard der Arbeitnehmer und die langfristige Unternehmenssicherung leiten den Chef und sind zugleich die Quelle seines gesellschaftlichen Prestiges. Dem entspricht eine ähnliche Haltung nicht nur aller leitenden Angestellten, sondern der ganzen Belegschaft. Auf diese Weise haben die Japaner einen Wohlstand erreicht, wie er für sie in dieser Höhe vor dem Kriege undenkbar gewesen ist.

Weil sich aber alles auf allerengstem Raume abspielt, erscheinen den Japanern Begriffe wie Disziplin, Hierarchie und Anciennität als unverzichtbar; sie werden nach wie vor akzeptiert. Allerdings hat dieser Konservatismus auch eine recht unsympathische Seite: Die Frauen sind immer noch Bürger zweiter Klasse und finden lediglich zu Hause eine gewisse Kompensation. Insofern erscheinen Beijing oder Nanjing weit fortschrittlicher als Tokio oder Osaka. Viele Frauen der jüngeren Generation, die unter westlichen Einflüssen aufgewachsen sind, leiden unter der Deklassierung; sie benehmen sich »japanisch« unter ihren Landsleuten, zünden den Herren die Zigarette an und lassen ihnen den Vortritt – in westlicher Gesellschaft dagegen bewegen sie sich ungezwungen. Dieselbe Frau nacheinander in beiden Situationen zu beobachten ist verwirrend und reizvoll zugleich. Angesichts des Wohlstandes und Überflusses kann die japanische Gesellschaft gegenwärtig nur noch einen Teil der Jugend an sich binden. Dieser Teil büffelt auf Schule und Universität, um später die besseren Jobs in Wirtschaft und Verwaltung zu erlangen und langsam auf der Leiter aufzusteigen. Ein großer Teil hingegen findet sich von diesen Aussichten keineswegs angezogen; seine Frustration äußert sich weniger im Protest als vielmehr im Hang zum Lebensgenuß, zumal die Eltern oft sehr lange finanzielle Beihilfe leisten. Es ist keineswegs nur die ältere, sondern auch die mittlere Generation der Vierzigjährigen, welche Sorgen über Richtungslosigkeit der Heranwachsenden äußert. Viele Japaner ahnen inzwischen, daß ökonomisches Wachstum allein kein Daseinsziel sein kann und daß das Land einer Erneuerung seines geistigen und politischen Bewußtseins bedarf. Die Notwendigkeit der Reform sehen nicht nur Intellektuelle und Sozialisten auf der Linken, sondern ebenso Ministerpräsident Nakasone und andere auf der Rechten – auch wenn die Sozialistische Partei und die LDP sich gegenseitig nicht akzeptieren.

Die fällige Neuorientierung trifft auf Hindernisse, die in der Geschichte gewachsen sind. Von der Isolation auf Grund des Inseldaseins war schon die Rede; ebenso von der japanischen Unfähigkeit zu nationaler Reue, Trauer und Scham. Zwar sind sich manche politischen Führer der Tatsache bewußt, daß es Japan an Freunden in der Welt und vor allem in der Nachbarschaft fehlt; man möchte gern Freunde haben – aber man weiß nicht, wie Freunde gewonnen werden. Dem Argwohn der Nachbarn begegnet man mit Verständnislosigkeit. Die daraus resultierende Vorsicht ist einer der Gründe dafür, daß es nach Kriegsende über ein Vierteljahrhundert praktisch keine japanische Außenpolitik gegeben hat. Aber zugleich hat Tokio die Vertrauensbildung unter seinen Nachbarn unnötig erschwert, indem es sich einbildete, ohne Zeichen des Bedauerns über japanische Invasionen und Untaten davonzukommen. Es bedurfte des Besuches eines südkoreanischen Präsidenten in Tokio, bis endlich, nach fast vier Jahrzehnten, Kaiser Hirohito und Ministerpräsident Nakasone als Sprecher der Nation eine Geste der Scham und des Bedauerns gegenüber den Koreanern zeigten. Aber noch immer werden die in Japan geborenen und dort aufgewachsenen Kinder der im Krieg nach Japan verschleppten Koreaner rechtlich als Menschen zweiter Klasse behandelt.

Ein japanischer Journalist sagte mir einmal: »Ihr Deutschen

hattet das Glück, von den in die westlichen Länder geflüchteten Angehörigen der von euch überfallenen Völker – vor allem von den Juden in den USA – gezwungen zu werden, eurer jüngsten Geschichte ins Auge zu sehen und euren nachwachsenden Generationen die Wahrheit darüber zu sagen. Wir Japaner dagegen hatten das Unglück, daß kein Chinese oder Koreaner oder Indonesier die Welt aufmerksam gemacht und damit uns zur Wahrheit gezwungen hat – und aus eigenem Antrieb haben wir sie leider nicht gesucht.« Das ist ein ungenaues Urteil, gewiß. Wahr ist, daß einige Deutsche von der »Gnade der späten Geburt« schwatzen und wieder andere Deutsche bisweilen in den Fehler verfallen, den Heranwachsenden die eigene Geschichte tendenziell als Verbrecheralbum darstellen; beide versimpeln Schuld und Schicksal zu einem Schwarzweißgemälde. Die Japaner tun etwas anderes: Sie verschweigen soweit wie nur möglich die dunklen Seiten ihrer Geschichte in den dreißiger und vierziger Jahren. Hier liegen Gefahren für die Entwicklung des japanischen Denkens. Fukuda hat sie verstanden, Nakasone scheint sie zu verkennen.

Ich traf Fukuda das erste Mal 1971, als ich – damals Verteidigungsminister – einen offiziellen Besuch in Japan machte. Dann sind wir uns als Finanzminister und später als Regierungschefs viele Male begegnet. Gegenwärtig sehen wir uns mehrmals im Jahr, weil wir beide dem von Fukuda gegründeten »Old Boys Club« angehören; dieser Club, auch »Inter Action Council« genannt, ist eine lose Vereinigung von etwa dreißig Frauen und Männern aus allen fünf Erdteilen, die früher an der Spitze ihrer Staaten oder Regierungen gestanden haben. Mein Urteil über Fukuda ist also von einer langjährigen Freundschaft beeinflußt. Trotzdem glaube ich, daß alle, die ihn genauer kennen, mir in zwei wichtigen Punkten beipflichten werden: Fukuda ist zum einen einer der wenigen Internationalisten unter den japanischen Politikern, ein Mann, der sich bemüht, über die Interessen seines Landes hinaus die Interessen anderer Völker und Staaten zu erkennen und zu respektieren, bedacht auf Ausgleich und Bewahrung des Friedens. Zum anderen ist Fukuda einer der wenigen japanischen Politiker, die sich – einer vergleichsweise deutlichen Sprache wegen – ausländischen Partnern in nachvollziehbarer Weise verständlich machen können. Sato, Miki, Ohira oder Suzuki erschienen mir überaus höflich und verbindlich; aber häufig blieben mir der Sinn ihrer Worte, ihre Urteile und Ansichten verborgen – außerhalb Japans ist es mir ähnlich nur mit Aldo Moro gegangen. An Deutlichkeit wird Fukuda allein von Nakasone übertroffen – aber dessen sprachliche Prägnanz täuscht, wie mir scheint, in hohem Maße über gedankliche Vorbehalte hinweg.

Fukuda hatte sich 1974 als Finanzminister aus dem Kabinett des vom Lockheed-Skandal umwitterten Kakuei Tanaka zurückgezogen; Ende 1976 wurde er Nachfolger Mikis im Amt des Ministerpräsidenten. Auf den Weltwirtschaftsgipfeln 1977 in London und 1978 in Bonn vertraten wir ähnlich gelagerte ökonomische – vor allem energiepolitische – Interessen. Die Wirkungen des ersten Ölpreisschocks hatten Japan und Deutschland als ölimportabhängige Staaten schwer getroffen; von Jimmy Carter wurden wir damals in ähnlicher Weise zu höheren Haushaltsdefiziten und zur Inkaufnahme höherer Inflationsraten gedrängt, ohne daß die USA ihrerseits bereit waren, zur Lösung der Energiekrise wirksam beizutragen. Sowohl in Deutschland als auch in Japan war die Wiedergesundung der Wirtschaft die vorrangige Aufgabe der Regierung. Fast gleichbedeutend damit aber war für uns beide die Herausforderung, die außenpolitischen Hypotheken abzutragen, die der Zweite Weltkrieg hinterlassen hat.

Fukuda reiste zu diesem Zwecke nicht nur in die fünf Staaten der ASEAN-Gruppe und nach Burma, sondern auch nach Washington und in den Nahen Osten. Er suchte nach gegenseitiger Verständigung in Südostasien und schloß dabei die Staaten Indonesiens mit ein. »Die japanische Regierung möchte Frieden und Wohlstand mit ganz Südostasien teilen«, so sagte er im Juli 1977 in einer Regierungserklärung. Er war wohl der erste und bisher auch der einzige japanische Premierminister, welcher eine moralische Verpflichtung Japans gegenüber der Dritten Welt anerkannte und durch wesentliche Steigerung japanischer Entwicklungshilfe auch tatsächlich beherzigte. Sein größter Erfolg war der Abschluß des Friedens-und Freundschaftsvertrages mit der Volksrepublik China im Sommer 1978; noch wenige Jahre zuvor hatte Beijing mehrfach hart gegen angeblichen Militarismus Japans protestiert. Dabei widerstand Fukuda sowjetischen Pressionen, die Moskau deshalb ausübte, weil es die im Vertrag enthaltene Antihegemonieklausel als gegen die Sowjetunion gerichtet interpretierte. Der chinesisch-japanische Vertrag wurde in Ost- und Südostasien als eine Schlappe der Sowjetunion angesehen und beeinträchtigte die Moskauer Pläne für ein »asiatisches Sicherheitssystem«.

Fukuda hat im Laufe seines öffentlichen Wirkens zwei der drei großen gesellschaftlichen Entscheidungszentren Japans angehört, welche im Wechselspiel miteinander seit Ende des Zweiten Weltkrieges die Politik des Landes bestimmen. Es sind dies erstens die Spitzenbeamten des MITI (Ministry of Trade and Industry), des Finanzministeriums – aus dem Fukuda hervorgegangen ist –, des Außenministeriums und des wirtschaftlichen Planungsamtes; zweitens die politischen Führungspersonen in-

Helmut Schmidt und
Takeo Fukuda bei einer
Zigarettenpause während
des Weltwirtschafts-
gipfels in Tokio im Juni
1979 (oben). Minister-
präsident Nakasone hat
Schmidt erst nach seiner
Amtszeit näher kennen-
gelernt.

nerhalb der regierenden LDP und drittens die Führungspersonen der privaten Industrie. Keine dieser drei Gruppen kennt Hierarchie im europäischen Sinn. Vielmehr vollzieht sich die Meinungsbildung in einem – von außen diffus erscheinenden – Prozeß der gegenseitigen Osmose von Meinungen und Interessen, die auch innerhalb der drei Komplexe durchaus voneinander abweichen können. So divergieren die Fraktionen der Regierungspartei ebenso wie die verschiedenen Beamtenkörper, wobei Ressortegoismus eine ähnliche Rolle spielt wie bei uns. Ohne das innere Gefüge der unternehmerischen Führungsschicht zu durchschauen, möchte ich vermuten, daß hier gleichfalls die Interessen kollidieren, aber ebenso wie in den anderen beiden Gruppen durch Gespräch in Übereinstimmung gebracht werden. Die Spitzenbeamten werden – anders als die führenden Politiker – relativ früh in den Ruhestand geschickt, um nachfolgenden Talenten Platz zu machen; viele von ihnen trifft man bald darauf in den oberen Etagen der Unternehmen oder in der Politik wieder. So auch Fukuda, der zunächst Beamter war und später Politiker wurde.

In seiner Eigenschaft als Finanzminister hatte Fukuda während der internationalen Währungskrisen der frühen siebziger Jahre und im Verlauf der 1973/74 auf Grund des Ölschocks einsetzenden Krise der weltwirtschaftlichen Funktionen nicht nur erhebliche internationale Erfahrungen gesammelt, sondern auch freundschaftliche Beziehungen zu wichtigen westlichen Politikern geknüpft. Auch ich kannte Fukuda gut, bevor ich ihn in seiner Eigenschaft als Ministerpräsident im Oktober 1978 offiziell besuchte. Wenn ich heute an unsere Gespräche im Herbst 1978 zurückdenke, so fließen Erinnerungen an viele voraufgegangene und noch zahlreichere spätere Unterhaltungen ein. Wie alle seine Vorgänger und Nachfolger hatte auch Fukuda sein Büro in dem von Frank Lloyd Wright gebauten Amtssitz. Das Gebäude ist eine Symbiose von Stilelementen, welche zum Teil der amerikanischen Moderne der zwanziger Jahre entnommen und zum anderen Teil japanischen Stiltraditionen nachempfunden sind – vielleicht nicht ganz geglückt, aber doch ein interessantes Zeugnis dafür, daß Japan in den einhundertzwanzig Jahren seit den Meiji-Reformen mal mehr, mal weniger westlichen Einflüssen offenstand.

In unserer politischen und wirtschaftlichen Tour d'horizon wies Fukuda darauf hin, daß der – vornehmlich in den USA – befürchtete Prozeß von politischen Zusammenbrüchen nach dem amerikanischen Abzug aus Vietnam nicht eingetreten sei (die spätere vietnamesische Überwältigung Kambodschas sah er nicht voraus). Die ASEAN-Gruppe habe sich als ein Faktor der

Stabilisierung erwiesen; der japanisch-chinesische Friedens-und Freundschaftsvertrag werde sich gleichfalls stabilisierend auf die Region auswirken.

Fukuda lobte die ASEAN-Staaten; man habe ihnen weitere Hilfe zugesagt, denn angesichts seines wirtschaftlichen Potentials sei sich Japan der Notwendigkeit bewußt, einen angemessenen ökonomischen Beitrag zu leisten. Man denke auch an Hilfe für Vietnam und Laos (Kambodscha, unter Pol Pot, stand damals unter starkem chinesischem Einfluß). Japan müsse daran interessiert sein, daß zwischen Australien und ASEAN auf der einen und den Staaten Indochinas auf der anderen Seite keine allzu scharfen Gegensätze entstünden. Nach meinem Eindruck unterschätzte Fukuda die Bedeutung Moskaus für Vietnam, wenn er auf vietnamesische Unabhängigkeitsbestrebungen hinwies.

Fukuda sah die zukünftigen Aufgaben Japans nicht so sehr auf politischem als vielmehr auf wirtschaftlichem Felde. Er hatte offene Augen für die Probleme der Entwicklungsländer und war ein Befürworter des damals so genannten Nord-Süd-Dialogs; dabei sah er das ökonomische Dreieck USA-Westeuropa-Japan als den nördlichen Partner und bedauerte, daß in diesem Dreieck zwar die beiden Schenkel USA-Japan und USA-Europa weit entwickelt seien, nicht aber die Verbindung Europa-Japan. Darin stimmten wir überein. Weniger behaglich fühlte sich Fukuda bei meinen Bemerkungen über eine unvermeidlich zunehmende politische Rolle Japans in der asiatisch-pazifischen Region. Die von Zeit zu Zeit wiederkehrenden publizistischen und politischen Spannungen zwischen Tokio und Moskau beunruhigten und beschäftigten ihn:»Was können wir Japaner tun? Wie haltet ihr Deutschen es mit der Sowjetunion?«

Ich schilderte die militärische und die gesamtstrategische Lage im geteilten Europa und sprach von der Notwendigkeit, ein gesamtstrategisches globales Gleichgewicht aufrechtzuerhalten; dazu müßten die Deutschen ihren Beitrag leisten – sowohl zur gemeinsamen Verteidigungsfähigkeit des Westens als auch zu den Bemühungen um vertragliche Rüstungsbegrenzung. Der militärische Aspekt und der Komplex der Rüstungsbegrenzung haben Fukuda damals weniger interessiert; er wollte vielmehr genauer erfahren, auf welche Weise der deutsch-sowjetische Wirtschaftsaustausch in Gang gebracht und stetig gesteigert worden sei. Nach dem Abschluß des japanisch-chinesischen Vertrages – der für Japan eine ähnliche Bedeutung hatte wie knapp zehn Jahre zuvor die Ostverträge für die Bundesrepublik – glaubte er, Japan könne sich nunmehr ganz dem Ausbau seiner internationalen wirtschaftlichen Beziehungen widmen. Fukuda, obschon ein sehr konservativer Politiker, war gegen alles, was Japan in eine militärische Rolle hätte drängen können. Er war ganz zufrieden damit, daß im Notfall die Verteidigung des Raumes bei den USA liegen würde; Japan brauche – im Einklang mit seiner Verfassung – keine große Armee und sein Verteidigungsaufwand solle keinesfalls höher sein als ein Prozent des Bruttosozialproduktes.

Der Trugschluß dieses von vielen Japanern geteilten Friedenskonzeptes (die Sozialistische Partei Japans unter der Führung von Frau Professor Doi geht noch einen großen Schritt weiter, sie will unbewaffnete Neutralität) liegt meiner Meinung nach auf der Hand: Das gutgemeinte Konzept führt auf lange Sicht in eine dauernde gesamtstrategische Abhängigkeit Japans von den USA. Die innere Unausgewogenheit der japanischen Volkswirtschaft erzeugt mehr Güter und Dienstleistungen, als im eigenen Lande benötigt werden. Daraus resultieren hohe Export- und Leistungsbilanzüberschüsse; zugleich führt eine sehr hohe, vom Kapitalbedarf im eigenen Lande auch nicht entfernt in Anspruch genommene Sparquote zu starker japanischer Kapitalausfuhr, mit deren Hilfe die Handelspartner Japans erhebliche Teile ihrer Handelsbilanzdefizite finanzieren. Weder die USA noch die EG noch der Rest der Welt werden auf Dauer hinnehmen, daß Japan auf diese Weise das größte Gläubigerland der Welt ist. Schon seit über einem Jahrzehnt gibt es immer wieder heftige Vorwürfe der USA an die Adresse Japans; sie waren in der Regel nicht gerechtfertigt, denn die USA sind ihrer eigenen disziplinlosen Haushaltspolitik wegen selbst verantwortlich für ihren Kaufkraftüberhang, ihre Haushaltsdefizite, ihr strukturelles Handelsbilanzdefizit und ihren seit den siebziger Jahren fast jährlich steigenden Kapitalimport. Aber die USA sind der bei weitem mächtigste Partner Japans. Da Japan sonst keinen Verbündeten hat, wird es wie bisher schrittweise handelspolitischem Druck der USA (und der EG) nachgeben. Tokio wird dabei versuchen, es bei Scheinzugeständnissen zu belassen; sofern aber der Westen sich damit nicht zufriedengibt, wird Japan wie bisher auch im Ergebnis nachgeben. Solche Nachgiebigkeit fällt der heutigen japanischen Führungsgeneration zwar oft genug schwer; weil sie aber unter den Traumata der Kriegs- und Nachkriegserfahrungen leidet, fand sie bisher noch immer Lösungen aktueller Konflikte.

Eine offene Frage ist jedoch die Haltung der nächsten japanischen Führungsgenerationen. Sie übernehmen eine einseitig auf die USA ausgerichtete Außen- und Verteidigungspolitik; zugleich aber wird ihnen eine permanente Konfliktsituation mit den USA hinterlassen. Sie werden sich wachsendem amerikanischem Druck ausgesetzt sehen, wesentlich stärkere Verteidigungsanstrengungen zu unternehmen. Zugleich aber gibt es im japanischen Volk eine starke, ihm seit 1945 anerzogene Abneigung gegen Aufrüstung und eigene militärische Stärke. Hinzu kommt die Ablehnung Japans als Militärmacht durch China, durch alle seine Nachbarn und durch die Sowjetunion. So könnten die verfehlte exportlastige Struktur der japanischen Volkswirtschaft und die verteidigungspolitische Abstinenz der Nachkriegszeit zu ungeduldigen Reaktionen und Pressionen des Westens führen und in Japan schwer abschätzbare Gegenreaktionen auslösen.

Die Gegenreaktionen könnten gegen Ende des Jahrhunderts auch rassistische Ressentiments heraufbeschwören; sie könnten bewirken, daß die innenpolitische Struktur verworfen und die LDP abgelöst wird. Dann wäre auch eine einseitig von Tokio ausgehende tiefgreifende Veränderung der bisherigen Außenpolitik nicht mehr undenkbar, bis hin zum Versuch einer regionalen Assoziierung oder – im Falle, daß dies scheitern sollte – zur gewollten Selbstisolierung durch Nonalignment. Als Giscard d'Estaing und ich 1975 die Weltwirtschaftsgipfel ins Auge faßten, haben wir gerade auch in der Absicht, einer Isolierung Japans vorzubeugen, von Anfang an darauf gedrungen, Tokio einzubeziehen. In der zweiten Hälfte der achtziger Jahre ist jedoch die antijapanische Attitüde in den USA – vor allem bei den Gewerkschaften, in der Industrie und im Kongreß –, aber auch in Brüssel und in den Hauptstädten der EG-Staaten wesentlich stärker geworden. Im allgemeinen haben die Deutschen etwas mehr Verständnis für das Dilemma Japans; schließlich sitzen sie handels- und wirtschaftspolitisch meist gemeinsam mit der Tokioter Regierung auf der internationalen Anklagebank. Aber um nicht unselige Erinnerungen an den letzten Weltkrieg und an die Achse Berlin–Tokio zu wecken, wird sich jede deutsche Bundesregierung bemühen, ihre Zusammenarbeit mit Japan innerhalb des Rahmens der europäisch-japanischen Zusammenarbeit zu halten und auch so darzustellen.

Auch bei jenem Besuch 1978 in Tokio waren Takeo Fukuda und ich uns der Notwendigkeit bewußt, nach außen nicht zu viel deutsch-japanische Gemeinsamkeit zu zelebrieren; die an uns beide gerichteten Forderungen Jimmy Carters auf den Weltwirtschaftsgipfeln 1977 in London und 1978 in Bonn, wir sollten gefälligst unsere Volkswirtschaften »reflationieren«, hatten uns bei der öffentlichen Darstellung unserer bilateralen Beziehungen längst Vorsicht angebracht erscheinen lassen. Im allgemeinen haben die Medien in beiden Ländern die Notwendigkeit dieser Zurückhaltung verstanden und ihrerseits honoriert. Es gab einige wenige Ausnahmen: So kreidete mir die »Frankfurter Allgemeine Zeitung« während jenes Japan-Besuches ein zu weiches Verhalten gegenüber Moskau an; dahinter stand die Auffassung, die Rivalität zwischen Moskau und Beijing sei für uns und für Europa von Vorteil. Umgekehrt fürchteten Deutschlandfunk und »Nürnberger Nachrichten«, mein Japan-Besuch und mein Lob für den chinesisch-japanischen Vertrag könnten den Kreml provoziert haben. O heilige Einfalt! Der Berliner »Tagesspiegel« dagegen hatte recht: »Die Deutschen haben es mit der Sowjetunion zu tun, werden aber zum Beweis ihrer Freiheit den Beziehungen zu China nicht ausweichen. Japan hat es mit China zu tun, sollte es aber dennoch nicht unterlassen, die Beziehungen zu Moskau zu verbessern ... Sowohl Japan als auch Deutschland [sind] in keiner schlechten Position, sofern sie diese nur klug genug zu spielen wissen.«

Die japanische Presse kommentierte weniger akzentuiert, dafür hat sie aber sehr ausführlich berichtet. Und in beiden Ländern gab es hübsche Photos, so vom Ausflug zu dem großen bronzenen Buddha, der seit dem dreizehnten Jahrhundert in Kamakura fünfzehn Meter hoch in den freien Himmel ragt. Oder auch vom Versuch Takeo Fukudas, meinen Schnupftabak zu probieren. Mein Freund Hans-Jürgen Wischnewski hatte ihm meine Schnupftabaksdose gezeigt; Fukuda schüttete eine Prise auf seine Hand und – leckte sie mit der Zunge auf! »Prima«, sagte er. Wir haben alle gelacht. Bis auf die richtige Benutzung des Schnupftabaks haben die beiden Regierungschefs sich politisch und persönlich sehr gut verstanden.

Ministerpräsident Nakasone habe ich während meiner Amtszeit nur flüchtig kennengelernt; erst später bin ich mit ihm zu längeren Gesprächen zusammengekommen. Als er 1982 (mit Hilfe Tanakas) Ministerpräsident wurde, hatte er in einer langen politischen Karriere bereits viele Ämter ausgeübt. Er galt als ein »Falke« mit stark nationalistischem Akzent, war öffentlich für japanische Aufrüstung eingetreten und hatte – anders als die meisten japanischen Politiker – weder seine Soldatenzeit in der Marine noch seinen Respekt vor den militärischen Leistungen Japans und seine Ehrerbietung vor den Gefallenen verheimlicht. Er wäre deshalb in den fünfziger und sechziger Jahren als japanischer Ministerpräsident für die USA (und für die Mehrheit der Japaner) wohl untragbar gewesen; in den achtziger Jahren jedoch, in denen Reagan die Japaner zu größeren Verteidigungsanstrengungen drängte, wurde Nakasone in Washington zum bevorzugten japanischen Politiker. Dabei kamen ihm seine englischen Sprachkenntnisse und seine anpassungsfähige Beredsamkeit zustatten. Washington glaubte gern an seine proamerikanische

Grundhaltung; diese ist auch durchaus echt – aber doch wohl nur ein Mittel zum Zweck, nämlich zur Wiedergewinnung einer der Größe und der geschichtlichen Tradition Japans angemessenen Machtposition. Dieses Ziel Nakasones wurde in Washington zum Teil nicht verstanden, zum Teil wurde es in der Überzeugung in Kauf genommen, man werde schon dafür sorgen, daß Nakasones Bäume – oder diejenigen Japans insgesamt – nicht in den Himmel wachsen. Gleichzeitig gab es (und wird es auch in Zukunft geben) eine Fülle von handelspolitischen Nadelstichen gegen Japan, die Nakasones Nationalstolz erbittert haben müssen; gezeigt hat er das aber nur ein einziges Mal.

Das außenwirtschaftliche Ungleichgewicht Japans und der damit verbundene Aufstieg zum größten Gläubigerland der Welt – während umgekehrt die USA zum größten Schuldnerland abgesunken sind – werden noch verstärkend auf die außenpolitische Isolation zurückwirken. In den USA und anderen Ländern werden Neid und Angst vor Japan eine noch größere Rolle spielen als heute. Es wäre deshalb nützlich, wenn Japan lernte, seine ungewöhnlich hohe Spar- und Kapitalbildungsrate in weitaus höherem Maße zu Investitionen im eigenen Lande zu verwenden und sie zugunsten des allgemeinen Lebensstandards (Ausbau der Sozialversicherung!) zugleich zu verringern; so könnten im Ergebnis die Leistungsbilanzüberschüsse bis auf einen kleinen Rest abgebaut werden. Es gibt auch bisweilen japanische Vorschläge in dieser Richtung, wie zum Beispiel den nach dem ehemaligen Zentralbankchef benannten Maekawa-Report von 1986. Diese Vorschläge scheiterten bisher jedoch an den eingefahrenen Denktraditionen der meisten LDP-Politiker (einschließlich Nakasones), vor allem aber an der Bürokratie im Finanzministerium (MoF) und im Ministerium für Handel und Industrie (MITI); dazu kommt die Knauserigkeit der japanischen Entwicklungshilfepolitik. Je länger Japan an dem – im Vergleich mit den anderen Industrieländern – ungeheuren Vorteil festhalten kann, nur wenig mehr als ein Prozent seines Bruttosozialproduktes für militärische Zwecke aufbringen zu müssen, um so drängender wird der Umbau der japanischen Volkswirtschaft. Je mehr jedoch der japanische Verteidigungshaushalt ausgebaut würde, um so mehr wüchse der Argwohn der Nachbarn – und der innenpolitische Widerstand. Es bedürfte also einer Mischstrategie, und dies wiederum erforderte eine zielbewußte, energische und zugleich sehr sensible politische Führung; beides ist bisher nicht zu erkennen. Keiner der bisherigen Premierminister hat einen großangelegten Versuch zur Lösung unternommen. Infolgedessen ist trotz häufigen Personenwechsels an der Spitze die nach außen gerichtete Gesamtstrategie Japans im wesentlichen noch immer geprägt von Nachgiebigkeit und Konzessionsbereitschaft gegenüber den USA, nicht aber von Phantasie und dem Willen zur Umgestaltung und zu mehr eigener Handlungsfreiheit. Deshalb unterscheiden sich die außenpolitischen Verhaltensweisen der bisherigen Premierminister im Ergebnis weniger voneinander, als sie selbst und mit ihnen fast alle Japaner zu glauben bereit sind.

Nakasone, wie ich 1918 geboren, ist übrigens ein Mann mit vielerlei Talenten; er treibt Sport, er malt – und er schreibt gelegentlich auch Gedichte. So hat er mir einmal ein Bändchen mit eigenen Haikus geschenkt. Ein Haiku ist die traditionelle Form eines kurzen Gedichtes, in dem die erste Zeile aus fünf Silben besteht, die zweite aus sieben und die dritte, letzte Zeile abermals aus fünf Silben. Das Haiku soll, sprachlich prägnant, eine Stimmung ausdrücken und darüber hinaus Assoziationen wecken; Übertragungen in fremde Sprachen sind deshalb nur mit erheblichen Einbußen möglich. Einige Jahre zuvor hatten Nakasone und ich über die alte Hauptstadt Berlin gesprochen, über die Mauer und das Elend der Teilung. Inzwischen hatte er Berlin gesehen und gab mir dazu zwei bewegende Haikus:

> Wind im grünen Mai;
> die Mauer in den Herzen
> bläst er nicht nieder.

Das andere Haiku bezog sich auf den schon früher zwischen uns besprochenen Plan der Japaner, die Ruine der japanischen Botschaft im Berliner Tiergartenviertel wieder aufzubauen und zu einem kulturellen Zentrum herzurichten:

> Einschußnarben im
> Gemäuer, darunter grünt
> ein Rhododendron.

Die japanische Kunst hat viele überaus schöne und liebenswerte Facetten entwickelt. Ich gestehe gern, daß ich von den Pavillons in Kyoto, von der Keramik, von der Tuschmalerei und den farbigen Holzschnitten, von der japanischen Musikalität, von Teilen der japanischen Literatur und vom Haiku immer wieder angerührt und oft begeistert bin. Viele Seiten der Japaner, ihrer Persönlichkeit und ihrer geistigen Einstellung erscheinen mir ungemein anziehend – anderes bleibt mir unverständlich. So geht es umgekehrt wohl auch den Japanern mit uns Europäern. Mangels außenpolitischer und geschichtlicher Erfahrung verstehen sie das politische Gebäude der Welt im allgemeinen nur sehr bedingt; auch ihre eigene Isolation und ihre damit einhergehende geringe politische Rolle in der Welt können sie sich nur unzureichend erklären.

Henry Kissinger hatte recht, als er im Januar 1986 in der »Washington Post« schrieb: »Amerikanische Führer scheinen zu glauben, eine wachsende militärische Stärke Japans würde die Verteidigungslasten der USA erleichtern … Aber eine größere Wiederaufrüstung Japans könnte Entwicklungen und Versuchungen in Gang setzen, die in den heutigen Erklärungen noch nicht ablesbar sind; sie würde Japans ökonomische Entwicklung nicht verlangsamen, sie könnte im Gegenteil sogar neue Technologien auslösen, neuen Protektionismus … Auf jeden Fall würde eine japanische Wiederaufrüstung mindestens zu destabilisierenden Gegenaktionen (compensations) anderer asiatischer Nationen führen … Nirgendwo würde man gegenüber einer neuen Entfaltung japanischer Macht stärker aufpassen als in China.«

Es wird also in Ostasien und im nordwestpazifischen Raum machtpolitisch bei einem Vorrang Chinas, der USA und der Sowjetunion bleiben. Weder die ASEAN-Staaten noch Australien, weder Japan noch irgendein anderer Staat werden auf absehbare Zeit in dieser Region ins Gewicht fallen. Vietnams Eroberungsdrang könnte nur bei massiver sowjetischer Unterstützung eine Fortsetzung finden; dies kommt mir nicht sehr wahrscheinlich vor. Eine bloß ökonomische Vorrangstellung Japans wird Beijing dulden, weil es davon selbst zu profitieren hofft; eine Entfaltung Japans zur militärischen Großmacht wird China jedoch verhindern. Aber natürlich bleibt für Beijing die Sowjetunion sowohl der bei weitem wichtigste Nachbar als auch der gefährlichste Machtfaktor.

Schlußbetrachtung
eines Europäers

Der Westen muß sich von seinem bisherigen bipolaren Denken lösen; er muß sich bereits für die späten neunziger Jahre dieses Jahrhunderts ein machtpolitisches Dreieck vorstellen, bestehend aus den USA, der Sowjetunion und China. Den USA wird diese Einsicht nicht so leichtfallen wie den Europäern, denn Europa ist längst weitgehend zu der Erkenntnis gelangt, daß eine blockfreie Dritte Welt wünschbar ist; es ist nicht sehr schwer diese allgemeine Haltung gegenüber der Volksrepublik China zu konkretisieren.

Uns Deutschen sollte dies überhaupt keine Schwierigkeiten machen. Im Gegenteil: Alles spricht dafür, daß wir Deutschen entsprechend unserer außenwirtschaftlichen Leistungsfähigkeit zur Befriedigung des enormen technischen und wirtschaftlichen Nachholbedarfs Chinas beitragen. Da Japan ohnehin der wichtigste Wirtschaftspartner der Volksrepublik China bleiben wird, wahrscheinlich gefolgt von den USA, besteht nur eine relativ geringe Gefahr – die zudem eingegrenzt und kompensiert werden kann –, daß Moskau gute wirtschaftliche und politische Beziehungen zwischen Bonn und Beijing ernsthaft als antisowjetische Provokation mißverstehen oder doch propagandistisch wirksam so darstellen kann. Frankreich, England, Italien und die übrigen Staaten der Europäischen Gemeinschaft wie auch die ungebundenen Staaten Europas werden ihrerseits keine Hemmungen gegenüber enger werdenden Beziehungen zu China haben. Man sollte also annehmen, daß Westeuropa insgesamt gute und engere Beziehungen zu Beijing entwickeln wird. Dies liegt im beiderseitigen Interesse und stößt auf keinerlei ideologische Barrieren oder andere Hemmnisse. Lediglich die sowjetisch beaufsichtigten Staaten Osteuropas werden umsichtig sein müssen bei der Entfaltung ihrer Beziehungen zu Beijing.

Die USA dagegen haben erhebliche eigene ideologische Schranken zu überwinden. Sie stammen aus der entsetzten Ablehnung der chinesischen kommunistischen Revolution, aus der Niederlage des US-Verbündeten Chiang Kai-shek und aus vier Jahrzehnten Taiwanpolitik. Diese inneren Hemmnisse werden noch einige Jahre eine Rolle in Senat und Öffentlichkeit spielen. Vizepräsident Bush hat mir einmal, als ich bei amerikanischen militärischen Lieferungen an Taiwan zur Vorsicht riet, entgegengehalten: »Sie vergessen, daß es sich um unseren ältesten Verbündeten handelt.« Seit 1979 gibt es allerdings keine formalen Vertragsbeziehungen mehr zwischen den USA und der »Republik China«; vielmehr setzt sich auch in den USA langsam der Sprachgebrauch durch, der in Europa längst gängig ist: »Taiwan« und die »Behörden in Taiwan«. Gleichwohl: Die Taiwanfrage bleibt eine mögliche Quelle von Irritationen.

Und andere Irritationen kommen hinzu, denn es fehlt bisher an einer klaren amerikanischen Chinapolitik; das tatsächliche Verhalten Washingtons läßt noch keine Gesamtstrategie gegenüber China erkennen. Dennoch können die USA bei ausschließlich sachbezogener strategischer Analyse zu keinem anderen Schluß gelangen als die Europäer: Gute Beziehungen zur Volksrepublik China und eine Stützung seiner ökonomischen Reform liegen im westlichen Interesse. Dieses Interesse könnte nur dann gefährdet werden, falls China sich unter anderer Führung wieder der Sowjetunion zuwenden sollte – etwa unter der Voraussetzung sehr großzügiger Konzessionsbereitschaft Gorbatschows oder seiner Nachfolger – oder sofern China eines Tages selbst eine hegemoniale Rolle in der ostasiatischen Region anstreben würde. Beides ist innerhalb dieses Jahrhunderts unwahrscheinlich. Gleichwohl wird China einen gewissen Abstand zu den USA vorerst als nützlich ansehen.

Von einem weltpolitischen Dreieck war die Rede, welches der Westen sich für die Zukunft vor Augen halten muß: nicht mehr Washington–Moskau, sondern vielmehr Moskau–Washington–Beijing. Vermutlich werden die Chinesen diese Vorstellung noch für eine Reihe von Jahren von sich weisen; sie lieben es, den Eindruck der Bescheidenheit zu machen. Tatsächlich aber werden sie diese Dreiecksvorstellung für angemessen halten.

Manch einem mag es befremdlich erscheinen, daß bei einem derart groben Schema der Machtverteilung auf dem Erdball weder von den Staaten Europas noch von Indien und den Staaten Süd- und Südostasiens die Rede ist, auch nicht von den zwei Dutzend arabischen Staaten, nicht von Schwarzafrika, nicht von Lateinamerika und nicht von der »Gruppe der 77«, die bei vielen Gelegenheiten immerhin mehr als einhundert Entwicklungsländer vertritt. Gleichwohl bleibt es eine Tatsache, daß die USA, die Sowjetunion und China nicht nur geostrategisch und hinsichtlich ihrer Ausdehnung, sondern auch auf Grund ihrer jeweils zentral gesteuerten politischen und militärischen Machtmittel alle anderen Staaten der Welt weit überragen.

Daran kann auch die nukleare Qualität Englands und Frankreichs im 21. Jahrhundert nichts Wesentliches mehr ändern, obschon sie gegenwärtig derjenigen Chinas noch erheblich überlegen scheint. Andere Staaten, die entweder auf dem Wege zu nuklearen Waffen sind oder die im verborgenen bereits über nukleare Waffen verfügen, können sich schon heute nicht mit China vergleichen.

Die Vorrangstellung der drei Weltmächte bedeutet nicht, daß sie in ihrer jeweiligen Region frei schalten und walten können. Daran hindern sie moralische Rücksichten, innen- und wirt-

446

schaftspolitische Gründe, auch die Erwägung, mögliche gegnerische Kombinationen oder Allianzen kleinerer Staaten nicht zu provozieren oder die eigenen Bündnispartner nicht zu verprellen, schließlich die Besorgnis, eine der beiden anderen Weltmächte (oder ihre Verbündeten) könnte eine prekäre Situation ausnutzen und eingreifen. Auf Grund solcher Erwägungen konnte die Sowjetunion einen Erfolg in Afghanistan nicht mit etwaiger Massierung ihrer Gewalt erzwingen; deshalb konnte China den Krieg zwischen Vietnam und Kambodscha nicht gewaltsam beenden und Pol Pot nicht retten; deshalb können weder die Sowjetunion noch die USA es wagen, im Nahen Osten militärisch zu intervenieren – Reagans Waffenlieferungen an den Iran sind nur taktische Spielereien –, obschon immer wieder auch ihre eigenen Interessen auf dem Spiele stehen. Kein amerikanischer Präsident kann in Kuba, Nicaragua oder sonstwo in Mittelamerika und in der Karibik mit militärischer Gewalt einschreiten; Kennedys schlimmer Fehlschlag 1961 in der Schweinebucht war eine sehr frühe Bestätigung dieser Regel.

Noch eindeutiger ist die Weltmachtrolle der drei Weltmächte dadurch begrenzt, daß jede nüchterne, rationale Einschätzung der Machtposition der jeweils anderen beiden und der Respekt vor ihnen Washington, Moskau und Beijing davon abhalten, deren Interessen und Interessensphären in friedensgefährdender Weise zu nahe zu treten. Moskau hat 1953 bei der Unterdrückung der Freiheitsdemonstrationen der DDR, 1956 bei der Niederschlagung der Freiheitskämpfe in Budapest und erneut 1961 beim Bau der Mauer quer durch Berlin sorgfältig die geographischen Grenzen des amerikanischen Machtbereiches beachtet, ebenso 1968 beim Einmarsch in die ČSSR. Chruschtschows Versuch dagegen, 1962 unmittelbar vor der amerikanischen Türschwelle nukleare Mittelstreckenraketen zu installieren, endete wegen Kennedys Bereitschaft, notfalls bis zum Kriege zu gehen, mit einem bösen Fehlschlag.

Der wichtigste Grund für diese gegenseitige Respektierung ihrer Machtsphären liegt darin, daß die drei Weltmächte sich durch ihre weitreichenden Nuklearwaffen unvorstellbare Schäden zufügen können; diese Feststellung gilt seit einigen Jahren zunehmend auch für China, obgleich Beijings nukleare Raketen der technischen Qualität und der Zahl nach einstweilen weit hinter denjenigen Washingtons und Moskaus zurückbleiben. Nach westlicher Einschätzung hatte China 1986 rund drei Millionen Soldaten unter Waffen, dazu kamen fünfeinhalb Millionen Reserven; China verfügte über rund 140 nuklear bestückte Raketen von fast ausschließlich mittleren Reichweiten, weniger als ein Viertel davon war U-Boot-gestützt. Die Sowjetunion verfügte im gleichen Jahr über 5,1 Millionen Soldaten und über 6,3 Millionen Reserven; die Zahl der nuklearen Mittel- und Langstreckenraketen betrug rund dreitausend. Washington standen 2,2 Millionen Soldaten zur Verfügung, dazu 1,7 Millionen Reserven; es besaß rund zweitausend nukleare Mittel- und Langstreckenraketen. Im Falle der UdSSR und der USA kommen gigantische Luft- und Seestreitkräfte hinzu; diese sind mit zahllosen nuklearen Waffen auch großer Reichweiten ausgerüstet. Den Landstreitkräften stehen überdies Nuklearwaffen zur Verfügung, die verniedlichend als »taktische« oder als »Gefechtsfeld-« Waffen bezeichnet werden. Insgesamt dürften sowohl die UdSSR als auch die USA jeweils mehr als 20.000 nukleare Sprengköpfe besitzen. Gegenüber dieser unvorstellbaren Zerstörungskraft erscheinen alle anderen Staaten der Welt als minderen Machtkategorien zugehörig. Dies gilt übrigens auch hinsichtlich der Seestreitkräfte dieser beiden Weltmächte; dabei ist die amerikanische Marine derjenigen der Sowjetunion erheblich überlegen; auch stehen ihr über die ganze Welt verteilte Stützpunkte zur Verfügung.

Trotz dieser Machtanhäufung haben sich die beiden alten Weltmächte nach Hiroshima und Nagasaki aus guten Gründen außerstande gesehen, ihre nuklearen Waffen auch nur ein einziges Mal einzusetzen. Zwar hat das nukleare Drohpotential indirekt immer eine wichtige Rolle in der Politik der Weltmächte gespielt, in der kubanischen Raketenkrise des Jahres 1962 sogar sehr direkt. Aber sie haben dieses Drohpotential weder in Vietnam und Kambodscha noch in Afghanistan, weder in Mittelamerika noch am Persischen Golf und auch nicht zur Einschüchterung kleinerer oder mittlerer Staaten ausnutzen können, obgleich ihre nuklearen Mittelstreckenwaffen spezifisch zur Bedrohung kleinerer und mittlerer Staaten in der eigenen Region bestimmt sind. Gleichwohl ist die häufig zitierte Schlußfolgerung, die Existenz nuklearer Waffen verhindere einen Krieg, trügerisch; denn tatsächlich waren alle drei Weltmächte in den letzten Jahrzehnten an Kriegen beteiligt. Eher scheint die eingeschränkte Feststellung berechtigt, der Besitz von nuklearen Waffen verhindere einen direkten Krieg zwischen den drei Weltmächten. Aber auch diese Aussage ist von zweifelhafter Gewißheit.

In Wirklichkeit haben sich die beiden alten Weltmächte in ihrem Rüstungsverhalten nicht von diesem Satz leiten lassen; vielmehr haben sie bis heute ungeheure Finanzmittel aufgewendet, das heißt, sehr große Teile ihres Sozialproduktes geopfert, um im nuklearen Rüstungswettlauf Vorteile zu erreichen. Mit der Ausnahme Frankreichs und Englands haben alle anderen Staaten West- wie Osteuropas auf eine Beteiligung an diesem Wettlauf verzichtet; sie wäre von den beiden Bündnisvormächten Sowjetunion und USA auch gar nicht geduldet worden. Statt dessen haben die nichtnuklearen Staaten Europas, wenn auch zumeist nur zaghaft, eine Begrenzung der nuklearen Rüstung der Weltmächte verlangt. Daß Richard Nixon und später Jimmy Carter mit Leonid Breschnew zu Abkommen über eine Begrenzung der Rüstung auf dem Felde der weitreichenden nuklearen Waffen (SALT I und SALT II) gelangten, ist freilich nicht ein Verdienst des Drängens Dritter; es entsprang der Einsicht beider Weltmächte, daß es zweckmäßig sei, ein nuklearstrategisches Gleichgewicht herzustellen und über bestimmte Zeiträume zu stabilisieren.

Die Volksrepublik China war an den Verhandlungen nicht beteiligt; auch nimmt sie weder an den 1981 in Gang gekommenen Verhandlungen über eine Begrenzung der nuklearen Mittelstreckenwaffen (INF) noch an den anderen Abrüstungsanstrengungen teil. Da aber angesichts der gewaltigen Bevölkerungszahl Chinas relativ kleine Opfer pro Kopf ausreichen könnten, Chinas Rüstungsrückstand im Vergleich zur Sowjetunion und den USA wenigstens teilweise wettzumachen, läßt sich ein zukünftiges Interesse der beiden alten Weltmächte vorhersehen, China in Rüstungskontrollverhandlungen einzubeziehen. Vermutlich wird dabei das Interesse der Sowjetunion – auch Indiens und Vietnams – größer sein als dasjenige der USA oder der Europäer.

Die Europäer in West und Ost haben ein gemeinsames Interesse an der Befriedung ihres Kontinents; daraus entspringt der Wunsch nach Gleichgewicht, Stabilität, Zusammenarbeit und folglich nach vereinbarter Rüstungsbegrenzung. Die Helsinki-Konferenz über Sicherheit und Zusammenarbeit in Europa, die 1975 mit der Ausnahme Albaniens alle europäischen Staaten mit der Sowjetunion, den USA und Kanada zusammenführte, war ein klares Signal. Natürlich gibt es zwischen den Staaten Europas wie innerhalb jedes Staates immer auch divergierende Meinungen; die Sonderstellung Frankreichs oder Rumäniens oder die innenpolitischen Auseinandersetzungen in der Bundesrepublik, in Holland und Belgien über den Doppelbeschluß oder die Null-Lösung sind Beispiele dafür.

Auch in Moskau gehen die Meinungen auseinander. Es liegt in der Struktur des Regimes der Sowjetunion, daß wir nur ahnen können, was hinter den Kulissen vorgeht, und nur selten ein Zipfelchen der divergierenden Interpretationen der Sicherheitsinteressen des Sowjetstaates erhaschen. Es mag sein, daß auch auf diesem Felde die Ära Gorbatschows zusätzliche Durchsichtigkeit herbeiführt. Sicher ist das nicht. Sicher erscheint mir nur, daß Gorbatschow verstanden hat, wie sehr die vergleichsweise hohen Rüstungsausgaben, die Opfer an Gütern und Leistungen, jede Reform der Wirtschaft belasten. Die Zielsetzungen der sowjetischen Wirtschaftsreform verlangen – wenn denn überhaupt für 290 Millionen Sowjetbürger ein materieller Erfolg in wenigen Jahren fühlbar gemacht werden soll – nach Begrenzung des Rüstungsaufwandes. Diese erscheint innenpolitisch aber nur bei gleichgewichtigen Verträgen mit dem Westen durchsetzbar. Daraus folgt das Interesse des Wirtschaftsreformers an Abrüstungsverhandlungen und Rüstungsbegrenzungsverträgen.

In den USA ist – entsprechend der demokratischen Verfassung und der wichtigen Rolle von Senat und Abgeordnetenhaus sowie der Medien – der Meinungsbildungsprozeß für jeden Außenstehenden von fast vollkommener Transparenz. Bisweilen scheinen die USA mehr mit sich selbst als mit der Sowjetunion zu verhandeln. Dabei spielen die Argumente und Interessen der anderen, auch der verbündeten Staaten nur eine geringe Rolle, ob es sich um Neutronenwaffen, um SDI-Rüstung oder INF-Verhandlungen handelt, um Kernkraftwerks- oder Röhrenexporte, um Dollarwechselkurse oder Handelsbilanzdefizite. Das amerikanische Fernsehpublikum hört und liest wenig über die Meinungen anderer Völker. Es liest jedenfalls keine europäischen Zeitungen; fast alle an die USA adressierten europäischen Leitartikel gehen deshalb ins Leere. Wenn eine amerikanische Administration sich dennoch erfolgreich bemüht, Rücksicht auf die Interessen anderer Staaten zu nehmen, so verdient sie Lob. Der Hang zu egozentrischen und egoistischen Entscheidungen, zum »Unilateralismus«, hat unter Johnson, Carter und besonders unter Reagan sehr zugenommen. Dabei spielt die Enttäuschung vieler Amerikaner eine Rolle, daß die Vorstellung von einer weltweiten »pax americana« längst unrealistisch geworden ist; daß die Vereinten Nationen nicht entfernt das leisten können, was man sich allzu idealistisch von ihnen versprochen hatte; daß die Integration Westeuropas nicht voranzukommen scheint.

Ich halte es für wahrscheinlich, daß man in Moskau und in Beijing keineswegs weniger egozentrisch denkt, ja daß man in Moskau noch viel stärker unilateral entscheidet, und daß die breite Masse der sowjetischen und der chinesischen Bürger noch weniger über die Interessen anderer Völker informiert ist als die Mehrheit der Amerikaner. Daß Menschen zum Beispiel in Singapur oder auf den Philippinen Angst haben vor der Macht Chinas, dürfte den meisten Chinesen genauso unverständlich sein, wie es den meisten Sowjetbürgern unverständlich ist, daß Europäer und Asiaten, welche in Reichweite der Sowjetunion leben, die Macht dieses Staates fürchten.

Unter den Europäern haben die Deutschen mehr Angst als die anderen Völker; dies ist eine Folge der Teilung Deutschlands, der

Anwesenheit fremder Truppen und Waffen auf den deutschen Territorien und des Fehlens wichtiger Freiheiten im abgesperrten Teil der Nation. Aber andere Europäer haben ebenfalls außen- und sicherheitspolitische Ängste. Viele Europäer empfinden Unbehagen über die außen- und sicherheitspolitische Abhängigkeit ihres Kontinents von den Entscheidungen zweier Weltmächte; dies gilt zumal für die Politiker – von Warschau bis Paris und von Kopenhagen oder Oslo bis Rom und Madrid. Dennoch gelingt es ihnen heute viel weniger als noch in den fünfziger und sechziger Jahren, daraus nicht nur theoretisch, sondern auch praktisch die Konsequenz zu ziehen und auf die Integration Europas hinzuwirken. Weil in den achtziger Jahren der (west-)europäische Einigungsprozeß ins Stocken geraten ist, schrumpfte auch das weltweite Gewicht Europas. Sein Interesse an stabilem militärischem Gleichgewicht durch Rüstungsbegrenzungsverträge kann Europa gegenwärtig nicht kraftvoll vertreten, weil selbst innerhalb Westeuropas keine gemeinsame Willensbildung stattfindet. Wenn es dabei bleiben sollte, werden die Weltmächte uns auch weiterhin dominieren.

Wenn wir nach den militärischen Tatsachen die wirtschaftlichen Tatsachen betrachten, so ist die Macht der drei Weltmächte weit weniger eindrucksvoll. Die Ölhandelsbilanzen der siebziger Jahre liefern dafür ein anschauliches Beispiel. Die drei Weltmächte waren von den beiden durch die OPEC herbeigeführten Ölpreisschocks der Jahre 1973/74 und 1980/81 zunächst nur wenig betroffen. Der geringe Außenhandel Chinas in Öl und Erdgas war – und ist noch immer – eine zu vernachlässigende Größe; die USA sind zu einem sehr großen Teil Selbstversorger, die Sowjetunion ist ein Netto-Exporteur von Öl und Erdgas (besonders nach der weitgehenden Umstellung ihrer Elektrizitätsversorgung auf Kernkraft). Dagegen waren und sind Japan, Frankreich, Deutschland, Italien und die anderen hochindustrialisierten Staaten mit Ausnahme Englands fast ganz auf Importe von Öl und Erdgas angewiesen.

Man hätte sich also nicht wundern müssen, wenn die explosionsartige Steigerung der Weltmarktpreise für Rohöl auf das Zwanzigfache (die Erdgaspreise folgen tendenziell den Ölpreisen) die drei Weltmächte zwischen 1972 und 1981 stark begünstigt hätte. Davon konnte aber keine Rede sein. Zwar haben die hochindustrialisierten Staaten, ebenso wie viele Entwicklungsländer, eine gewaltige Beeinträchtigung ihrer Volkswirtschaft hinnehmen müssen. So ist beispielsweise die an das Ausland zu zahlende Ölrechnung Deutschlands zwischen 1972 und 1981 von 3 Milliarden auf 29 Milliarden Dollar angestiegen, die Ölrechnung Frankreichs im gleichen Zeitraum von 2,5 Milliarden auf 25 Milliarden Dollar. Im gleichen Zeitraum sind die jährlichen Ölexporteinnahmen der OPEC von 23 auf 260 Milliarden Dollar angestiegen, diejenigen der Sowjetunion von 1,5 auf fast 43 Milliarden Dollar. Dieses Erdbeben der Weltwirtschaft hat für die ölimportabhängigen Volkswirtschaften schlimme Konsequenzen gehabt: Verlust der Kaufkraft, höhere Budgetdefizite und Leistungsbilanzdefizite, Währungsverfall, inflatorische Preisentwicklungen, zum Teil hohe Auslandsverschuldung, fast überall hohe Arbeitslosigkeit. Die Entwicklungsländer haben sich von der hohen Auslandsverschuldung bis heute genausowenig erholen können wie die Industriestaaten von der hohen Arbeitslosigkeit. Für fast alle Staaten der Welt hat das Erdbeben in der Weltwirtschaft von 1972 bis 1982 böse wirtschaftliche Strukturveränderungen ausgelöst, deren Spätfolgen noch nicht abzusehen sind; Japan und die sich rasch industrialisierenden Niedriglohnländer Ost- und Südostasiens sind die einzig nennenswerten Ausnahmen.

Aber: Die drei Weltmächte, die von den beiden Ölpreisexplosionen primär kaum betroffen waren – die Sowjetunion hat dadurch sogar eine wesentliche Ausweitung ihres außenwirtschaftlichen Handlungsspielraumes erfahren, Öl und Erdgas machen heute die Hälfte der sowjetischen Exporterlöse aus –, konnten im Vergleich zum Rest der Welt ihre wirtschaftliche Position nicht ausbauen. Dies lag zum einen an der prinzipiellen Schwerfälligkeit und der geringen Leistungsfähigkeit der Wirtschaftssysteme Chinas und der Sowjetunion; in den USA aber wurden unter Carter und, stärker noch, unter Reagan schwere ökonomische Fehler begangen (zuerst wurde die notwendige Öleinsparung durch zu niedrig gehaltene Binnenpreise für Öl künstlich verzögert, später wurde das Budgetdefizit in einem Maße aufgebläht, daß es aus der binnenwirtschaftlichen Ersparnis oder Kapitalbildung nicht im entferntesten finanziert werden konnte). Zum anderen ist die außenwirtschaftliche Verflechtung der drei Weltmächte ziemlich gering, so daß sie von der weltwirtschaftlichen Strukturkrise wenig profitieren konnten. Von den indirekten negativen Folgen waren sie später freilich mitbetroffen.

Die USA, die 1985 über 30 Prozent des Weltproduktes hervorbrachten, lieferten nur 11 Prozent der Weltausfuhr (die Zahlen sind wegen des gesunkenen Dollarwechselkurses inzwischen geringer); die Sowjetunion erbrachte 7 Prozent des Weltproduktes, aber ihr Anteil am Weltexport betrug nur 4,5 Prozent; der Anteil Chinas am Weltprodukt war 2,5 Prozent, sein Anteil am Weltexport gar nur ein Prozent. Ganz anders sahen dagegen die

Anteile am Weltprodukt 1985

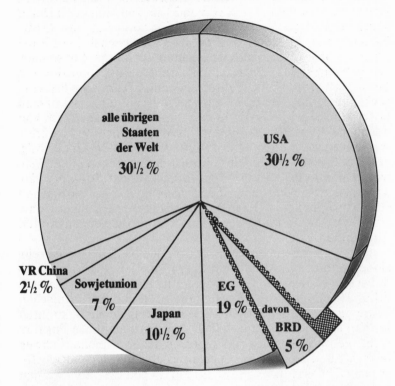

alle übrigen
Staaten
der Welt
30½ %

USA
30½ %

VR China
2½ %

Sowjetunion
7 %

Japan
10½ %

EG
19 %   davon

BRD
5 %

**Brutto-Inlandsprodukte
zu damaligen jahresdurchschnittlichen Wechselkursen**

Quellen: UN, OECD, Weltbank, eigene Schätzungen

Ausfuhranteile am Welthandel 1985

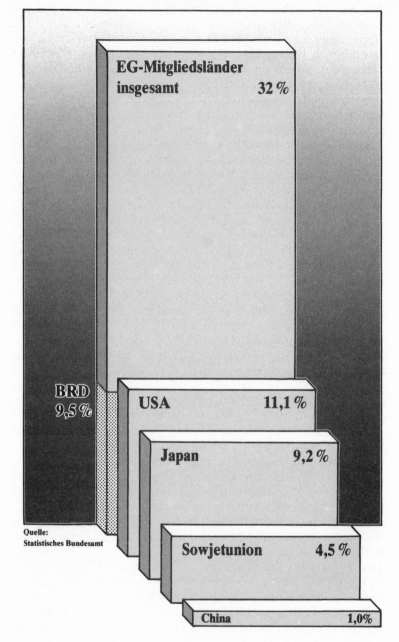

EG-Mitgliedsländer insgesamt 32 %

BRD 9,5 %

USA 11,1 %

Japan 9,2 %

Sowjetunion 4,5 %

China 1,0%

Quelle:
Statistisches Bundesamt

Ziffern für die Europäische Gemeinschaft und für Japan aus. Die EG war mit 19 Prozent, Japan mit über 10 Prozent am Weltprodukt beteiligt, aber die Anteile an der Weltausfuhr lagen bei 32 beziehungsweise bei über 9 Prozent (die Zahlen sind wegen des gesunkenen Dollarwechselkurses seither gestiegen). Natürlich stehen den hohen Exporten der EG und Japans ebenfalls sehr hohe Importe dieser Länder gegenüber.

Man erkennt: die Staaten Westeuropas und ebenso Japan sind viel stärker in die Weltwirtschaft verflochten als die Weltmächte; sie haben deshalb auch ein sehr viel höheres, ein vitales Interesse an der Funktionsfähigkeit einer arbeitsteiligen Weltwirtschaft. Demgegenüber sind die Sowjetunion und China bisher lediglich Zaungäste der Weltwirtschaft; bis zum Beginn ihrer ökonomischen Reformen haben die beiden kommunistischen Weltmächte deshalb nur ein geringes Interesse am Funktionieren der Weltwirtschaft und ihrer Institutionen gezeigt.

Die Weltmacht USA – die größte Volkswirtschaft überhaupt – ist heute, Mitte der achtziger Jahre, zum größten Nutznießer der funktionierenden Geld- und Kapitalmärkte der Weltwirtschaft geworden. Obgleich die USA, das Realeinkommen pro Kopf zugrunde gelegt, eines der reichsten Länder der Welt sind, wurden sie zum größten Schuldner der Welt (und Japan und Deutschland unklugerweise zu den größten Gläubigerländern). Immerhin aber erbringen die USA, die EG und Japan zusammen mehr als die Hälfte des Weltproduktes und mehr als die Hälfte des Weltexportes; hierbei handelt es sich weit überwiegend um hochentwickelte industrielle Produkte und Investitionsgüter. Ohne diese drei wirtschaftlichen Kraftzentren müßten die übrigen rund hundertfünfzig Staaten der Welt auf sehr viel niedrigerem Lebenshaltungsniveau existieren. Man kann geradezu von einem die Weltwirtschaft weitestgehend beeinflussenden ökonomischen Dreieck sprechen: USA–EG–Japan. Nicht nur der Verkehr mit Waren und Dienstleistungen, auch der Kapitalverkehr und die Währungspolitik der Welt spielen sich überwiegend im Rahmen dieses Dreiecks der ökonomischen Macht ab.

Als einzige der drei Weltmächte sind die USA zugleich ein Eckpfeiler des militärischen wie auch des ökonomischen Machtgefüges, sie sind ein Eckpunkt beider Dreiecke. Dies ist der Hauptgrund für die überragende Position der USA; denn die Sowjetunion, China, Westeuropa oder Japan sind allesamt jeweils nur an einem der beiden Dreiecke beteiligt.

Freilich muß dies im 21. Jahrhundert nicht so bleiben. Zwar erscheint es als sehr unwahrscheinlich, aber es ist nicht völlig auszuschließen, daß Amerikas ökonomische Stärke weiterhin abnimmt. Nicht ganz auszuschließen ist auch, daß durch Wirtschaftsreformen in der Sowjetunion und in China der geringe ökonomische Einfluß dieser Weltmächte wächst. Schließlich ist denkbar, daß die Staaten Westeuropas über ihren bisher nur schönfärberisch so genannten »Gemeinsamen Markt« hinaus sowohl ökonomisch als auch militärisch an Einfluß gewinnen, so daß aus beiden Dreiecken im nächsten Jahrhundert Vierecke werden könnten.

Die Geschichte lehrt uns, daß Machtkonstellationen von begrenzter Dauer sind; sie können die Dynamik neuer Kräfte, neuer Ideen und neuer Staatslenker nicht aufhalten. Die durch den Wiener Kongreß geschaffene Pentarchie Europas – die Vorherrschaft Rußlands, Österreichs, Preußens, Englands und Frankreichs – und ihr inneres Gleichgewicht ist schon nach wenigen Jahrzehnten in die Brüche gegangen. Das bei Gründung der Vereinten Nationen anvisierte Gleichgewicht von fünf Staaten, die im Sicherheitsrat durch ihr Vetorecht letztlich die Verantwortung für Krieg und Frieden in der Welt tragen sollten – nämlich die Sowjetunion, die USA, China, England und Frankreich –, ist nie Wirklichkeit geworden. Die statt dessen tatsächlich eingetretene Zweierherrschaft der USA und der Sowjetunion beschränkt sich mehr und mehr auf Europa; weltweit wird sie in zunehmendem Maße zunächst China einbeziehen müssen – einen Staat, der nach seiner Bevölkerungszahl von weit über einer Milliarde Menschen mehr als viermal so groß ist wie die USA und beinahe viermal so groß wie die Sowjetunion. Nach China kommt Indien, bisher noch in großen inneren Schwierigkeiten. Und wer kann ausschließen, daß die vielen Staaten islamischer Religion einmal eine gemeinsame Dynamik entfalten werden?

Berücksichtigt man die Zahl der beteiligten Menschen, so findet gegenwärtig in China das größte ökonomische Experiment der Weltgeschichte statt. Dieses Experiment birgt das Risiko großer Rückschläge; aber wer etwas ändern will, der muß auch Risiken wollen – er muß sie freilich kalkulieren und eingrenzen. Das machtpolitische Risiko Beijings, die militärische Verteidigung im Haushaltsplan an die vierte Stelle geschoben zu haben, erscheint objektiv als gering. Im übrigen handelt es sich bei Deng Xiaopings Reformen und bei der Öffnung des Landes nach außen um eine qualitativ ähnliche Kategorie wie bei den Reformen des Meiji-Tenno nach 1868. Freilich stehen China heute – anders als dem vollständig abgeschlossenen Japan nach den zweieinhalb Jahrhunderten der Tokugawazeit – vielfältige unternehmerische und außenhändlerische Erfahrungen zur Verfügung; die vielen Kaufleute entlang der Küsten von Tianjin über Shanghai bis Guangzhou sind ja erst im Laufe der fünfziger Jahre enteignet worden; in Hongkong stehen sie sogar in voller Blüte. Auch kann China sich auf die Loyalität vieler Tausende im Ausland wissenschaftlich ausgebildeter Menschen verlassen, die zurückkehren und mithelfen wollen.

Das ökonomische Experiment Gorbatschows setzt auf sehr viel höherer Ebene an, sowohl was das technische Können als auch was den Lebensstandard der Massen betrifft. Aber Gorbatschow kann es innenpolitisch nicht wagen, den Rüstungsaufwand in den vierten Rang zu verweisen. Alle unternehmerischen Traditionen sind in Rußland schon seit über sechzig Jahren zerbrochen; die Enkel wissen nicht mehr aus eigener Anschauung, wie ein Unternehmen geführt wird. Frei am Markt gebildete Preise, die Akkumulation von Gewinnen, deren Investition in neue Technik und die Steigerung der Kapazität des eigenen Unternehmens: dies alles von der jeweiligen Unternehmensleitung in eigener Verantwortung entscheiden zu lassen, wäre eine unerhörte Neuerung; sie einzuführen stößt bereits auf vielfältige Trägheiten und Widerstände.

Es liegt im Interesse Europas, daß die sowjetischen Reformen Erfolg haben. Aber die Europäer können dabei nicht mehr Hilfe leisten, als die Sowjets zu bezahlen bereit sind; denn wir können der übergroßen Militärmacht, die sich in unserer unmittelbaren Nähe etabliert hat, nicht finanziell den Rücken freihalten, damit sie ihr bisheriges Rüstungstempo fortsetzt. Ganz anders aber wäre unsere Lage, wenn es wirklich zum vertraglich gesicherten Abbau der Rüstung käme: in diesem Falle hätte Westeuropa allen Grund, ökonomischen Beistand zu leisten. Denn natürlich würde eine ökonomische Emanzipation der Sowjetunion auch Polen, der DDR, Ungarn und der Tschechoslowakei zugute kommen und die ökonomische Bevormundung der Staaten des Warschauer Paktes durch Moskau verringern. Zwangsläufig würden sich auch die bisher – an den Maßstäben Westeuropas gemessenen – geringfügigen Wirtschaftsbeziehungen zwischen West- und Osteuropa allmählich verdichten, so daß eine wirtschaftliche Zusammenarbeit entstehen könnte, die diesen Namen verdient. Die Menschen in Ost und West hätten davon Vorteile, und es bestünden gute Chancen, daß in Osteuropa nicht nur der Lebensstandard erhöht, sondern auch der persönliche Spielraum und die Freiheit des einzelnen erweitert werden könnten. Alle Europäer haben also gute Gründe, auf den doppelten Erfolg der internationalen Rüstungsbegrenzungsverhandlungen und der ökonomischen Reform in der Sowjetunion zu hoffen und jedenfalls zum Erfolg der ersteren nach Kräften beizutragen.

Dies sind Chancen für Europa, zugleich aber auch Risiken. So könnte Europa durch Abstinenz oder auch durch kurzsichtiges

Beharren einzelner europäischer Staaten auf dem gegenwärtigen Zustand mitverantwortlich werden für ein mögliches Scheitern der Abrüstungsverhandlungen. Im Falle erheblicher abrüstungspolitischer Erfolge besteht zum einen das Risiko, daß über die Köpfe der Europäer hinweg rein bilaterale Entscheidungen zustande kommen, die zugleich, wenn auch nicht notwendigerweise, die seit vierzig Jahren bestehende Teilung Europas in eine amerikanische und eine sowjetische Einflußsphäre für die weitere Zukunft festigen. Zum anderen bleibt das Risiko, daß eine im Laufe der Zeit ökonomisch stärker werdende Sowjetunion sich eines Tages erneut ein Rüstungsübergewicht zu verschaffen sucht.

Deshalb sollten die Staaten Westeuropas ihre Interessen bündeln, um gemeinsam ein politisch, militärisch und wirtschaftlich handlungsfähiges Subjekt der Weltpolitik zu werden. Damit ist nicht das gegenwärtig utopisch erscheinende Ziel der Schaffung der Vereinigten Staaten von (West)Europa gemeint; wohl aber jenes enge Zusammenwirken, wie es 1946 Churchill, 1962 de Gaulle und 1963 Kennedy vor Augen hatten. Churchills Vision war verfrüht; sie scheiterte, weil er sein eigenes Land nicht einbeziehen wollte. De Gaulles Vision scheiterte am deutschen Bundestag, ehe sie möglicherweise an der Sorge seiner Landsleute vor Deutschland gescheitert wäre wie acht Jahre zuvor der Plan einer Europäischen Verteidigungsgemeinschaft (EVG). Kennedy hätte als Außenstehender zur Einigung Europas vermutlich nur wenig beitragen können; sein früher gewaltsamer Tod beraubte Amerika aller positiver Einflußmöglichkeiten.

Trotzdem ist Kennedys Vision einer atlantischen Gemeinschaft, welche von einem amerikanischen und einem europäischen Pfeiler getragen werden sollte, heute aktueller als damals, zu Beginn der Verstrickung der USA in den Vietnamkrieg. Denn heute sind die objektiv nötigen Voraussetzungen gegeben: Die Europäische Gemeinschaft ist etabliert; England ist Mitglied; die französischen Vorbehalte gegen Deutschland sind einer weitgehenden beiderseitigen Sympathie gewichen; der Europäische Rat als europäisches Führungsorgan hat seit Beginn der achtziger Jahre seine Handlungsfähigkeit mehrfach bewiesen, er hat sogar die Grundlagen für ein gemeinsames Währungssystem geschaffen; die kollektive wirtschaftliche Kraft der EG-Mitgliedsstaaten, besonders ihre weltwirtschaftliche, alle anderen Staaten und Staatengruppierungen weit überragende Rolle gibt Europa heute potentiell ein unerhörtes politisches Gewicht; und schließlich sind inzwischen sogar – mit Ausnahme der nuklearen Waffen – alle quantitativen Voraussetzungen für eine selbständige und ausreichende Verteidigungskraft Westeuropas erfüllt.

Gleichwohl ist Westeuropa im Begriff, seine Chance zu verschlafen. Es könnte heute ein sein Schicksal selbst bestimmendes Subjekt der Weltgeschichte werden, wenn man so will: die vierte Weltmacht. Statt dessen verharren die westeuropäischen Staatslenker im Status-quo-Denken. Englands Staatslenker halten immer noch ihre »special relationship« zu den USA für wichtiger, obwohl sie dort inzwischen ziemlich in Vergessenheit geraten ist; in ihrem Denken ist der Ärmelkanal breiter als der Nordatlantik. Frankreichs Staatslenker erkennen bisher immer noch nicht, daß sie die nukleare Autonomie, die ihnen keiner neidet oder gar nehmen möchte, sehr wohl kombinieren könnten mit einer militärischen Führungsrolle vereinigter konventioneller Streitkräfte des kontinentalen Westeuropa – und dies durchaus im Rahmen des Nordatlantischen Bündnisses. Italiens politische Klasse ist, trotz der überdurchschnittlich erfolgreichen Dynamik der italienischen Wirtschaft, von verkappten außenpolitischen Minderwertigkeitskomplexen geplagt; sie erschöpft sich zu sehr in innenpolitischen Koalitionsspielereien. Die deutsche politische Klasse kommt nach Hitler, Auschwitz und Potsdamer Abkommen zur Führung nicht in Betracht; außerdem hindert sie ihr noch immer weitgehend ungeklärtes Verhältnis zur DDR und ihre teilweise übertriebene Angst vor der Sowjetunion und vor dem Kommunismus an konstruktivem gesamteuropäischem Denken.

So ist also Westeuropa gegenwärtig ohne Führung und ergibt sich deshalb auch weiterhin seiner sehr wohl begründeten Neigung zu Amerika. Dies bedeutet aber zugleich die Fortsetzung der Abhängigkeit von der Weltmacht USA. Und so wie wir von Zeit zu Zeit über die außenpolitische und gesamtstrategische Führung durch die Präsidenten Johnson, Carter und Reagan gestöhnt haben, so werden wir auch in Zukunft noch oft genug stöhnen. Japan ist in ähnlicher Lage wie wir Europäer. Aber anders als das in seiner Region isolierte Japan haben die Staaten Westeuropas eine Alternative, weil Europa durch mehr als tausend Jahre gemeinsamer kultureller Entfaltung, durch vierzig Jahre militärischer Kooperation, durch dreißig Jahre wirtschaftlicher Zusammenarbeit miteinander verbunden ist und weil seine Völker heute, anders als Japan in seiner Region, untereinander befreundet sind.

Es ist keineswegs auszuschließen, daß wir Westeuropäer versäumen, aus dieser historisch einzigartigen Situation zukunftweisende politische Konsequenzen zu ziehen. Daß wir versäumen, mit der zum Unfug gewordenen Agrarpolitik der EG aufzuräumen, einen wirklich homogenen gemeinsamen Markt zu schaffen, die elf Währungen innerhalb der EG schrittweise durch

459

einen gemeinsamen ECU zu ersetzen, um dadurch allmählich einen Gleichlauf unserer nationalen Haushalts- und Finanzpolitiken zu erreichen und eine integrierte Verteidigungsarmee zu schaffen. Und daß wir versäumen, Westeuropa eine gemeinsame gesamtstrategische Führung zu geben.

Wenn wir Westeuropäer im heutigen Zustand verharren sollten, so werden die Menschen in Osteuropa Klienten Moskaus bleiben und die Menschen in Westeuropa werden zu Klienten Washingtons absinken – auch wenn sie es nur gelegentlich bemerken, nämlich immer dann, wenn es kritisch wird.

Mit Nordamerika verbindet uns Westeuropäer nicht nur das Ideal und die Praxis der Demokratie, sondern auch die Praxis der Marktwirtschaft und der Dispositionsfreiheit von Konsumenten wie Unternehmen, vor allem aber das Ideal und die Praxis der freiheitlichen Grundrechte des einzelnen. Es gibt sehr viele Übereinstimmungen und nur wenige Gegensätze. Das Nordatlantische Bündnis ist nicht nur Ausdruck geostrategischer Zweckmäßigkeit, sondern auch einer großen Gemeinsamkeit der Grundwerte.

Wie groß die Übereinstimmung der Grundwerte zwischen den beiden kommunistischen Weltmächten ist und sein wird, läßt sich nur schwer ausmachen. Mit Sicherheit ist von beiden keine Übereinstimmung mit Nordamerika und Europa zu erwarten, was die Grundwerte der Demokratie betrifft; deren Konzept ist nun einmal – auf klassisch-griechischen Grundlagen aufbauend – im westeuropäischen und im nordamerikanischen Kulturraum entwickelt worden, und der Versuch, es in andere kulturelle Räume zu transplantieren, ist wenig aussichtsreich. Davon zu trennen ist die Frage, ob die beiden kommunistischen Weltmächte den Grundwert der persönlichen Freiheit des einzelnen entdecken und entfalten können; die Voraussetzungen dafür sind unter den Russen und unter den übrigen europäischen Völkern der Sowjetunion größer, weil kulturgeschichtlich besser fundiert, als unter den asiatischen Völkern der Sowjetunion und unter den Chinesen und den Minderheiten der Volksrepublik China. Wir Europäer haben geschichtlich kaum eine Legitimation, uns deshalb für überlegen und erhaben zu halten. Denn die Kultur Chinas ist in Jahrtausenden entfaltet worden, in denen bei uns noch niemand lesen oder schreiben konnte; sie hat ihre eigenen Werte entwickelt. Das Prinzip der gewaltsamen Bekehrung, in Westeuropa geboren, war schon zur Zeit der Kreuzzüge ein schwerwiegender Verstoß gegen eigene Grundwerte.

Sehr wohl aber haben wir ein Recht, uns abzuschirmen und zu verteidigen gegen den Versuch, umgekehrt uns Europäern Fremdbestimmung oder gar diktatorische Gesellschafts- und

Staatsformen aufzuzwingen. Unsere Erfolgsaussicht würde größer, wenn es im 21. Jahrhundert nicht drei, sondern vier Weltmächte gäbe, wenn Westeuropa sich durch seinen Einigungsprozeß zur vierten Weltmacht entwickelte. Auch in diesem Falle blieben die Erhaltung der eigenen Freiheit und des eigenen Friedens die überragenden Gebote. Durch geschickte Manipulation politischer, militärischer und wirtschaftlicher Macht allein können diese Gebote nicht erfüllt werden. Weitblick, Umsicht und eine vernunftgeleitete Gesamtstrategie Westeuropas müssen hinzukommen. Wenn wir – weit über dreihundert Millionen Westeuropäer – dies leisten könnten, dann hätten wir unser Gewicht in den Waagschalen der Welt. Auf diese Weise könnten wir unsere Selbstbestimmung erreichen – und auch den Europäern östlich von Elbe und Donau Hilfe und Rückhalt bieten, denn auch deren heutige Konstellation ist nicht für die Ewigkeit festgelegt.

Eine vernunftgeleitete, auf die Bewahrung des Friedens gerichtete Gesamtstrategie jedweder Weltmacht und jedweden Staates bedarf einer vernunftgeleiteten Diplomatie, das heißt: Sie bedarf des Willens, dem anderen zuzuhören und ihn und seine Interessen zu verstehen. Dabei ist Vorsicht geboten, aber ererbte Feindbilder sind von Übel.

Wer immer auf der anderen Seite des Verhandlungstisches sitzt, er ist ein Mensch mit menschlich-allzumenschlichen Vorzügen und Schwächen, die unseren eigenen Vorzügen und Schwächen sehr ähnlich sind. Er vertritt Interessen, die mit unseren eigenen keineswegs übereinstimmen. Aber auch er ist im Begriff zu lernen, daß Frieden und menschenwürdige Existenz nur gemeinsam zu haben sind. Wir alle, Amerikaner, Russen, Chinesen und Europäer, sind im Begriff zu lernen: Dies ist unsere gemeinsame Welt, in der wir aufeinander angewiesen sind. »One world«, so hat der Amerikaner Wendell Wilkie schon vor einem halben Jahrhundert gesagt. Für jeden von uns gilt: »to give is to have« – oder auf deutsch: Wer den Frieden in der Welt haben will, der muß auch bereit sein, dafür etwas herzugeben.

Abkürzungs- und Sachregister

464

468

Namenregister

471

474

Abbildungsnachweis

Sämtliche Bildvorlagen stammen aus dem Privatarchiv Helmut Schmidts. Folgende Rechteinhaber konnten ermittelt werden:
American Embassy, Bonn: 271 oben; AP: 121 unten; Bundesbild-stelle: 75, 76 oben, 103, 113, 114, 189, 205, 221, 227 oben, 247 oben, 248 unten, 270 unten, 291, 295, 296, 303 unten, 311, 319 oben, 420, 425 unten, 433 oben; dpa: 233, 345 unten, 346 unten, 371 unten; Photo Jürgens: 121 oben; Fritz Reiss: 379 oben; Theo Sommer: 346 oben, 372.

Adenauer

Rhöndorfer Ausgabe

Herausgegeben von Rudolf Morsey und Hans-Peter Schwarz im Auftrag der Stiftung Bundeskanzler-Adenauer-Haus

Briefe 1945–1947

792 Seiten, Leinen- und Ganzlederband

Briefe 1947–1949

752 Seiten, Leinen- und Ganzlederband

Briefe 1949–1951

656 Seiten, Leinen- und Ganzlederband

Der erste Band der Rhöndorfer Ausgabe präsentiert die Briefe Adenauers aus den Tagen des Zusammenbruchs des Dritten Reiches (die Schlacht um Berlin steht noch bevor) bis zum Juli 1947, als das von alliierten Militärgouverneuren regierte Deutschland sich anschickt, die Dinge wieder in die eigene Hand zu nehmen.
Der zweite Band umfaßt jene zwei Jahre, in denen alle entscheidenden Stationen liegen, die der Gründung des neuen deutschen Staates vorausgingen – Zweizonen-verwaltung, Wirtschaftsrat, Parlamentarischer Rat, also jene Versammlung, die die Verfassung des neuen Staates ausarbeitete, den man später Bundesrepublik Deutschland nennen sollte. Es sind die Jahre, in denen immer deutlicher wird, daß nicht nur die östlichen Provinzen, angeblich nur unter sowjetische und polnische Verwaltung gestellt, wohl für immer verloren sein werden, sondern daß auch die nationale Einheit der Restbestände des ehemaligen Deutschen Reiches nicht aufrechterhalten werden kann; die sowjetische Militäradministration läßt keinen Zweifel daran, daß sie an die Etablierung eines eigenen deutschen Staates in ihrem Herrschaftsbereich denkt. Es zeichnen sich die Parteien, Verbände, Kräfte und Institutionen ab, die nun seit bald vier Jahrzehnten unser aller Leben bestimmen.

Adenauer

Rhöndorfer Ausgabe

Teegespräche 1950–1954

848 Seiten, Leinen- und Ganzlederband

Teegespräche 1955–1958

528 Seiten, Leinen- und Ganzlederband

Der dritte und vierte Band der Rhöndorfer Ausgabe enthalten
die Protokolle der vertraulichen Teegespräche, die Adenauer
im engen Kreis der ersten in- und ausländischen Journalisten
führte und in denen er mit bemerkenswertem Freimut die
weltpolitische Situation erörterte und die Folgerungen, die
sich daraus für die deutsche Politik ergaben. Es liegt in der
Natur solcher vertraulicher Hintergrundgespräche, daß in
ihnen manches ausgesprochen wird, das man nicht zu Papier
bringen würde, sei es in der politischen und privaten
Korrespondenz, sei es in den Denkschriften an die eigenen
Parteigremien und die Alliierten, die damals noch nicht als
Schutzmächte, sondern als Besatzungsmächte auftraten.
Insofern läßt sich sagen, daß diese Gesprächsprotokolle, die
nicht von der Hand Adenauers sind, tieferen Einblick in sein
Denken und Wollen geben als manche Reden, die er vor der
Öffentlichkeit der Parteifreunde oder der Nation gehalten hat.

»Dieses alles ist ein Quellenwerk, ein Steinbruch, aus dem
mehr als ein Historiker sich authentisches Material für eigene
Schriften herausbrechen wird.«   DIE WELT

Siedler Verlag

CIP-Kurztitelaufnahme der Deutschen Bibliothek

Schmidt, Helmut:
Menschen und Mächte / Helmut Schmidt. – Berlin:
Siedler, 1987. ISBN 3-88680-278-7

Alle Rechte bei Wolf Jobst Siedler Verlag GmbH Berlin
Alle Rechte vorbehalten, auch das der
fotomechanischen Wiedergabe
Lektorat: Thomas Karlauf

Schutzumschlag: Wettstein, Venus & Klein, Berlin,
unter Verwendung eines Photos von Renate Schmitz
Karten: Charlotte Diehl, Berlin
Graphiken: Wolfgang Sischke, Hamburg
Satz: Bongé + Partner, Berlin
Reproduktionen: Gries KG, Ahrensburg
Druck: Mohndruck, Gütersloh
Buchbinder: Lüderitz & Bauer, Berlin

Printed in Germany 1987

ISBN 3-88680-278-7